D1291929

SECRETS

DU MÊME AUTEUR

Une femme trop fragile, Belfond, 2006

LESLEY PEARSE

SECRETS

Traduit de l'anglais
par Isabelle Vassart

belfond
12, avenue d'Italie
75013 Paris

Titre original :
SECRETS
publié par Michael Joseph, Londres.

Si vous souhaitez recevoir notre catalogue
et être tenu au courant de nos publications,
vous pouvez consulter notre site internet :
www.belfond.fr
ou envoyer vos nom et adresse, en citant ce livre,
aux Éditions Belfond,
12, avenue d'Italie, 75013 Paris.
Et, pour le Canada,
à Interforum Canada Inc.,
1055, bd René-Lévesque-Est,
Bureau 1100,
Montréal, Québec, H2L 4S5.

ISBN 978-2-7144-4167-6
© Lesley Pearse 2004. Tous droits réservés.
Et pour la traduction française
© Belfond, un département de place des éditeurs, 2007.

À mon père, Geoffrey Arthur Sargent, décédé en 1980, trop tôt pour me voir publier. J'ai décidé de situer l'intrigue de Secrets *à Rye, car c'était sa ville natale, qu'il adorait.*

À mon oncle, aussi, Bert Sargent, qui a demeuré à Rye jusqu'à sa mort, en 2002. Les vacances que j'y ai passées avec lui, ma tante Dorothy et mes cousins figurent parmi mes meilleurs souvenirs d'enfance.

PREMIÈRE PARTIE

1

Janvier 1931

Adèle courut tout le long du chemin et elle souffrait d'un point de côté quand elle atteignit Euston Road. Elle était en retard pour prendre Pamela, sa sœur de huit ans, à sa leçon de piano de l'autre côté de la rue. L'obscurité, les embouteillages de dix-huit heures et les plaques de verglas dans les caniveaux rendaient la traversée de cette artère d'autant plus dangereuse.

Adèle Talbot avait douze ans. Petite, maigre et pâle, elle avait l'air misérable avec son manteau en tweed usé trois fois trop grand pour elle, des chaussettes de laine qui tombaient sur ses chevilles et un bonnet pointu en tricot posé sur ses cheveux châtains en bataille. Malgré son jeune âge, ses yeux marron tirant sur le vert reflétaient une anxiété de grande personne tandis qu'elle sautait d'un pied sur l'autre, attendant avec impatience que la circulation s'arrête. Son père aurait dû aller chercher Pamela en sortant du travail, mais il avait oublié et Adèle craignait que sa petite sœur, fatiguée d'attendre, n'ait décidé de rentrer seule à la maison.

En équilibre sur le bord du trottoir, haletante après sa course, elle reconnut soudain Pamela à travers le flot du trafic. Il n'y avait aucun doute : la lumière des réverbères soulignait la blondeur de ses cheveux et le rouge très vif de son manteau. À la grande consternation d'Adèle, elle s'apprêtait à traverser.

— Ne bouge pas ! cria-t-elle en agitant les bras de façon frénétique. Attends-moi !

Plusieurs bus passèrent, empêchant Adèle de voir ce que faisait sa sœur. Soudain, elle entendit un grincement de freins sinistre.

Le cœur battant la chamade, Adèle s'élança sur la chaussée. Quand elle atteignit le milieu de la rue, ses pires craintes se réalisèrent : elle aperçut sa petite sœur gisant sur le macadam, recroquevillée entre une voiture et un taxi.

Adèle poussa un cri perçant. La circulation s'arrêta net, et d'épaisses fumerolles de vapeur s'élevèrent des capots des véhicules. Glacés d'effroi, les piétons s'immobilisèrent. Tous les regards convergeaient vers le petit corps blessé.

— Pamela ! hurla Adèle.

Le chauffeur de taxi, un grand gaillard au ventre rebondi, était sorti de sa voiture et regardait fixement l'enfant couchée entre les roues avant de son véhicule.

— Elle est sortie de nulle part en courant ! s'exclama-t-il en jetant des regards éperdus autour de lui. Je n'ai rien pu faire.

Les gens commençaient à s'attrouper et Adèle dut jouer des coudes pour se frayer un passage.

— Ne la touche pas, ma petite, conseilla une personne quand elle arriva enfin au milieu du groupe.

— C'est ma sœur, souffla Adèle en s'accroupissant près de Pamela. Elle devait m'attendre. Est-ce que ça va aller ? s'enquit-elle tandis que des larmes ruisselaient sur ses joues.

La question avait fusé naturellement, pourtant elle en connaissait la réponse : Pamela était morte. Ses yeux bleus grands ouverts exprimaient le saisissement, mais nulle grimace de souffrance ne déformait ses traits.

Adèle entendit quelqu'un dire qu'on avait appelé une ambulance. Un homme s'avança, prit le pouls de Pamela et enleva son manteau, dont il recouvrit la fillette en hochant la tête. Son attitude ainsi que les visages affligés de la foule confirmèrent ses craintes. Elle avait envie de hurler, de rouer de coups le chauffeur de taxi responsable. Elle n'arrivait pas à croire que la vie de Pamela s'arrêtait là. Tout le monde l'adorait, elle était si drôle, si éveillée ! Et surtout, elle était trop jeune pour mourir.

Penchée sur sa sœur, Adèle lui ramena doucement les cheveux

en arrière en pleurant à chaudes larmes. Une femme coiffée d'une toque en fourrure la prit par la taille et l'éloigna du petit corps.

— Où habites-tu, ma chérie ? demanda-t-elle en la berçant contre sa poitrine pour la réconforter. Ta maman et ton papa sont à la maison ?

Adèle bafouilla, consciente seulement du frottement du manteau de la femme contre sa joue et de la nausée qui l'envahissait. Mais elle avait dû fournir une réponse avant de se libérer pour vomir dans le caniveau car, plus tard, la même femme indiqua aux policiers que la sœur de l'enfant qui venait d'être renversée s'appelait Adèle Talbot et vivait au 47, Charlton Street.

Pourtant, jusqu'à l'arrivée de la police et de l'ambulance, Adèle n'eut aucune perception des gens qui l'entouraient, de ce qu'ils lui disaient, ni même du froid glacial. Tétanisée par l'angoisse, elle ne voyait que les cheveux blonds de Pamela flottant au vent sur la chaussée noire et humide avec, en fond sonore, les coups de Klaxon rageurs des conducteurs impatients.

Euston était le terrain de jeux favori d'Adèle et de Pamela. Pour certains, c'était un coin de Londres sale et dangereux, un passage obligé pour atteindre des quartiers plus sûrs et agréables, mais Adèle avait toujours trouvé Euston aussi inoffensif qu'un parc. Charlton Street se trouvait entre Euston et St. Pancras. Pour les deux sœurs, les gares du voisinage étaient des théâtres et les passagers, des personnages jouant dans un drame. Adèle y emmenait Pamela et inventait des histoires pour la distraire. Une femme en manteau de fourrure, marchant d'un pas léger à côté d'un porteur croulant sous le poids de ses grosses valises, devenait une comtesse. Un jeune couple s'embrassant avec passion s'apprêtait à s'enfuir. Parfois, elles croisaient des enfants voyageant seuls, une étiquette épinglée à leur manteau, et Adèle racontait des aventures invraisemblables remplies de méchantes belles-mères, de châteaux en Écosse et de malles au trésor bourrées d'argent.

À la maison régnait une ambiance tendue. Leur mère restait assise pendant des heures dans un silence maussade, remarquant à peine la présence de ses enfants ou de son mari. Elle s'était toujours comportée ainsi, ce qu'Adèle acceptait, mais elle avait appris à lire les signes précurseurs de ses explosions de fureur et s'éclipsait avec Pamela à la moindre de ces crises de rage. Celles-ci étaient terrifiantes, car leur mère lançait tout ce qui lui tombait sous la main en insultant Adèle.

Cette dernière essayait de se convaincre que sa mère dirigeait toujours sa colère contre elle parce qu'elle était l'aînée. Mais, au plus profond d'elle-même, elle savait que sa mère la détestait, pour une raison qu'elle ignorait.

Pamela en avait conscience et faisait de son mieux pour réparer les injustices. Si sa mère lui donnait de l'argent, elle le partageait avec Adèle. Quand elle avait reçu son nouveau manteau rouge pour Noël, elle avait été gênée qu'Adèle n'ait aucun cadeau. Avec son sourire lumineux, sa générosité et son sens de l'humour, Pamela avait rendu la vie de sa sœur supportable.

À présent, Adèle sanglotait en souhaitant qu'un adulte la serre dans ses bras et la rassure : sa petite sœur avait juste perdu connaissance. Car si Pamela était partie pour de bon, il serait préférable qu'elle meure, elle aussi.

Un agent jeune et costaud prit la main d'Adèle pendant qu'on transportait Pamela dans l'ambulance. Quand ils allongèrent la fillette sur le brancard, ils couvrirent son visage avec la couverture, confirmant de façon implicite sa mort.

— Je suis désolé, déclara gentiment l'agent, puis il se pencha pour mettre son visage au niveau de celui d'Adèle. Je suis l'agent de police Mitchell. Le sergent et moi allons te raccompagner chez toi. Nous devons informer ta maman et ton papa de l'accident et tu nous raconteras exactement ce qu'il s'est passé.

Cette phrase déclencha une peur panique chez Adèle. Dès qu'elle avait entendu le grincement de freins, toutes ses pensées s'étaient concentrées sur Pamela. Rien d'autre n'avait plus existé excepté le petit corps de sa sœur étendu sur la chaussée et ce qu'elles représentaient l'une pour l'autre. Mais à la mention de ses parents Adèle fut terrifiée.

— Je ne... ne... ne... peux pas rentrer à la maison, bégaya-t-elle, en serrant fort la main de l'agent. Ils vont dire que c'est ma faute.

— Mais non ! s'écria l'agent Mitchell, indigné, tout en frottant la main froide de la fillette entre les siennes. Ce genre

14

d'accident peut arriver à n'importe qui, tu n'es encore qu'une enfant.

— Si seulement j'avais été plus rapide, sanglota-t-elle.

Le visage inquiet et bienveillant de l'agent la bouleversa. Quel contraste avec ses parents, qui se souciaient si peu d'elle !

— J'ai couru tout le long, mais elle s'apprêtait déjà à traverser quand je suis arrivée.

— Ta maman et ton papa comprendront, assura-t-il en lui tapotant l'épaule.

L'ambulance démarra et la foule commença à se disperser. Seul restait le chauffeur de taxi, qui discutait avec les deux policiers. Tout rentra dans l'ordre très vite : les voitures roulaient à l'endroit même où Pamela gisait quelques minutes auparavant, les badauds poursuivaient leur chemin pour se rendre au pub, prendre un bus ou acheter le journal du soir. Pour eux, il s'agissait juste d'un incident, triste certes, mais qu'ils auraient oublié avant même d'arriver chez eux.

Toute petite, Adèle s'était rendu compte qu'il régnait une grande inégalité à Euston. Les gares, ces bâtiments vastes et magnifiques employant des centaines de personnes, dominaient le quartier telles des cathédrales imposantes. Les gens assez fortunés pour voyager comptaient sur le travail des pauvres pour rendre leur trajet confortable et agréable.

Les employés des chemins de fer vivaient dans les rues sales et misérables autour des gares. Un porteur avait beau connaître les horaires de chaque train, chaque arrêt entre Londres et Édimbourg, et se casser le dos et les bras tous les jours à porter des bagages très lourds, il ne visiterait jamais ces endroits dont les noms sortaient spontanément de sa bouche. S'il parvenait à emmener sa femme et ses enfants pour la journée au bord de la mer, il s'estimerait heureux. De même, les bonnes qui faisaient les chambres dans les hôtels luxueux n'avaient probablement pas de draps pour leur propre lit, encore moins de toilettes ou de baignoire.

Dans le quartier, Adèle avait souvent observé le manège des riches et des pauvres : une femme élégante en fourrure de renard achetant des fleurs à un vieux soldat unijambiste en haillons, un homme dans une voiture étincelante adressant des signes impatients au nain qui vendait les journaux. Adèle savait que le nain vivait sous un passage voûté de la voie ferrée. Elle avait vu le vieux soldat ôter sa casquette et sourire à ses clients en chancelant sur ses béquilles, alors qu'il était frigorifié. Quand les hommes d'affaires quittaient leur bureau pour regagner leurs banlieues verdoyantes, les pauvres sortaient afin de nettoyer tout derrière eux.

Néanmoins, Adèle avait toujours juré à Pamela qu'un avenir meilleur les attendait. Elle lui racontait des histoires où elles habitaient dans un quartier chic de Londres et assurait qu'un jour elles visiteraient toutes les destinations affichées sur les panneaux des gares. À présent, sans sa sœur, ces rêves et ces ambitions se retrouvaient réduits à néant.

Le chauffeur remonta dans son taxi et, pendant un instant, il regarda Adèle comme s'il voulait lui dire quelque chose. Mais peut-être était-il trop bouleversé pour parler et il démarra sans un mot.

— Allons-y, déclara Mitchell.

Il prit fermement la main d'Adèle dans la sienne et la conduisit à la voiture de police. Adèle n'était jamais montée dans une automobile, pourtant ce détail suffit à lui rappeler douloureusement Pamela. Son jeu favori consistait à mettre deux chaises l'une derrière l'autre pour créer un véhicule imaginaire dont elle était toujours la conductrice, et Adèle la passagère qui indiquait la direction.

Les Talbot louaient trois petites pièces au dernier étage d'une maison mitoyenne dans Charlton Street. Les Manning vivaient au deuxième avec leurs quatre enfants, et les Patterson et leurs trois enfants habitaient au rez-de-chaussée.

Comme dans la plupart des rues du quartier, la porte d'entrée ouvrait directement sur le trottoir, mais, contrairement aux autres, la maison n'était occupée que par trois familles et bénéficiait, luxe suprême, d'une salle de bains et de toilettes communes à l'intérieur.

La porte était fermée à cause du froid glacial et Adèle introduisit sa main dans la boîte aux lettres pour prendre la clef. Elle jeta un regard aux agents. Le plus jeune, Mitchell, soufflait sur ses doigts pour les réchauffer. Le sergent se tenait en retrait et contemplait la façade. Leur air inquiet ne rassura pas Adèle.

En montant l'escalier, la fillette vit l'immeuble avec les yeux des policiers et eut honte de la crasse et de la puanteur. La peinture des murs était si vieille qu'on n'en devinait plus la couleur. Comme toujours, il y avait beaucoup de bruit, le bébé des Manning s'époumonait et les autres enfants hurlaient par-dessus ses cris.

La porte de l'appartement des Talbot s'ouvrit brusquement alors qu'ils arrivaient à peine sur le palier et le visage de Rose, la mère d'Adèle, se crispa en découvrant les policiers.

— Où est Pammy ? s'exclama-t-elle. Ne me dites pas qu'il lui est arrivé quelque chose !

Adèle avait toujours trouvé sa mère belle, même quand elle était méchante et déprimée. Cependant, à cet instant, elle la vit telle qu'elle était. Pas une beauté aux cheveux dorés et à la silhouette de rêve, mais une femme de trente ans fatiguée, au corps flasque, au teint terreux et aux cheveux embroussaillés. Le tablier qu'elle portait sur sa jupe et son pull était taché et le bout de ses pantoufles à carreaux marron arborait un gros trou.

— Pouvons-nous entrer, madame Talbot ? demanda le sergent. Il y a eu un accident.

Rose poussa un cri terrible, qui prit Adèle au dépourvu. Aussitôt, son père apparut sur le seuil, exigeant des explications. Aux étages inférieurs, les voisins ouvraient leur porte pour voir ce qui se passait.

— Elle est morte, n'est-ce pas ? hurla sa mère.

Ses yeux se fermèrent.

— Qui est le responsable ? Comment c'est arrivé ?

Mitchell poussa Adèle devant lui et les agents parvinrent à pénétrer dans l'appartement. La pièce servait à la fois de salle de séjour et de cuisine. Une odeur de friture régnait, mélangée à celle de la lessive qui séchait près du feu. La table était dressée pour le thé. Le sergent fit asseoir Rose dans un fauteuil et commença à lui raconter l'accident avec beaucoup de tact.

— Où était Adèle ? Elle devait aller la chercher, l'interrompit Rose en foudroyant sa fille aînée du regard. Pourquoi a-t-elle laissé Pammy traverser la rue en courant ?

Adèle s'était attendue que sa mère rejette la responsabilité sur elle ; elle agissait toujours ainsi lorsqu'un problème se présentait. Pourtant, elle s'était cramponnée au faible espoir qu'elle n'utiliserait pas sa tactique habituelle dans des circonstances aussi dramatiques.

— J'ai couru tout le long du chemin, mais elle essayait déjà de traverser quand je suis arrivée, déclara la fillette en larmes. Je lui ai crié de s'arrêter... je crois qu'elle ne m'a pas entendue.

— Et elle a été renversée par une voiture ? Ma belle Pammy est morte, c'est ça ?

Le sergent acquiesça. Il comptait sur l'aide de Jim Talbot ; ce dernier était effondré sur sa chaise, la tête entre les mains.

— Monsieur Talbot, dit l'agent en lui touchant l'épaule. Nous sommes vraiment désolés. Une ambulance est arrivée rapidement sur les lieux, mais il était trop tard.

Adèle observa son père, qui levait les yeux vers elle. Un bref instant, elle crut qu'il allait l'attirer à lui pour la réconforter. À la place, sa bouche se tordit en un mauvais rictus.

— Trop tard ! rugit-il en la désignant du doigt. Tu es arrivée en retard et maintenant elle est morte à cause de ta fainéantise !

— Allons ! intervint le sergent. Adèle n'y pouvait rien. C'est un accident. Ne rejetez pas la faute sur elle, ce n'est qu'une enfant et elle est en état de choc.

Adèle se tenait debout près de la porte, trop assommée pour trouver la force de s'asseoir. Elle avait le sentiment de ne rien avoir à faire ici.

Ce sentiment s'amplifia tandis que les deux agents tentaient de réconforter ses parents en les appelant Rose et Jim comme s'ils étaient de vieilles connaissances. Mitchell prépara du thé et le servit, le sergent prit une photo de Pamela sur le manteau de la cheminée et fit remarquer qu'elle était très mignonne. Son père enlaça sa mère, et les agents ponctuaient d'exclamations approbatrices le long discours des Talbot sur les nombreuses qualités de leur cadette. Elle était belle, intelligente, enjouée. Les gens l'adoraient. Ils avaient l'air de sous-entendre que leur fille aînée était tout le contraire et de trouver injuste que Pamela soit morte et elle, vivante.

Le sergent donna une tasse de thé à Adèle, puis on l'oublia. Elle était devenue invisible. Peut-être resta-t-elle debout une dizaine de minutes, des minutes qui lui parurent une éternité. Elle avait l'impression de regarder une pièce de théâtre et que les projecteurs la dérobaient à la vue des acteurs. Elle pouvait voir, entendre et ressentir leur chagrin, mais eux n'avaient aucune conscience de sa souffrance.

Finalement, elle s'assit sur un petit tabouret près de la porte et posa la tête sur ses genoux.

Rose passait de l'hystérie à l'abattement, relatait un autre épisode où Pamela s'était montrée exceptionnelle, puis Jim complétait l'histoire. Les agents répondaient d'un ton calme et mesuré. Adèle avait beau être jeune et sans expérience, elle percevait l'habileté dont ils faisaient preuve face au chagrin, dosant les marques d'intérêt, de compréhension et d'attention tout en s'efforçant d'amener le couple à accepter la mort de leur fille.

Une petite voix en elle brûlait de leur raconter que la phrase favorite de son père envers ses filles avait toujours été : « Vous ne pouvez pas la fermer ? » Que c'était lui qui était censé aller chercher Pamela et qu'il avait oublié. Elle se demandait également si les policiers se montreraient aussi bienveillants envers Rose en apprenant que, la plupart du temps, elle était trop mal lunée pour se lever le matin. Adèle avait toujours préparé le petit déjeuner à sa sœur avant de l'emmener à l'école.

— Aimeriez-vous nous accompagner afin de voir Pamela ? interrogea le sergent après un moment.

Rose continuait de pleurer, un peu plus calmement.

— Vous devez l'identifier, et cela vous aidera peut-être de constater qu'elle est morte sur le coup et que son corps ne porte aucune trace de blessure.

Jusque-là, Adèle avait gardé le silence, perdue dans sa douleur, mais la question de l'agent la ramena brusquement à la réalité.

— Est-ce que je peux venir aussi ? s'enquit-elle impulsivement.

Les quatre adultes se tournèrent vers elle. Les agents la regardèrent, stupéfaits : ils semblaient l'avoir complètement oubliée. Quant à ses parents, ils prirent un air outragé.

— Quelle petite dépravée ! explosa sa mère en se levant comme si elle allait la frapper. Ce n'est pas une exhibition de monstres. Notre petite chérie est morte à cause de toi !

— Allons, allons, Rose, coupa le sergent en s'interposant

entre la mère et la fille. Ce n'est pas ce qu'Adèle voulait dire. Elle est bouleversée, elle aussi.

Le sergent Mike Cotton aurait donné n'importe quoi pour être ailleurs qu'au 47, Charlton Street. En vingt ans de service, il avait été appelé des centaines de fois pour annoncer le décès d'un proche, et c'était toujours douloureux. Mais apprendre à des parents la mort d'un enfant se révélait une tâche horrible car aucun mot n'était capable d'adoucir la souffrance, rien ne pouvait justifier la disparition soudaine d'un petit en bonne santé. Pourtant, cette situation était l'une des pires qu'il eût affrontée. Dès l'instant où Rose avait ouvert la porte, voyant qu'Adèle ne s'était pas précipitée dans ses bras, il avait compris qu'un grave problème minait la famille.

Pendant qu'il s'entretenait avec les Talbot, il était conscient de la présence d'Adèle debout, près de la porte. Il aurait aimé la prendre sur ses genoux pour la réconforter, mais c'était là le rôle de son père. Comme c'était lui qui aurait dû aller chercher Pamela par cette nuit sombre et froide de janvier. Euston Road n'était pas un endroit pour une gamine seule. Le rebut du genre humain y traînait : des mendiants, des voleurs à l'affût, des prostituées et leurs souteneurs.

Par ailleurs, les Talbot étaient mieux lotis que la plupart de leurs voisins. Il connaissait des familles de neuf ou dix personnes entassées dans une pièce et dont la survie dépendait de l'astuce de la mère. Souvent, celle-ci devait arracher l'argent des courses à son mari avant qu'il ne le dépense au pub. D'autres fouillaient les ordures tels des animaux, et certaines femmes expédiaient les gamins dans la rue le soir pour gagner de quoi les nourrir en se prostituant.

L'appartement des Talbot était miteux, mais propre et chaud. Jim avait du travail, malgré la crise économique qui étranglait lentement le pays.

Rose semblait issue de la classe moyenne : elle parlait un anglais correct – bien que truffé de mots d'argot cockney – et son comportement était raffiné. Mike avait noté que, malgré la tragédie, elle avait rapidement enlevé son tablier et passé ses doigts dans ses cheveux en désordre, comme un peu honteuse de n'être pas présentable pour recevoir des visiteurs. Si sa jupe et son pull provenaient sans aucun doute du marché, leur ton bleu pâle mettait en valeur ses beaux yeux et lui donnait une certaine allure.

En revanche, Jim appartenait au plus bas de l'échelle sociale. Bien que grand et mince, il avait le dos voûté et un aspect gauche caractéristique des gens sortis des bidonvilles de Londres. Son ton était geignard, et il faisait beaucoup plus vieux que ses trente-deux ans. Sa dentition semblait en mauvais état, ses cheveux blond-roux étaient clairsemés et ses yeux bleus, délavés. Il ne paraissait pas très intelligent non plus. Alors pourquoi une femme comme Rose, séduisante et bien élevée, avait-elle épousé un homme tel que Jim ?

Si les parents étaient mal assortis, un écart encore plus grand séparait les sentiments qu'ils éprouvaient envers leurs deux filles. De nombreuses photos de Pamela ornaient le buffet et l'un de ses dessins était punaisé au mur. D'Adèle, aucune trace. Mike avait remarqué que la cadette, bien potelée, portait un manteau chaud et des moufles. Adèle en revanche était très maigre, son teint terreux, et son manteau était visiblement un vieux vêtement d'adulte. De plus, elle semblait souffrir de malnutrition. Ses cheveux fins et ternes n'avaient aucun éclat, et elle flottait dans sa tunique d'écolière bleu marine.

Cela ne signifiait pas grand-chose dans un quartier où des centaines de gamines du même âge étaient sous-alimentées et vêtues encore plus pauvrement. Pourtant, Mike était persuadé que leurs mères, même les souillons alcooliques, seraient incapables d'ignorer une enfant assoiffée de réconfort et de tendresse de façon si manifeste.

La gamine avait assisté à une scène susceptible de faire pleurer le plus endurci des agents de police, alors pourquoi Rose avait-elle été incapable de consoler sa fille aînée ?

Adèle se sentit soulagée quand ses parents partirent avec les agents en lui ordonnant de se coucher. Mais quand elle pénétra dans la chambre glaciale et vit le lit qu'elle avait toujours partagé avec Pamela, elle recommença à sangloter. Elle ne sentirait plus jamais le petit corps chaud de sa sœur blotti contre le sien. Fini les conversations à voix basse, les gloussements de rire et les secrets partagés. Elle avait perdu la seule personne qui lui témoignait de l'affection.

Elle n'avait aucun souvenir précédant la naissance de sa sœur. Elle se remémorait un landau trop haut pour qu'elle puisse le pousser et un lit d'enfant avec un bébé beaucoup plus intéressant qu'une poupée. Ils vivaient, ailleurs à cette époque, dans un appartement en sous-sol. Elle se rappelait toutefois le déménagement à Charlton Street, car Pamela commençait juste à marcher et elle la surveillait pour l'empêcher de descendre l'escalier.

Recroquevillée dans le lit, tremblante et pleurant à chaudes larmes, elle ne pouvait empêcher les souvenirs de se bousculer dans son esprit.

Ses parents avaient toujours préféré sa sœur. Ils riaient quand elle se trompait de mot, la prenaient avec eux dans leur lit, lui donnaient de plus grosses portions de nourriture. Pamela portait rarement des vêtements ou des chaussures d'occasion, tandis qu'Adèle n'en avait jamais eu de neufs.

Une seule chose l'avait rendue jalouse : les leçons de piano de sa petite sœur. Pamela n'avait jamais manifesté le moindre intérêt pour la pratique d'un instrument. Elle souhaitait danser, monter à cheval et nager, mais la musique, elle s'en moquait. Adèle adorait ça et y faisait régulièrement allusion.

Elle avait conscience que l'Angleterre était la proie d'une chose appelée « Dépression ». Chaque semaine, les files d'attente d'hommes à la recherche d'un emploi s'allongeaient un peu plus. Adèle avait vu une soupe populaire à King's Cross, des familles incapables de payer leur loyer jetées sur le pavé. Même si son père avait du travail, il risquait de le perdre à tout moment, il était donc hors de question de s'offrir le luxe de cours de musique.

Un jour, de façon complètement inattendue, sa mère annonça que Pamela irait suivre des leçons tous les jeudis après-midi chez Mme Belling.

Adèle avait compris que c'était pour la vexer. En effet, quelle autre raison invoquer puisque sa sœur ne tenait pas à y aller ? Il y avait à peine deux semaines, elle avait confié à Adèle qu'elle détestait le piano. En outre, Mme Belling jugeait inutile de le lui enseigner car elle n'en possédait pas un pour s'exercer à la maison. À présent, elle était morte à cause de ça.

Adèle entendit ses parents rentrer. Ils discutaient mais elle ne distinguait pas leurs paroles. Sa mère passait des sanglots à des gémissements amers. D'une voix râpeuse, teintée de colère, son père débitait une longue diatribe ponctuée de coups de poing sur la table.

Adèle supposa qu'ils buvaient, fait inquiétant, car, en général, cela dégénérait en dispute. Malgré son envie, elle n'osa pas aller aux toilettes, paniquée à l'idée de traverser la salle de séjour.

Irai-je à l'école demain ? se demanda-t-elle. La plupart des enfants qu'elle connaissait restaient à la maison quand il y avait un décès dans leur famille, mais Rose n'était pas comme les autres mères du quartier. Parfois, Adèle était fière de cette différence. À bien des égards, Rose Talbot était supérieure. Elle prenait soin de son apparence, ne criait ni ne jurait dans la rue comme la plupart de leurs voisins. L'appartement était propre, bien rangé et, tous les soirs, un dîner chaud les attendait.

Pourtant, Adèle aurait préféré vivre dans la pagaille si cela avait rendu Rose heureuse et affectueuse, à l'image des autres mères. Elle riait rarement, ne bavardait pas et ne voulait jamais sortir, même pour profiter de Regent's Park en été. On avait l'impression qu'elle avait choisi d'être malheureuse pour gâcher la vie des autres.

Finalement, Adèle ne put plus se retenir. Elle ouvrit la porte tout doucement, espérant sans y croire qu'elle parviendrait à sortir discrètement et à atteindre l'escalier sans être vue.

— Qu'est-ce que tu veux ? demanda Rose d'un ton brusque.

Adèle s'expliqua et fila droit sur la porte d'entrée avant de laisser à sa mère le temps de lui répondre. Il gelait dans l'escalier. Les toilettes sentaient à nouveau mauvais et elle eut un haut-le-cœur. Rose râlait sans cesse au sujet de Mme Manning, qui passait toujours son tour de ménage. Selon elle, leur voisine devrait les récurer deux fois plus souvent puisqu'elle avait deux fois plus d'enfants. Lors de leur dernière dispute, Mme Manning avait menacé de casser la figure à Rose et l'avait traitée de bêcheuse.

En regagnant l'appartement, Adèle hésita. Assis devant la cheminée, un verre à la main, ses parents étaient si tristes qu'elle décida de leur parler.

— Je suis vraiment désolée de n'être pas arrivée plus vite. J'ai couru tout le long du chemin.

Son père se retourna.

— Personne n'y pouvait rien, répondit-il tristement.

L'espace d'un instant, Adèle pensa qu'ils allaient se radoucir à son égard, mais elle se trompait lourdement. Sans prévenir, une bouteille de bière vide fondit sur elle, la frappant au front, puis se brisa en tombant sur le linoléum.

— Hors de ma vue, sale bâtarde ! hurla sa mère. Je ne t'ai jamais désirée et tu as tué mon bébé !

2

— Je ne veux pas qu'elle assiste aux obsèques, annonça Rose Talbot d'un ton brusque.

Alarmé, Jim leva les yeux. Il cirait ses chaussures. Ayant prévu que Rose lui crierait après parce qu'il les avait mises sur la table, il avait auparavant disposé des journaux. Mais il avait été loin d'imaginer que, à moins de deux heures de l'enterrement, elle trouverait un nouveau prétexte pour créer des problèmes.

— Pourquoi ? demanda-t-il d'une voix tendue. Parce qu'elle est trop jeune ?

Depuis la mort de Pamela, Rose le rendait très nerveux. Il comprenait son chagrin. La plupart du temps, lui aussi avait envie de mourir afin de ne plus ressentir cette souffrance horrible. Devoir attendre deux semaines le rapport du coroner avant les funérailles n'avait fait qu'empirer la situation, pourtant il ne comprenait pas sa férocité envers Adèle.

— Si ça t'arrange de dire à tout le monde qu'elle est trop jeune, fais-le, rétorqua Rose en déambulant avec impatience dans la salle de séjour. Mais ce n'est pas la raison. Je ne veux pas qu'elle soit là, c'est tout.

Jim décida de se montrer ferme.

— Écoute, Pammy était sa sœur. Elle doit être présente. Les gens vont jaser.

Rose se retourna et lui jeta un long regard glacial.

— Qu'ils jasent ! Je m'en fiche, répliqua-t-elle.

Jim agit comme d'habitude quand Rose le défiait : il abdiqua, se contentant d'astiquer ses chaussures jusqu'à ce qu'elles brillent. Peut-être devrait-il être plus dur avec elle, seulement il avait conscience que Rose ne l'aimait pas autant que lui l'aimait et il avait peur de s'opposer à elle.

— Comme tu voudras, lâcha-t-il mollement après une brève hésitation.

Rose quitta la pièce tel un ouragan et se réfugia dans leur chambre, effrayée de ce qu'elle brûlait de lui jeter à la figure si elle restait une minute de plus en sa présence. Elle enleva ses bigoudis rageusement, prit sa brosse à cheveux et s'approcha du miroir. Son reflet excita sa colère.

Tout en elle était flasque. De nombreuses personnes la trouvaient encore séduisante, cependant, à ses propres yeux, elle ressemblait à une rose trop épanouie dont les pétales s'apprêtent à tomber.

Une main de chaque côté de son visage, elle tira sa peau en arrière. Instantanément, sa mâchoire se raffermit, les rides autour de sa bouche disparurent : elle retrouvait sa jeunesse. Avec sa silhouette de rêve, son teint de porcelaine, ses lèvres pulpeuses et ses magnifiques cheveux blonds, elle voyait les gens se retourner sur son passage. Si elle avait épousé un homme riche, peut-être serait-elle toujours aussi belle.

Mais le destin s'était acharné contre elle. Quand elle avait treize ans, tous les jeunes gens convenables étaient partis à la guerre et, parmi les rescapés, beaucoup étaient déjà fiancés ou réduits à l'état d'épave, comme son père. À trente ans, elle n'était pas vieille, seulement elle ne pouvait plus changer sa vie, ni enrayer le flétrissement de sa beauté.

Elle avait épousé Jim parce qu'elle était enceinte d'Adèle. Elle avait vu en lui un refuge temporaire, croyant qu'après la naissance du bébé la situation s'arrangerait. Mais elle s'était retrouvée prise au piège. L'ironie du sort, c'est que l'arrivée de Pamela quatre ans plus tard avait changé sa vision du mariage pendant quelque temps. Elle n'avait jamais désiré être encombrée d'un autre enfant, pourtant elle l'avait aimé dès le premier instant.

Dans les romans à l'eau de rose qu'elle dévorait, jeune fille, elle aurait dû aussi tomber éperdument amoureuse de Jim. Cela ne se produisit pas. Elle apprit juste à se résigner. Près de Pamela, la réplique d'elle-même, elle gardait espoir en un avenir meilleur.

Aujourd'hui, Pamela disparue, la vie ne présentait plus aucun intérêt. Elle se retrouvait à la case départ : Adèle était la cause de sa vie gâchée et Jim, bien sûr, un homme qu'elle n'arrivait ni à aimer, ni même à respecter.

Assise sur son lit, Adèle reprisait sa seule paire de chaussettes présentable quand Rose entra dans sa chambre.

Elle eut envie de lui dire qu'elle la trouvait jolie mais elle ravala ses paroles, craignant que des compliments adressés à une personne en grand deuil n'apparaissent inopportuns. Pourtant le noir allait bien à sa mère, et la façon dont ses cheveux blonds bouclaient autour de son petit chapeau était ravissante.

— Il est déjà temps de partir ? demanda-t-elle. Je viens juste de finir de raccommoder mes chaussettes.

— Laisse tomber, tu restes là, répondit sa mère avec brusquerie. Les enfants n'assistent pas aux enterrements.

Adèle ressentit une vague de soulagement. Depuis deux semaines, la perspective des obsèques la terrifiait. Pamela avait toujours eu peur des cimetières et Adèle doutait de pouvoir supporter la vue du cercueil descendant dans la fosse.

— Tu veux que je prépare quelque chose pendant votre absence ?

Aucune collation n'était prévue après les funérailles : pas un parent ne serait présent. Mais Adèle pensait qu'ils ramèneraient peut-être les voisins.

La gifle la surprit plus qu'elle ne lui fit mal.

— Qu'est-ce que j'ai dit ?

— Tu t'en fiches, hein ? cria Rose. Sale petite garce !

— C'est pas vrai ! Je l'aimais autant que toi, s'indigna Adèle en pleurant.

— Personne ne l'aimait comme moi !

Sa mère approcha son visage du sien, ses yeux étaient aussi glacials que le temps dehors.

— Personne ! Si seulement c'était toi qui étais morte. Tu m'as pourri la vie dès l'instant où tu es née.

Sa mère devait être devenue folle pour sortir des horreurs pareilles. Malgré sa peur, Adèle se rebiffa.

— Alors pourquoi tu m'as eue ?

— Dieu sait si j'ai fait le maximum pour me débarrasser de toi, rétorqua-t-elle avec hargne, les lèvres retroussées comme un chien sur le point de mordre. J'aurais dû t'abandonner sur le seuil d'une maison.

La porte s'ouvrit brusquement et Jim pénétra dans la pièce.

— Qu'est-ce qui se passe ?

— Je lui ai dit ses quatre vérités, déclara Rose, agacée, en quittant la pièce, Jim sur ses talons.

Adèle resta assise un long moment sur son lit, en état de choc. Sa mère souffrait sans doute d'une sorte de maladie causée par la perte de Pamela. Ses paroles avaient dépassé sa pensée. Mais les gens ne disaient pas des choses pareilles… sauf si c'était vrai.

Adèle était toujours immobile quand elle entendit ses parents sortir sans un mot. Sa chambre, située à l'arrière de la maison, ne donnait pas sur la rue. Elle attendit qu'ils aient descendu l'escalier puis se rendit dans celle de ses parents, tira légèrement les rideaux et, à travers la fente, vit le corbillard devant la porte.

À Charlton Street, personne ne possédait d'automobile. Du coup, c'était un événement quand une voiture stationnait dans le quartier. Tous les garçons se précipitaient pour la contempler. Les adultes tentaient de deviner à qui elle appartenait et quel était le but de la visite.

Toutefois, les corbillards suscitaient une réaction bien différente. Les voisins qui se rendaient à l'enterrement formaient un petit groupe et on avait de la peine à les reconnaître, impeccables dans leurs vêtements noirs. Plus bas dans la rue, des femmes observaient la scène depuis leur seuil. Les hommes ôtaient leur chapeau. Les jeunes enfants restaient à l'intérieur des maisons et, sur le trottoir, les mères demandaient aux plus grands de se tenir tranquilles, dans une attitude de déférence.

Il était réconfortant qu'on témoigne à sa sœur le même respect qu'à un adulte, mais penser à Pamela couchée à l'intérieur du cercueil était insupportable pour Adèle. Une fillette si bavarde, si pleine de vie ! Elle connaissait presque tous les gens du voisinage. Curieuse, drôle et adorable, elle parvenait à charmer les personnes les plus bourrues.

Il n'y avait pas beaucoup de fleurs. Les voisins s'étaient réunis pour acheter une couronne, Adèle l'avait vue quand on l'avait livrée dans la matinée. Elle était petite car personne n'avait beaucoup d'argent, et comme en janvier il était difficile de se procurer des fleurs fraîches, elle se composait surtout de feuillages. Celle des professeurs de l'école de Pamela était plus grande, et il y avait aussi un très beau bouquet de Mme Belling, le professeur de piano.

La couronne de ses parents, de taille modeste, comportait des roses. Elle était très jolie, Pamela aurait certainement approuvé ce choix.

Ses parents se placèrent juste derrière le corbillard, et M. et Mme Patterson, du rez-de-chaussée, firent signe aux voisins de se mettre en rang derrière eux. Le corbillard démarra pour remonter la rue au pas jusqu'à l'église, suivi par l'assistance. Tout le monde marchait la tête baissée.

Maintenant qu'il n'y avait plus rien à voir, Adèle se remémora les cruelles paroles de sa mère et se remit à pleurer. Avait-elle vraiment songé à l'abandonner sur le seuil d'une maison ? Toutes les mères aimaient leur bébé, non ?

Deux mois plus tard, en mars, Adèle rentrait de l'école en traînant des pieds. Depuis la mort de Pamela, chaque jour était un supplice. Aujourd'hui, sa classe jouait au ballon prisonnier quand Mlle Swift, son professeur, lui avait demandé devant tout le monde d'où provenaient les bleus sur ses jambes.

Adèle avait répondu la première chose qui lui passait par la tête : elle l'ignorait. Mlle Swift avait jugé cette réponse ridicule, et son regard entendu laissait penser qu'elle connaissait exactement l'origine des marques.

En fait, Rose l'avait frappée avec le tisonnier le samedi précédent. Elle s'en était emparée pendant qu'Adèle, à genoux, était occupée à préparer le feu. Elle l'avait battue sous prétexte qu'elle avait répandu des cendres sur le tapis. Sur le moment, Adèle avait eu du mal à marcher. Le lundi, c'était déjà plus supportable et, par chance, sa longue tunique d'écolière cachait les zébrures. Elle avait oublié qu'elle devrait se mettre en short pour la gymnastique.

Si Mlle Swift lui avait posé la question en privé, elle aurait avoué la vérité, mais pas devant les élèves. La plupart des filles vivaient à Charlton Street et Adèle ne voulait pas qu'elles se précipitent chez elle pour raconter à leur mère que Rose Talbot devenait folle.

Le mot n'était pas trop fort, même son père le répétait sans cesse. Rose ne se contentait pas de battre sa fille, elle frappait aussi Jim quand elle buvait. Et elle buvait tout le temps. Elle ne cuisinait plus, ne faisait plus les courses, ni le ménage ni la lessive. Elle n'était jamais là pour le dîner : à l'heure où Adèle arrivait de l'école, Rose cuvait son vin au lit.

Adèle nettoyait l'appartement, puis son père l'envoyait chercher des *fish and chips* quand il rentrait du travail. S'il se plaignait de l'absence de repas, sa mère pleurait ou l'insultait. Souvent, elle se précipitait au pub, alors Jim lui courait après pour la ramener à la maison.

C'était horrible. Adèle avait grandi au gré des sautes d'humeur de sa mère. Celles-ci faisaient partie de sa vie comme aller à l'école ou emmener le linge à la laverie des bains publics. Mais maintenant, son père commençait à agir de même. Lui qui affichait toujours un tel calme ! D'ailleurs, sa mère adorait le traiter de chiffe molle. À présent, Rose n'arrêtait plus de le harceler, l'accusant d'être stupide et vulgaire, et il devenait aussi brutal qu'elle. Deux nuits auparavant, il l'avait menacée en brandissant un fer à repasser.

Adèle savait que son père était un peu lent, il lisait avec difficulté et on devait lui expliquer les choses soigneusement pour qu'il les comprenne. Mais il se défendait bien en calcul et il était furieux que Rose dépense l'argent en alcool. Adèle l'avait entendu dire à sa mère qu'on lui avait réduit sa paye – il travaillait dans le bâtiment – parce que son patron n'avait pas assez de commandes. Il répétait sans cesse qu'il pouvait être viré, pourtant cette menace n'avait aucun impact sur elle.

Quand Adèle pénétra dans l'immeuble, la porte de

Mme Patterson s'ouvrit instantanément et l'enfant vit, à sa mine renfrognée et aux mains sur ses hanches, qu'elle était en colère.

— Ta mère a remis ça. Je ne peux plus le supporter, même si je suis très triste pour ta sœur.

Mme Patterson était sympathique. Mère de trois enfants, elle avait toujours été aux petits soins pour Adèle et Pamela et, dans le passé, elle les invitait souvent à prendre le thé si Rose était absente. C'était une femme toute petite au physique maigre et nerveux. Elle tressait ses cheveux noir de jais en une natte qui formait comme une couronne autour de sa tête. Adèle et Pamela se demandaient souvent quelle était la longueur de ses cheveux une fois lâchés. Selon Pamela, ils lui arrivaient aux pieds.

— Qu'est-ce qu'elle a fait ? demanda Adèle.

— Elle a insulté Ida Manning, répondit Mme Patterson en roulant des yeux vers l'appartement du dessus. Elle l'a accusée d'avoir volé un sac de provisions qu'elle aurait laissé dans l'entrée. Ta mère ne va jamais à l'épicerie, le seul magasin qu'elle connaît, c'est celui du marchand de vin.

— Je suis désolée, balbutia Adèle faiblement.

Mme Patterson devait être à bout de nerfs pour se plaindre à elle. Mais Adèle n'osait pas s'attarder, sa mère l'écorcherait vive si elle la surprenait en train de parler d'elle avec une voisine.

— « Désolée », ça ne suffit plus comme excuse. C'est tout ce que ton père a trouvé à me dire aussi, déclara-t-elle en agitant l'index dans sa direction. Cette maison est remplie d'enfants. Nous ne voulons pas d'ivrognes, ici. Nous avons essayé de l'aider depuis la disparition de Pamela, mais elle nous a tous envoyés balader.

— Je n'y peux rien, gémit Adèle en pleurant.

Cette conversation la rendait malade et elle redoutait de rentrer chez elle.

— Allons, allons, ne pleure pas, dit Mme Patterson d'une voix radoucie.

Elle s'approcha d'Adèle et lui tapota l'épaule.

— Tu es une brave petite, tu ne mérites pas ça. Mais tu dois parler à ton père. S'il n'y met pas un terme, vous serez tous expulsés.

Adèle était seule dans la salle de séjour quand son père rentra du travail ce soir-là.

— Où est-elle ?

— Elle est sortie il y a environ une demi-heure, répondit Adèle en éclatant en sanglots.

Lorsque Adèle était rentrée de l'école, sa mère était au lit et elle ne l'avait pas dérangée. Plus tard, elle lui avait apporté une tasse de thé et avait reçu une paire de claques pour avoir demandé ce qu'il y avait pour le dîner.

— On n'a rien à manger, alors elle est peut-être allée acheter quelque chose, ajouta-t-elle.

Son père poussa un profond soupir et s'écroula sur une chaise sans enlever sans manteau.

— J'sais plus quoi faire. Faut dire que t'aides pas trop non plus, à toujours la contrarier.

— Je ne fais rien et je ne lui dis rien ! répliqua Adèle, indignée.

Elle avait tellement faim qu'elle en avait mal au ventre. Elle avait beau être habituée aux reproches de son père, cette fois, elle décida de l'affronter et raconta sa conversation avec Mme Patterson.

— Tu ne peux pas trouver une solution, papa ? supplia-t-elle.

Elle s'attendait à recevoir un coup. À sa grande surprise, Jim resta calme.

— Elle m'écoute pas. C'est comme si j'étais la cause de ses problèmes, avoua-t-il en hochant la tête.

Adèle fut frappée par la douleur et la souffrance qu'elle décela dans sa voix. Depuis la mort de Pamela, Adèle avait prêté plus d'attention à son père. Il ne faisait pas la loi à la maison et, la plupart du temps, il y rôdait furtivement comme un intrus. Il parlait peu, montrait rarement ses sentiments. Adèle ne savait pas grand-chose sur lui car, le plus souvent, il l'ignorait. Cependant, comparé aux pères qu'elle connaissait, Jim Talbot n'était pas si mauvais. Il pouvait être rude et lourdaud mais il était plutôt sobre, ne jouait pas et allait travailler tous les jours.

En fait, Jim ressemblait à un grand enfant et, pour cette raison, elle se sentait proche de lui car elle connaissait aussi l'humiliation d'être ridiculisée en permanence.

— Comment peux-tu être la cause de ses problèmes ? demanda-t-elle.

— J'sais pas, répondit-il en haussant les épaules. J'ai toujours fait ce qu'elle a voulu. Mais elle est plus obscure que la Tamise. J'sais pas ce qui se passe dans sa tête.

Quand Rose rentra enfin autour de vingt et une heures, Adèle était au lit. Son père et elle n'avaient mangé qu'un paquet de chips avec du thé, car Jim n'avait plus d'argent. Adèle mourait de faim. Se coucher était une façon d'oublier ses crampes d'estomac et d'échapper à l'inévitable dispute de ses parents.

La bagarre commença aussitôt que sa mère franchit la porte. Jim fit remarquer qu'un paquet de chips n'était pas suffisant pour un homme qui travaillait dix heures par jour. Adèle avait l'habitude de ces disputes. Ils ressassaient toujours la même rengaine : Rose vociférait qu'elle méritait mieux que de vivre à Euston, et Jim répliquait qu'il faisait le maximum pour elle.

Soudain, Jim prononça une phrase qui lui fit dresser l'oreille.

— Sans moi, tu aurais fini dans un putain d'hospice.

Adèle s'assit sur son lit, abasourdie.

— Pourquoi penses-tu que je t'ai épousé ? hurla Rose. Crois-tu que je t'aurais laissé m'approcher si je n'avais pas été désespérée ?

La cruauté de sa mère lui coupa le souffle.

— Je t'aimais, répondit Jim d'une voix cassée par la souffrance.

— Comment peut-on aimer quelqu'un qu'on ne connaît pas ? Tu ne m'as jamais demandé d'explication, tu voulais juste me posséder.

— J'ai fait mon devoir, s'indigna Jim, sur le point de pleurer. Tu avais besoin d'un homme à tes côtés avec le bébé en route.

— Parce que tu te prends pour un homme ? J'y aurais regardé à deux fois si je n'avais pas été enceinte, et tu l'as toujours su. Ne raconte pas que tu te souciais de la gosse, tout ce que tu voulais, c'était coucher avec moi.

Il y eut un bruit de coup. Adèle comprit que Jim avait frappé Rose.

— Sale garce ! Si tu avais été seule, Adèle serait une bâtarde dans un orphelinat.

Horrifiée, la fillette se couvrit la tête avec son oreiller pour ne plus rien entendre.

Elle savait que les maris mettaient les bébés dans les ventres des femmes, où ils grandissaient. Mais si Jim n'était pas son père, cela signifiait que sa mère avait été une prostituée !

Adèle avait toujours connu le mot « prostituée » – et sa version plus courante de « catin » – car il y en avait beaucoup autour de King's Cross et d'Euston. C'est à dix ans qu'elle avait découvert la nature exacte de leur activité. À l'école, une fille plus âgée lui avait expliqué qu'elles gagnaient de l'argent en permettant aux hommes de leur faire des bébés. Selon elle, les hommes adoraient ça, mais comme leurs femmes ne voulaient pas beaucoup d'enfants, ils fréquentaient les catins.

Adèle s'était souvent demandé où passaient les bébés car elle n'avait jamais vu aucune de ces femmes pousser un landau. D'après ce que son père venait d'affirmer, ils allaient à l'orphelinat. Il avait donc épousé sa mère afin qu'Adèle ait une famille. Devait-elle s'estimer heureuse d'avoir échappé à son sort ? Comme sa mère clamait haut et fort qu'elle lui avait gâché la vie, peut-être avait-elle aimé se prostituer ?

Ses parents devaient à présent être dans leur chambre : ils continuaient à crier mais elle ne distinguait plus leurs paroles. Elle entendit les Manning taper au plafond avec un manche à balai. Soudain, un fracas de tous les diables se produisit dans la cuisine. L'un d'eux avait balancé le contenu de l'étagère à vaisselle par terre et sa mère se mit à hurler à pleins poumons.

Adèle sauta de son lit et se précipita dans la salle de séjour. Au lieu de trouver Jim en train de frapper Rose, comme elle s'y attendait, elle le découvrit recroquevillé sur le seuil de la chambre à coucher, le visage en sang. C'était sa mère qui avait renversé les plats et les casseroles qui jonchaient le sol. Elle se tenait au beau milieu et brandissait le couteau à découper.

Cette scène n'avait rien à voir avec leurs disputes habituelles. La peur de Jim était palpable et l'atmosphère, menaçante. Rose continuait à hurler comme une démente, s'apprêtant à donner un autre coup de couteau à son mari.

— Arrête ! cria Adèle.

Au son de sa voix, Rose se retourna brusquement. Son visage était terrifiant. Les yeux lui sortaient de la tête, sa mâchoire pendait et son teint était d'une étrange couleur cramoisie.

— Tu veux que j'arrête ? vociféra-t-elle en élevant le couteau. Je n'ai même pas commencé !

— Quelqu'un va appeler la police, plaida Adèle, terrorisée. On nous jettera à la rue.

— Tu crois que ça m'inquiète ? siffla sa mère avec hargne, les lèvres retroussées, les narines dilatées. Je déteste cet endroit, je déteste Londres et je vous déteste tous les deux.

Adèle avait vu sa mère en colère des centaines de fois. En général, ses crises se terminaient brusquement et elle s'effondrait sur une chaise en sanglotant. Mais, cette fois, elle semblait possédée par un esprit malin. Glacée d'horreur, l'enfant réalisa que sa mère était vraiment dangereuse.

— Tu as tué ma Pammy ! cracha Rose, la bouche tordue.

Elle s'approcha d'Adèle à la manière d'un singe, les épaules voûtées, le couteau prêt à frapper sauvagement.

— Je n'aimais qu'elle, et tu l'as tuée.

Adèle restait clouée sur place. Son esprit lui conseillait de courir, ou au moins de se réfugier dans sa chambre, seulement elle était hypnotisée par l'éclat de la lame et par le visage horrible de sa mère. Morte de peur, elle mouilla sa culotte.

— Sale petite garce !

D'une main, elle saisit Adèle par les cheveux et brandit le couteau.

— Rose, non ! s'écria Jim en attrapant son poignet par-derrière.

— Fiche-moi la paix !

Jim secoua son bras violemment et le couteau vacilla à moins d'un centimètre de la joue de sa fille. Adèle crut sa dernière heure arrivée. Elle ne pouvait pas s'échapper. Sa mère roulait des yeux hallucinés et l'enfant sentait son haleine chaude et rance contre son visage. Elle tenta de la repousser. La lame effleura sa joue, puis le couteau tomba bruyamment par terre.

Jim luttait avec Rose, essayant désespérément de l'éloigner d'Adèle. Il réussit enfin à la tirer en arrière. Elle lâcha prise en arrachant une touffe de cheveux à sa fille.

— Bon sang, Adèle, sauve-toi ! ordonna Jim en immobilisant les bras de Rose dans son dos.

Adèle voulut bouger mais elle était coincée contre le mur et, soudain, elle reçut un violent coup de genou dans le ventre. Quand Jim parvint enfin à maîtriser Rose, Adèle s'effondra par terre, pliée en deux de douleur.

34

— Tu as gâché ma vie ! explosa sa mère. Ton père était un sale menteur et depuis douze ans voir ton horrible figure me fait penser à lui tous les jours !

La porte d'entrée s'ouvrit brusquement sur Stan Manning et Alf Patterson.

— Elle est devenue complètement folle, expliqua Jim tandis que Rose lui envoyait des coups de pied en l'insultant. Elle allait tuer la gosse. Aidez-moi. Après, l'un de vous ira chercher un toubib.

3

Alf et Stan aidèrent Jim à maîtriser Rose. Ils la forcèrent à s'asseoir, lièrent ses poignets dans son dos avec un foulard et l'attachèrent à la chaise à l'aide d'une lanière en cuir. Puis Alf courut trouver un médecin.

À trente-trois ans, petit et trapu, Alf avait un gros ventre de buveur de bière et les cheveux clairsemés, mais il était heureux. Il aimait son travail aux chemins de fer, il avait un appartement convenable et la meilleure famille qu'un homme puisse désirer.

Huit ans auparavant, Alf et Annie, jeunes mariés, avaient emménagé au 47, et les Talbot étaient arrivés peu après. Les deux couples n'avaient jamais vraiment sympathisé. Jim et Alf se payaient un verre s'ils se croisaient au pub, et Rose prenait parfois le thé avec Annie, mais leurs relations s'arrêtaient là. Leur seul lien était les enfants. L'aîné d'Alf, Tommy, avait un an de moins que Pamela, et Adèle les avait accompagnés tous les deux à l'école dès leur entrée au cours préparatoire.

Annie avait toujours trouvé Rose déroutante. Un jour elle se montrait snob et méchante, le lendemain douce comme un agneau, surtout lorsqu'elle voulait quelque chose. Sans Adèle, pour qui elle avait un faible, Annie n'aurait pas fréquenté sa mère. Quand Pamela avait été tuée, tous les efforts d'Annie pour la réconforter et l'aider avaient été repoussés. Elle savait que

Rose buvait et elle la soupçonnait de maltraiter sa fille aînée. Inquiète, elle avait supplié son mari d'en parler à Jim. D'après Alf, sa femme dramatisait la situation et tout rentrerait bientôt dans l'ordre.

Mais, à la lumière de la scène dont il venait d'être le témoin, il comprit qu'Annie avait raison : Rose Talbot était folle et dangereuse. Il atteignit le coin de la rue où vivait le docteur Biggs et frappa de grands coups à sa porte. Le médecin ne tarda pas à ouvrir. Vêtu d'une robe de chambre rouge, il s'apprêtait à se coucher. De petite taille, chauve et vif, il était connu pour sa bonne humeur et ses compétences médicales.

— Désolé de vous déranger, toubib. C'est Rose Talbot, qui habite au-dessus de chez moi. Elle est devenue folle. Elle a attaqué Jim, et après elle s'en est prise à la gamine avec un couteau. Elle est tellement dingue qu'on a dû l'attacher.

Le docteur mit un moment à comprendre de qui il parlait. Puis il se rappela que les Talbot étaient les parents de l'enfant qui avait été renversée par un taxi quelques mois plus tôt.

— Je suis à vous tout de suite. Laissez-moi juste le temps de m'habiller et de prendre ma sacoche.

Quelques minutes plus tard, ils remontaient la rue d'un pas vif.

— Vous avez une idée de ce qui a provoqué la crise de Mme Talbot ?

Le médecin connaissait bien Alf et Annie Patterson pour avoir procédé à l'accouchement de leurs trois enfants et, avant l'arrivée du deuxième, Annie faisait le ménage de son cabinet de consultation.

— J'sais pas. Évidemment, elle est dans tous ses états depuis la mort de la petite. Nous avons entendu beaucoup de disputes. Mais Jim n'a parlé de rien d'autre.

Le médecin avait rendu une visite de courtoisie à Rose juste après les obsèques pour voir comment elle affrontait la tragédie. Rose l'avait reçu sur le pas de la porte en affirmant qu'elle allait bien. Elle n'en avait pas l'air : elle semblait complètement lessivée et ses yeux étaient soulignés de grands cernes noirs. Il lui avait suggéré de passer à son cabinet, mais elle n'était jamais venue. Il ne pouvait tout de même pas l'importuner en se présentant chez elle à l'improviste.

Un attroupement s'était formé devant le 47 et l'assistance regardait les fenêtres du dernier étage, d'où s'échappaient des cris perçants.

— Rentrez chez vous, ordonna le docteur. Il n'y a rien à voir.

— C'est c'qu'on entend qui nous inquiète, toubib, répliqua un homme. On dirait qu'elle est bonne pour l'asile.

Le médecin ne répondit pas. Il pénétra dans l'immeuble et adressa un petit signe de tête à Annie Patterson, qui, anxieuse, se tenait au bas de l'escalier avec une autre femme. Le vacarme était beaucoup plus fort à l'intérieur.

— Restez en bas, dit-il. Je vous appellerai si j'ai besoin d'aide.

La scène qui s'offrit aux yeux du docteur Biggs dans l'appartement était des plus alarmantes. Attachée à une chaise par une lanière en cuir, les yeux exorbités, Rose se débattait en insultant son mari. Jim Talbot, dont le visage était en sang, essayait vainement de la calmer.

Un homme qu'il ne connaissait pas, sans doute un autre voisin, était agenouillé près de la fillette. Il essuyait du sang sur sa joue. L'enfant portait une chemise de nuit trempée d'urine et éclaboussée de sang. Le sol de la pièce était jonché de casseroles et de porcelaine brisée.

Il ne s'agissait pas d'une scène de ménage ordinaire. Rose n'allait pas recouvrer ses esprits en prenant un thé et en discutant. Le mari et la fille seraient en danger si elle restait à la maison. La seule ligne de conduite qui s'offrait au médecin était de lui administrer des sédatifs et de la faire interner dans un asile d'aliénés pour l'empêcher de nuire aux autres ou à elle-même.

— Qu'est-ce qu'il se passe, madame Talbot ? demanda-t-il d'un ton apaisant en s'approchant d'elle.

— Va te faire foutre ! hurla-t-elle.

Elle secoua la chaise encore plus violemment, malgré les efforts de son mari pour la faire tenir tranquille.

— Foutez le camp, tous autant que vous êtes !

Un flot d'obscénités s'ensuivit. Sa voix stridente fit tressaillir le docteur.

— Qu'est-ce qui lui arrive ? s'enquit Jim d'un ton pitoyable. J'lui ai jamais fait de mal.

— Il semblerait que la mort de votre fille ait déclenché une dépression nerveuse, déclara le médecin en ouvrant sa sacoche, dont il sortit une fiole et une seringue. Elle se comportait de façon bizarre ces derniers temps ? s'enquit-il en préparant la piqûre.

— Elle est bizarre depuis des semaines. On pouvait plus lui parler. Elle s'est mise à boire.

Si Jim avait l'intention de poursuivre, Rose l'en empêcha.

— Espèce d'enfoiré ! Ver de terre visqueux, bon à rien ! C'est toi qui m'as mise dans cet état ! cria-t-elle à pleins poumons.

— Allons, madame Talbot, dit le docteur, la seringue à la main. Vous êtes à bout de nerfs, je vais vous donner quelque chose pour vous détendre.

Il se tourna vers le voisin, qui s'était relevé après s'être occupé de l'enfant et qui contemplait la scène, horrifié.

— Si vous voulez bien aider Jim à la maintenir fermement.

Rose se rebiffa et se contorsionna avec une force surhumaine, mais Jim et Stan parvinrent à l'immobiliser le temps de la piqûre.

— Cela va faire effet dans très peu de temps, assura le docteur en retirant l'aiguille du bras de Rose. Il va falloir que je sorte pour passer un coup de fil à l'hôpital, mais avant je vais m'occuper de l'enfant.

— Salaud ! cracha Rose. Vous n'avez pas intérêt à m'envoyer chez les fous. C'est à cause d'elle que je suis comme ça !

En moins d'une minute, Rose cessa de se débattre et ses cris se réduisirent à de faibles grognements. Le docteur s'agenouilla auprès d'Adèle pour l'examiner. Elle était consciente, apparemment trop choquée pour parler. Sa coupure au visage avait sans doute été provoquée par le couteau utilisé contre son père. Mais la blessure était superficielle, il s'agissait plutôt d'une éraflure. Quand il lui demanda si elle avait mal ailleurs, elle posa une main sur son ventre.

— Aidez-moi à la transporter dans sa chambre, dit-il à Jim, qui regardait fixement sa femme, dont la tête retombait sur sa poitrine.

— C'est pas la peine, répliqua-t-il. Elle peut pas rester ici si sa mère va à l'hôpital.

— Je dois l'examiner, déclara le docteur Biggs sèchement.

Il supposa que Jim pensait ne pas pouvoir laisser l'enfant seule pendant qu'il accompagnerait Rose.

— Il est inutile que vous alliez à l'hôpital avec votre femme. Si les blessures de votre fille ne nécessitent pas de traitement, elle restera avec vous.

— C'est pas ma fille, lâcha Jim d'un ton glacial comme s'il parlait d'un chien errant. Et blessée ou pas, j'la veux plus ici.

Le docteur s'enorgueillissait de n'être jamais choqué, pourtant, il resta abasourdi.

— Nous en discuterons plus tard, rétorqua-t-il d'un ton cassant. En attendant, je n'ai pas l'intention d'examiner cette enfant par terre. Aussi vous serais-je reconnaissant de m'aider.

Une fois dans sa chambre, la fillette lui dit son nom et lui raconta que sa mère l'avait attaquée avec un couteau avant de lui donner un coup de genou dans le ventre. Le médecin releva sa chemise de nuit et vit une marque rouge qui confirmait ses paroles, puis il remarqua de nombreux bleus sur son corps et ses jambes. De toute évidence, elle était battue régulièrement. Malgré les contusions, aucun os n'était cassé et l'égratignure sur le visage de la fillette ne nécessitait pas de points de suture.

— Je dois aller donner un coup de téléphone pour ta maman, expliqua-t-il en l'aidant à enlever sa chemise de nuit trempée avant de la recouvrir d'une couverture. Ne bouge pas, je vais revenir te voir tout de suite après.

Rose Talbot n'opposa aucune résistance quand les deux infirmiers l'emmenèrent sur une civière. Ils arrivèrent au moment où le docteur Biggs revenait. Ce dernier n'avait pas encore eu le temps de panser la blessure au visage de Jim, ni de reparler à Adèle. Il assista au départ de l'ambulance puis, en rentrant dans la maison, il tomba sur Annie Patterson qui l'attendait dans l'entrée, l'air anxieux.

— Est-ce qu'elle va s'en sortir ? Jim et Adèle ont besoin d'aide ?

— Mme Talbot va probablement être hospitalisée un certain temps, déclara le docteur prudemment.

Annie Patterson était une brave femme, qui ne cancanait pas à tort et à travers, mais le médecin ne pouvait se résoudre à lui annoncer que Rose Talbot se rendait à l'asile d'aliénés.

— Il semble qu'il y ait un autre problème et il est possible qu'Adèle ne puisse pas rester dans l'appartement. Seriez-vous en mesure de l'accueillir pour la nuit ?

— Bien sûr ! assura Annie sans l'ombre d'une hésitation. La pauvre chérie ! Une gamine de cet âge ne devrait pas voir ni entendre des horreurs pareilles. Nous n'avons qu'un canapé et il faudra qu'elle apporte sa couverture, mais elle est la bienvenue.

— Vous êtes très gentille, répondit le docteur Biggs en souriant. Elle a besoin d'être maternée, j'ai l'impression qu'elle n'a pas reçu beaucoup d'affection, ces derniers temps.

Assis à la table de la cuisine, Jim regardait dans le vide, ne prêtant aucune attention aux casseroles et à la vaisselle qui jonchaient le sol. Il ne leva même pas les yeux quand le médecin pénétra dans la pièce.

— Bon, occupons-nous de vos blessures, déclara-t-il d'un ton jovial.

Il versa de l'eau chaude de la bouilloire dans une cuvette et, à l'aide de tampons pris dans sa sacoche, nettoya la joue de Jim.

— Ce n'est qu'une blessure superficielle, heureusement. Vous n'aurez pas besoin de points de suture, annonça-t-il après quelques minutes.

Il appliqua une bande, qu'il fixa avec du sparadrap, puis il s'assit et dévisagea Jim d'un air sévère.

— À présent, vous allez tout m'expliquer.

— Y a pas grand-chose à dire, répondit Jim d'un ton maussade. Rose a pas été bien depuis que notre Pammy est morte. Ç'a été de pire en pire avec l'alcool. Vous l'avez vue, elle a perdu la boule.

— La mort d'un enfant peut déboussoler n'importe quelle mère. Vous auriez dû m'appeler bien plus tôt.

— J'ai pas les moyens de payer un toubib. J'ai eu une réduction de ma paie. En plus, Rose aurait pas voulu.

— Pourquoi en veut-elle à Adèle ?

— L'accident, c'est sa faute. Si elle s'était mise en route plus tôt pour aller chercher notre Pammy, elle n'aurait pas été écrasée.

— Vous ne pouvez pas lui faire porter la responsabilité de cet accident ! s'exclama le docteur Biggs, horrifié. Adèle pensera toujours que c'est sa faute, de toute façon. Les parents ne doivent adresser aucun reproche.

— J'vous l'ai dit, c'est pas ma gosse ! s'écria Jim avec humeur. Maintenant, la mienne est morte à cause d'elle. Et sa mère est timbrée. Vous auriez dû entendre ses accusations ! J'en peux plus. Pendant des années, j'ai fait de mon mieux pour Rose et la gosse, et voilà les remerciements que j'ai eus. J'veux plus avoir affaire à elles. Vous pouvez emmener la gamine tout de suite.

Biggs était consterné par sa dureté envers Adèle. Il est vrai que Rose avait dû le torturer depuis la mort de Pammy. Il était en état de choc, il envisagerait la situation sous un autre angle après une nuit de sommeil. Par ailleurs, Adèle se trouvait dans l'autre pièce et risquait de tout entendre, il valait donc mieux la confier à Mme Patterson.

— J'emmène Adèle. Pas à cause de ce que vous venez de m'apprendre, mais parce qu'elle est traumatisée et a besoin d'affection. Je reviendrai vous parler demain. J'espère que, d'ici là, vous aurez compris qu'en épousant Rose vous avez pris la responsabilité légale et morale de sa fille.

— Demain, faut qu'je travaille.

— Eh bien, je passerai à dix-neuf heures, répliqua le médecin d'un ton cassant. Entre-temps, je vous suggère de réfléchir à l'avenir d'Adèle plutôt qu'au vôtre.

Quand Adèle arriva avec le docteur, Annie Patterson lui témoigna la compassion qui faisait cruellement défaut à Jim.

— Ma pauvre chérie, dit-elle en la serrant dans ses bras. Je suis désolée que nous n'ayons pas un lit pour toi, mais tu n'es pas bien grosse, le canapé devrait être assez confortable.

La seule chemise de nuit propre que le docteur avait trouvée appartenait à la sœur défunte. Elle couvrait à peine les genoux d'Adèle et, avec sa couverture sur les épaules et son pansement sur la joue, la gamine était pitoyable.

— C'est très gentil à vous, Annie, fit Biggs en lui tendant l'oreiller de la petite. C'est une mesure temporaire. Je parlerai avec M. Talbot demain soir, quand il sera plus calme.

Adèle n'avait pas prononcé un mot. Elle n'avait posé aucune question sur ses parents. Biggs espérait qu'elle n'avait pas compris ce qui se jouait pour elle. Cet espoir fut anéanti lorsqu'elle déclara nerveusement :

— Mon père ne veut plus de moi. Il ne m'aime pas, ma mère non plus.

41

— C'est absurde ! intervint Annie Patterson. Ta maman est malade et ton père est sens dessus dessous.

Adèle lança un regard désespéré à Annie, puis au docteur. Elle avait du mal à réaliser que sa mère avait essayé de la tuer. En revanche, elle savait avec certitude que les gifles, les coups, la méchanceté et la cruauté représentaient les symptômes de sa haine qui couvait depuis toujours. Aujourd'hui, cette haine avait débordé.

Comment avait-elle pu gâcher la vie de sa mère par le simple fait d'être née ? Elle l'ignorait. Elle ignorait également comment changer les sentiments de sa mère à son égard. Elle sentait en outre que ni le médecin ni Mme Patterson n'avaient envie de prolonger la conversation. Il ne lui restait donc qu'à s'allonger sur le canapé et à dormir.

— Je suis désolée de vous déranger, souffla-t-elle. Je serai obéissante.

— Sage petite, approuva Mme Patterson en souriant et en caressant sa joue. Tu verras, demain, la situation apparaîtra sous un autre jour. Et tu pourras faire la grasse matinée puisque c'est samedi.

Une heure plus tard, Adèle était toujours éveillée, malgré le chocolat chaud de Mme Patterson et la bouillotte sur son ventre douloureux. Le rayon de lune qui pénétrait par la fenêtre de la cuisine éclairait l'évier et les dossiers des chaises. Le canapé était en fait un banc rembourré, recouvert d'un tissu marron crevassé en imitation cuir. Il était très dur. Placé derrière la table, il servait de banquette supplémentaire.

L'appartement des Patterson était le plus grand de la maison, mais il manquait de lumière. La cuisine et la chambre donnant sur la rue, où dormaient les parents et Lily, le bébé de un an, étaient séparées par une grande porte à deux battants. Un couloir menait de la cuisine à la chambre du fond, partagée par Michael, quatre ans, et Tommy, sept ans, et une autre porte ouvrait sur l'arrière-cour.

Qu'allait-elle devenir ? Elle avait entendu ce que son père avait dit au docteur, et il était sérieux. D'après ce qu'elle savait, les orphelinats recueillaient les petits et les bébés, pas les enfants de son âge. En tout cas, elle ne pouvait pas travailler ni se prendre en charge avant l'âge de quatorze ans.

Elle avait fini par sombrer dans un sommeil profond car elle sursauta quand Mme Patterson posa la bouilloire sur le feu.

— Désolée de te réveiller, ma chérie, dit celle-ci gaiement. Tu as bien dormi ?

Elle s'approcha d'Adèle, ramena tendrement ses cheveux en arrière. Les siens étaient dénoués et lui arrivaient à la taille. Elle portait une robe de chambre usée jusqu'à la trame.

— Oui, merci, répondit Adèle.

Elle avait encore mal au ventre et son visage était douloureux, mais à part ça elle allait bien.

— Mon Alf se prépare à partir au travail. Reste au chaud sous les couvertures, je te ferai une tasse de thé quand Lily aura bu son biberon. Ensuite, on bavardera.

Adèle demeura un long moment allongée en faisant semblant de dormir. Elle observait et écoutait les Patterson. Elle vit Mme Patterson embrasser son mari et lui donner ses sandwichs pour la journée. Elle la regarda nourrir son bébé et le baigner dans l'évier de la cuisine. Les couches de Lily sentaient affreusement mauvais, mais c'était agréable de l'entendre gazouiller et barboter dans l'eau. Puis Michael et Tommy se levèrent, et leur mère leur prépara des toasts et du thé.

Il régnait une atmosphère chaleureuse qu'Adèle n'avait jamais connue. Mme Patterson tapotait affectueusement la tête et le derrière de ses enfants, elle les embrassait sur les joues sans raison particulière et répondait aux questions des garçons de façon calme et posée. Adèle était habituée au ton hargneux de sa mère.

— Que dirais-tu d'une tasse de thé ? proposa Mme Patterson quand les garçons regagnèrent leur chambre pour s'habiller.

Elle déposa Lily par terre près des cubes et le bébé se traîna sur son derrière afin de les attraper. Adèle se leva avec précaution, consciente que la chemise de nuit de Pamela était beaucoup trop courte. Mme Patterson dut lire dans ses pensées.

— On montera plus tard pour prendre tes affaires. J'ai entendu ton père partir au travail. C'est bon signe, au moins, il ne broie pas du noir.

— Je ne pense pas qu'il changera d'avis à mon sujet, répondit

43

Adèle. Vous savez, ce n'est pas mon père. Maman l'a dit hier soir.

Les mains sur les hanches, Annie lui adressa un regard sévère.

— Hier soir, elle a dit des tas de sottises, mais ce n'est pas sa faute, ma chérie. Elle était hors d'elle.

— Ça doit être vrai parce que papa en a aussi parlé au docteur, ajouta Adèle d'une petite voix, la tête baissée tellement elle avait honte. Maman m'a raconté qu'elle avait essayé de se débarrasser de moi, c'est pour ça qu'elle a épousé papa. Elle a même voulu me tuer.

Mme Patterson garda le silence. Adèle comprit que la brave femme ne savait pas quoi dire.

— J'imagine que je devrai aller à l'orphelinat, annonça Adèle, les yeux fixés sur Annie, qui préparait le thé.

Elle se retrouva soudain enveloppée dans une étreinte chaleureuse.

— Ma pauvre petite ! s'exclama Mme Patterson en la pressant contre sa poitrine qui sentait le bébé et le pain grillé. Quelle histoire ! Quand ta mère sortira de l'hôpital, les choses s'arrangeront peut-être.

Adèle aimait cette étreinte, elle se sentait en sécurité et désirée, sentiments qu'elle n'avait jamais éprouvés auparavant. Elle devait cependant la mettre au courant de la situation.

— Je ne crois pas qu'elle voudra de moi, même quand elle ira mieux, commença-t-elle.

Elle mit du temps à expliquer le comportement indifférent de sa mère depuis sa naissance et l'aggravation de la situation depuis la mort de Pamela.

— Alors, vous voyez, conclut-elle, il est inutile d'espérer que tout rentrera dans l'ordre.

La journée parut interminable à Adèle. Annie décida que ce n'était pas une bonne idée de retourner à l'appartement et lui donna une blouse à elle. À carreaux rouges et blancs, elle était trop longue et trop large mais, avec une ceinture, elle ressemblait un peu à une robe de chambre. Adèle s'évertua à ne plus penser à son avenir en aidant Annie dans l'appartement, mais son ventre douloureux le lui rappelait constamment. Quand elle aperçut son reflet dans le miroir de la chambre des Patterson, elle se mit à pleurer : elle avait un œil au beurre noir et la balafre sur sa joue était horrible.

À sept heures du soir, le docteur Biggs arriva. Jim n'était toujours pas rentré.

— Il a dû aller au pub, avoua Adèle.

Le médecin soupira et se tourna vers Annie, dont le regard signifiait clairement : « Ça ne m'étonne pas de lui. » Elle lui fit signe de la suivre dans sa chambre et ferma ostensiblement la porte derrière eux.

— Notre père aussi va au pub, déclara Tommy en levant la tête du vieux magazine sur lequel il s'amusait à dessiner des moustaches aux gens.

Adèle aimait beaucoup les garçons, même s'ils avaient une drôle de dégaine avec leur teint pâle, leurs cheveux noirs qui rebiquaient et leurs genoux couverts de croûtes. Elle connaissait bien Tommy pour l'avoir toujours accompagné à l'école avec Pamela. Il était insolent et bruyant, pourtant ça ne l'empêchait pas de se montrer adorable. Toute la journée, il s'était donné beaucoup de mal pour la faire rire, et sa remarque au sujet de son père était destinée à la réconforter. Mais Adèle ne lui répondit pas : elle tendait l'oreille pour entendre le docteur et Mme Patterson.

Les deux adultes s'efforçaient de parler à voix basse.

— Je vais devoir envoyer un rapport aux autorités, annonça le médecin tristement. À mon avis, Jim n'a pas l'intention de s'occuper d'Adèle et cette situation ne peut pas s'éterniser. Y a-t-il des grands-parents, des tantes, des oncles ?

— Jim a une sœur dans le Nord, mais il ne la voit jamais. Si Rose a de la famille, ils ne sont jamais venus.

— Pas de parents ?

— Je ne crois pas. Elle a grandi dans le Sussex, au bord de la mer, c'est tout ce que je sais.

— Je demanderai à Jim quand je lui mettrai la main dessus. Si les parents de Rose sont toujours vivants, ils donneront peut-être un coup de main.

— Je l'espère. Ça me fait de la peine que cette gentille petite aille à l'orphelinat, dit Annie Patterson au bord des larmes.

— Je vais écrire un mot à Jim, et Adèle le lui laissera quand elle ira chercher des vêtements.

— Je doute qu'il sache lire, répliqua Annie avec mépris. Vous savez, il n'a pas inventé l'eau chaude.

— Je suis d'accord, approuva le docteur.

Sa femme, au courant des potins du voisinage, lui en avait parlé la veille. Selon les commérages, la famille Talbot avait défrayé la chronique à Somers Town depuis les années 1900. Les garçons étaient tous des vauriens et des bandits, les filles, des prostituées, et les parents ne valaient pas mieux. Jim était le plus jeune des huit enfants et on le disait retardé. Entré dans l'armée en 1917 à l'âge de dix-huit ans, on supposa qu'il avait été tué en France comme trois de ses frères, car il ne revint pas de la guerre. Ses parents et deux de ses sœurs moururent pendant l'épidémie de grippe espagnole de 1919.

Tout le monde fut abasourdi quand Jim Talbot réapparut à Somers Town quatre ans plus tard. Non seulement il avait survécu à la guerre – qui avait emporté tant de jeunes gens du quartier – mais en plus il revenait avec une jolie femme et une fille de quatre ans. Les gens furent encore plus ébahis quand Jim parvint à trouver un travail fixe dans le bâtiment et quand ils découvrirent que son épouse n'était pas une souillon comme sa mère et ses sœurs.

D'après ce qu'avait appris le docteur Biggs la veille au soir, Rose Talbot avait épousé Jim en dernier recours parce qu'elle était enceinte d'un autre. Il pensa que des années passées à vivre avec un homme qu'elle n'aimait pas, dans une gêne proche de la misère, avaient provoqué son agressivité envers Adèle.

Le médecin éprouvait peu de sympathie pour Rose, qui n'avait pas le droit de rendre sa fille responsable de ses erreurs et de son infortune. Il avait davantage de compassion pour Jim, car celui-ci avait connu une vie difficile dès sa naissance. Cela n'excusait cependant pas sa décision d'abandonner Adèle.

— Je vais lui écrire un mot, de toute façon, décida le médecin. Je reviendrai demain matin pour essayer de lui parler.

Adèle monta l'escalier à contrecœur, le message du docteur à la main. Elle avait peur de retourner dans l'appartement. Comme son père n'était pas rentré pour discuter avec le médecin, il était clair qu'il ne se souciait pas d'elle. Si seulement elle était morte à la place de Pamela !

Dès qu'elle ouvrit la porte et alluma la lumière, elle eut envie de vomir. Les casseroles et la vaisselle jonchaient toujours le sol. Sur la nappe, à côté du couteau, il y avait une tache de sang. L'air sentait mauvais, un mélange d'alcool, de tabac, de transpiration et de chaussettes sales. Elle voulut s'enfuir, pourtant elle s'arma de courage et se rendit dans sa chambre pour réunir ses affaires. Elle n'avait pas grand-chose à prendre : sa jupe et son pull des dimanches, une veste propre, une blouse, des culottes, des chaussettes, ses chaussures et sa tunique d'écolière. Elle était sur le point de les mettre dans son cartable quand elle se souvint d'une petite valise rangée en haut de l'armoire de la chambre parentale.

La pièce sentait encore plus mauvais que la salle de séjour et le lit était défait. Du sang provenant sans doute de l'estafilade sur le visage de son père maculait les oreillers. Elle se contempla dans le miroir de la coiffeuse. Elle était affreuse. Pas étonnant que personne ne veuille d'elle ! Même sans son œil au beurre noir et la balafre sur sa joue, elle n'était pas jolie, plutôt quelconque avec ses cheveux fins et ternes, son teint cireux, ses yeux à la couleur indéterminée. Une fois, sa mère les avait comparés à l'eau du canal.

Elle tira une chaise et grimpa dessus pour atteindre la valise. Lorsqu'elle la posa sur le lit, elle constata qu'elle était recouverte d'une épaisse couche de poussière, qu'elle essuya avec le bord de la courtepointe.

À part quelques vieilles lettres, la valise était vide. Elle allait les ranger dans le tiroir de la coiffeuse quand elle se rappela soudain que le docteur avait demandé si les Talbot avaient des parents. Elle parcourut les enveloppes. Toutes étaient destinées à son père et semblaient provenir de la même personne. Elle en ouvrit une : il s'agissait de sa sœur de Manchester. Déçue, elle en fit un paquet. Certaines tombèrent de la pile. En se baissant pour les ramasser, elle remarqua une lettre portant une écriture différente, adressée à Mlle Rose Harris, le nom de jeune fille de sa mère.

L'enveloppe avait jauni et mentionnait l'adresse suivante : Curlew Cottage, Winchelsea Beach, Rye, Sussex. Elle se remémora alors les paroles de Mme Patterson : « Je crois qu'elle a grandi dans le Sussex, près de la mer. » Comme sa mère n'avait jamais évoqué ses parents, Adèle pensait qu'ils étaient morts. Dévorée de curiosité, elle tira la lettre de l'enveloppe. Elle avait été envoyée de Tunbridge Wells dans le Kent, à la date du 8 juillet 1915.

Chère Rose,

Quel plaisir de recevoir ta lettre après tout ce temps ! Tu me manques terriblement et toutes les filles me demandent de tes nouvelles. Je suppose que c'est un peu ennuyeux de vivre à la campagne, mais tout est ennuyeux quand les gens ne parlent que de la guerre. Beaucoup de filles à l'école ont perdu leur frère et leur père, je suis contente que mon père soit réformé et que mes frères soient trop jeunes. J'espère que ton père va bien et qu'il reste prudent.

Est-ce que ta mère te fait tricoter des chaussettes et des écharpes ? La mienne, oui. Je ne supporte plus la laine grise. Cet après-midi, nous jouions au tennis et Muriel Stepford a annoncé qu'elle voulait devenir infirmière. Elle a dit que c'était parce qu'elle avait pitié de tous ces pauvres soldats blessés, mais nous pensons qu'elle a peur d'être laissée pour compte car il y a telle-ment peu d'hommes de son âge, ici.

Écris-moi vite et raconte-moi ce que tu fais toute la journée. Est-ce que tu élèves vraiment des poules ? Tu t'occupes d'un potager ou tu plaisantais ? Je ne t'imagine pas les mains pleines de terre.

Je t'envoie mes meilleures pensées,
Alice.

Intriguée, Adèle relut la lettre trois fois. Ces quelques lignes révélaient une partie du passé de sa mère, qu'elle ignorait complètement. Est-ce que sa mère et ses parents avaient quitté Tunbridge à cause de la guerre ? Ses grands-parents vivaient-ils toujours à Curlew Cottage ? La lettre datait de seize ans, quatre ans avant sa naissance. Mais comme elle n'avait aucune idée de l'âge de sa mère, elle ne pouvait calculer celui de ses grands-parents.

Sachant que le docteur poserait à Jim des questions sur la famille de Rose, elle rangea la lettre avec les autres puis fit sa valise, avant de quitter l'appartement en refermant doucement la porte derrière elle.

Le lendemain matin, les cloches de l'église sonnaient pour la messe quand le docteur Biggs arriva chez les Patterson. Il demanda à Adèle comment elle se sentait et lui annonça qu'il avait contacté l'hôpital pour prendre des nouvelles de sa mère. Celle-ci allait mieux.

— Combien de temps pensez-vous qu'ils vont la garder ? s'enquit Mme Patterson.

— Il est difficile de se prononcer, répondit prudemment le médecin. À présent, je vais monter voir M. Talbot.

Il ne tarda pas à revenir, le visage empourpré de colère.

— Va te dégourdir les jambes avec les garçons, ordonna Annie en poussant gentiment Adèle en direction de la cour.

Adèle n'obéit qu'à moitié. Elle ferma juste la porte de la salle de séjour et se posta derrière. Qu'avait bien pu raconter son père pour rendre le médecin aussi furieux ?

Elle n'eut pas longtemps à attendre. Le docteur explosa.

— Cet homme est complètement buté, c'est comme si on s'adressait à un mur ! Il maintient catégoriquement qu'Adèle n'est pas sa fille. Il affirme avoir connu Rose quand elle était enceinte, et il peut le prouver car il se trouvait encore en France au début de sa grossesse.

— Mais en l'épousant il est devenu responsable d'Adèle, non ?

— Théoriquement, oui. Seulement on ne peut pas forcer les gens. Comment laisser cette enfant entre les mains d'un homme aussi furieux et vindicatif ? N'importe quoi peut arriver.

— Qu'allons-nous faire ?

— Je vais demander un ordre de placement à l'assistance publique. Nous n'avons pas le choix. Rose est malade mentale, elle ne guérira peut-être jamais. De plus, c'est sans doute la meilleure solution à long terme. Je pense que cette enfant est maltraitée depuis de nombreuses années. Si je la sors d'ici, ce sera d'autant mieux pour elle.

— Avez-vous demandé à Jim s'il existait des grands-parents ?

— Oui, il n'en sait rien. Selon lui, Rose s'était brouillée avec sa mère bien avant leur rencontre et n'entretenait plus aucun contact avec elle.

Lily se mit à pleurer, couvrant la voix des adultes et empêchant Adèle d'entendre le reste de la conversation. Lorsqu'elle retourna dans la salle de séjour un peu plus tard, le docteur Biggs lui adressa un large sourire.

— Je viens de conseiller à Mme Patterson de te garder à la maison quelques jours, jusqu'à ce que ton œil aille mieux. Tu n'as certainement pas envie qu'on te pose des questions à ce sujet, n'est-ce pas ?

Adèle le regarda, puis se tourna vers Annie. Elle était convaincue qu'ils avaient concocté un plan. Elle se demanda pourquoi les adultes grondaient les enfants quand ils mentaient alors qu'eux ne s'en privaient pas.

4

Le lendemain matin, Adèle mangeait son porridge pendant que Mme Patterson nouait la cravate de Tommy.

— Tu es un grand garçon, à présent, il serait temps que tu l'attaches tout seul, dit-elle en lui donnant une calotte affectueuse sur l'oreille.

— Je préfère quand c'est toi, répliqua son fils, et il chatouilla sa mère sous le menton.

Adèle les observait, la gorge serrée. Depuis deux jours, elle avait assisté aux nombreuses marques d'affection que la famille se prodiguait, et chacune lui rappelait cruellement celles qu'elle n'avait jamais reçues de ses parents. Elle en était arrivée à la conclusion que c'était sa faute puisqu'ils se montraient tendres envers Pamela.

— Est-ce qu'Adèle m'emmène ?

— Bien sûr que non, répondit Annie en jetant un coup d'œil à la fillette.

Depuis la mort de Pamela, elle ne l'accompagnait plus à l'école.

— À ton âge, tu n'as plus besoin d'un chaperon.

— S'il te plaît ! implora Tommy en regardant Adèle.

— Elle n'est pas encore remise, intervint sa mère.

— Je me sens bien. J'aimerais y aller, dit Adèle en se levant.

Elle était touchée que Tommy réclame sa présence.

Mme Patterson hésita.

— S'il vous plaît. J'aimerais bien sortir.

— Bon, d'accord. Mais reviens tout de suite, le docteur a recommandé le repos.

Adèle n'avait pas pensé qu'accompagner Tommy à l'école lui évoquerait Pamela avec autant d'acuité. Tommy se comporta comme d'habitude, il courut à cloche-pied dans le caniveau ou sur le trottoir, puis simula une attaque en piqué en fonçant sur elle les bras tendus, comme un avion. Pamela avait toujours tenu la main d'Adèle en se plaignant que Tommy leur faisait honte. Cette petite main dans la sienne lui manquait, ainsi que la façon dont elle pouffait de rire quand Tommy leur adressait des grimaces.

L'école primaire était un vieux bâtiment de trois étages noirci de suie, les classes de CP étaient séparées des autres avec des entrées et des cours de récréation indépendantes.

— À ce soir ! cria Tommy en s'élançant à travers le portail.

Adèle le regarda se mêler à une bande de jeunes garçons. Les filles formaient un groupe à l'autre bout de la cour et automatiquement elle chercha Pamela des yeux.

C'était la peur de ces souvenirs qui l'avait empêchée d'accompagner Tommy à l'école après la mort de sa sœur. Pourtant, même si elle trouvait bizarre de se retrouver là, au milieu des cris assourdissants de centaines d'enfants, Adèle éprouva un étrange réconfort. Comme d'habitude, les garçons jouaient à se bagarrer, les filles sautillaient en se tenant par la main, et elle ressentit la force de la vie qui continuait.

Elle se rappela le jour où Pamela était entrée au cours moyen.

Terrorisée, elle avait demandé à Adèle s'il était vrai que les grands enfonçaient la tête des nouveaux dans la cuvette des toilettes. Adèle lui avait assuré qu'il s'agissait d'une histoire stupide destinée à les effrayer et que, de toute façon, elle serait là pour veiller sur elle.

Adèle était fière d'avoir une sœur aussi jolie. Même quand Pamela perdit ses deux dents de devant, elle était toujours la plus mignonne et la plus attachante des fillettes de sa classe. Elle la revoyait gambader dans la cour, ses nattes blondes virevoltant au rythme de ses bonds. Certaines filles gardaient leurs distances envers leurs frères et sœurs plus jeunes, mais Adèle aimait faire admirer sa cadette.

En septembre, lorsque Adèle fit son entrée au collège, ce fut au tour de Pamela de lui demander si elle avait peur. Elle lui offrit même de l'accompagner. « Je dirai aux grandes d'être gentilles avec toi, comme tu l'as fait pour moi », avait-elle ajouté. Adèle avait éclaté de rire. C'était drôle, cette gamine de huit ans qui s'imaginait pouvoir mener les grandes à la baguette. En tout cas, l'inquiétude de Pamela à son sujet lui avait donné du courage pour affronter les premières journées.

Pendant qu'elle observait les enfants, une question lui trottait dans la tête : allait-on venir la chercher aujourd'hui ? D'un côté, elle le souhaitait, pour mettre fin à son angoisse – ce serait un nouveau départ –, de l'autre, elle était terrifiée. Lorsqu'elle était arrivée au collège, elle connaissait d'autres enfants qui venaient comme elle du primaire. La plupart habitaient dans le quartier. À présent, où qu'elle aille, elle se retrouverait avec des inconnus.

— Est-ce qu'on va venir me chercher aujourd'hui ? lâcha soudain Adèle tandis qu'elle aidait Mme Patterson à étendre du linge dans la cour.

À son retour de l'école, elles avaient pris ensemble une tasse de thé et Adèle avait senti la nervosité d'Annie, qui n'arrêtait pas de se lever de sa chaise pour diverses raisons : quelque chose se tramait.

Elle vit à l'expression de Mme Patterson qu'elle allait lui mentir.

— Je sais que quelqu'un va venir, déclara Adèle en la regardant droit dans les yeux. Je veux juste savoir si c'est aujourd'hui.

Annie Patterson avait aimé Adèle dès le premier jour. Les Talbot avaient emménagé sous des trombes d'eau. Jim et Rose se démenaient pour monter leurs affaires et Pamela, toute petite à l'époque, braillait à pleins poumons. Annie avait offert de s'occuper des deux filles pendant que le couple organisait l'appartement. Elle-même venait d'apprendre qu'elle était enceinte de son premier enfant.

À cinq ans, Adèle était une drôle de gamine, étonnamment bien élevée, avec une maturité qui donnait presque le frisson. « Maman est très fatiguée, avait-elle déclaré lorsque Annie avait pris le bébé dans ses bras pour le calmer. C'est moi qui berce la petite Pammy dans son landau, mais elle n'aime pas beaucoup ça, elle préfère que maman la câline. »

Annie lui avait demandé ce qu'elle pensait de sa sœur. « Elle est gentille quand elle ne crie pas. Quand elle saura marcher, je l'emmènerai se promener et maman se reposera. » C'est ce qui se passa. À six ans, Adèle promenait sa sœur dans une poussette. Annie se revit l'observer de la fenêtre de la cuisine, étonnée qu'une mère confie la responsabilité d'un si petit bout de chou à une enfant aussi jeune. Il est vrai que dans la plupart des familles du quartier les aînés s'occupaient des plus jeunes, mais ce comportement négligeant ne collait pas avec Rose, qui semblait issue d'une bonne famille.

Toutefois, Annie se rendit compte rapidement qu'on pouvait se fier à Adèle. Lorsqu'elle fut enceinte de Michael, elle autorisa la fillette à emmener Tommy et Pamela au parc pour avoir quelques moments de répit. Et elle appréciait beaucoup ses visites, lorsqu'elle venait lire des histoires à son fils ou jouer avec lui. Elle était une véritable petite maman, attentive et éveillée.

Elle avait souvent remarqué qu'Adèle avait des bleus, mais elle était tellement sage qu'Annie n'aurait jamais pu imaginer que sa mère la battait. Cependant, trois ans plus tôt, elle avait commencé à soupçonner quelque chose. Les vêtements de Pamela étaient plus beaux que ceux d'Adèle ; la cadette était potelée et en bonne santé tandis qu'Adèle était maigre comme un clou et presque toujours enrhumée. Annie croisait souvent

Rose qui tenait la main de Pamela dans la rue. Jamais elle ne sortait avec Adèle. En huit ans, Annie n'avait jamais vu Rose embrasser sa fille aînée, lui faire un câlin ou lui poser une main affectueuse sur la tête. Elle ne prodiguait sa tendresse qu'à Pamela.

À présent, Annie avait honte. Elle n'avait pas agi assez tôt pour protéger Adèle et maintenant elle la trompait en complotant avec le docteur Biggs au sujet de l'arrivée de l'assistante sociale.

Elle la regarda et sut qu'elle ne pouvait pas lui mentir.

— Oui, ma chérie, avoua-t-elle en soupirant, quelqu'un va venir te chercher aujourd'hui.

— Je vais aller à l'orphelinat ?

— Non, si le médecin peut l'empêcher, assura Annie. Il pense que tu seras plus heureuse dans une famille sympathique, où tu t'occuperas des petits. Ça me paraît bien, non ?

Adèle se rendit compte que Mme Patterson n'en était pas convaincue, sinon elle en aurait parlé plus tôt. Mais elle hocha la tête en s'efforçant de sourire. De toute façon, elle n'avait pas le choix et elle ne voulait pas que la gentille Mme Patterson se sente coupable.

Une femme qui ressemblait à un professeur, coiffée d'un chapeau marron et vêtue d'un tailleur en tweed, se présenta juste avant midi.

— Je suis Mlle Sutch, annonça-t-elle en serrant la main de Mme Patterson et en souriant à Adèle. Nous allons voyager en train. Nous avons trouvé un endroit ravissant, à la campagne, où tu resteras jusqu'à la guérison de ta mère.

Elle prit le bébé dans ses bras, le trouva magnifique, puis elle s'enquit de l'âge de Michael et lui demanda quand il commencerait l'école. Elle s'assit ensuite sans façon, comme une vieille amie en visite.

Pendant qu'elles prenaient le thé, Adèle étudia la femme. Grande et mince, elle avait une bonne quarantaine d'années. Son visage était criblé de taches de rousseur et quand elle enleva son chapeau, ses cheveux courts et bouclés, d'un roux doré, suscitèrent l'admiration de Mme Patterson.

— Ce n'est pas un cadeau ! s'écria Mlle Sutch en riant. Si je les laisse pousser, je ne peux rien en faire. Quand j'étais petite et que ma bonne démêlait les nœuds, je pleurais à chaudes larmes. Pour moi, les cheveux bouclés étaient une malédiction.

Adèle la trouva sympathique car elle n'était pas sévère, ni condescendante. Elle aimait son rire joyeux, son attitude décontractée tandis qu'elle câlinait le bébé, lui essuyait le nez avec son propre mouchoir. Mais surtout elle semblait vraiment se soucier de la situation difficile d'Adèle et désireuse d'arranger les choses au mieux pour elle.

— Nous t'avons trouvé une place aux Sapins, expliqua-t-elle. C'est une famille d'accueil dans le Kent. Depuis des années, M. et Mme Makepeace prennent des enfants qui ont besoin d'un foyer temporaire. Tu seras la plus grande.

Elle marqua une pause et sourit de façon encourageante.

— Tu as beaucoup de chance qu'ils aient une place pour toi. Il y a une balançoire dans le jardin, plein de livres et des jeux. Mme Makepeace emmène souvent les enfants pique-niquer et, l'été, elle organise des sorties à la mer. Tu vas adorer.

— Où irai-je à l'école ? demanda Adèle, nerveuse.

— M. Makepeace est professeur, il te donnera des cours. Alors, qu'en penses-tu ?

— Ça a l'air bien, répondit la fillette spontanément.

— Parfait. Nous devons nous mettre en route. Tu as préparé tes affaires ?

— Elle n'a pas grand-chose, déclara Mme Patterson en tirant la petite valise de sous le divan. Elle a besoin de nouvelles chaussures, les siennes sont trouées.

— Mme Makepeace s'en occupera, assura Mlle Sutch gaiement. Dis au revoir à Mme Patterson. Après, on se sauve.

Annie serra tendrement Adèle dans ses bras.

— Sois sage, fit-elle en l'embrassant sur le front. Et écris-moi pour me donner de tes nouvelles. Tout va s'arranger, tu verras.

— Papa et maman sauront où je suis ? chuchota Adèle avec anxiété.

— Bien sûr ! Le docteur Biggs a tout organisé, il vérifiera que les choses se passent bien pour toi comme pour eux.

Adèle embrassa le bébé et tapota la tête de Michael. Il ne voulait jamais qu'elle lui fasse la bise.

— Merci de vous être occupée de moi, madame Patterson. Et dites au revoir à Tommy de ma part.

Elle se sentit un peu bizarre en descendant la rue avec Mlle Sutch jusqu'à la station de métro. Du plus loin qu'elle s'en souvienne, elle avait vécu dans ce quartier et, à l'exception d'une sortie à Southend avec l'école, elle n'avait jamais quitté Londres. La vie n'avait pas été drôle à la maison, mais les bons souvenirs avec Pamela y étaient rattachés et elle avait du mal à les laisser derrière elle.

— Tu pourras toujours revenir, tu sais, déclara soudain l'assistante sociale comme si elle lisait dans ses pensées. Je retourne parfois dans le village où j'ai grandi. Je me promène, je regarde les maisons, je me rappelle les personnes gentilles et celles qui étaient méchantes avec moi. Finalement, je suis contente de ne plus y vivre. Tu sais, les différentes expériences de la vie nous font changer. Ce qui nous convient à un moment ne nous convient pas pour toujours.

À la grande surprise d'Adèle, elles descendirent du train à Tunbridge Wells, l'endroit d'où provenait la vieille lettre adressée à sa mère. Elle en aurait bien parlé à Mlle Sutch, seulement l'assistante sociale semblait énervée. Elle consultait sans cesse sa montre et annonça qu'elles prendraient un taxi jusqu'aux Sapins parce qu'elle devait être de retour à Londres à dix-huit heures trente.

Du train, la ville avait paru intéressante à Adèle. Les maisons étaient vieilles, mais pas en mauvais état comme autour des gares de Londres. Tandis qu'elles se dépêchaient pour trouver un taxi, Mlle Sutch expliqua que, dans les années 1800, les gens venaient ici pour prendre les eaux. Adèle supposa qu'un puits quelque part dans la ville devait agir à la façon d'un médicament. Elle aurait bien aimé en apprendre davantage, mais l'assistante sociale se lança dans une longue conversation avec le chauffeur de taxi pour qu'il l'attende afin de la raccompagner à la gare.

Après les banlieues de Londres, le train avait traversé de vastes étendues de campagne et Adèle avait été enchantée à la vue des agneaux gambadant dans les prés, des primevères sur les remblais de la voie ferrée et des cottages qui paraissaient sortir tout droit d'un livre de contes. Cependant, quand le taxi quitta Tunbridge et s'engagea dans des petites routes étroites et sinueuses, bordées de haies épaisses, elle commença à ressentir une vive inquiétude : il n'y avait aucune habitation en vue.

Il se mit à pleuvoir à verse. Le ciel devint si noir que les branches dénudées des arbres prirent un air menaçant.

— C'est loin des magasins, hasarda-t-elle.

— Tu n'en auras pas besoin, rétorqua Mlle Sutch avec brusquerie. M. et Mme Makepeace veilleront à ce que tu ne manques de rien.

Adèle n'eut pas le courage d'avouer qu'elle était inquiète de ne pas savoir exactement où elle se trouvait. Elle ne voulait pas paraître méfiante ni ingrate, mais elle s'assit bien droite et s'efforça de noter des points de repère pour se sentir moins perdue. Le taxi tourna pour prendre un chemin boueux et cahoteux. Adèle et Mlle Sutch furent projetées l'une contre l'autre tandis que le chauffeur jurait à voix basse.

— S'il continue de pleuvoir, ce sera bientôt impraticable. Alors, ne me faites pas poireauter.

— J'en aurai pour une minute, lui assura l'assistante sociale en tapotant le genou d'Adèle. Je suis désolée, ma petite. Je pensais m'arrêter pour boire un thé et t'installer, mais tu comprends la situation. Ne t'inquiète pas, tu seras entre de bonnes mains. Mme Makepeace est très accueillante.

La maison se présenta soudain à leurs yeux. En brique rouge, elle n'avait rien de remarquable à l'exception de grands tuyaux de cheminée, en partie recouverts de lierre, qui s'élançaient du toit. Les sapins majestueux entourant la vaste demeure donnaient son nom à la propriété.

— Quel emplacement magnifique ! admira Mlle Sutch avec un soupir de satisfaction. C'est dommage que tu ne le découvres pas sous le soleil. Enfin, tu as tout l'été devant toi pour en profiter. Chauffeur, je reviens, je n'en ai pas pour longtemps.

En effet, l'assistante sociale ne s'attarda pas. Elle se contenta de sonner et, dès que la porte s'ouvrit sur une femme corpulente aux cheveux gris, vêtue d'une robe à fleurs, elle se lança dans de rapides excuses.

— Voici Adèle Talbot, vous l'attendiez, n'est-ce pas ? Je dois filer car le chauffeur de taxi est de mauvaise humeur, il a peur de s'embourber.

Son comportement déçut Adèle. L'intérêt qu'elle lui avait témoigné à Charlton Street lui semblait à présent factice. Mais Mme Makepeace avait l'air sympathique et même si cet endroit était très isolé, Adèle bénéficierait de la compagnie d'autres enfants.

— Je suis Mme Makepeace, ma chérie, se présenta la femme en souriant.

Elle prit la petite valise des mains de l'assistante sociale.

— Au revoir, mademoiselle Sutch. Merci de m'avoir accompagnée jusqu'ici.

— Quelle enfant bien élevée ! s'extasia celle-ci en se dirigeant vers le taxi. Elle ne vous posera aucun problème. Maintenant, je vous laisse !

— Entre, je vais te présenter aux autres, on allait prendre le thé. C'est Mlle Sutch qui aurait besoin d'apprendre les bonnes manières. Elle part toujours en trombe. Je me demande souvent si son patron se rend compte de son je-m'en-foutisme. De toute façon, elle n'a aucune idée de ce que c'est que d'être sans logement ou sans famille. Elle a été élevée dans de la soie ! Allons dans la cuisine. Nous sommes une grande famille, tu n'as rien à craindre, ici.

Dans l'entrée imposante au plancher bien astiqué trônait uniquement un vieux buffet, orné d'un grand vase de jonquilles. L'air embaumait l'encaustique à la lavande. En pénétrant dans la cuisine, Adèle fut stupéfaite. La pièce et sa « nouvelle famille » étaient si vastes ! Autour de l'immense table, une bonne dizaine d'enfants la dévisageaient. Mme Makepeace déposa sa valise contre un vaisselier.

— Je vous présente Adèle. Je vais commencer par les petits. Mary, Susan, John, Willy, Frank, récita-t-elle en les désignant du doigt. Ensuite, Lizzie, Bertie, Colin, Janice, Freda, Jack et Beryl. Alors, les enfants, qu'est-ce qu'on dit à sa nouvelle amie ?

— Bienvenue ! s'écrièrent-ils tous en chœur.

— C'est vrai, tu es la bienvenue, approuva Mme Makepeace

avec un large sourire. Va t'asseoir à côté de Beryl. Je vais préparer le thé.

Adèle pensa qu'elle n'arriverait jamais à retenir tous les prénoms. Elle ne se rappelait que de Mary, un bébé d'environ dix-huit mois assis dans une chaise haute, occupé à mâcher un croûton de pain, et de la plus âgée – Beryl – qui devait avoir dans les onze ans. Les autres – entre trois et dix ans – étaient tous vêtus pauvrement et aussi maigres qu'elle.

— Récitons le bénédicité, dit la maîtresse de maison en posant sur la table une énorme théière en fonte.

À l'exception de la petite Mary, tous les enfants se levèrent d'un bond et se placèrent derrière leur chaise, tête baissée et mains jointes.

— Remercions Dieu, qui a déposé cette nourriture sur notre table. N'oublions pas que, sans sa bonté, nous serions seuls et affamés. Amen.

Le chœur des « Amen » se fondit dans le raclement des chaises.

— Beryl, passe le pain, ordonna Mme Makepeace.

La montagne de tartines couvertes d'une fine couche de margarine disparut en un éclair. Adèle apprit que sur la troisième tranche ils avaient droit à de la confiture. Le thé ressemblait à de l'eau, il n'y avait pas de sucre, et le dessert consistait en une petite tranche de cake inodore et sans saveur où les raisins secs se battaient en duel. C'était suffisant pour Adèle, car Mlle Sutch lui avait donné une pomme et un biscuit au chocolat dans le train. Mais les autres enfants avaient l'air encore affamés : ils avaient englouti leur cake avant même qu'elle ait commencé le sien et ne quittaient pas des yeux son assiette.

Ils étaient tous silencieux. De temps à autre, Mme Makepeace posait une question à l'un d'eux mais, à part ces rares échanges, il n'y avait aucune conversation.

Malgré sa taille, la cuisine, chauffée par un grand fourneau, était accueillante. Un immense vaisselier bourré de porcelaines, de bibelots et de boîtes en fer occupait un mur entier. Un séchoir en bois festonné de vêtements pendait au plafond. Des photos des membres de la famille royale, d'animaux et de fleurs découpées dans des magazines ornaient les murs vert pâle, des plantes égayaient le rebord de la fenêtre et un gros chat tigré dormait sur un fauteuil à côté du fourneau.

Après le thé, les enfants dirent les grâces puis Mme Makepeace ordonna aux plus grands, Freda, Jack et Beryl, de laver la vaisselle. Elle demanda ensuite à Janice d'emmener Adèle et les autres dans la salle de jeux.

— Tu participeras aux tâches domestiques à partir de demain, annonça-t-elle à Adèle. Beryl te mettra au courant plus tard, quand elle te montrera ton lit. Maintenant, file faire connaissance avec les petits.

Janice, qui informa Adèle qu'elle avait huit ans, essuya les mains et le visage de Mary avec un torchon, puis, la calant sur sa hanche, elle désigna le chemin de la salle de jeux, suivie par les gamins en rang par deux. Une petite main se tendit vers celle d'Adèle ; il s'agissait de Susan, l'avant-dernière, âgée d'environ trois ans. Elle louchait, ses fins cheveux blonds étaient emmêlés et sa menotte était toute rêche. Quand Adèle l'examina de plus près, elle vit que la peau était irritée et pelait.

Il faisait bon aussi dans la salle de jeux, grâce à un feu de cheminée. Le mobilier avait connu des jours meilleurs. Le grand canapé face au feu était défoncé, les fauteuils, miteux. Sur une immense table branlante se trouvaient un puzzle à moitié terminé et plusieurs cartons de bandes dessinées, de livres et de jouets. Pourtant, la pièce, dotée de grandes portes-fenêtres qui donnaient sur une pelouse où trônait une balançoire, était très agréable. La pluie ne mettait pas le jardin en valeur mais Adèle, qui n'en avait jamais eu, le jugea splendide. Elle était ravie aussi que la plupart des enfants soient petits. Susan s'accrochait toujours à sa main et elle se sentit vraiment la bienvenue.

— D'où tu viens ? demanda Janice, qui s'asseyait près du feu avec Mary sur les genoux.

— Londres, répondit Adèle en s'installant à côté d'elle avec Susan. Ça se passe bien, ici ?

— Frank ! Ne touche pas à ce puzzle sinon Jack va t'étriper ! cria Janice. Jack adore les puzzles, expliqua-t-elle avec un sourire. Ouais, ici, ça va. Mais j'aimerais tant rentrer chez moi et retrouver ma maman.

Janice lui rappelait Pamela – elle avait le même âge et

montrait la même assurance –, en moins jolie cependant, car ses cheveux étaient d'un brun terne et elle avait les dents cariées.

— Tu as une maman ?

— Comme la plupart d'entre nous. La mienne est malade et ma tante pouvait seulement prendre le bébé, alors Willy et moi on est venus ici. C'est mon frère, Willy, indiqua-t-elle en désignant un petit garçon roux. Il a quatre ans. Si maman ne guérit pas bientôt, ils nous enverront ailleurs.

— Pourquoi ?

— Ils ne gardent pas les enfants longtemps, ici, dit-elle en haussant les épaules.

— Où est M. Makepeace ?

— J'sais pas. Il sort souvent. Parfois, on le voit pas pendant plusieurs jours.

Cette réflexion conduisit Adèle à s'enquérir des leçons, et Janice lui confia qu'ils n'en avaient pas beaucoup. Aux enfants qui savaient lire et écrire, il donnait un chapitre à lire et, ensuite, ils en rédigeaient le résumé.

— Une fois par semaine, il écrit des tas d'additions sur le tableau noir de la salle de classe. On doit les réussir toutes. C'est facile, elles sont jamais très compliquées. Puis Mme Makepeace nous fait une dictée. Quand on se trompe, on recopie les mots jusqu'à ce qu'on les retienne.

Adèle se demanda si M. Makepeace organisait des cours différents pour les grands. Elle était déjà bonne en calcul et en orthographe, mais elle voulait progresser.

— Et le reste du temps ?

— On a tous des tâches à faire, répondit Janice en la regardant bizarrement, comme surprise. Ensuite, on joue dehors s'il fait beau. On ne nous mène pas la vie dure, ici. Il faut vraiment faire une grosse bêtise pour recevoir une correction. Mais si seulement je pouvais rentrer chez moi !

La nuit était tombée quand Beryl revint de la cuisine pour montrer à Adèle les chambres au premier étage. À onze ans, elle était très menue et tout semblait l'angoisser. Adèle allait loger avec elle et Freda, qui avait dix ans. Il faisait froid dans la pièce, pauvrement meublée de trois lits en fer, d'un casier pour chacune et d'une cuvette. Elle était contiguë à la chambre où couchaient Mary, Susan et John. Apparemment, les grandes devaient s'occuper d'eux pendant la nuit.

— Mme Makepeace se met en colère s'ils la réveillent, expliqua Beryl tandis que ses yeux noirs inquiets parcouraient la pièce. Freda dort comme une bûche, alors c'est toujours moi qui m'en charge. Tu m'aideras, hein ?

Adèle l'en assura, puis Beryl lui fit visiter les autres pièces. Lizzie et Janice occupaient la même chambre, où se trouvaient aussi deux lits vacants. Les cinq garçons en partageaient une autre avec pour responsable Jack, âgé de dix ans.

— Bertie et Colin sont de vrais démons, indiqua Beryl en soupirant. Ils manigancent toujours un mauvais coup, ils descendent en cachette pour aller manger ou bien se battent à coups de polochon. Jack n'arrive pas à les discipliner, il est retardé, tu sais. S'ils chahutent, nous devons intervenir.

Quand Adèle finit par se coucher, elle avait compris les raisons de l'anxiété de Beryl. Mme Makepeace déléguait toutes les corvées aux enfants et, comme Beryl était la plus âgée, on la rendait responsable des bêtises des autres. La gamine n'était pas entrée dans les détails, mais Adèle voyait bien son air abattu ; elle perçut la résignation dans sa voix et reconnut sa propre situation.

Adèle lui demanda sans détour si les enfants étaient maltraités.

— Ce n'est pas aussi dur que l'endroit où j'étais avant. On recevait régulièrement des raclées et on n'avait pratiquement rien à manger. Ici, il faut juste faire attention et obéir, sinon gare à toi !

Les deux premiers jours, Adèle pensa avoir compris Beryl de travers car Mme Makepeace se montra chaleureuse, aimante et joviale. Elle éclata de rire quand Adèle s'enquit des cours.

— Ne te tracasse pas pour ça !

Elle fouillait dans un placard à vêtements, y trouva une jupe bleue à carreaux et un pull assorti pour Adèle.

— Tu as reçu un choc, je vais te faire belle pour te remonter le moral.

Elle lui lava les cheveux puis lui fit des couettes, qu'elle attacha avec des rubans bleu clair.

— Voilà qui est mieux, approuva-t-elle en tapotant affectueusement la joue d'Adèle. Une fois que cette méchante cicatrice aura disparu et que tu prendras des couleurs, tu te sentiras revivre.

Quel plaisir ! Pour une fois, on était aux petits soins pour elle. Elle raconta donc en toute confiance à Mme Makepeace les horreurs que sa mère avait proférées à son sujet. Adèle se moquait que Mme Makepeace délègue les tâches ménagères aux enfants ; pour sa part, elle en avait l'habitude et au moins la maîtresse de maison lui était reconnaissante.

Mais, le troisième jour, Adèle découvrit le côté vindicatif et cruel de Mme Makepeace.

Elle avait envoyé Colin, le garçon de huit ans aux cheveux blonds filasses, ramasser les œufs au poulailler. Il pleuvait à verse et il rentrait en courant quand il glissa sur l'herbe mouillée et cassa deux œufs.

Il arriva en pleurant, blessé aux genoux.

— Tu es un bon à rien ! explosa-t-elle. C'est déjà assez difficile de vous élever, inutile que tu gaspilles de la nourriture. À cause de ta stupidité, Bertie et Lizzie n'auront pas d'œufs pour leur petit déjeuner. J'espère qu'ils te le feront payer.

Stupéfaite, Adèle la regarda obliger Colin à manger un œuf devant les deux autres enfants. Elle voyait bien que le gamin était au supplice, il aurait préféré en être privé plusieurs matins de suite au lieu d'encourir le ressentiment de ses amis. Mme Makepeace excitait la colère de Bertie et de Lizzie en leur demandant sans cesse quel goût avait leur tartine de margarine sans œuf à la coque. Puis elle leur ordonna de maintenir Colin à l'écart toute la journée.

C'était le genre de cruauté manipulatrice que sa mère avait exercée sur elle. Elle la revoyait servir une seconde portion de pudding à Pamela en l'ignorant complètement. Ou bien elle forçait sa sœur à faire étalage de sa nouvelle jupe ou de son cardigan alors qu'Adèle n'avait rien à se mettre. Adèle n'était jamais entrée dans le jeu de sa mère car elle avait compris qu'elle n'attendait que ça.

Malheureusement, Bertie et Lizzie se mirent au diapason de Mme Makepeace. Ils se montrèrent infects avec Colin toute la journée. Le soir, le gamin s'était complètement replié sur lui-même et Adèle savait qu'il se sentait un moins-que-rien. Elle connaissait cette situation par cœur.

À partir de ce moment-là, Adèle observa Mme Makepeace avec attention. Elle accordait son affection au compte-gouttes, tapotait les derrières, embrassait les joues, passait la main dans les cheveux des enfants qu'elle appelait ses « petits anges ». Les heureux élus rayonnaient de plaisir et s'efforçaient de gagner son approbation en accomplissant des corvées supplémentaires. Mais il était clair que leur servilité reposait davantage sur la peur que sur l'affection. À la moindre incartade, Mme Makepeace écrasait de ridicule l'enfant assoiffé d'amour. Virtuose de l'humiliation, elle jouait sur la fragilité et l'insécurité.

Adèle réalisa que les enfants de plus de cinq ans avaient été choisis avec soin. Ils avaient tous le même profil. Ce n'étaient pas des gamins des rues rebelles. Séparés de leurs jeunes frères ou sœurs, qui de toute évidence leur manquaient, ils constituaient des bonnes d'enfants idéales pour les petits. Adèle se reconnaissait sans peine dans chacun d'entre eux.

Tous les jours, Mme Makepeace leur rappelait d'un ton mielleux que les vêtements qu'ils portaient, la nourriture qu'ils mangeaient ainsi que leurs jouets provenaient de son mari et d'elle. Mensonge inventé de toutes pièces, car Adèle découvrit que les Sapins étaient une institution de bienfaisance placée sous la responsabilité des Makepeace.

Elle fit cette découverte en époussetant le cabinet de travail de M. Makepeace. Sur le bureau se trouvait une brochure illustrée d'une photo des Sapins, qu'elle lut avec avidité. Il s'agissait en fait d'une institution de charité pour les « enfants dans le besoin », un lieu sûr où ils étaient reçus jusqu'à ce que la situation financière de leur famille s'améliore ou qu'on leur trouve une prise en charge de longue durée. Des dons étaient nécessaires pour payer les responsables ainsi que les dépenses de la maison. De plus, les Sapins espéraient obtenir assez d'argent pour accueillir encore plus d'enfants et améliorer la salle de classe et de jeux.

Pourtant Adèle aimait les Sapins. Elle bénéficiait de trois repas par jour, de la compagnie d'autres enfants, et était heureuse de se lever tous les matins en sachant qu'elle ne recevrait pas de gifles et qu'on ne lui crierait pas dessus sans raison.

À l'arrivée de M. Makepeace, ses dernières appréhensions s'envolèrent. À la façon dont les enfants se précipitèrent sur lui pour être cajolés ou lancés dans les airs, il était évident qu'ils l'adoraient.

Grand, environ un mètre quatre-vingts, il avait d'épais cheveux noirs, une moustache et les yeux marron les plus doux et les plus beaux qu'Adèle eût jamais vus. Ses dents paraissaient fausses car elles étaient très régulières et d'un blanc immaculé, mais quand il souriait ou riait, ce qu'il faisait volontiers, on voyait bien qu'il ne portait pas d'appareil. Il avait un peu de ventre, à peine visible sous l'élégante veste de son costume.

— Adèle, quel joli prénom ! s'écria-t-il quand sa femme la présenta. De toute façon, tu es très jolie. Comment t'adaptes-tu à ta nouvelle vie ?

— Très bien, merci monsieur, répondit-elle, la tête baissée.

Ce compliment l'embarrassait : elle se savait quelconque.

— Ma femme m'a raconté que tu étais aussi intelligente que mignonne, poursuivit-il en lui relevant la tête. Tu aimes lire, tu es gentille avec les petits et tu es la reine de l'épluchage de pommes de terre. Que de dons ! Pourtant j'ai l'impression que tu ne te trouves pas jolie.

— Non, monsieur, chuchota-t-elle.

— Eh bien, tu as tort, déclara-t-il en la regardant droit dans les yeux. Le charme vient de l'intérieur et tu n'en manques pas. D'ici deux ans, tu seras superbe.

Sa voix était si douce et grave qu'Adèle ne put s'empêcher de lui sourire.

— Enfin ! gloussa-t-il, voilà un sourire qui attendrirait n'importe quel cœur. Suis-moi dans mon cabinet de travail, nous allons discuter de tes cours.

Il s'installa à son bureau et fit asseoir Adèle à côté de lui. Il prit un ouvrage, lui demanda d'en lire un passage. Il s'agissait du *Moulin sur la Floss*, qu'elle avait lu peu avant la mort de Pamela. Elle l'avait adoré.

— Excellent. Nous n'avons pas beaucoup d'enfants aussi capables que toi. Dis-moi, qu'apprenais-tu en classe avant de venir ici ?

Il était si facile de lui parler ! Détendue à présent, elle s'ouvrit complètement à lui. Elle lui raconta sa passion pour la lecture, et aussi qu'elle était la première de sa classe en arithmétique, mais l'histoire l'ennuyait et, selon elle, la géographie ne servait à rien.

— Et si un jour tu voyages ? fit-il remarquer en souriant. Comment décideras-tu quels pays visiter si tu ne les as pas étudiés ?

Adèle n'avait jamais considéré la question sous cet angle, mais c'était la première fois qu'elle rencontrait un homme instruit. Il semblait également connaître les circonstances qui l'avaient conduite aux Sapins et lui demanda comment elle se sentait ici.

— Bien, répondit-elle timidement. Je me fais juste un peu de souci car j'ai peur de prendre du retard à l'école.

— Mme Makepeace n'est pas un professeur, déclara-t-il d'un léger ton de reproche. Et, malheureusement, beaucoup d'enfants ici n'ont pas tes capacités et ils ne restent pas longtemps. Nous nous en tenons donc aux rudiments : la lecture, l'écriture, le calcul et l'orthographe. Mais quand nous avons une élève douée, je fais tout mon possible pour l'aider.

Les jours qui suivirent le retour de M. Makepeace, Adèle eut l'impression de flotter. Elle cessa d'observer sa femme et d'écouter les plaintes de Beryl. Pour la première fois de sa vie, elle se sentait aimée et c'est à M. Makepeace qu'elle le devait.

Le deuxième jour, elle était occupée à désherber le jardin quand il lui avait demandé de le rejoindre dans son bureau pour un exercice d'arithmétique. Une fois le devoir terminé, il l'avait félicitée de n'avoir fait aucune faute, puis il lui avait donné *Un conte de deux villes*, de Charles Dickens, à lire pendant le week-end ; ils en discuteraient le lundi suivant.

Quand elle se plongea dans l'histoire, elle imagina Charles Darnay sous les traits de M. Makepeace, ce qui rendit le livre d'autant plus passionnant. Comble de bonheur, Mme Makepeace la dispensa de presque toutes les tâches ménagères durant le week-end. Tandis que les plus grands travaillaient et que les petits jouaient dehors, elle se pelotonna sur le canapé de la salle de jeux, absorbée par le drame de la Révolution française.

Elle termina le livre tard dans la soirée du dimanche. Lorsqu'elle alla se coucher, Beryl l'attendait, la mine renfrognée.

— Tu n'es pas la première fille pour laquelle il est aux petits soins, lança-t-elle d'un ton hargneux. Au bout d'un moment, quand il en a marre, il les expédie ailleurs.

Beryl n'arrêtait pas de râler : apparemment, elle crevait de jalousie. Adèle n'était pas d'humeur à l'écouter.

— Il ne m'expédiera pas ailleurs, répliqua-t-elle avec assurance. Il m'aime bien.

5

M. Makepeace retira la pipe de sa bouche.

— Depuis combien de temps es-tu avec nous, Adèle ?

Il lui donnait une leçon de géographie dans la salle de classe. La pièce ne ressemblait pas aux classes dont elle avait l'habitude. Minuscule, elle était meublée d'une vieille table de réfectoire, de quelques chaises, et des livres écornés reposaient sur le rebord de la fenêtre. Le seul élément qui indiquait la fonction de la pièce était le tableau noir, sur lequel il avait fixé une grande carte du monde. M. Makepeace avait pointé du doigt plusieurs pays et Adèle avait dû écrire leur nom et celui de leur capitale.

Un observateur aurait pu croire qu'elle était punie, car c'était un après-midi de printemps ensoleillé et les autres enfants jouaient dans le jardin. Mais Adèle n'avait aucune envie de se joindre à eux. Elle était enchantée d'avoir un cours particulier avec son professeur.

— Je suis là depuis un mois, répondit-elle.

— Tu es heureuse, ici ?

Elle fut interloquée : ce n'était pas le genre de question que posaient les adultes.

— Oh oui, monsieur ! s'écria-t-elle joyeusement.

Il était appuyé contre le rebord de la fenêtre, et l'arôme de son tabac à pipe neutralisait l'odeur de l'herbe fraîchement coupée qui embaumait au début de la leçon. Aujourd'hui, vêtu d'une chemise blanche à col ouvert et d'un pantalon de flanelle gris, il était moins impressionnant qu'en costume sombre et semblait plus accessible, plus paternel.

— Seulement « oui » ! Pas d'autre explication sur ce qui te rend heureuse ici, pas même un « mais » ? déclara-t-il d'un ton moqueur.

Perplexe, Adèle fronça les sourcils, ce qui le fit éclater de rire.

— Tu aurais pu dire : « Oui, je suis heureuse ici, mais je déteste toujours la géographie », poursuivit-il en agitant sa pipe dans sa direction.

— Je ne la déteste plus depuis que vous me l'enseignez.

— Cela signifie-t-il que tu es heureuse grâce à moi ?

C'était le cas, elle l'adorait et ne vivait que pour ses leçons particulières. Pourtant, elle avait du mal à l'avouer. Depuis sa plus tendre enfance, elle avait appris qu'il valait mieux ne pas révéler ses sentiments.

— Tout me plaît : la maison, les enfants, le jardin…

— Et moi ? l'interrompit-il.

— Oui, souffla-t-elle d'un air penaud. Et vous.

— C'est bien, approuva-t-il en s'approchant d'elle. Parce que tu m'es de plus en plus chère.

Il se pencha pour embrasser le sommet de sa tête. Une grande vague de joie submergea Adèle. Elle l'avait adoré dès le premier jour de leur rencontre, elle buvait ses paroles et se sentait triste quand il était absent. Mais elle n'avait jamais espéré qu'il éprouve les mêmes sentiments pour elle, une gamine insignifiante.

— Ça te fait plaisir ? demanda-t-il en s'agenouillant près de sa chaise et en passant son bras autour de ses épaules.

Sa voix était grave et tendre. L'odeur de son huile capillaire à la lavande, du tabac de sa pipe et la façon dont ses doigts la caressaient l'étourdissaient.

— Oui, chuchota-t-elle, parce que vous m'êtes très cher aussi.

Il la regardait avec une telle intensité qu'elle dut baisser les yeux.

— Embrasse-moi, Adèle, souffla-t-il.

Un peu gênée, elle lui donna une bise rapide sur la joue. Il rapprocha son visage du sien.

— Sur les lèvres, c'est comme ça que s'embrassent les gens qui s'aiment, murmura-t-il.

Adèle fut saisie. Il l'aimait ! Elle se jeta spontanément à son cou et l'embrassa avec enthousiasme, puis s'écarta en pouffant de rire.

— Tu me trouves drôle ?

Ses yeux bruns sondaient les siens avec sévérité.

— Non, c'est juste que votre moustache pique, dit-elle précipitamment.

Il se releva. Elle eut peur de l'avoir offensé, mais à sa grande surprise il la fit se lever, s'assit à sa place et l'attira sur ses genoux.

— Si je la rase, tu recommenceras ?

Elle ressentit une légère pointe d'anxiété. Elle avait envie d'être câlinée, seulement il ne s'y prenait pas bien. D'un bras, il la maintenait fermement contre lui, son autre main reposait sur sa cuisse.

— Je dois y aller, il faut que j'aide à préparer le thé, annonça-t-elle en se tortillant pour se dégager.

— Non, répondit-il vivement tandis que sa poigne s'affermissait. Comme tous les vendredis après-midi, Mme Makepeace est en ville. Tu sais qu'on ne prend le thé qu'à son retour. Il nous reste donc beaucoup de temps. Ne veux-tu pas être ma petite amie ?

Il avait l'air peiné et ses grands yeux exprimaient une telle tristesse qu'Adèle se sentit obligée de le serrer fort contre elle.

— Voilà qui est mieux, chuchota-t-il contre sa nuque. Tu es ma petite fille et j'ai besoin de te tenir dans mes bras.

Dans la soirée, Adèle se trouvait dans la salle de bains, occupée à sécher Mary pendant que Beryl lavait John et Susan. Adèle appréciait beaucoup ces moments-là. Mary, joueuse et potelée, aimait les chatouilles et les petits s'éclaboussaient en riant, enchantés. Beryl était moins tendue car Mme Makepeace ne surveillait pas la toilette des enfants.

Adèle aurait souhaité se lier d'amitié avec Beryl. C'était possible, elles n'avaient qu'un an de différence et passaient leur temps ensemble. Mais Beryl, perdue dans ses pensées, n'engageait jamais la conversation et riait rarement.

— Tu as pris un coup de soleil sur la nuque, fit remarquer

Adèle alors que Beryl se penchait au-dessus de la baignoire. Ça te fait mal ?

— Oui, très, grimaça-t-elle en le touchant. J'en ai parlé à Mme Makepeace, qui m'a dit d'arrêter de me lamenter.

— Il faudrait avoir une jambe arrachée pour qu'elle manifeste de l'intérêt. L'autre jour, j'ai vu une lotion à la calamine dans le placard. Je t'en appliquerai dès qu'on aura mis ces trois bouts de chou au lit. Ça apaisera la brûlure.

Le visage maigre de Beryl se fendit d'un large sourire de reconnaissance.

— Merci. C'est ce qui me manque le plus. À la maison, maman soignait les coups de soleil ou les genoux écorchés. Et la tienne ?

Adèle secoua la tête.

— Non ? s'exclama Beryl, horrifiée. Et ton père ?

— J'aurais pu brûler vive sans qu'il ne s'en aperçoive. Il n'a pas voulu s'occuper de moi lorsque ma mère est allée à l'hôpital.

Un mois auparavant, Adèle n'aurait pour rien au monde raconté sa vie. Ce soir, toutefois, elle préférait poursuivre la conversation plutôt que de rester loyale envers un homme qui l'avait rejetée.

— Comment est ton père ? demanda Adèle.

— Gentil quand il ne boit pas, répondit-elle avec mélancolie. C'est pour ça qu'on nous a envoyés ici quand maman est tombée malade. Il se cuitait.

— Il se quoi ?

— Il buvait tout le temps et ne rentrait plus à la maison.

Adèle désirait poser une question sur le père de Beryl, mais elle ignorait comment s'y prendre.

— Est-ce qu'il était... affectueux avec toi ?

La gamine fronça les sourcils.

— Tu veux dire quoi ? S'il nous prenait dans ses bras ?

Adèle acquiesça.

— Ouais, tout le temps. Et encore plus quand il avait bu.

La conversation fut interrompue par les hurlements de Susan, qui avait du savon dans l'œil. Quand les filles l'eurent lavée, séchée et mise en chemise de nuit, Adèle ne trouva pas le moyen de relancer la discussion. Elle brûlait de savoir si le père de Beryl l'embrassait sur la bouche. M. Makepeace avait recommencé et ses baisers lui donnaient la chair de poule. Gênée, elle attendait avec impatience la fin du cours, craignant cependant qu'il ne l'aime plus si elle refusait de l'embrasser. Élucider le mystère du comportement entre les pères et les filles l'aiderait à se sentir plus à l'aise. Jim Talbot n'était pas une référence, elle ne se rappelait aucun geste affectueux à son égard.

Comment se renseigner ? Personne ici ne venait d'une famille normale, en tout cas pas des familles décrites dans les livres. Même ceux-ci n'étaient pas très clairs. Les filles se précipitaient toujours vers leur père, qui les serrait dans leurs bras et les embrassait. C'est d'ailleurs ainsi que se conduisait M. Patterson. Mais comment comparer M. Patterson et M. Makepeace ? Le mari d'Annie travaillait aux chemins de fer, il était fruste et dur, à des années-lumière d'un professeur.

Deux semaines plus tard, à l'heure du thé, une autre fille, Ruby Johnston, arriva aux Sapins. Elle avait dix ans, le même âge que Freda. Pâle et malingre, elle flottait dans ses vêtements, et on lui avait coupé ses cheveux châtains si court qu'il lui en restait à peine un centimètre sur la tête. Quand elle vit tous les enfants assis autour de la table, elle parut terrifiée. Adèle eut pitié d'elle : elle avait éprouvé la même peur le jour de son arrivée.

— Adèle, tu déménageras dans la mansarde pour laisser la place à Ruby, annonça la maîtresse de maison après avoir fait les présentations.

Adèle jeta un coup d'œil à Beryl, qui accusa le coup. À présent, elle aurait l'entière responsabilité de Mary si elle pleurait la nuit. Adèle ne se réjouissait pas non plus de ce changement. Elle n'avait aucune envie de se retrouver seule tout en haut de la maison. Il s'agissait d'une chambre affreuse et minuscule, inoccupée depuis des années. Des oiseaux nichaient dans les trous de la corniche, les murs étaient tachés d'humidité, des planches grossières faisaient office de parquet et il n'y avait pas d'électricité.

Ennuyeuses, un peu lentes et peureuses, Beryl et Freda n'étaient pas passionnantes, mais Adèle s'était habituée à leur compagnie. La nuit, si elle se réveillait, il était réconfortant de les savoir proches. Par ailleurs, se retrouver seule dans une chambre risquait de l'isoler des autres enfants. Être la plus âgée la mettait déjà à l'écart. En outre, il y avait les leçons particulières. Ses camarades n'en parlaient pas, peut-être les considéraient-ils comme une punition plutôt que comme un privilège.

À chaque cours, M. Makepeace l'embrassait et la cajolait, et parfois il ne lui enseignait rien. C'était étrange. Elle avait pensé vivre le paradis sur terre si cet homme la prenait dans ses bras, et maintenant que son vœu était exaucé elle redoutait ce contact. La peur ressentie la première fois ne la quittait plus. Quand il caressait ses bras, ses jambes, et lui passait la main dans les cheveux en la tenant serrée sur ses genoux, elle ne trouvait pas ça bien. Pourquoi ? Elle l'ignorait et surtout ne savait pas comment y mettre fin.

Il expliquait qu'il avait besoin de la toucher parce qu'il l'aimait. Il affirmait n'avoir jamais éprouvé ce sentiment auparavant pour une enfant des Sapins. Avouer qu'elle détestait ça signifierait qu'elle le détestait, lui.

— Adèle !

La voix de Mme Makepeace la fit sursauter.

— Je suis désolée, vous m'avez demandé quelque chose ? s'enquit-elle d'un ton coupable.

— Oui, plusieurs fois, rétorqua la maîtresse de maison. Conduis Ruby au premier, montre-lui sa chambre et donne-lui un bain. Trouve-lui une chemise de nuit et des vêtements à sa taille. Puis tu feras ton lit dans la mansarde. Ce soir, Freda aidera Beryl à coucher les petits.

Ruby paraissait toujours aussi terrorisée. Honteuse de ne pas s'être montrée plus accueillante, Adèle décida de se rattraper.

— D'où tu viens ? De Londres ?

— Deptford, répondit la fillette d'une petite voix.

C'était une localité au sud de Londres où Adèle n'avait jamais mis les pieds.

— Ta maman est malade ?

— Elle est morte, lâcha-t-elle, impassible.

Adèle en resta sans voix. Les adultes disaient toujours qu'ils étaient désolés, mais d'après le ton de Ruby ce n'était sans doute pas la réponse appropriée. Elle se contenta de répéter les paroles de Beryl.

— Tu seras bien ici, Mme Makepeace ne nous bat pas et les enfants sont sympathiques.

Elle lui fit couler un bain, puis lui demanda d'enlever ses vêtements pour les mettre dans le panier à linge sale. Ruby s'exécuta à toute vitesse, comme si elle avait peur d'être punie. Quand Adèle découvrit son corps couvert de bleus et d'autres marques, elle ressentit une énorme compassion pour elle.

— Après, tu m'aideras à choisir tes vêtements, poursuivit-elle précipitamment. Tu verras, il y a plein de jolies choses dans le placard.

Les lèvres de Ruby esquissèrent un sourire. Elle n'avait que la peau sur les os et Adèle espéra qu'elle aurait droit à des rations supplémentaires. Mais elle avait de magnifiques yeux gris et de très longs cils. Une fois que ses cheveux auraient repoussé et qu'elle se serait un peu remplumée, elle serait ravissante.

— Tu es la plus vieille, ici ?

— Seulement d'une année, expliqua Adèle, ravie de constater que Ruby semblait se détendre. Mais Beryl pense que c'est elle la responsable car Mme Makepeace lui confie beaucoup de travail.

— Elle m'a regardée d'un drôle d'air. Est-ce qu'elle sera méchante avec moi ?

— Beryl ? pouffa Adèle. Elle ne ferait pas de mal à une mouche, elle est bien trop trouillarde. Personne ne t'embêtera. Si ça arrive, tu n'auras qu'à m'avertir.

Ruby entra dans la baignoire avec précaution. Apparemment, elle n'était pas habituée à prendre un bain. Adèle continua à parler des enfants et des tâches ménagères. Puis, quand elle sentit que la fillette était à l'aise avec elle, elle lui demanda qui lui avait coupé les cheveux si court.

— Tante Anne, répondit Ruby en poussant un profond soupir. Ce n'est pas ma vraie tante, juste la femme que papa se tape. D'après elle, c'était le seul moyen de se débarrasser des poux. Mais ce n'était pas la vraie raison, elle me déteste, c'est tout.

Adèle s'assit brusquement sur le tabouret, choquée qu'une gamine de dix ans parle de cette façon. Elle avait entendu les grandes utiliser ce mot et savait vaguement ce qu'il signifiait. Les hommes payaient les prostituées pour ça. Mais elle décida de faire comme si de rien n'était.

— Tes cheveux vont vite repousser, ma chérie, et les bleus

partiront. Moi aussi, j'étais triste en arrivant ici. Tu verras, dans quelques jours, tu iras mieux.

— Est-ce que tu pensais que personne ne s'intéressait à toi ? s'enquit Ruby, angoissée.

Adèle hocha la tête, la gorge serrée. Cette petite lui fendait le cœur.

— Ici, nous nous soucions tous les uns des autres. Tu n'as rien à craindre. On ne te fera aucun mal.

Cette nuit-là, allongée dans son lit, Adèle songeait à Ruby. En comparaison de ce que lui avait raconté la fillette, elle n'avait aucune raison d'avoir peur dans cette mansarde. Le vieux lit en fer grinçait un peu, le matelas était plein de bosses, mais les draps étaient propres. De la lumière provenait du palier du dessous, elle n'était pas affamée et personne ne la battait.

Le père de Ruby l'avait laissée avec tante Anne et les quatre enfants de cette dernière dans leur appartement en sous-sol, pour aller chercher du travail. Ruby ne comprenait pas pourquoi tante Anne l'avait soudain prise en grippe, peut-être parce que son père n'envoyait pas d'argent. Quoi qu'il en soit, elle avait enfermé Ruby dans la cave à charbon. Il y régnait un froid de canard, la pièce était plongée dans l'obscurité et, la nuit, elle s'allongeait sur des sacs en se couvrant d'un vieux manteau. Tous les matins, tante Anne venait la chercher pour attendre le facteur. Quand il n'y avait rien de son père, elle la frappait puis l'enfermait à nouveau dans la cave avec quelques tranches de pain et une tasse d'eau.

Ruby ignorait combien de temps elle y était restée. Son institutrice et les voisins croyaient que son père l'avait emmenée avec lui. Elle fut libérée grâce à un employé du gaz qui l'avait entendue pleurer en relevant les compteurs. Il avait appelé la police.

Adèle eut envie de vomir en écoutant cette histoire. Certaines marques sur le corps de Ruby provenaient de brûlures de cigarette. Tante Anne les lui avait infligées pour lui soutirer des informations sur son père.

« J'ai cru que j'allais mourir dans cette cave, avait-elle poursuivi en pleurant. Je priais pour que mon père vienne me chercher, mais tante Anne disait que les hommes se foutent de leurs enfants. Tout ce qui les intéresse, c'est de mettre leur bite dans une chatte et quand la femme est en cloque, ils disparaissent. Je pense qu'elle a raison. »

La grossièreté de Ruby avait choqué Adèle, qui n'en avait pourtant rien montré. Elle était stupéfaite. Cette gamine de dix ans en savait beaucoup plus qu'elle sur la relation entre un homme et une femme. Adèle connaissait le mot « baiser », associé au mariage, mais le vocabulaire cru de Ruby rendait cette relation très laide.

Adèle devait s'estimer heureuse. Le docteur avait pris soin de lui choisir une famille d'accueil convenable et M. Makepeace l'aimait. Elle avait vraiment de la chance !

Quelques jours après l'arrivée de Ruby, M. Makepeace partit dans la matinée. En milieu d'après-midi, Adèle demanda à Mme Makepeace s'il serait rentré pour sa leçon.

— Non, répondit-elle d'un ton brusque. Il va s'absenter plusieurs jours. C'est toi qui feras la classe aux enfants.

— Aujourd'hui ?

— Aujourd'hui et tous les autres jours. Ne reste pas là à bayer aux corneilles, si tu es aussi intelligente que mon mari le prétend, tu t'en sortiras très bien. Prends d'abord les plus jeunes, je t'enverrai les autres après.

Les enfants âgés de six à huit ans ne savaient pas vraiment lire. Frank connaissait à peine les lettres de l'alphabet. Quand Adèle avait voulu les lui apprendre, il avait refusé. L'avoir dans la classe avec les autres rendrait sa tâche difficile, et Adèle était sur le point d'en parler à Mme Makepeace quand elle sentit que cette dernière n'attendait que ça. Son regard mauvais indiquait clairement qu'elle bouillait de rage. Un mot de trop et elle la giflerait. Mieux valait se taire. Adèle se rendit dans le jardin pour rassembler les enfants.

Le cours se déroula bien mieux qu'elle ne l'avait espéré. Afin qu'ils se tiennent tranquilles, elle leur promit de leur lire une histoire si chacun déchiffrait à voix haute une page dont ils recopieraient ensuite six lignes en s'appliquant. Mme Makepeace pénétra dans la pièce quand ils en étaient à l'exercice d'écriture. Elle les observa un moment tandis qu'Adèle aidait Frank à tracer des mots simples. Elle sembla impressionnée de voir tous les enfants travailler et ne tarda pas à tourner les talons sans dire un mot.

Le groupe composé des plus grands ne posa aucun problème. Ils s'ennuyaient dans le jardin et étaient tous contents d'être occupés. Même Jack, qui était un peu retardé, voulut s'y mettre. Adèle inscrivit au tableau des phrases à compléter par un adjectif de leur choix.

Elle se retint de pouffer de rire quand elle lut la copie de Jack. Grand, gauche, les oreilles décollées, il était si empoté qu'elle n'attendait rien de spécial de sa part, pourtant sa réponse l'amusa beaucoup. La phrase était la suivante : « C'était une... journée et Mme Jones étendit le linge dans le jardin. »

Les autres avaient choisi « merveilleuse », « belle » ou « ensoleillée ». Jack, lui, avait écrit « fichue ».

— Pourquoi « fichue » ? lui demanda Adèle en s'efforçant de garder son sérieux.

— Tous les lundis, maman disait : « Encore cette fichue journée de lessive », répondit-il.

Ensuite, elle leur lut le premier chapitre de *L'Île au trésor*, et, quand la cloche sonna pour le thé, elle était fière d'elle car les deux classes s'étaient bien passées.

Cette première journée fut la seule où Adèle parvint à retenir l'attention des gamins. Au fil des jours, leur comportement se dégrada. À la fin de la semaine, ils faisaient tous les fous et Mme Makepeace la réprimanda sévèrement.

Tout à coup, Adèle se retrouva sans amis. Les enfants semblaient la considérer comme l'espion de Mme Makepeace. Ils l'exclurent de leurs jeux et de leurs conversations. Même les petits la tenaient à distance. De sa mansarde, elle entendait les filles bavarder et rire en se moquant d'elle. De plus, Mme Makepeace se montrait très sarcastique.

Un mois se passa ainsi, plongeant Adèle dans le désespoir. Parfois, voyant que Mme Makepeace ne décolérait pas, elle craignait que M. Makepeace fût parti pour de bon. Elle se dit qu'elle se dessécherait et mourrait s'il ne revenait pas.

Un matin, elle épluchait des pommes de terre pour le déjeuner quand elle entendit sa voiture. Elle n'osa pas courir à sa rencontre, mais son cœur se mit à battre et elle se précipita à la fenêtre. Avec son chapeau mou et son complet gris foncé, elle le trouva aussi beau qu'une vedette de cinéma. Il était bronzé et, lorsqu'il l'aperçut à la fenêtre, il lui sourit, dévoilant ses dents d'un blanc éclatant.

Mme Makepeace mit le déjeuner des enfants dans un plat en leur ordonnant de bien se conduire car ils mangeraient sans elle, puis elle emporta son repas et celui de son mari dans la salle de séjour. Elle réapparut environ une heure plus tard alors qu'Adèle finissait la vaisselle. Les enfants avaient filé dans le jardin pour jouer. Beryl promenait Mary dans son landau afin de l'endormir.

— Mon mari veut te voir dans la salle de classe quand tu auras nettoyé ça, annonça Mme Makepeace d'un ton sec en posant brusquement un plateau chargé d'assiettes et de verres sales.

Adèle se contenta de hocher la tête. La mine renfrognée de la maîtresse de maison n'augurait rien de bon.

Quand Adèle se rendit enfin dans la classe, M. Makepeace fumait sa pipe, assis sur le rebord de la fenêtre. Elle se jeta dans ses bras.

— Vous vous êtes absenté si longtemps ! Ç'a été horrible sans vous.

Il rit doucement.

— Il faut que je parte plus souvent si je reçois un accueil aussi agréable à mon retour.

— Vous m'avez tellement manqué !

Elle pleura en racontant ses malheurs : elle n'arrivait pas à faire la classe aux petits et elle n'avait plus d'amis.

Il s'assit et l'attira sur ses genoux.

— Je suis convaincu que ce n'était pas aussi terrible, déclara-t-il en essuyant les yeux d'Adèle avec son mouchoir.

— Oh, si ! Je ne pouvais plus le supporter !

Il la berça dans ses bras.

— Tu m'as manqué aussi. Mais je suis obligé de m'absenter pour mes affaires.

Quand il se mit à l'embrasser et à la caresser, Adèle était si contente de le revoir qu'elle n'éprouva pas ses appréhensions habituelles. Il lui confia qu'il aimerait l'emmener avec lui lorsqu'elle serait plus grande.

Beryl rôdait dans le corridor à l'instant où Adèle sortit de la salle de classe, une heure plus tard.

— Chouchou du professeur ! siffla-t-elle avec mépris.

— Tu es jalouse, répliqua Adèle. Je n'y peux rien s'il m'apprécie, c'est parce que je suis la seule à vouloir étudier.

— Ce n'est pas du tout la raison. Il aime celles qui l'autorisent à glisser sa main dans leur culotte.

Stupéfaite, Adèle s'arrêta net.

— Ce que tu viens de dire est dégoûtant.

— C'est lui qui est dégoûtant. Il essaie avec toutes les grandes. C'est pour ça que Julie s'est enfuie.

Adèle passa devant elle d'un air hautain. Elle n'en croyait pas un mot. Mais, tandis qu'elle aidait Mme Makepeace à préparer le thé en tartinant le pain de margarine et en disposant les assiettes et les tasses sur la table, ces propos lui tournaient dans la tête.

Peu après son arrivée aux Sapins, Mme Makepeace avait passé un savon à deux enfants qui parlaient de la fugue de Julie. Elle avait déclaré qu'ils racontaient des bêtises : Julie était partie car, à quatorze ans, elle était en âge de travailler. Beryl avait certainement concocté son ignoble version de l'histoire de Julie avec l'aide de Ruby. Cette dernière avait l'esprit mal tourné, elle se complaisait dans la grossièreté et Beryl buvait chacune de ses paroles.

— Où as-tu la tête ? cria Mme Makepeace, furieuse.

Adèle tressaillit.

— Qu'est-ce qu'il y a ?

— Regarde un peu toute la margarine que tu as étalée sur cette tranche de pain, fit-elle en agitant de façon menaçante une cuillère en direction d'Adèle.

— Je suis désolée, je pensais à autre chose.

— Penser ne sert à rien pour une fille dans ta situation. Tu dois apprendre à travailler vite, c'est tout.

Cette nuit-là, Adèle se réveilla en sursaut en entendant un craquement dans l'escalier de la mansarde. Elle s'assit dans son lit et fixa la porte intensément, mais elle ne vit rien car la lumière du palier inférieur était éteinte.

Un nouveau craquement et, tout à coup, une grande forme sombre apparut sur le seuil. Elle était sur le point de crier quand elle sentit la lotion capillaire à la lavande.

— C'est vous, monsieur ? chuchota-t-elle.

— Oui, ma chérie. Ne fais pas de bruit, nous ne voulons pas réveiller toute la maison.

— Quelque chose ne va pas ?

— Non, je désirais seulement être avec toi.

Quand ses yeux s'habituèrent à l'obscurité, elle vit qu'il était en pyjama. Après avoir refermé la porte, il s'assit sur le lit, qui grinça.

— Tu as volé mon cœur, Adèle, murmura-t-il en lui prenant la main, qu'il frotta entre les siennes. Je ne pense qu'à toi.

Adèle ne savait pas quoi répondre. Qu'il vienne la nuit en cachette pour lui dire cela lui semblait bizarre.

— Puis-je m'étendre près de toi ? J'aimerais juste te tenir dans mes bras.

Adèle se poussa, mais le lit étroit n'offrait pas beaucoup de place pour deux.

— Vous ne devriez pas être ici, hasarda-t-elle nerveusement en se remémorant les paroles de Beryl.

— Pourquoi, ma chérie ? s'enquit-il tout en la serrant contre lui. Tu n'as jamais fait de câlin au lit avec ton père ?

— Non. Je n'avais pas le droit.

— Ça t'aurait fait plaisir ?

Adèle se souvint que Pamela allait souvent dans le lit de ses parents, surtout quand elle était malade. Adèle l'avait toujours enviée. Elle avait tenté sa chance plusieurs fois, seulement sa mère ne l'y avait jamais autorisée.

— Oui, j'aurais bien aimé, admit-elle. Mais c'est différent avec vous.

— Pourquoi ? demanda-t-il après lui avoir embrassé le front. Je t'aime comme si tu étais ma propre fille.

Ces propos l'apaisèrent et elle se détendit. Serrée contre lui, elle s'endormit, réconfortée. Lorsqu'elle se réveilla plus tard, elle était seule dans son lit. Les premiers rayons du soleil pénétraient à flots par la fenêtre. Un instant, elle pensa avoir rêvé, mais en tournant son visage contre l'oreiller elle sentit l'odeur de la lavande.

Dans la journée, lors d'un cours avec les autres enfants, il lui adressa un sourire entendu et, une fois la leçon terminée, il lui fit signe de rester.

Il s'approcha d'elle et lui caressa doucement les cheveux.

— Tu t'es endormie avant que je puisse t'expliquer la raison de ma visite. Nous n'aurons plus de leçon particulière.

— Pourquoi ?

— Je dois consacrer plus de temps à mes élèves.

Un frisson parcourut Adèle. Cela signifiait-il qu'il ne l'aimait plus ? Elle n'osa pas le lui demander.

— Ils sont moins doués que toi et ont besoin de mon aide.

Les yeux d'Adèle se remplirent de larmes. Il en essuya une à l'aide de son pouce.

— Ne t'inquiète pas. Je m'intéresse toujours à toi. Nous devons juste trouver d'autres façons de nous rencontrer.

Adèle sentit son cœur bondir dans sa poitrine et elle sourit.

— Voilà qui est mieux ! Ce sera notre petit secret. Motus et bouche cousue ! Promis ?

Adèle acquiesça, de nouveau heureuse.

— Tu es une gentille petite. Maintenant, sauve-toi, je te verrai plus tard.

Les jours suivants, l'inquiétude et le désarroi d'Adèle s'accrurent car plus rien n'était comme avant aux Sapins. D'habitude, il n'y avait pas d'emploi du temps strict. Au petit déjeuner, Mme Makepeace expliquait aux enfants ce qu'elle attendait d'eux. Cette organisation variait selon le temps et son humeur. Elle restait dans la cuisine à lire le journal près de Mary, assise dans sa chaise haute, et les enfants accomplissaient les tâches qu'elle leur avait attribuées : la lessive, le nettoyage de la salle de bains, le balayage et l'astiquage du parquet des chambres.

À présent, un emploi du temps était punaisé sur le mur de la cuisine. Mme Makepeace, méchamment, les traita de bons à rien paresseux : il était grand temps pour eux de comprendre qu'ils n'étaient pas en vacances. Elle ajouta que toute mauvaise conduite en classe ou tout travail mal fait les priverait de jeux dans le jardin.

Les plus de cinq ans avaient classe après le petit déjeuner pendant que les grands s'occupaient du ménage et de la lessive. Mme Makepeace ne lisait plus le journal, elle s'agitait comme une folle furieuse, fustigeant ceux qui, selon elle, ne trimaient pas assez dur. Si les petits mettaient la pagaille, elle les terrifiait en piquant de véritables crises de nerfs.

Le déjeuner devait être servi à midi pile et mangé en silence. L'après-midi, les grands avaient cours et M. Makepeace se montrait aussi irritable que sa femme. Adèle n'en revenait pas de sa dureté envers Jack et Freda. Il les traitait d'imbéciles et les frappait souvent juste pour une erreur de calcul. Il ridiculisait Beryl et Ruby quand elles butaient sur des mots difficiles.

Adèle trouvait ces après-midi interminables, car les leçons s'adressaient aux élèves les plus faibles et elle n'apprenait rien. Parfois, M. Makepeace lui donnait un livre à lire ou un problème à résoudre ; la plupart du temps, il l'ignorait complètement. Par la fenêtre, elle observait la brise qui faisait palpiter les feuilles des arbres en se demandant ce qui était allé de travers. Elle se sentait coupable. Mais de quoi ?

Après le thé, les autres avaient l'autorisation de jouer dans le jardin jusqu'à l'heure du coucher. Adèle, elle, était de corvée de raccommodage. Les piles de chaussettes à repriser et le tas de chemises ou de blouses dont il fallait recoudre les boutons ne diminuaient jamais. Elle avait l'impression que Mme Makepeace l'approvisionnait en vieux vêtements pour la tenir occupée. Elle se retrouvait à Charlton Street, où sa mère la punissait en permanence. Mme Makepeace ne lui adressait pas la parole, elle lui balançait les choses ou aboyait ses ordres. Adèle se conduisit comme dans le passé : elle obéissait, ne répondait jamais et retenait ses larmes jusqu'au moment où elle regagnait sa chambre.

Elle pleurait encore cette nuit-là quand M. Makepeace se faufila dans la mansarde.

— Qu'est-ce qui t'arrive, ma chérie ?

— C'est horrible ! Je n'en peux plus.

Il se glissa dans le lit et la berça dans ses bras.

— Tout est ma faute. Ma femme est jalouse parce que je m'intéresse beaucoup à toi, alors je dois faire semblant de t'ignorer. Je suis désolé.

Elle s'endormit et, à son réveil, il avait disparu. Mais elle se sentait mieux car il lui avait assuré que, prochainement, il l'emmènerait loin des Sapins et l'élèverait comme sa propre fille.

Le samedi, une grande voiture noire vint chercher les enfants de six ans pour aller à la mer. C'était une belle matinée, une légère brume de chaleur annonçait une journée magnifique. Adèle regardait les enfants tout excités monter dans la voiture ; elle aurait donné n'importe quoi pour partir avec eux.

— Veinards ! s'exclama Ruby. Qui est-ce ?

— Une dame de la paroisse, répondit Adèle en observant la femme grassouillette vêtue d'une robe rose qui s'occupait des petits. J'espère qu'il n'y aura pas de problème, sinon elle ne reviendra plus.

— De toute façon, personne ne veut de grandes comme nous, déclara Ruby d'un air sombre. Nous resterons coincées ici jusqu'à l'âge de quatorze ans, ensuite ils nous enverront travailler à l'usine.

Adèle pensa à M. Makepeace toute la journée et, le soir, elle n'arrivait pas à s'endormir à cause de la chaleur, aussi fut-elle enchantée de l'entendre monter furtivement l'escalier. Mais dès qu'il s'allongea à côté d'elle elle réalisa qu'il se conduisait différemment. Il empestait l'alcool au lieu de l'habituelle lotion capillaire à la lavande, et il posa sa main sur sa bouche pour la faire taire lorsqu'elle évoqua la sortie des enfants à la mer.

Il n'avait pas l'air de vouloir parler et n'arrêtait pas de l'embrasser. Soudain, il remonta sa chemise de nuit pour toucher son intimité.

— Arrêtez ! Ce n'est pas bien.

— Si, ma jolie. C'est ce que font les personnes qui s'aiment.

Elle s'efforçait de le repousser, mais il revenait à la charge. Elle paniqua. Les paroles de Beryl, ce que racontait Ruby, tout prenait une nouvelle signification et elle commença à pleurer.

— Ne sois pas stupide ! chuchota-t-il en lui saisissant la main.

Elle se raidit quand ses doigts rencontrèrent quelque chose de chaud et de dur, aussi gros que son poignet, et mit quelques secondes à réaliser de quoi il s'agissait. Elle n'avait vu que des zizis de petits garçons, pas plus grands que son pouce.

— Non ! cria-t-elle, dégoûtée, en tentant de lui échapper.

Mais elle était prise au piège entre le mur et lui et il emprisonnait sa main autour de cette chose horrible.

— Prends-le bien, ordonna-t-il d'un ton bourru. Vois comme il est gros.

Il l'obligea à le frotter de haut en bas.

— Chut ! souffla-t-il, et il posa à nouveau sa main libre sur sa bouche pour lui imposer le silence. Mme Makepeace sera furieuse si tu la réveilles. Et c'est notre secret.

Adèle luttait de son mieux. En vain. La respiration de M. Makepeace s'accélérait et devenait plus bruyante tandis qu'il la forçait à frotter plus fort. Puis la situation empira lorsqu'il la plaqua sur le lit et essaya de lui écarter les jambes. Elle se débattit pour se libérer.

— Je désire seulement t'aimer, ma chérie, murmura-t-il d'une voix rauque. Laisse-moi faire, s'il te plaît.

Adèle était terrorisée. Elle se contorsionnait pour empêcher M. Makepeace de parvenir à ses fins. Son haleine avinée lui donnait envie de vomir, elle était trempée de sueur et son dos enfoncé dans le matelas la faisait souffrir. Si elle hurlait, Mme Makepeace lui tomberait dessus à bras raccourcis. Au moment où, épuisée, elle n'eut plus la force de se débattre, il produisit une sorte de grognement et un liquide chaud et collant se répandit sur elle.

— Levez-vous, je… je vais vomir, bégaya-t-elle quand il enleva la main de sa bouche.

Il bondit hors du lit.

— Va vite à la salle de bains. Si on vient, je dirai que je t'ai entendue appeler.

Adèle dévala l'escalier, se précipita dans la salle de bains et atteignit les toilettes juste à temps pour rendre tout son repas. Elle resta une éternité à genoux, cramponnée à la cuvette des W.-C. M. Makepeace chuchota derrière la porte et elle lui ordonna de s'en aller. La substance collante qui séchait sur ses mains et sur son ventre lui donnait des haut-le-cœur.

Plus tard, elle s'assit par terre, adossée contre les carreaux frais, trop désespérée pour pleurer. Ses yeux s'étaient habitués à l'obscurité, qui reflétait son vide intérieur. Aucun son ne lui parvenait du palier. Il était probablement retourné auprès de sa femme. Elle l'imagina s'allonger à côté d'elle et le haït si fort qu'elle éprouva l'envie de le tuer.

Finalement, elle se redressa, se lava et retourna dans sa chambre. En entrant dans la pièce, elle réalisa qu'elle n'arriverait pas à se recoucher dans ce lit. L'odeur de M. Makepeace imprégnait la mansarde. Elle savait qu'il reviendrait sitôt que l'occasion se présenterait. Elle devait s'enfuir.

Adèle enfila ses vêtements, puis demeura un long moment à regarder par la fenêtre, effrayée à l'idée de se sauver en pleine nuit, mais encore plus effrayée à l'idée de rester. Elle n'avait pas d'argent, nul endroit où aller, et n'était pas sûre de trouver son chemin jusqu'à Tunbridge Wells. Pourtant, seule en pleine campagne, elle serait plus en sécurité qu'aux Sapins.

6

Adèle frissonna et boutonna son cardigan en se dépêchant de remonter l'allée. La pendule de la cuisine indiquait deux heures vingt quand elle était allée prendre un bout de pain, un morceau de fromage et deux pommes. La porte de derrière avait grincé et elle avait eu peur de réveiller quelqu'un, mais, en se retournant pour vérifier, elle constata que les Sapins étaient plongés dans l'obscurité.

En état de choc, elle grelottait malgré la température estivale. Lorsqu'elle atteignit le portail, elle pleurait à chaudes larmes. Comment un homme qui prétendait l'aimer avait-il pu se conduire ainsi ? Elle avait l'impression d'être définitivement souillée. De plus, elle se sentait coupable. Elle aurait dû se méfier plus tôt. Elle eut un nouveau haut-le-cœur et s'arrêta un instant pour respirer à fond. Son professeur l'avait flattée et câlinée dans le seul but de coucher avec elle. Si elle n'avait pas été aussi avide d'affection, elle se serait demandé pourquoi il avait jeté son dévolu sur une gamine aussi ordinaire.

C'était angoissant de marcher sur ce sentier étroit, surplombé de grands arbres dont les troncs noueux ressemblaient à des créatures menaçantes. Elle entendait d'étranges bruissements provenant des haies. Un long beuglement lui fit prendre ses jambes à son cou avant qu'elle réalise qu'il s'agissait seulement d'une vache. Par ailleurs, son dégoût, sa colère et sa peur l'aidaient à réfléchir. Aller à Londres n'était pas une bonne solution : si elle courait chez Mme Patterson, elle finirait dans une autre institution, peut-être pire que les Sapins. Elle décida de se rendre à Rye pour se réfugier auprès de ses grands-parents.

Leur adresse, Curlew Cottage, Winchelsea Beach, près de Rye, était restée gravée dans son esprit. Peu après son arrivée aux Sapins, elle avait regardé une carte dans la salle de classe et découvert que si elle traçait une ligne entre Londres et Rye, Tunbridge Wells se trouvait en plein milieu. Elle se rappelait même les noms des deux villes situées avant Rye : Lamberhurst et Hawkhurst. Si elle trouvait son chemin vers la première localité, elle serait dans la bonne direction.

Elle était consciente que ses grands-parents pouvaient avoir déménagé ou être décédés. Ils risquaient aussi de ne pas vouloir l'aider. Mais ça valait la peine d'essayer. Si elle échouait, elle s'en remettrait à la police.

Aux premières lueurs de l'aube, elle tomba sur un panneau indiquant Lamberhurst à six miles. Elle faillit en pleurer de soulagement car, jusque-là, elle n'était pas sûre d'être sur la bonne voie. Elle n'avait croisé aucune voiture. C'était sûrement normal pour un dimanche matin. Elle avait prévu de se cacher si elle entendait un bruit de moteur, car elle craignait que le chauffeur, en la voyant seule dans le noir, ne s'arrête pour lui demander où elle allait. Plus question de faire confiance aux adultes, maintenant !

Le jour qui se levait et la certitude d'être sur la bonne route lui remontèrent considérablement le moral. Persuadée d'atteindre Rye dans la soirée, elle décida de marcher jusqu'à midi puis de dénicher un coin agréable dans un champ pour se reposer.

Les cloches de l'église lui indiquèrent qu'il était onze heures, mais elle était épuisée et ses pieds endoloris refusaient d'avancer davantage. La chaleur l'accablait, la campagne était trop vaste, trop sauvage et trop déserte à son goût. Elle ne ressemblait pas du tout à Hampstead Heath, où elle avait pique-niqué deux fois avec l'école, un endroit paisible, agréablement parfumé et assez peuplé pour se sentir en sécurité. Ici, les épais sous-bois paraissaient cacher des maraudeurs prêts à l'attaquer. Vus de loin, les champs paraissaient accueillants, mais en réalité ils étaient pleins de bouses de vache, de mouches, de boue et d'orties.

Un peu plus tôt, Adèle avait emprunté un raccourci menant à Lamberhurst. En enjambant une clôture, elle s'était entaillé la jambe à un barbelé, et dans le champ paissait un troupeau de vaches qui s'était dirigé vers elle de façon menaçante. Elle s'était mise à courir, avait glissé sur une bouse et maintenant elle empestait.

Depuis l'aube, elle avait aperçu cinq ou six personnes, seulement de loin. Il n'y avait presque pas d'habitations, et l'idée de se reposer dans une prairie séduisante lui apparaissait désormais irréalisable. Le sac en papier contenant la nourriture s'était déchiré quelques heures auparavant dans ses mains trempées de sueur. Elle s'était forcée à manger le pain, le morceau de fromage et une pomme, mais elle n'avait pas tardé à tout vomir. De plus, une migraine épouvantable lui martelait le crâne. Sans sa détermination, elle se serait écroulée au bord de la route pour sangloter. Il lui fallait continuer, coûte que coûte. Elle se mit à compter ses pas, s'imposant d'en faire cinq mille avant de s'arrêter.

En arrivant à trois mille, elle n'en pouvait plus. Apercevant un champ où l'herbe n'était pas jonchée de bouses, elle s'y engagea. Elle s'assit, enleva ses chaussures et découvrit qu'une reprise sur le talon de sa chaussette avait provoqué une grosse ampoule. Découragée, elle plia son cardigan pour s'en servir d'oreiller et s'allongea.

Le froid la réveilla. À sa grande consternation, le soleil était déjà bas, elle avait donc dormi plusieurs heures. Quand elle voulut se lever, elle constata que ses jambes, ses pieds, ses bras et son visage étaient brûlés par le soleil. Complètement ankylosée, elle avait de la peine à bouger et mourait de soif. Elle remit ses chaussettes et ses chaussures puis se dirigea vers la route en boitant.

Adèle pensa taper à la porte d'une ferme pour demander de l'eau, mais elle redoutait les questions des gens. Elle tomba finalement sur un abreuvoir pour les chevaux, but au robinet juste avant que le soleil ne disparaisse derrière une colline puis, remarquant une grange à la porte grande ouverte, elle se glissa à l'intérieur.

La nuit lui parut durer une éternité. Les brins de paille piquaient sa peau brûlée, les bruissements des souris ou des rats l'effrayaient. Enroulée dans son gilet, elle frissonnait alors que tout son corps était en feu. Elle vit avec soulagement arriver l'aube et reprit son chemin en clopinant.

On était lundi. De nombreuses voitures et des camions circulaient sur la route, mais elle avait beau les regarder, pleine d'espoir, personne ne s'arrêta pour la prendre. Elle n'était plus sûre d'être dans la bonne direction quand elle aperçut un panneau indiquant « Hawkhurst, 4 miles ». Bientôt, elle ne fut plus seule. Elle croisa des hommes à bicyclette en vêtements de travail, des femmes marchant d'un pas rapide, un panier au bras, et un groupe d'enfants qui criaient et riaient en se rendant à l'école. À l'entrée de la ville, un bus plein à craquer la dépassa.

Les magasins ouvraient et l'odeur du pain frais juste sorti du four aiguisa sa faim. Elle se tint un moment à l'entrée de la boulangerie, tentée de se précipiter à l'intérieur pour voler quelque chose avant de s'enfuir en courant. Mais l'état de ses pieds lui interdisait de mettre son projet à exécution. De toute façon, le boulanger l'observait d'un air soupçonneux. Elle reprit son chemin clopin-clopant, passant devant un muret où étaient assis deux clochards visiblement aussi affamés et abattus qu'elle.

Si elle n'avait pas été dans une situation aussi désespérée, elle aurait visité cette petite ville avec plaisir. Très ancienne, pleine de charme, elle abritait de nombreux jardinets fleuris et de jolies boutiques. À la sortie de la ville, un panneau indiquait Rye à dix-huit miles. Elle n'arriverait jamais à marcher aussi loin, pourtant elle était si proche du but ! Découragée, elle fondit en larmes. Le corps secoué de sanglots, elle s'approcha d'un ruisseau près de la route, s'assit sur la berge, enleva ses chaussettes et ses chaussures et trempa ses pieds couverts d'ampoules dans l'eau fraîche. Ils étaient si enflés qu'elle se demanda si elle arriverait à remettre ses chaussures. Son visage était à vif et le soleil qui recommençait à taper la mettait au supplice.

« Tu es presque arrivée, tu ne peux pas abandonner. Si tu vas à la police maintenant, ils te ramèneront aux Sapins », se dit-elle.

À la pensée de M. Makepeace, elle reprit un peu courage. Quand elle ne sentit plus ses pieds, elle humidifia ses chaussettes dans l'eau puis se rechaussa.

Au bout de trois miles, elle était sur le point de défaillir. Elle ressentait des élancements dans la tête, sa vue se brouillait, son corps entier était douloureux. Un panneau l'informa qu'il lui restait encore quinze miles à parcourir ; elle s'y adossa pour ne pas tomber. Devant elle se dressait une côte raide, dont le macadam miroitait sous le soleil brûlant. Elle n'aurait jamais la force de la gravir. Comme il était tentant de s'effondrer sous l'arbre le plus proche ! Mais si elle s'allongeait elle ne parviendrait plus à se relever.

Elle entendit alors un bruit de moteur. Un vieux camion se dirigeait dans sa direction. Consciente qu'elle n'avait pas le choix, elle lui adressa un faible signe de la main. Il s'arrêta dans un bruit de ferraille. Le chauffeur était un vieil homme coiffé d'une casquette crasseuse.

— Tu veux que je te dépose quelque part ?

— Oui, s'il vous plaît, répondit-elle en titubant. Vous allez à Rye ?

— Ouais, monte.

Adèle était trop malade pour se réjouir de cette chance. Elle se prépara à affronter les questions du conducteur, mais il ne lui en posa aucune, peut-être parce que le bruit du moteur empêchait toute conversation.

Elle avait dû s'endormir car, tout à coup, ils se trouvèrent à l'entrée d'une petite ville très ancienne. Elle n'en avait jamais vu de semblable. Au soleil, elle estima qu'il était environ dix-huit heures. Le véhicule s'était arrêté à un croisement.

— Où tu vas ? cria le vieil homme.

— À Winchelsea Beach, articula-t-elle péniblement.

— Dans ce cas, tu ferais mieux de descendre ici. C'est à deux miles dans cette direction, indiqua-t-il en pointant un doigt sale devant lui.

Adèle le remercia et sortit du camion. Elle attendit qu'il ait tourné le coin avant de traverser la route en boitant.

Le bourg semblait miniature. Les maisons, serrées les unes contre les autres, étaient minuscules. Certaines, très délabrées, lui firent penser à des masures près de King's Cross. De la rue principale partaient des ruelles qui serpentaient vers l'église. L'atmosphère n'était pas très accueillante. Deux femmes très âgées vêtues de noir, assises sur des tabourets devant leur maison, la regardèrent passer, intriguées.

La rue qui regorgeait de pubs aboutissait à un quai. Adèle s'arrêta, trop épuisée pour admirer le paysage. De nombreux petits bateaux de pêche aux voiles roulées et quelques navires plus importants mouillaient dans un chenal. Elle ne voyait pas encore la mer, mais elle pouvait la sentir et en goûter le sel sur ses lèvres. Des pêcheurs assis sur des malles en bois reprisaient leurs filets, entourés d'hommes coiffés de casquettes d'ouvrier qui fumaient. Ils devaient être au chômage car ils avaient le même air abattu que ceux qu'elle avait vus à Londres dans les files d'attente.

La route continuait par un pont sur la rivière, et sur la droite se dressait un moulin. Après le pont, un panneau indiquait le port de Rye à gauche et Winchelsea tout droit. Devant elle s'étendait une région plate et marécageuse, bordée d'une rivière. En se retournant pour regarder Rye, Adèle trouva quand même la ville très belle. Elle s'élevait sur l'unique colline qui surplombait le paysage monotone. Les maisons colorées aux architectures très variées avaient beaucoup de charme et, au sommet, l'église dominait la petite cité de son air imposant.

Elle poursuivit son chemin et distingua au loin une réplique de Rye, perchée elle aussi sur un promontoire. Entre les deux villes, à l'exception d'un château en ruine sur la gauche, il n'y avait rien d'autre que de l'herbe, des moutons et quelques arbres tordus par le vent.

À chaque pas, Adèle se sentait de plus en plus mal. Elle grelottait puis transpirait et ses pieds lui faisaient souffrir le martyre. Elle s'efforçait de ne pas penser à ce qu'il adviendrait d'elle si ses grands-parents n'étaient pas là. La route bifurqua soudain pour grimper vers la petite ville. Mais il y avait aussi un chemin de terre, en direction de la mer. Elle hésita, craignant de se tromper. C'est alors qu'apparut un homme à bicyclette, qui descendait de la colline.

Il était âgé, vêtu d'un étrange pantalon de golf à carreaux et d'un chapeau cabossé attaché sous le menton. Adèle lui fit signe de s'arrêter. Il s'exécuta en posant les pieds par terre au lieu d'utiliser les freins.

— Vous connaissez Curlew Cottage, sur la plage de Winchelsea ?

— Pourquoi veux-tu y aller ? demanda-t-il tandis que ses yeux bleus sondaient les siens.

— Pour voir M. et Mme Harris, répondit-elle, déconcertée par la question.

— Tu ne verras pas M. Harris, il est mort il y a une dizaine d'années, répliqua-t-il avec un petit sourire suffisant.

Son accent, très particulier, n'avait rien de commun avec celui des Londoniens.

— Et Mme Harris ?

— Elle habite toujours là, seulement elle n'aime pas les visites.

Le cœur d'Adèle se serra.

— Je suis venue spécialement de Londres.

Il émit un gloussement bizarre.

— Eh bien, tu ferais mieux d'y retourner. Les enfants d'ici pensent que c'est une sorcière.

— Indiquez-moi juste la bonne direction, souffla-t-elle, désespérée.

— C'est un peu plus loin, sur ce chemin.

Là-dessus, il s'éloigna.

Une peur panique s'empara d'Adèle. L'endroit était si aride, si isolé ! À perte de vue, on ne voyait que de l'herbe rabougrie et des moutons. Un vent pénétrant soulevait sa robe, emmêlait ses cheveux, piquait ses yeux et irritait ses coups de soleil. Elle n'apercevait toujours pas la mer, ni les oiseaux aux cris perçants et sinistres. Les moutons, petits, maigres et à tête noire, étaient étranges. Le paysage, rude, morne et désertique. Quiconque avait choisi de vivre là ressemblait forcément à cet environnement. Abattue, Adèle se dit qu'elle ne tomberait pas sur une grand-mère de conte de fées qui l'accueillerait à bras ouverts. Cependant elle ne pouvait pas retourner en arrière et, en clopinant, elle passa devant deux chaumières en ruine. C'est alors qu'elle vit Curlew Cottage.

De plain-pied, la maison avait un toit noir goudronné comme les habitations qui bordaient le quai. Percée de petites fenêtres, elle était dotée d'un porche en treillis. Tout autour, le sol était constitué de galets. L'apparence en était soignée, de la fumée sortait de la cheminée, mais l'ensemble avait un côté austère.

Elle comprit pourquoi les enfants croyaient qu'une sorcière habitait là. La maison avait l'air de défier les éléments. Quelle personne normale aimerait un endroit aussi triste et aussi isolé ? Ayant encore vive dans sa mémoire l'image de sa mère folle, attachée à une chaise, Adèle n'aurait pas été étonnée de voir la porte s'ouvrir sur une vieille bique bossue.

Il n'y avait pas de clôture, ni de portillon, et de vieilles planches en bois formaient une allée conduisant à l'entrée. Elle s'immobilisa un moment, hésitante. De toute façon, elle n'avait pas le choix. Prenant son courage à deux mains, elle suivit l'allée et frappa à la porte.

— Qui est-ce ? s'enquit une voix agacée.

— Je suis votre petite-fille ! cria Adèle en reculant d'un pas.

Adèle s'attendait que la porte s'entrouvre en grinçant sur un nez crochu et qu'une main squelettique la tire à l'intérieur du cottage. Ce ne fut pas le cas.

La porte s'ouvrit toute grande. Une femme bizarrement vêtue d'un pantalon d'homme gris, d'une chemise trop grande et de grosses bottes apparut. Son visage, bruni par le soleil et à peine ridé, ressemblait à une châtaigne trop cuite. Ses cheveux gris acier étaient tirés sévèrement en arrière, mais ses yeux d'un bleu vif étaient magnifiques, exactement ceux de Rose.

— Qu'est-ce que tu as dit ? demanda-t-elle, ses lèvres pâles réduites à une mince ligne droite.

— Je suis Adèle Talbot, votre petite-fille, répéta-t-elle. Rose, ma mère, est malade et je suis venue vous trouver.

Il lui sembla rester là une éternité, devant cette femme qui la dévisageait comme si elle était un monstre de foire. Finalement, sa vue se brouilla, ses oreilles sifflèrent, et soudain tout se mit à tourner.

Adèle revint à elle. On lui versait de l'eau sur le visage. Quand elle ouvrit les yeux, elle était étendue par terre et la femme, penchée sur elle, lui tendait une tasse.

— Bois ! ordonna-t-elle.

Adèle souleva la tête et essaya de prendre la tasse, mais elle tremblait trop pour la tenir et la femme dut la porter à ses lèvres.

— Tu t'es évanouie, déclara-t-elle sèchement. Répète ton nom.

— Ma mère s'appelle Rose Talbot. Son nom de jeune fille était Rose Harris.

La bouche de la femme frémit. Était-ce l'émotion ou la vieillesse ?

— Après son départ pour l'hôpital, j'ai trouvé dans ses affaires une lettre qui portait cette adresse. Êtes-vous ma grand-mère ?

— Quel âge as-tu ? demanda la femme en approchant son visage tanné par le soleil tout près de celui d'Adèle.

— Douze ans. J'aurai treize ans en juillet.

La femme posa sa main sur son front, qu'elle frotta nerveusement de ses doigts. Adèle avait vu sa mère faire ce geste des centaines de fois. Il signifiait : « Cette situation me dépasse » ou : « Tu ferais mieux de déguerpir avant que ça chauffe. » Ce n'était pas un bon présage, mais Adèle n'avait pas la possibilité de battre en retraite.

— Ils m'ont mise dans une famille. Des choses horribles sont arrivées alors je me suis enfuie. Je n'avais pas d'autre endroit où aller.

La femme continuait à la dévisager, perplexe.

— Quelles choses ? Où est ton père ?

Son ton glacial et sa méfiance effrayèrent Adèle, qui se mit à pleurer.

— Il ne veut pas de moi. Il dit que je ne suis pas sa fille. Et M. Makepeace s'est mal conduit.

— Pour l'amour de Dieu, arrête de chialer ! Je ne supporte pas ça. Lève-toi et entre.

Adèle n'eut qu'un bref aperçu de l'intérieur de Curlew Cottage avant de perdre à nouveau conscience. La pièce, bourrée à craquer de vieux livres, de meubles et de reliques du passé, ressemblait à la boutique de brocante près de la gare de King's Cross. Il y régnait une odeur de renfermé.

Horrifiée, Honour Harris contempla l'enfant étendue par terre. Elle resta quelques secondes complètement désemparée. Son cœur battait à tout rompre tandis que d'anciennes blessures surgissaient du plus profond d'elle. Elle songea à aller chercher de l'aide, mais ce n'était pas son genre. Elle se ressaisit, souleva l'enfant et l'allongea sur le canapé. Ce geste ranima en elle l'instinct maternel. La peau de l'enfant était brûlée profondément par le soleil, elle était sale, et quand elle enleva ses chaussures et ses chaussettes, elle eut le souffle coupé : ses pieds ressemblaient à de la viande crue saignante. Elle avait dû marcher très longtemps pour arriver jusqu'ici.

Après un rapide examen, Honour comprit que c'était l'épuisement et la faim – plutôt que la maladie – qui lui faisaient perdre connaissance. Elle en fut soulagée, car elle n'avait pas les moyens de payer un docteur et n'en voulait pas chez elle. À cinquante-deux ans, après des années de solitude et de pauvreté au milieu des marais, Honour avait appris à parer au plus pressé.

Elle enleva la robe dégoûtante d'Adèle, la laissant en culotte et tricot de corps. La bouilloire était déjà sur le poêle. Lorsque l'eau fut chaude, elle se munit d'une cuvette, d'un gant et d'une serviette et entreprit de la laver. Elle se rendit ensuite dans sa chambre pour prendre un pot d'onguent destiné à soigner les brûlures. Elle appliqua généreusement le baume sur les bras, les jambes, le visage et la nuque d'Adèle, évitant avec soin ses pieds en lambeaux. Puis elle la couvrit d'un édredon.

— Dors, maintenant, murmura-t-elle. Quand tu te réveilleras, tu mangeras.

La présence de la fillette dans la salle de séjour la perturbait. De nombreuses questions se pressaient dans sa tête et elle éprouvait l'envie irrésistible de la regarder. Elle était soulagée de la voir dormir paisiblement, mais la nervosité l'empêcha d'avaler son dîner de pain et de fromage.

Aucun visiteur n'était venu à Curlew Cottage depuis des lustres et, étrangement, il avait suffi d'une enfant pour qu'elle prenne soudain conscience de l'exiguïté de sa maison. Mal à l'aise – tout ce qui avait un lien avec Rose la rendait malade –, elle contempla le matelas contre la porte, les piles de livres par terre, les cartons remplis de porcelaine, de bibelots, de linge de maison, tous ces souvenirs du passé qui occupaient le moindre espace disponible. Du vivant de Frank, son mari, cette pièce avait été un modèle d'ordre. Après sa mort, elle ne s'en était plus souciée. Quand la gouttière avait commencé à fuir dans l'ancienne chambre de Rose, elle avait déménagé les meubles dans le séjour et, une fois la fuite réparée, elle n'avait pas eu le courage de remettre les choses à leur place. Elle aurait dû se débarrasser de tout ce capharnaüm.

Cependant, la plupart de ces objets lui rappelaient ses jours heureux de jeune mariée et elle n'avait pas pu s'y résoudre. Pourquoi ne les avaient-ils pas vendus avant leur installation définitive au cottage ? Dieu sait s'ils avaient eu besoin d'argent, pourtant ! Mais Frank avait toujours soutenu qu'un jour ils referaient fortune.

Honour se leva une fois de plus de sa chaise, afin de préparer de la soupe. Elle prit du poulet dans le garde-manger de l'arrière-cuisine, le coupa en petits morceaux et le plongea dans un bouillon avec des carottes et un oignon. Puis, se rendant compte que la nuit tombait, elle alluma la lampe à huile près du canapé.

Elle jeta un coup d'œil à l'enfant et fut frappée par sa ressemblance avec Rose au même âge. Quand elle l'avait lavée, il faisait trop sombre pour la voir clairement. À seize ans, Rose était devenue une beauté. Cette transformation avait émerveillé Honour. Mais, à douze ans, elle était aussi maigre et quelconque qu'Adèle. Frank disait en riant qu'elle ressemblait à un insecte avec des yeux comme des soucoupes.

Il ne lui semblait pas que les yeux de la fillette soient bleus, ses cheveux n'avaient pas la blondeur soyeuse de ceux de Rose, pourtant elle avait le menton volontaire de sa mère, son nez fin et les mêmes lèvres charnues.

Honour espéra qu'elle n'avait pas hérité de sa cruauté.

À minuit, Honour somnolait sur sa chaise car elle craignait que l'enfant ne se réveille et ne s'affole pendant la nuit. Un froissement la fit sursauter. La gamine était assise sur le canapé, l'air effrayée.

— Tu sais où tu es ? demanda Honour avec brusquerie.

La fillette regarda autour d'elle, puis elle effleura sa joue douloureuse.

— Oui. Vous êtes Mme Harris. Je suis désolée de vous déranger.

Honour ronchonna. En fait, elle était touchée que les premières pensées de l'enfant la concernent, mais elle n'était pas du genre à l'avouer ou à prononcer des paroles accueillantes. Heureusement que la fillette ne l'avait pas appelée grand-mère, elle n'était pas prête à accepter son nouveau statut.

— Tu as peut-être besoin d'aller aux toilettes. Elles sont dehors et tu ne peux pas y aller dans le noir, alors j'ai mis un pot de chambre dans l'arrière-cuisine, expliqua-t-elle en indiquant le chemin du doigt.

Elle vit l'enfant grimacer de douleur quand elle posa les pieds par terre, mais elle ne se plaignit pas et partit en clopinant. À son retour, Honour lui ordonna de s'asseoir à table et déposa en silence un bol de soupe et un verre d'eau devant elle. En voyant Adèle vider son verre d'un seul trait, elle se demanda depuis combien de temps elle n'avait pas bu ni mangé. Elle attendit qu'elle ait terminé la moitié de sa soupe pour lui apporter un autre verre d'eau.

— Il faut boire après des coups de soleil. Maintenant, tu vas me raconter comment tu as atterri ici.

Adèle était désorientée. Elle se rappelait avoir frappé à la porte et s'être présentée, mais la scène lui revenait comme dans un rêve et elle ne se souvenait plus de ce qu'elle avait dit.

— Commence par le début, fit Honour sèchement.

Après tout, cette femme ne devait pas être sa grand-mère, elle était trop bourrue et bizarre. Si elle ne s'était pas rendu compte en allant faire pipi qu'on l'avait lavée et enduite de pommade, elle aurait pensé qu'elle était prête à la jeter dehors. Elle avait intérêt à bien relater son histoire. Avec lassitude, elle expliqua l'accident de sa sœur, sa mère devenue folle peu de temps après et son hospitalisation. Son père avait refusé de s'occuper d'elle, elle avait trouvé la lettre dans une valise et on l'avait envoyée aux Sapins.

— À Tunbridge Wells ? s'exclama Mme Harris. Où exactement ?

— Je ne connais pas l'adresse, c'est près de Lamberhurst.

— Pourquoi t'es-tu enfuie ?

— À cause de M. Makepeace, chuchota Adèle avant d'éclater en sanglots, accablée de honte.

— Ne recommence pas à chialer ! s'écria Mme Harris avec impatience. Nous en reparlerons plus tard. Que fait Jim Talbot comme travail ?

Adèle trouva cette question étrange.

— Il est ouvrier en bâtiment. J'ai toujours cru que c'était mon père jusqu'à ce que ma mère devienne folle et nous attaque tous les deux. Elle me reprochait la mort de Pamela. J'ai entendu papa dire au docteur que je n'étais pas sa fille et qu'il ne voulait plus rien savoir de moi ni de maman.

Adèle fut stupéfaite quand la femme se leva et arpenta la pièce nerveusement sans dire un mot. En écoutant son récit, même Mme Makepeace avait montré de la compassion, pourtant ce n'était pas une parente. Adèle se creusa la cervelle pour trouver autre chose à ajouter. Sans succès.

— Rose a disparu quand elle avait dix-sept ans, déclara tout à coup Mme Harris en tapant du poing sur la table. Pas un mot, pas un seul mot de cette peste sans cœur ! Son père est rentré de la guerre très malade, et elle s'est enfuie au moment où j'avais besoin de son aide. Alors explique-moi pourquoi je devrais m'occuper de l'enfant dont elle n'a jamais pris la peine de m'annoncer la naissance !

Adèle eut peur. Cette femme avait les mêmes yeux que sa mère. Et si elle était folle, comme elle ?

— Je suis désolée, chuchota-t-elle, elle ne se soucie pas de moi non plus.

— Pendant toutes ces années, je n'ai jamais su si elle était morte ou vivante ! poursuivit Honour d'une voix stridente. Sur son lit de mort, son père n'arrêtait pas de la réclamer. Parfois, il m'accusait de l'avoir mise à la porte. Il n'aurait jamais cru quelle friponne elle était devenue après son départ pour la guerre. Elle était sa petite fille, son trésor, comme il l'appelait. Il est mort persuadé que c'était ma faute si elle n'était pas venue le voir. Tu comprends ce que cela signifie ?

Adèle savait très bien ce qu'on ressentait lorsqu'on était accusé de tout. Et voilà qu'on lui reprochait la conduite de sa mère, à présent ! Elle se remit à pleurer.

— Oh, arrête ! hurla sa grand-mère. Tu es arrivée sans crier gare en me racontant que ma fille était folle et en me demandant de te recueillir. C'est moi qui devrais pleurer !

Adèle sentit la colère monter en elle. En un éclair, elle revit les trahisons des mois passés, et maintenant cette adulte aussi se montrait injuste envers elle. Trop c'était trop !

— Eh bien, appelez la police, elle vous débarrassera de moi ! Je ne vous ai rien fait. J'ai juste espéré que vous pourriez prendre soin de votre petite-fille. Je vois bien de qui ma mère a hérité sa méchanceté. C'est de vous !

Convaincue qu'elle allait être frappée, elle se protégea la tête de ses bras quand la femme s'avança vers elle. Mais, à sa grande surprise, elle ne reçut pas de coup. La main de sa grand-mère se posa sur son épaule.

— Tu ferais mieux d'aller te recoucher, soupira-t-elle d'un ton bourru. Tu as été trop longtemps au soleil et nous sommes toutes les deux épuisées.

7

« Comment diable vais-je gérer cette situation ? » maugréait Honour en se mettant au lit plus tard cette nuit-là.

Elle avait reçu un choc énorme en ouvrant sa porte sur cette enfant misérable. Ces dix dernières années, elle s'était efforcée d'effacer Rose de sa mémoire. Un réflexe de survie, car la colère et le ressentiment éprouvés envers sa fille l'avaient presque détruite. Dans les rares occasions où elle pensait à elle, Honour l'imaginait vivant dans le luxe, gâtée et choyée par un homme riche. Elle n'avait jamais envisagé qu'elle pût avoir des enfants.

Si la situation critique de Rose lui était parvenue par d'autres sources, Honour aurait sans doute ressenti une amère satisfaction. Racontée par une enfant, cette histoire faisait froid dans le dos.

Honour regarda la photo de Frank sur sa table de chevet. Elle avait été prise juste avant son départ pour la France, au printemps 1915. Heureux et fringant, il avait fière allure dans son uniforme. À peine deux ans plus tard, on le rapatriait en Angleterre, réduit à l'état de loque.

Des millions d'hommes avaient partagé les mêmes horreurs que lui dans les tranchées. La plupart n'étaient pas revenus. Elle compatissait aux malheurs de tous ceux qui avaient vécu dans la boue avec pour fidèles compagnons les rats et les poux. Mais l'histoire de Frank était encore plus épouvantable : tombé dans un terrier de renard après avoir reçu une balle dans la jambe, il avait été enterré vivant sous un amas d'autres corps mortellement touchés. Il resta pris au piège trois jours avant d'être retrouvé. Imbibé du sang de ses camarades, témoin de leur lente agonie et persuadé qu'il allait mourir, il avait perdu l'esprit.

— Quelle décision dois-je prendre, Frank ? murmura-t-elle à la photo. Je ne veux pas d'elle ici, pas après ce que sa mère nous a fait.

Elle avait toujours connu Frank Harris. Son père, Cedric, possédait l'épicerie la plus importante de la ville. Celui de Honour, Ernest Cauldwell, était instituteur à Tunbridge Wells.

M. Harris avait un magasin magnifique, au sol de marbre blanc et au mobilier en noyer, rempli du sol au plafond de toutes sortes de mets délicats. Honour se revoyait, enfant, fascinée par les étalages fantastiques de faisans, de lapins et de lièvres étendus sur un lit de verdure. Sa mère devait lui tenir fermement la main pour l'empêcher d'y toucher.

Frank et son jeune frère Charles restèrent à l'école jusqu'à l'âge de huit ans, ensuite ils furent envoyés en pension. Pendant les vacances, ils jouaient avec Honour. Les deux garçons aidaient leur père au magasin, Frank livrait souvent les courses à bicyclette. Chaque fois qu'il passait devant la maison de l'instituteur, il bavardait avec Honour et lui proposait une promenade à vélo.

Quand il quitta l'école à dix-sept ans pour travailler avec son père, Honour n'avait d'yeux que pour le jeune garçon grand et mince, aux yeux bleus pétillants et à la tignasse blonde indisci-plinée. Frank n'était pas vraiment beau, mais il était enjoué. Gentil et drôle, il s'intéressait à la nature, à la musique, à l'art et à la littérature. Honour ne voyait personne d'autre.

À dix-sept ans, elle commença officiellement à sortir avec lui et les deux familles en furent enchantées. Les Cauldwell ne possédaient pas la fortune des Harris, cependant ils étaient fort respectés. Frank disait souvent à Honour pour plaisanter que son père le poussait à l'épouser car elle était intelligente et que l'entreprise familiale ne pourrait qu'en bénéficier.

Ils se marièrent en 1899, Honour avait vingt ans, Frank vingt-deux. Ils emménagèrent dans l'appartement au-dessus du magasin, qui était vide depuis plusieurs années car les Harris avaient acheté une maison dans la banlieue de Tunbridge. Honour avait été folle de bonheur de vivre dans un apparte-ment aussi agréable. Très généreux, les Harris les comblaient de cadeaux : des meubles, du linge de maison, des verres en cristal, elle avait même une bonne pour les travaux les plus durs. En qualité de sous-directeur du magasin, Frank était souvent présent, aussi ne se sentait-elle pas seule, comme certaines de ses amies jeunes mariées.

Honour avait conscience que Frank n'aimait pas vraiment s'occuper de l'épicerie. Homme sensible, doté d'un tempérament artistique, il aurait préféré être jardinier ou garde-chasse plutôt que de peser du sucre, de la viande ou du fromage. Mais son père rêvait depuis toujours que son fils aîné reprendrait l'affaire et Frank s'y était résigné. Il affirmait cependant que le magasin marchait tout seul grâce aux vendeurs formés par son père. Dans les périodes calmes, il trouvait donc le temps de dessiner, de faire de longues promenades dans la campagne, et il déclarait souvent qu'il s'estimait le plus heureux des hommes.

Deux ans plus tard, en 1901, avec la naissance de Rose, un bébé adorable et potelé aux cheveux blonds, leur bonheur fut complet. Mais, peu de temps après, le père de Frank eut une attaque. Il se retrouva en fauteuil roulant et confia l'entière responsabilité du magasin à son fils. Jusque-là, Frank n'avait jamais mesuré la somme de travail que représentait la gestion de l'épicerie. Soudain, il dut s'occuper des livres de compte, de la vérification des commandes et il n'eut plus de temps libre pour peindre, flâner ou jouer avec sa fille. Honour, qui se plaignait souvent de ses absences, ne l'aidait pas à s'adapter à son nouveau statut. Encore jeune et sans cervelle, elle regrettait l'insouciance de leurs premières années de mariage.

L'année suivante, Frank essaya de se rattraper en organisant des vacances en famille à Hastings, dans l'hôtel où ils avaient passé leur lune de miel. Mais, à leur grande déception, il était complet. Aussi, quand un de leurs riches clients leur offrit d'utiliser un petit cottage à Rye, un endroit selon lui beaucoup plus beau que Hastings, ils acceptèrent avec joie.

Dès la descente du train, ils tombèrent amoureux de Rye. Les vieilles maisons pittoresques, les ruelles pavées et l'histoire fascinante du port les enchantèrent. Frank avait envie de dessiner tout ce qu'il voyait, les vieux pêcheurs, les maisons anciennes, la faune et la flore des marais. Honour aimait se réveiller en sentant l'odeur de la mer au lieu de celle du fromage et du bacon. Elle trouvait merveilleux d'avoir Frank tout à elle. Pour la première fois de sa vie, elle se sentit libre.

Rye n'avait pas la sophistication de Tunbridge et n'offrait pas les plaisirs grisants de Hastings, avec sa promenade animée et ses concerts. La plupart de ses habitants n'avaient jamais quitté le coin, ils cultivaient la terre, pêchaient ou construisaient des bateaux. Amicaux et simples, ils travaillaient dur pour subvenir aux besoins de leur nombreuse famille et ne se souciaient pas de la mode, des nouvelles internationales, ni de la politique.

Les conventions sociales imposées à Rose depuis son enfance n'existaient pas ici. Elle pouvait se passer de chapeau et de gants sans susciter de regard désapprobateur. Les étrangers installés dans les parages avaient été comme eux attirés par la beauté de la ville et la sérénité des marais environnants. Ils étaient écrivains, musiciens ou artistes. Frank observait les peintres devant leur chevalet sur fond de soleil couchant, et il se mit en tête de trouver un cottage pour leurs prochaines vacances.

Ils entendirent parler de Curlew Cottage deux jours avant leur départ et Frank le voulut avant même de l'avoir visité. Honour essaya de l'en dissuader : c'était trop loin de Rye, l'eau venait d'une pompe extérieure et le cottage tombait pratiquement en ruine. Mais Frank fit la sourde oreille : le loyer était modeste, il adorait ce lieu, il le lui fallait.

« Nous devons avoir notre petit monde à nous, avait-il déclaré, les yeux brillant d'excitation. À Tunbridge, tout vient de mon père. Le magasin, l'appartement, les clients. Nous vivons par procuration. Je supporterai mieux mon emploi si nous nous échappons de temps à autre. »

La situation était présentée de telle façon que Honour ne pouvait qu'être d'accord. Ce serait amusant de passer les vacances dans un endroit aussi sauvage. Ils exploreraient la région à bicyclette, nageraient et feraient des randonnées dans les marais. À Tunbridge, Rose n'avait pas de jardin pour jouer et Honour était excitée aussi à l'idée de transformer cette ruine en une vraie petite maison.

Honour se rappelait leurs premières vacances au cottage avec plaisir. Ils étaient comme des enfants. Frank blanchissait les murs à la chaux tandis qu'elle accrochait des rideaux en vichy aux fenêtres. Les après-midi, ils emmenaient Rose se promener et ramassaient du bois pour le feu du soir. Ils n'avaient pratiquement pas de meubles, juste un lit acheté à Rye, une table et deux chaises. Ils accrochaient leurs vêtements à des clous. Ils se couchaient avec les fenêtres grandes ouvertes, au son de la mer qui roulait les galets et du vent qui bruissait dans les ajoncs.

Ce fut leurs meilleurs moments. Tout les amusait : apprendre à cuisiner sur un feu, réparer les murs avec des galets, créer un jardin sur un sol aride et caillouteux. Les jours de grande chaleur, ils installaient Rose toute nue dans un baquet d'eau pendant que Frank peignait et que Honour lisait. L'été suivant, ils achetèrent deux bicyclettes et Frank fixa une petite selle pour Rose. Ils se rendaient parfois jusqu'à Lydd, où ils mangeaient une glace avant de rentrer à la maison.

Plus tard, quand l'entreprise familiale périclita, Honour se fit souvent des reproches. Si elle avait aidé Frank au magasin plutôt que de l'encourager à filer à Rye à la moindre occasion, ils auraient évité la faillite. Mais, selon Frank, c'était sa faute à lui : le magasin avait prospéré du temps de son père parce que Cedric Harris adorait son travail. Il possédait le sens aigu des affaires et avait la mentalité servile nécessaire pour passer de la pommade aux bonnes gens de Tunbridge. Frank n'était pas ainsi. Il ne pouvait pas flatter une personne dans l'espoir d'obtenir des commandes hebdomadaires et ne mettait pas un point d'honneur à proposer vingt sortes de biscuits ou dix variétés de thé. Bref, il n'était pas à la botte des clients.

Juste avant sa mort, Frank reconnut qu'il avait laissé la situation se dégrader parce qu'il redoutait de finir comme ses parents, des personnes pondérées à l'esprit étroit qui se rendaient à la messe tous les dimanches et se conformaient à l'étiquette stricte de leur classe sociale. Lui avait besoin de passion et de danger pour se sentir exister.

Honour sourit. La passion ne s'était jamais éteinte en dépit de leur pauvreté. Frank avait aussi expérimenté le danger pendant la guerre ; Honour et lui se sentaient vraiment exister quand, frigorifiés, ils devaient porter leur manteau à l'intérieur du cottage lors de périodes proches de la famine. Si elle avait su comment les choses tourneraient, elle n'aurait pas suivi son mari avec autant d'enthousiasme.

Le père de Frank mourut subitement en 1904, et sa veuve et ses deux fils apprirent, ébahis, qu'il n'avait pas amassé une fortune. Une fois les dettes payées, il ne restait que deux cents livres et la maison familiale. Il avait légué cette dernière à Charles à condition qu'il s'occupe de sa mère, car il avait déjà cédé le magasin à Frank.

Les deux frères ne tardèrent pas à se disputer. Charles s'inquiétait de la négligence de son frère. Frank avait toujours géré les problèmes en les évitant. Ne supportant pas les réflexions de Charles, il emmena régulièrement sa femme et sa fille au cottage. C'est à cette époque que le propriétaire offrit de le leur vendre pour une somme dérisoire. Frank l'acheta et eut encore plus envie d'y séjourner.

Plus il s'absentait, plus l'affaire sombrait. Les gens riches cessèrent de fréquenter le magasin et, sans rotation rapide des denrées périssables, il y eut beaucoup de gaspillage. Complètement absorbés par leur vie insouciante dans les marais, Frank et Honour se rendirent compte de la gravité de la situation quand il était trop tard.

Rose avait onze ans lorsque le magasin fit faillite. Un matin, des fournisseurs en colère attendaient Frank. Ils n'avaient pas été payés depuis des mois et exigeaient leur dû sur-le-champ. Frank s'exécuta, mais il ne parvint pas à les convaincre de lui faire crédit sur les prochaines commandes. Le magasin avait survécu huit ans à sa négligence.

Dix-neuf ans plus tard, Honour se souvenait de l'expression de son mari le jour où il remonta chez eux après avoir définitivement fermé le magasin. À trente-cinq ans, il était toujours mince et paraissait aussi jeune qu'à leur mariage. « Ça n'a aucune importance. Nous allons vendre l'immeuble et nous installer à Curlew Cottage », avait-il annoncé avec un large sourire. Il la persuada que ce serait le paradis, les intérêts du capital sur la vente du magasin et de l'appartement subviendraient à leurs besoins. Il vendrait ses peintures, ils élèveraient des poules et cultiveraient un potager. Tout irait bien.

Honour soupira profondément. À cette époque, elle était aussi naïve que son mari. Elle ne pensa pas à la vie en hiver dans les marais, ni au déracinement de Rose, ni au sentiment d'abandon éprouvé par ses parents. Elle ignorait alors ce que signifiait la pauvreté. Jusqu'à l'épuisement de leur capital. Elle ignorait aussi que, deux ans plus tard, l'Angleterre serait en guerre contre l'Allemagne et que Frank s'engagerait. Si on lui avait annoncé le jour de la fermeture de l'épicerie que, six ans après, elle souhaiterait mourir afin de ne plus avoir à lutter pour survivre, elle aurait bien ri.

La bougie avait presque entièrement brûlé tandis que Honour dévidait le fil de ses souvenirs. Si Frank s'était occupé du magasin, il aurait pu éviter d'entrer dans l'armée et serait toujours vivant aujourd'hui. S'ils étaient restés à Tunbridge, le destin de Rose aurait sans doute été différent. Mais il était inutile de vouloir changer le passé. Seul le présent comptait pour Honour et, jusqu'à ce soir, malgré sa dureté, sa vie avait été paisible et agréable. Elle s'en sortait en vendant ses œufs, ses conserves de fruits et légumes, ses lapins, et elle adorait les marais et sa petite maison. Elle ne désirait ni changement, ni souffrances, ni responsabilités supplémentaires.

Pas question surtout de s'occuper de cette enfant, qui lui rappellerait constamment Rose ! Honour ne pouvait ni ne voulait la garder.

Adèle se réveilla au chant du coq. Pendant quelques secondes, elle crut avoir rêvé la longue marche jusqu'à Rye. Le canapé où elle était couchée se trouvait devant le poêle éteint. Pourtant son visage était en feu, et quand elle essaya de s'asseoir une douleur intense dans le dos l'en empêcha. Ce n'était pas un rêve. Il était très tôt, la lumière filtrant à travers les minces rideaux en vichy était grise et elle entendit sa grand-mère ronfler dans la pièce d'à côté.

Elle n'avait jamais vu un tel capharnaüm : des piles de cartons, une commode perchée sur un vieux buffet, un oiseau empaillé dans une boîte en verre, un grand ours en bois sculpté qui devait servir de portemanteau et un matelas contre une porte. Que contenaient tous ces cartons ? Est-ce que sa grand-mère s'apprêtait à déménager ? L'oiseau, l'ours, la table et les chaises semblaient provenir d'une maison de riches, ainsi que le canapé recouvert de velours grenat. Ça ne collait pas avec une femme qui portait des vêtements d'homme et n'avait pas l'électricité.

Adèle voulait aller aux toilettes, mais elle était toute raide. Elle se sentait fiévreuse et terrorisée. Sa grand-mère s'était montrée si méchante la veille qu'elle n'osait pas l'appeler, alors elle tenta de se rendormir.

Un peu plus tard, une porte grinça et elle se réveilla en sursaut. Un soleil éclatant brillait. Sa grand-mère sortait de sa chambre, vêtue d'un châle sur sa chemise de nuit en flanelle.

— J'ai besoin d'aller aux cabinets mais je n'arrive pas à me lever, bredouilla Adèle.

— Pourquoi ? demanda sa grand-mère en l'observant d'un air soupçonneux.

— J'ai mal partout.

— Tu es ankylosée, c'est tout. Je vais t'aider.

Elle prit les deux bras d'Adèle sans ménagement afin de la mettre debout. L'enfant poussa un cri de douleur et vacilla sur ses pieds endoloris.

Sa grand-mère lui offrit son bras pour l'aider à marcher.

— Enfile ça, ordonna-t-elle en poussant du pied une vieille paire de pantoufles dans sa direction. Les toilettes ne sont pas loin.

Quand la porte de derrière s'ouvrit, Adèle découvrit une vue si extraordinaire qu'elle oublia momentanément sa souffrance.

Un tapis d'herbe ondoyante, piqueté de fleurs sauvages, s'étendait jusqu'à Rye. À sa droite se dressait le château en ruine qu'elle avait remarqué la veille, et une rivière semblable à un ruban argenté serpentait à travers la prairie.

Un cri lui fit lever la tête. Une vingtaine de grands oiseaux au long cou survolaient les marais. Ils descendirent en piqué vers la rivière et se posèrent avec grâce, sans provoquer le moindre clapotis.

— Ce sont des oies sauvages, l'informa sa grand-mère. Nous en avons une douzaine d'espèces différentes.

Adèle frissonna et clopina jusqu'aux cabinets, masqués par un buisson couvert de grandes fleurs mauves que sa grand-mère lui avait montré du doigt. Quand elle en ressortit, elle la vit ouvrir un clapier.

— J'aime bien les lapins, dit-elle en les observant renifler l'air.

— Ce ne sont pas des animaux de compagnie, répliqua sa grand-mère froidement. Je les élève pour leur fourrure et leur viande.

En début d'après-midi, Adèle n'avait plus aucun doute : sa grand-mère était bien une sorcière, car elle était la méchanceté personnifiée. Elle désirait s'allonger, fermer les yeux et dormir, seulement sa grand-mère la força à s'asseoir sur une chaise.

Honour l'avait habillée d'une vieille robe à elle pendant qu'elle lavait celle de la fillette, et elle la bombardait de questions auxquelles Adèle répondait avec difficulté tellement elle se sentait faible. Elle grelottait, puis transpirait ; sa grand-mère ne semblait pas le remarquer car elle continuait à vaquer à ses occupations dans le jardin.

Elle s'était mise en colère quand Adèle n'avait avalé que quelques cuillerées de soupe pour le déjeuner, puis elle avait posé bruyamment un puzzle sur la table en lui ordonnant de le reconstituer au lieu de regarder dans le vide. Adèle avait toujours aimé les puzzles, mais sa tête tournait et elle n'arrivait pas à se concentrer. Elle avait envie de pleurer, de dire qu'elle était très malade. Pourquoi était-elle venue ici ? Elle aurait mieux fait de tenter sa chance auprès de Mme Patterson.

— Bois ça !

Adèle sursauta. Sa grand-mère lui tendait une tasse de thé, accompagnée d'une tranche de cake.

— Allez ! Redresse-toi et ne t'occupe pas des grumeaux de la crème, ils ne te feront aucun mal. Je ferais mieux d'aller chercher du lait, il tourne vite par cette chaleur.

Adèle adorait le cake et, à la maison, c'était un plaisir rare.

— C'est vous qui l'avez fait ?

— Non, c'est ma cuisinière, rétorqua sa grand-mère. Sois sage pendant mon absence. Ne t'avise surtout pas de fouiner.

Adèle se contenta de la regarder d'un air abruti, sans comprendre.

Honour pédalait en direction de Winchelsea, heureuse de sortir du cottage et de s'éloigner de l'enfant. Celle-ci semblait stupide, à peine capable de répondre aux questions les plus simples. À mi-chemin, elle dut descendre de bicyclette à cause de la côte trop raide, et quand elle atteignit le sommet elle suait à grosses gouttes sous le soleil brûlant. C'est à ce moment-là qu'elle eut un déclic : la gamine souffrait peut-être d'insolation. Elle connaissait les symptômes pour en avoir eu une après une journée à la plage avec Frank et Rose. Elle s'était alitée plusieurs jours d'affilée.

Honteuse de ne pas y avoir songé plus tôt, elle pensa demander conseil au pharmacien, mais comme de nombreuses femmes faisaient la queue elle renonça à étaler sa vie privée devant elles. Elle acheta du lait et rentra rapidement à la maison.

Honour avait laissé la porte d'entrée grande ouverte pour créer un courant d'air. La première chose qu'elle aperçut fut les jambes de l'enfant qui dépassaient de derrière le canapé. Elle se précipita, la trouva couchée dans une mare de vomi. Elle la roula sur le côté et vérifia rapidement que ses voies respiratoires n'étaient pas obstruées. Adèle était inconsciente, son pouls faible et son front brûlant. Honour vit la tasse de thé vide, la tranche de cake entamée et supposa que, prise de nausées, la fillette avait essayé de se rendre aux cabinets.

Pour la première fois depuis des années, Honour eut peur. Adèle avait signalé à son réveil qu'elle était souffrante, mais elle n'en avait tenu aucun compte. Elle ne l'avait même pas mise au lit. Maintenant, comment aller chercher un docteur ? Elle ne pouvait pas laisser la gamine seule.

On étouffait dans la salle de séjour. Elle prit l'enfant dans ses bras, la porta dans sa chambre et l'allongea sur le lit.

— Adèle ! cria-t-elle en lui tapotant les joues. Tu m'entends ?

Aucune réponse. Adèle était molle comme une poupée de chiffon. Terrorisée, Honour pensa qu'elle allait mourir. Comment trouverait-elle à se justifier ? Les gens racontaient déjà beaucoup d'histoires à son sujet ; pour eux, la disparition de Rose n'était pas claire. Qu'arriverait-il s'ils croyaient qu'elle avait tué cette enfant, ou l'avait laissée mourir ?

— De l'eau froide ! s'exclama-t-elle tout haut. Il faut faire baisser la fièvre.

En déshabillant Adèle et en l'allongeant sur des serviettes, Honour remarqua de nombreux bleus sur ses cuisses maigres, qu'elle n'avait pas vus le soir précédent. Elle éclata en sanglots. Désireuse de lui soutirer le maximum d'informations sur Rose, elle avait négligé d'éclaircir les raisons de sa fuite des Sapins.

« Il m'a fait des choses sales. » Elle n'aurait jamais dû laisser passer ça. Elle n'avait pensé qu'à elle, à protéger sa vie paisible et solitaire. Les cils d'Adèle commencèrent à bouger tandis que Honour lui passait une éponge gorgée d'eau froide sur le corps. Elle s'arrêta, lui soutint la tête et la força à boire pour la réhydrater.

Honour s'était toujours enorgueillie de pouvoir maîtriser n'importe quelle situation. Elle avait guéri Rose de sa scarlatine, puis soigné son mari avec dévouement après son traumatisme psychologique et, ensuite, pendant la pneumonie qui l'avait finalement emporté. Elle était capable de réparer l'aile brisée d'un oiseau, de tordre le cou à un poulet et d'écorcher un lapin. Si une tuile glissait, elle montait sur le toit la remettre en place. En revanche, l'état inquiétant d'Adèle la désarmait.

L'enfant frissonnait, elle la couvrait puis, quelques minutes plus tard, sa température remontait, elle la rafraîchissait, lui donnait à boire, alors Adèle vomissait de la bile et Honour recommençait tout de zéro. Ce cycle se répéta tout l'après-midi.

Quand la nuit tomba, elle alluma la lampe à huile. Adèle se mit à délirer, appelant Pamela et une certaine Mme Patterson. Honour fit de son mieux pour l'apaiser. Pendant tout ce temps, elle voyait les bleus sur ses cuisses et enrageait qu'un homme pût faire du mal à une enfant.

À minuit, Honour avait changé les draps trempés de sueur à deux reprises. Elle ouvrit la fenêtre pour faire entrer de l'air frais, mais aussitôt de nombreux papillons voltigèrent dans la pièce, attirés par la lumière. Elle finit par s'allonger contre Adèle. Malgré son extrême fatigue, elle redoutait de fermer les yeux. Chaque fois qu'elle regardait le visage de l'enfant, rouge et gonflé, elle s'indignait que Rose et cet homme, Makepeace, l'aient maltraitée.

À quatre heures du matin, Adèle demanda à boire. Honour se réveilla en sursaut, honteuse de s'être endormie. Elle bondit du lit et se précipita afin de soutenir la tête d'Adèle pour l'aider à boire. Cette fois, elle en avala la moitié avant de retomber sur l'oreiller. Honour resta assise près du lit, la cuvette à la main, mais les minutes passèrent et pour la première fois Adèle ne vomit pas. Honour posa sa main sur son front. Il était encore très chaud et elle y appliqua un gant humide. Pourtant, instinctivement, elle sut que le danger était écarté.

Honour souffla la lampe alors que les premières lueurs de l'aube pénétraient dans la pièce. Elle ouvrit la fenêtre. Le gris du ciel tirant sur le rose annonçait la pluie et elle se réjouit pour son jardin potager qui en avait bien besoin, mais surtout pour l'arrivée de la fraîcheur, qui aiderait l'enfant à se rétablir.

« Elle s'appelle Adèle », songea-t-elle.

Accoudée au rebord de la fenêtre, elle contempla les marais. Pourquoi Rose avait-elle choisi ce prénom ? Est-ce que le père était français ?

« Quelle importance, puisque tu l'expédieras dès qu'elle ira mieux. »

8

— Tu vas t'user les yeux à lire dans cette pénombre, déclara Honour d'un ton sec.

La soirée n'était pas très avancée, mais la pluie qui tombait à verse assombrissait la pièce. Adèle referma *Les Quatre Filles du Dr March* à contrecœur. Elle n'osait pas demander à sa grand-mère d'allumer la lampe à huile car elle n'y consentait qu'au crépuscule.

Honour avait annoncé que deux semaines s'étaient écoulées depuis son arrivée. Adèle avait perdu toute notion du temps pendant sa maladie. Elle se rappelait seulement avoir eu des nausées et s'être levée pour aller aux cabinets. Après, plus rien. Elle avait dû être gravement malade, à voir la façon dont sa grand-mère se comportait avec elle. Elle la portait jusqu'au pot de chambre, la lavait, la coiffait et la nourrissait à la cuillère, comme un bébé.

À son grand étonnement, dès qu'elle avait repris des forces, sa grand-mère l'avait calée contre des oreillers et lui avait donné de la lecture. Sa mère avait toujours été d'une humeur massacrante quand elle était souffrante. Elle confisquait les livres et les jouets, prétendant que si elle se sentait assez bien pour se distraire, elle pouvait se lever et se rendre utile. Rose ne lui avait jamais non plus préparé des plats faciles à manger comme des œufs à la coque, du riz au lait et de la soupe de poulet.

Mais c'était les livres qu'elle appréciait le plus. Plongée dans les aventures d'une héroïne, elle oubliait tout : sa mère, Pamela et les Sapins. Elle ne pensait pas non plus à son avenir et c'était très agréable.

Maintenant qu'elle était en convalescence et autorisée à s'asseoir sur une chaise, elle voyait comment vivait sa grand-mère. Elle travaillait très dur du matin jusqu'au soir, et Adèle comprenait qu'elle n'ait pas forcément envie de s'occuper de visiteurs indésirables.

Aimerait-elle rester ici ? Adèle n'y avait pas réfléchi. Ça ne servait à rien, les adultes ne tenaient pas compte des désirs des enfants. En tout cas, elle n'avait jamais rencontré une personne aussi déconcertante. Honour l'avait très bien soignée, ce qui prouvait qu'il existait une facette plus douce de sa personnalité. Mais, à présent, elle se montrait brusque et son accent snob ne s'accordait pas avec ses vêtements d'homme ni avec sa façon de vivre. Elle ne parlait à Adèle que pour la bombarder de questions. La plupart de ses réponses la mettaient en colère. Si seulement elle arrivait à la faire sourire ou même rire !

Aussi, quand sa grand-mère lui réservait une surprise agréable, se comportait-elle comme si de rien n'était.

Découvrir le salon bien rangé fut une de ces surprises.

Adèle avait conservé l'image du bric-à-brac indescriptible de la salle de séjour, aussi quel ne fut pas son étonnement, en sortant de la chambre de Honour, de découvrir une pièce ordinaire ! Ordinaire n'était pas vraiment le bon mot car sa grand-mère possédait des objets extraordinaires, mais tout était rangé. L'oiseau dans sa boîte de verre avait trouvé sa place sur le rebord de la fenêtre, l'ours sculpté remplissait son office de portemanteau près de l'entrée, les chaises et la table ornée d'un beau vase de fleurs sauvages occupaient le centre du séjour. On voyait à présent la couleur vive des murs ; sur les étagères de la bibliothèque, les bibelots alternaient avec les livres et un très beau tapis couvrait le sol.

Sa grand-mère lui annonça alors qu'elle aurait sa chambre. Le matelas avait dû en cacher la porte. Adèle l'avait imaginée aussi dépouillée et miteuse que celle des Sapins, sinon pourquoi la condamner ? À sa grande stupéfaction, elle était ravissante avec son papier peint vert et blanc, ses rideaux, son lit en bois à la tête ouvragée, sa coiffeuse et sa bibliothèque remplie de livres.

Sa mémoire lui avait-elle joué des tours ? Sachant que sa grand-mère détestait les questions, Adèle se contenta de déclarer qu'elle trouvait la pièce très agréable. Elle résolut le mystère en l'entendant bavarder avec le facteur. Il lui demandait si elle avait réussi à poser le papier peint et si elle avait besoin d'aide pour bouger d'autres meubles. Cette pièce n'avait donc pas été utilisée pendant des années, sans doute depuis le départ de Rose. Honour l'avait rénovée et aménagée pendant la maladie de la fillette.

À présent, elle lui confectionnait une chemise de nuit. Elle avait déniché un coupon de flanelle et ressorti une machine à coudre. Elle n'en parla pas non plus et quand elle admit que c'était bien pour Adèle, au lieu de l'annoncer gentiment, elle aboya : « Tu vas te prendre les pieds dans la mienne, elle est beaucoup trop grande. » La chambre et la chemise de nuit semblaient indiquer que sa grand-mère avait l'intention de la garder. De toute façon, elle pouvait difficilement l'expédier ailleurs sans vêtement.

Lorsque Adèle mentionnait Rose, la réaction de sa grand-mère était surprenante. Elle se levait d'un bond et se rendait dans le jardin avant même la fin de la phrase. La seule fois où elle l'avait écoutée jusqu'au bout, c'est le jour où elle avait raconté la mort de Pamela et à quel point sa sœur lui manquait. Sa grand-mère avait affirmé que c'était normal.

Adèle gigota sur sa chaise. C'était ennuyeux d'être assise sans rien avoir à faire. Depuis l'avant-veille, elle avait l'autorisation de s'asseoir deux heures dans le jardin, l'après-midi. Elle en était ravie, mais, en contemplant le vieux château, la rivière et les oiseaux, elle mourait d'envie d'explorer les environs et d'aller voir la mer.

— Est-ce que je nous prépare une tasse de thé ou bien dois-je aller au lit ? demanda-t-elle.

Au moins, de la fenêtre de sa chambre, elle pourrait admirer le coucher de soleil.

Honour jeta un coup d'œil à l'enfant. Quel changement ! Elle avait eu une mine épouvantable pendant sa maladie : la peau de son visage avait pelé, ses cheveux ressemblaient à de la paille sale et ses grands yeux paraissaient lui dévorer la figure. Mais une bonne alimentation, du repos, un shampooing et le bon air avaient accompli des miracles. Des mèches dorées éclairaient ses cheveux, ses joues rosissaient et ses yeux étaient plutôt beaux, finalement. Elle s'ennuyait, ce qui prouvait qu'elle était en voie de guérison.

— Je vais bientôt préparer un chocolat chaud, annonça Honour en enlevant des épingles de la manche de la chemise de nuit.

Ces derniers jours, elle lui avait fait parler de sa vie à Londres, et sa capacité à décrire son environnement l'avait impressionnée.

Adèle dépeignit l'appartement, sa famille et les voisins si clairement que Honour eut l'impression de les connaître. Non pas qu'elle désirât en avoir une image aussi nette. Imaginer Rose sous les traits d'une harpie alcoolique, dans un taudis, mariée à un homme vulgaire et sans instruction la piquait au vif. Honour n'arrivait pas à comprendre qu'Adèle – qui était très intelligente – ne manifeste aucune colère ni amertume envers une mère qui l'avait traitée avec autant de mépris.

Peut-être qu'une enfant élevée sans amour n'avait pas la moindre idée de ce que c'était.

Après l'avoir écoutée parler de Rose, Honour pensa que le père d'Adèle devait être un homme marié, rencontré lorsqu'elle travaillait à l'hôtel George, à Rye. Rose n'avait pas apprécié de quitter Tunbridge et ses amies. Elle se montra boudeuse et difficile pendant quelque temps, puis elle finit par s'adapter. C'est à quinze ans, quand elle obtint cet emploi à l'hôtel, qu'elle commença à avoir honte du cottage et de la façon de vivre de ses parents.

L'hôtel George s'adressait à une clientèle riche, et Rose ne parlait plus que de leur façon de s'habiller et des menus somptueux. Quand Frank fut rapatrié de France, Rose passait souvent la nuit à l'hôtel à l'occasion d'un dîner exceptionnel ou d'une réception. Trop épuisée à soigner son mari pour penser à autre chose, Honour ne lui posait aucune question. Mais elle se rappelait s'être demandé si Rose n'était pas amoureuse, car elle était distraite, nerveuse et très soucieuse de son apparence. Si l'homme en question avait été célibataire, elle en aurait sûrement parlé ou elle l'aurait présenté.

Apprendrait-elle un jour ce qui s'était passé après la fuite de sa fille ? Peut-être valait-il mieux ignorer pourquoi et comment elle avait fini dans un taudis aux côtés d'un homme avec qui elle n'avait rien en commun. Quelles qu'en soient les raisons, cela n'aurait pas dû l'empêcher d'aimer son enfant. Partout dans le monde, des femmes épousaient des hommes qu'elles n'aimaient pas, pour leur argent ou un statut social, mais elles adoraient leurs enfants. Et Rose aimait Pamela, l'enfant de Jim.

Depuis que Honour connaissait les événements qui avaient conduit à l'hospitalisation de sa fille, ce que Rose avait fait subir à ses parents n'avait plus d'importance. C'était insignifiant comparé à la douleur qu'Adèle avait endurée. Rose ne l'avait ni aimée ni protégée. En outre, elle l'avait accusée de la mort de Pamela. Honour devait essayer de la soulager de cette culpabilité. Mais comment ? Elle avait toujours eu du mal à communiquer. Elle formulait les phrases dans sa tête, savait exactement quoi dire, seulement les mots ne sortaient jamais de la bonne façon. Dans sa jeunesse, on lui reprochait déjà d'être brusque, insensible et sans cœur. Ce n'était pas le cas, elle avait juste de la difficulté à exprimer ses sentiments. Vieillir en solitaire avait accentué ce trait de caractère.

Frank avait été la seule personne à connaître le cœur d'or qu'elle cachait derrière sa carapace. Ils avaient été si proches qu'ils lisaient dans leurs pensées et se comprenaient à demi-mot. S'il était toujours de ce monde, il aurait su comment aider Adèle. Très perspicace, il avait la patience d'attendre le bon moment et possédait le don exceptionnel d'attirer les confidences.

Mais Frank n'était plus là, c'était donc à elle de gérer la situation. Elle voulait en priorité découvrir ce qui s'était passé aux Sapins. Si un homme responsable d'enfants attentait à leur pudeur, il fallait l'arrêter.

— Je vais préparer le chocolat chaud, lâcha soudain Adèle. Vous n'avez pas arrêté de courir toute la journée. Vous devez être fatiguée.

La gorge de sa grand-mère se serra. La sensibilité d'Adèle prouvait qu'elle avait passé son enfance à essayer d'apaiser son entourage. À l'âge de douze ans, Honour n'aurait jamais pensé qu'une adulte puisse être fatiguée.

— Nous le ferons un peu plus tard. D'abord, explique-moi pourquoi tu t'es enfuie des Sapins, demanda-t-elle sans ménagement.

— Je n'aimais pas l'endroit, répondit Adèle d'un ton évasif.

— Il n'y a pas que ça. Raconte-moi tout et finissons-en, rétorqua Honour sèchement

— Je ne peux pas, murmura Adèle en baissant la tête.

— C'est difficile de parler de sujets qui nous gênent. Pourtant je dois connaître la vérité. Tu sais, il va falloir que j'aille bientôt à la police.

Alarmée, Adèle releva la tête.

— Pourquoi ? Je n'ai rien fait de mal.

— J'en suis convaincue. Mais, quand tu t'es enfuie, M. Make-peace a dû alerter la police de ta disparition. Ils sont à ta recherche et si je ne les informe pas rapidement que tu es ici, j'aurai de gros ennuis. Je devrai aussi leur expliquer la raison de ton départ afin qu'ils ne te renvoient pas là-bas.

— Ils n'en ont pas le droit ! s'exclama Adèle.

— Si. Bien que je sois ta grand-mère, ta garde a été confiée à M. Makepeace, pas à moi.

— Je peux rester avec vous ? S'il vous plaît, mamie.

Honour savait que la langue d'Adèle avait fourché, mais cela toucha une corde sensible au plus profond d'elle-même. L'enfant avait persisté à l'appeler « madame Harris » et Honour n'avait pas suggéré de mot moins formel pour ne pas s'attendrir.

— Ça m'étonnerait qu'ils t'autorisent à rester ici. Ils verront ce cottage sans électricité ni salle de bains et ils penseront que tu serais mieux dans cette grande maison avec d'autres enfants.

— Je me sens en sécurité, ici.

Deux semaines plus tôt, cet argument n'aurait eu aucun impact sur Honour. Mais la peur de la perdre, les soins prodigués pour la remettre sur pied et son caractère doux et conciliant avaient changé sa façon de voir. Elle éprouvait toutefois de nombreuses réserves : était-elle encore capable d'élever une enfant ? Aurait-elle assez d'argent ? Mais Adèle avait percé sa cuirasse. Et, à moins qu'une autre personne possédant une maison plus convenable pour sa petite-fille ne se présente, elle allait se battre pour la garder.

— Se sentir en sécurité signifie qu'on a confiance. Tu as confiance en moi ?

Adèle acquiesça.

— Dans ce cas, tu peux me raconter ce qui est arrivé.

Elle attendit. Adèle fronça les sourcils, ne sachant pas par où commencer. De temps à autre, elle jetait un coup d'œil à sa grand-mère, ouvrait la bouche, puis la refermait. Honour avait envie de la secouer comme un prunier pour qu'elle vide enfin son sac, pourtant elle se contrôla. Qu'aurait fait son mari en pareille situation ?

— Commence par ce qui est le plus difficile, suggéra-t-elle. Après, tu seras débarrassée.

— Il est venu dans mon lit, lâcha Adèle à toute vitesse. Il…

Elle s'interrompit et se mit à pleurer. Pour l'aider, Honour fut tentée d'utiliser le mot « viol ». Mais Adèle n'en connaîtrait sans doute pas la signification. Quand il avait recouvré ses esprits, Frank lui avait confié que lui raconter les horreurs de la guerre lui avait permis de prendre du recul. Si Adèle employait ses propres mots, cela l'aiderait aussi.

— Viens t'asseoir près de moi, l'invita Honour en tapotant le canapé près d'elle.

Adèle se retrouva contre elle en un éclair et son désir d'être cajolée était si évident que la gorge de Honour se serra. Elle la prit spontanément dans ses bras pour la réconforter.

— Vas-y, chuchota-t-elle, je t'écoute.

— Il a glissé ses mains sous ma chemise de nuit et m'a touchée, sanglota sa petite-fille, la tête enfouie dans sa poitrine. Il a dit que c'était sa façon de montrer qu'il m'aimait. Il s'est mis sur moi et a essayé de mettre sa chose en moi.

— Il a réussi ? demanda Honour, au bord de la nausée.

— Je ne pense pas, c'était trop gros et je n'arrêtais pas de gigoter. Mais j'ai dû le tenir.

— Et ?

— Et un liquide collant est sorti, alors j'ai eu envie de vomir. J'ai couru à la salle de bains. J'ai vomi. Il m'a laissée là. Ensuite, il est reparti dans sa chambre.

Honour poussa un soupir de soulagement en caressant les cheveux de l'enfant.

— Quand t'es-tu enfuie des Sapins ?

— La même nuit. Je ne pouvais pas rester. Je me suis lavée, habillée et je suis partie.

— Tu as très bien fait. Cet homme est un monstre, et tu as été très courageuse. Nous allons boire un chocolat chaud et, ensuite, tu m'expliqueras comment M. Makepeace s'est comporté avec toi avant d'en arriver là.

Honour tremblait en posant la casserole de lait sur le poêle. Puis elle alluma la lampe à huile et tira les rideaux. Adèle était prostrée sur le canapé, les épaules voûtées. Elle ne pleurait plus mais continuait à renifler. Honour s'inquiéta. Si ses questions l'avaient perturbée, elle ne se le pardonnerait pas.

En buvant le chocolat, Adèle lui avait raconté l'histoire des leçons particulières et comment M. Makepeace était devenu si important à ses yeux. Honour se représentait la situation clairement. C'était sordide car il avait tout planifié. Il avait gagné sa confiance et, assoiffée d'affection, Adèle n'avait pas réalisé que ses caresses étaient déplacées. Ensuite, il l'avait mise à l'écart des autres enfants pour la rendre encore plus dépendante de lui et, cette nuit-là, il pensait l'avoir totalement en son pouvoir. Si elle ne s'était pas enfuie, il aurait profité d'elle à sa guise.

— C'était ma faute ? demanda la fillette un peu plus tard.

— Pas du tout ! C'est lui qui est en tort. Tu es en sécurité, maintenant.

— Mais si la police décide que je dois retourner aux Sapins ? s'enquit-elle d'une toute petite voix.

— Ils auront affaire à moi, répliqua Honour d'un ton féroce. À partir de maintenant, c'est moi qui prendrai toutes les décisions te concernant.

— Est-ce que ça veut dire que je peux rester avec vous, madame Harris ?

Honour la regarda. Avec ses grands yeux encore baignés de larmes et ses lèvres tremblantes, la fillette ressemblait à un lapin effrayé. Si Honour parvenait à la remplumer, à redonner de la vigueur à ses cheveux et à ouvrir son esprit aux beautés de la nature afin qu'elle oublie les traumatismes de sa jeune vie, elle aurait accompli une tâche vraiment remarquable.

— Il est préférable que tu m'appelles mamie, dit-elle en souriant. Et ils ont intérêt à me confier ta garde, après tout le mal que je me suis donné pour te remettre sur pied !

SECONDE PARTIE

9

1933

Plongée dans ses pensées, Adèle cueillait des fleurs d'ajonc dans les marais. Sa grand-mère les utilisait pour faire du vin, qu'elle vendait à Rye avec ses conserves, ses œufs et d'autres produits. Elle avait presque rempli son grand panier en paille et ses mains étaient couvertes de petites égratignures provenant des buissons épineux. Elle ne les remarquait pas, tout comme elle ignorait le vent froid printanier. En deux ans, elle s'était endurcie.

Elle avait beaucoup changé depuis son arrivée à Curlew Cottage. Elle avait grandi, elle était toujours mince, quoique très musclée. À sa grande joie, ses cheveux étaient devenus épais et brillants, son teint, clair et éclatant, mais elle ne s'était pas encore habituée à sa poitrine naissante, qui lui causait plus de gêne que de plaisir.

Elle se transformait peu à peu en jeune fille, pourtant dans son cœur elle savait ce qui l'avait vraiment métamorphosée : elle était heureuse.

L'hiver, la vie dans les marais était très dure et ne correspondait en rien à l'image qu'elle avait – enfant – du foyer idéal, mais elle avait appris à l'aimer. Mamie se montrait brusque et bizarre ; cependant, elle était fiable et d'un caractère égal. Elle ne la rabaissait jamais, ne traitait pas ses efforts avec dédain, et

Adèle ne devait jamais affronter de soudaines explosions de colère.

Elle aurait souhaité obtenir des éclaircissements sur un certain nombre de choses : que s'était-il passé entre sa mère et sa grand-mère ? Rose allait-elle mieux ? Avait-elle cherché à savoir si elle était entre de bonnes mains ? M. Makepeace avait-il été puni ? Mamie n'était pas du genre à donner des explications, surtout si le sujet était délicat. Par ailleurs, Adèle appréciait sa sagesse et son honnêteté. Elle la tiendrait sans doute au courant le moment venu car, sous sa carapace, elle avait un cœur d'or.

En hiver, avant de partir pour l'école, elle avait droit à une grande assiette de porridge et sa grand-mère réchauffait son manteau près du poêle. L'été, les jours de grande chaleur, elle l'attendait avec un pique-nique qu'elles avalaient après avoir nagé. Les nuits d'orage, elle venait la voir dans sa chambre pour s'assurer qu'elle n'avait pas peur. Elle s'intéressait à ses devoirs et, souvent, lui expliquait beaucoup mieux ses leçons que les professeurs.

Le premier été avait complètement remis en question les certitudes d'Adèle. À Londres, l'argent primait tout. Ses parents se disputaient souvent à ce sujet. Sans argent, impossible de payer le loyer, d'acheter de la nourriture, d'aller au pub ou au cinéma. Adèle était convaincue que c'était l'argent qui rendait les gens heureux.

Mais sa grand-mère en faisait peu de cas. Elle gérait au mieux le petit pécule dont elle disposait, qui servait à acquérir les produits de première nécessité comme l'huile pour la lampe, la farine, le thé et le sucre. Le reste, elle l'élevait, le cultivait ou le confectionnait.

Le poêle était alimenté avec du bois qu'elle ramassait. Elle cuisait son pain. La bicyclette était son unique moyen de transport. Elle faisait ses conserves à partir de son potager et des fruits de saison, elle cueillait des baies de sureau, des myrtilles et les fleurs d'ajonc dans la campagne. Elle ne gaspillait rien. Elle transformait une vieille robe en jupe ou en chemisier et utilisait les pelures des légumes, les fientes des poulets et les crottes des lapins pour le compost.

Sa grand-mère prenait un réel plaisir à vivre de la terre, et Adèle avait appris à apprécier ce mode de vie.

Elle avait pensé que Londres, avec ses magasins, ses cinémas et sa foule, lui manquerait toujours. Aux Sapins, elle mourait d'envie de manger des *fish and chips*, de prendre le bus, et le silence de la campagne la perturbait. Mais sa grand-mère l'avait initiée à cette région qu'elle adorait et Adèle avait découvert un monde excitant qui dépassait en beauté tous ses rêves.

Sa première impression, celle d'un endroit désolé et aride, s'était révélée fausse. Toutes sortes de plantes et d'oiseaux y trouvaient refuge. Quand elles allaient ramasser du bois, sa grand-mère lui montrait les oiseaux et lui apprenait leur nom. Elle identifiait leurs cris et connaissait les baies et les herbes. Peu à peu, la magie des lieux opéra sur Adèle et elle aimait marcher seule, savourant la sérénité et la beauté du paysage. À Londres, l'été, elle se rappelait les feuilles des arbres qui pendaient mollement, couvertes de suie et de poussière, les odeurs désagréables des égouts et de la nourriture qui pourrissait, les nuits brûlantes et moites où elle n'arrivait pas à dormir, le bruit incessant de la circulation et des gens qui criaient ou se battaient. Ici, les sons qui lui parvenaient par sa fenêtre entrouverte étaient agréables : le bêlement d'un mouton, l'ululement de la chouette, les vagues qui roulaient les galets.

Elle n'entra à l'école qu'au deuxième trimestre mais, à sa grande surprise, la compagnie d'autres enfants ne lui manqua pas. Elle avait plein de livres à lire, elle peignait, dessinait, cousait ou tricotait. Sa grand-mère lui avait aussi appris à nager et à faire du vélo.

Adèle sourit en se remémorant la première fois qu'elle avait vu sa grand-mère en maillot de bain. Semblable à une barboteuse, il lui couvrait les épaules et descendait jusqu'aux genoux. Il était démodé, en tricot bleu roi avec un galon rouge sur la poitrine. En revanche, elle avait une belle silhouette pour une femme dans la cinquantaine, mince et ferme, avec des jambes bien galbées. Elle nageait comme un poisson, plongeait dans les vagues avec une joie enfantine. Patiente et très encourageante, Honour était un excellent professeur. Elle avait le don d'expliquer avec clarté les rudiments, puis elle laissait Adèle se débrouiller en la surveillant discrètement.

Adèle était capable d'accomplir des tâches qu'elle n'aurait jamais imaginées à Londres. Elle écorchait un lapin aussi bien que sa grand-mère, elle cuisinait sur un feu, plumait un poulet et coupait du bois, sans compter la confection du pain et des confitures.

Elle continuait à cueillir des fleurs d'ajonc en pensant à son avenir. Dans trois mois, en juillet, elle aurait quatorze ans et quitterait l'école pour chercher du travail. La crise économique – ou la Grande Dépression, comme certains l'appelaient – s'aggravait chaque mois car beaucoup d'entreprises fermaient. Adèle lisait rarement les journaux, mais elle voyait les ravages causés par le chômage à Rye. Les hommes formaient des groupes sur le quai, le visage anxieux, l'air affamé. Leurs femmes, les traits tirés, regardaient avec convoitise les vitrines des magasins. Leurs enfants étaient pâles, maigres et léthargiques et Adèle se sentait souvent coupable d'avoir le ventre plein.

Sa grand-mère avait des opinions bien arrêtées sur la situation critique des pauvres, dont elle ne considérait pas faire partie. Elle trouvait immoral que les riches continuent à acheter des automobiles, des vêtements coûteux et passent leurs vacances en France ou en Italie tout en payant des gages de misère à leurs domestiques. Quand elle apprit l'arrestation de deux hommes qui avaient volé un mouton car leurs familles mouraient de faim, elle se rendit à Rye, furieuse, pour assener ses quatre vérités à la police : les familles de ces hommes souffriraient encore plus s'ils allaient en prison. Et que représentait un mouton pour un fermier qui ignorait combien il en possédait ?

Adèle se faisait une vague idée de ce qui se passait dans le monde quand elle allait au cinéma avec sa grand-mère à Rye. Grâce aux actualités Pathé diffusées avant le film, elle avait vu des chantiers navals à l'arrêt, des hommes au visage émacié agitant des banderoles, des files d'attente gigantesques en Amérique devant une soupe populaire, des gangsters qui s'entre-tuaient à Chicago et, en Allemagne, l'accession au pouvoir d'un homme à l'air inquiétant, du nom d'Adolf Hitler.

Elle se sentait parfois un peu honteuse de préférer le monde féerique de Hollywood. Mais quel plaisir de voir les vedettes, vêtues de façon somptueuse, danser et chanter ! Et d'avoir un aperçu d'un monde où les maisons ressemblaient à des palais, où les gens possédaient de grosses voitures, des manteaux de four-rure et des piscines.

Sa grand-mère, qui ne manquait jamais de remarquer que « Hollywood était la drogue des masses opprimées », avait sans doute raison, mais cela n'empêchait pas Adèle de penser que si elle arrivait à décrocher un bon travail, elle pourrait acheter de beaux vêtements, permettre à sa grand-mère de se reposer un peu et la rendre fière d'elle.

— Excusez-moi !

Adèle sursauta. Elle se retourna et vit un jeune homme à bicyclette.

— Je suis désolé, je ne voulais pas vous effrayer.

Son accent snob et ses vêtements élégants le distinguaient des garçons du coin. Âgé d'environ seize ans, le visage juvénile, il était grand et mince avec des cheveux noirs très brillants.

— Je ne vous ai pas entendu arriver, dit-elle en rougissant comme une tomate.

Elle devait ressembler à une clocharde comparée à lui, qui était vêtu d'un pantalon de flanelle aux plis impeccables et d'une veste en tweed digne d'un grand tailleur.

Les jours d'école, Adèle était mieux habillée que beaucoup de ses camarades. Grâce aux talents de couturière de sa grand-mère, elle possédait une robe chasuble et un chemisier qui semblaient sortir d'un magasin. En revanche, à la maison, ses vêtements étaient avant tout pratiques. Honour lui avait confectionné un pantalon qu'elle portait rentré dans des bottes en caoutchouc, avec un vieux pull bleu marine raccommodé. Une élève lui avait lancé d'un ton sarcastique qu'elle était la copie conforme de sa grand-mère.

— C'est à cause du vent, ajouta-t-elle nerveusement.

— J'aurais dû donner un coup de sonnette, répondit le garçon en souriant. Mais c'est terriblement impoli. Je voulais juste savoir si j'atteindrais Rye en suivant ce chemin.

Il avait un beau sourire, des yeux bleus magnifiques et de bonnes manières. La plupart des garçons qu'elle connaissait étaient grossiers.

— À bicyclette, c'est difficile. Il y a de la boue et des galets. La promenade est très agréable, seulement il vaut mieux prendre la route si vous voulez rester sur le vélo.

— En fait, je me contentais d'explorer. Pourquoi cueillez-vous ces fleurs ? demanda-t-il en regardant le panier.

— Ma grand-mère en fait du vin.

— Comment est-il ? s'enquit-il, étonné.

— Je n'ai pas le droit d'en boire, mais j'y ai goûté. Il est doux et sent les fleurs. On dit qu'avec un verre on est soûl et qu'au deuxième on est ivre mort.

Il éclata de rire.

— Alors, votre grand-mère est ivre tout le temps ?

— Non, elle se contente de le vendre, répliqua Adèle, piquée au vif.

Les gens prenaient un malin plaisir à ridiculiser sa grand-mère et elle s'entendait à la défendre.

— Je plaisantais. C'est la première fois que je rencontre une personne qui fait du vin. Mes parents commandent le leur chez un caviste. Pourrais-je en acheter une bouteille pour qu'ils le goûtent ?

Adèle ne sut pas quoi répondre. Honour vendait toute sa production à un homme de Rye qui lui fournissait les bouteilles.

— Je lui demanderai. Vous êtes en vacances ?

— Pas vraiment. Ma grand-mère vient de mourir et je suis venu avec mes parents pour aider mon grand-père à organiser les funérailles. Il habite à Winchelsea.

— Il s'agit de Mme Whitehouse ? Ma grand-mère m'en a parlé hier. Si c'est le cas, je suis désolée.

— C'est bien elle. Elle avait plus de soixante-dix ans et était très fragile. Nous nous y attendions un peu. Je ne la connaissais pas beaucoup. Mère nous amenait ici quand j'étais très jeune, mais je crois que nos grands-parents nous trouvaient trop bruyants. Nous restons jusqu'à la rentrée de l'école, après les vacances de Pâques.

— L'école ? s'exclama Adèle sans réfléchir.

Les jeunes de son entourage quittaient l'école à quatorze ans ; ce garçon paraissait beaucoup plus vieux.

— Eh bien… oui, dit-il, surpris par sa remarque. Vous avez arrêté ?

— Je termine cet été. Quand vous êtes arrivé, je réfléchissais au travail que je pourrais trouver.

Il lui lança un long regard pénétrant et Adèle se sentit jugée.

Il en conclurait sans doute que, avec ses vêtements miteux et l'activité de sa grand-mère, elle n'était pas fréquentable.

— Ça ne va pas être facile dans le coin, déclara-t-il finalement avec gentillesse. Nous étions à Rye hier après-midi et mes parents ont remarqué que les gens souffraient beaucoup de la crise économique. Quelle sorte de travail cherchez-vous ?

— N'importe quoi qui paie bien, répliqua-t-elle du même ton brusque que sa grand-mère.

Elle se dit alors qu'il allait prendre congé mais, à sa grande surprise, il déposa sa bicyclette par terre et se mit à cueillir les fleurs d'ajonc.

— Je m'appelle Michael Bailey, et, si je vous aide, vous aurez fini plus vite, expliqua-t-il en souriant. Après, vous me montrerez peut-être la promenade à pied jusqu'au port de Rye ? Si vous n'avez rien d'autre à faire, bien sûr.

Son sourire était si franc et chaleureux qu'Adèle ne put s'empêcher de lui sourire en retour.

— Adèle Talbot. Je dois rapporter ces fleurs à la maison avant qu'elles sèchent.

— Est-ce une façon polie de me dire que vous ne pouvez pas ou ne voulez pas m'accompagner ?

Adèle, qui avait eu très peu de contacts avec des garçons, n'avait pas appris à être évasive de manière délibérée. Il est vrai qu'elle aurait dû ajouter « d'abord » pour être plus claire. La question du garçon lui donna le temps de réfléchir. Était-il correct de se promener avec un inconnu ?

— Pourquoi une personne comme vous a-t-elle envie de se promener avec moi ? demanda-t-elle, sur la défensive.

— Une personne comme moi ?

— Regardez-vous ! s'écria-t-elle en rougissant de nouveau. Un parfait gentleman ! Si vos parents vous voyaient avec moi, ils auraient une attaque.

— En voilà, une idée ! répliqua-t-il en fronçant les sourcils. Pourquoi ne pas marcher, discuter et même devenir amis ? Vous ne vous sentez pas seule, parfois, ici ?

Elle secoua la tête. Peut-être était-elle bizarre, ainsi que l'affirmaient certaines filles à l'école, pourtant elle aimait trop les marais pour souffrir de la solitude.

— Il y a tant de choses à faire ou à observer. Je regarde les oies sauvages, les agneaux, je cueille des fleurs. Je me sens bien plus seule en ville, entourée de la foule.

Elle s'attendait à un petit sourire narquois de la part de son interlocuteur, mais il parut la comprendre. Pour la seconde fois, elle fut frappée par le bleu foncé de ses yeux et par l'intensité de son regard.

— J'éprouve aussi souvent cette impression, même en famille. Et la maison de mes grands-parents est lugubre, on n'y parle que de l'organisation des obsèques. C'est pourquoi je suis sorti prendre l'air. Je ne connais pas les marais, servez-moi de guide !

Une fois le panier rempli, Adèle le rapporta à la maison, échangea quelques mots avec sa grand-mère puis fila tel l'éclair pour retrouver Michael. D'habitude, si elle apercevait un promeneur, elle partait dans la direction opposée. Sa grand-mère lui avait appris que les « gens du marais » étaient objets de plaisanterie pour les citadins, qui les considéraient au mieux comme des excentriques, au pire comme des fous. Cette attitude était très répandue et Adèle en avait souvent eu la preuve avec les filles de sa classe, qui se montraient hautaines. Mais Michael n'habitait pas le coin et semblait ignorant en la matière.

Il abandonna sa bicyclette et Adèle le conduisit sur son chemin favori, un sentier où l'on devait sauter plusieurs fossés pleins d'eau, traverser un ruisseau sur une planche et qui permettait de voir les abris en bois de saule construits par les bergers pour protéger les brebis et leurs agneaux les jours de mauvais temps.

Très vite, Adèle se décontracta : Michael s'intéressait vraiment aux marais et son enthousiasme lui rappela le sien quand elle les avait explorés pour la première fois. Ils virent une dizaine d'agneaux âgés de quelques heures, encore tremblants sur leurs pattes, et les larges sourires de Michael indiquaient sa joie et son étonnement.

— Qu'est-ce qui lui arrive ? demanda-t-il en désignant un agneau étrange, couvert de sang.

— Il n'est pas blessé. Le berger lui a attaché une peau d'agneau mort.

— Pourquoi ?

— C'est un orphelin. Le berger écorche un agneau mort-né,

met la peau sur un orphelin et la brebis qui a perdu son petit pense que c'est le sien à cause de l'odeur. Du coup, elle le nourrit.

— J'ai toujours cru qu'on les nourrissait au biberon ! s'écria Michael, stupéfait.

— On le fait dans les fermes qui possèdent peu de moutons. Ici, il y en a des centaines. Imaginez le nombre de biberons ! N'oubliez pas qu'ils tètent quatre ou cinq fois par jour. De plus, il est préférable que les agneaux soient élevés en troupeau plutôt que comme des animaux domestiques, car une fois adultes ils ne sont plus très « doux ».

— Vous n'avez jamais été tentée d'en élever un ? s'enquit Michael en observant un petit qui bêlait de manière pitoyable pour appeler sa mère.

— Oh si, ils sont si mignons. Le printemps dernier, je venais tous les jours les regarder. J'espérais en trouver un tout seul pour le ramener à la maison. Ma grand-mère aurait certainement accepté. Elle adore les animaux. Mais le berger arrivait toujours avant moi.

Elle lui parla de Misty, le lapin de compagnie offert par sa grand-mère.

— Elle est belle, d'un gris très clair. Elle est apprivoisée et entre dans la maison, où elle se chauffe près du poêle. Je l'adore.

— Votre grand-mère a beaucoup de lapins ?

Adèle acquiesça d'un air contrit.

— Elle les élève puis les tue pour vendre leur peau et leur viande. Au début, je la trouvais cruelle. Maintenant, je vois les choses différemment. C'est un moyen de gagner sa vie.

Michael lui demanda alors pourquoi elle vivait avec sa grand-mère et Adèle lui sortit son discours habituel : sa mère était tombée malade et son père avait pensé qu'elle serait mieux ici. Cette explication ne sembla pas le satisfaire car, en marchant en direction du château de Camber, il continua à lui poser des questions. De quoi souffrait sa mère ? À quel rythme son père venait-il la voir ? Et si sa mère était malade, pourquoi n'était-elle pas venue ici ? Adèle appréciait qu'un garçon aussi sympathique que Michael s'intéresse à elle, seulement elle ne voulait pas révéler son passé et fit de son mieux pour changer de sujet.

De son côté, Michael insistait, reposant les mêmes questions de façon différente.

— Pourquoi ne pas m'avouer la vérité ? suggéra-t-il alors qu'ils arrivaient au château. C'est si terrible ?

La vérité, il risquait de la trouver très dure. Mais là n'était pas la raison de sa réserve. Elle agissait par loyauté envers sa grand-mère, qui l'avait recueillie quand personne ne se souciait d'elle. Elle n'allait donc sûrement pas raconter à Michael que Rose était folle. Honour utilisait souvent le mot « correction » ; pour Adèle, il signifiait ne pas divulguer les secrets de famille et garder sa dignité même si sa robe était miteuse et sa grand-mère très bizarre.

Elle avait appris à admirer la singularité de sa grand-mère. Honour traitait tout le monde sur un pied d'égalité, le commerçant qui vendait son vin et ses conserves, les policiers, les connaissances à Rye ou les randonneurs qui lui demandaient de l'eau en été. Elle était fière, calme, indifférente à la flatterie, aux moqueries ou au chantage. Adèle avait remarqué avec un certain plaisir que la plupart des gens devenaient vite obséquieux en sa présence.

Elle vendait ses produits à Rye, persuadée qu'ils étaient les meilleurs. Si le patron du magasin ne lui prêtait pas attention quand elle entrait dans sa boutique, elle allait ailleurs. Un jour, un commerçant avait dit à Adèle que Honour était « un personnage ». Il avait raison, elle était unique. Dure, capable, grandiloquente, caustique, elle était aussi juste, honnête et généreuse. Elle donnait souvent l'aumône aux mendiants, surtout aux anciens militaires invalides. Si elle apprenait qu'une famille traversait une période difficile, elle leur envoyait des légumes, des œufs, du poulet ou du lapin pour les dépanner.

Elle vivait en accord avec le proverbe : « Les actes sont plus éloquents que les paroles. » Quelques mois après l'arrivée d'Adèle, elle lui annonça qu'elle était sa tutrice légale. Un document juridique le prouvait et, plus important encore, sa grand-mère ne semblait pas le regretter.

— Vous connaissez bien Rye ? demanda Adèle à Michael en

pénétrant dans les ruines du château de Camber pour changer de sujet.

— J'arrive à me repérer, répondit-il en souriant. C'est une ville très pittoresque. Mais vous voulez parler de son histoire, je suppose ?

— Ma grand-mère est une spécialiste. Elle sait tout sur les constructions navales, la contrebande et les relations avec la famille royale.

— Mon grand-père m'a raconté que Rye et Winchelsea étaient des îles dans le passé et que la mer en se retirant avait créé des marécages. Mes connaissances s'arrêtent là.

— Il est plus important de savoir que Rye faisait partie des Cinq Ports et que Henri VIII a construit ce château. Certains prétendent que c'était pour enfermer Anne Boleyn. Moi, je ne crois pas, il l'a érigé pour se défendre contre les invasions. C'est mon endroit favori.

Pour Adèle, ces ruines envahies par le lierre et les fleurs sauvages avaient un côté mystérieux. Elle venait souvent y rêver, même en hiver. Au printemps, les primevères y fleurissaient plus tôt que partout ailleurs, les oiseaux y nichaient, et, si elle restait immobile, des lapins s'approchaient très près. Elle s'y réfugiait pour réfléchir les jours où elle trouvait la vie trop injuste. Après deux heures de solitude, elle se sentait apaisée.

Elle imaginait Henri VIII arriver à cheval, drapé dans une cape de velours bordée d'hermine, suivi d'une procession de nobles, indifférent à l'agitation des domestiques qui couraient en tous sens pour l'accueillir.

— C'est un lieu charmant, dit Michael d'un air pensif. Mais parlez-moi de vous, ajouta-t-il en posant une main sur son épaule.

— Quand vous connaîtrez mieux la région, vous découvrirez comment on y considère les « gens du marais », répliqua-t-elle avec un gloussement nerveux. On prétend que nous sommes un peu dérangés à cause du vent. Certains enfants sont persuadés que ma grand-mère est une sorcière.

— On ne peut pas être une sorcière et une grand-mère en même temps ! Les sorcières ne se marient pas. La vôtre a un chat noir ?

— Elle ne les aime pas car ils tuent les oiseaux. Pourtant je l'imagine très bien en magicienne, lança Adèle en souriant.

— Ma famille en aurait bien besoin, soupira-t-il en s'asseyant dans l'herbe et en s'appuyant contre le mur du château, les jambes repliées. Il faudrait un coup de baguette magique pour les rendre heureux.

Adèle le dévisagea, stupéfaite. Elle venait à peine de le rencontrer mais il avait l'air de sortir d'un monde idyllique. Quand il remarqua sa surprise, il eut un rire amer.

— Oh, je sais, vous me voyez comme un garçon privilégié. En fait, Mère pique régulièrement des crises, elle reste ensuite au lit des journées entières. Furieux, Père se déchaîne contre elle, ce qui aggrave son état. S'il était plus souvent présent et surtout plus attentionné, elle pourrait changer. Seulement il est aussi cruel qu'elle est timbrée. J'attends la fin des vacances avec impatience pour retourner à l'école.

Adèle comprit alors qu'il avait voulu se promener avec elle pour se changer les idées. D'une certaine façon, elle agissait de même lorsqu'elle emmenait Pamela à la gare d'Euston afin d'observer la foule. C'était un moyen d'échapper à la réalité. Quelle étrange ironie du sort que Michael la choisisse, elle, pour se confier ! Qui d'autre pouvait mieux le comprendre ?

— Votre père est cruel aussi avec vous ? hasarda-t-elle timidement.

— Parfois, mais il l'est plutôt avec Mère. Il faut avouer qu'elle est très exigeante, soupçonneuse et excessivement difficile.

Il marqua une pause, adressa un sourire gêné à Adèle.

— Elle a gâché le mariage de ma sœur en se mettant en colère. Ma belle-sœur ne vient plus chez nous à cause de certaines réflexions désagréables de sa part. Père prétend qu'elle souffre des nerfs et lui donne des médicaments. Pourtant j'ai l'impression que ça la désoriente encore plus. À mon avis, ce dont elle a vraiment besoin, c'est d'une personne à qui parler, conclut-il en soupirant.

Adèle remarqua qu'il avait à la fois attaqué et défendu sa mère.

— Ma mère se plaignait souvent que mon père ne l'écoutait jamais, risqua-t-elle.

— Je ne crois pas que beaucoup de couples mariés

communiquent, fit-il tristement en appuyant son menton sur ses genoux. J'observe les parents de mes amis, ils ressemblent beaucoup aux miens. En public, ils sont polis et présentent une façade, comme des acteurs de cinéma. Mais à la maison c'est différent. Ils s'ignorent ou s'étripent.

— Vraiment ? s'exclama Adèle.

Elle avait toujours imaginé que les gens riches avaient tout ce qu'ils désiraient, y compris un bonheur plus grand.

Michael acquiesça.

— Ralph, mon frère aîné, et ma sœur Diana prennent le même chemin. Ils ne se soucient que de leur vie mondaine, des réceptions, des courses de chevaux, des concerts et des pièces de théâtre. Ils ont l'air d'avoir peur de se retrouver seuls. Quand Ralph a eu son premier enfant, il est parti en voyage d'affaires. Il aurait pu le reporter. C'est important de partager ce moment exceptionnel avec sa femme.

Personne, excepté Ruby aux Sapins, ne lui avait raconté autant de détails intimes sur sa famille dès le premier jour. Devait-elle se méfier ? Son instinct lui soufflait que Michael n'était pas aussi ouvert habituellement. Peut-être la mort de sa grand-mère – ou alors la confiance qu'elle lui inspirait – l'avait-elle poussé à s'épancher.

— Là où j'habitais, c'était la tradition pour un homme de se rendre au pub à la naissance d'un bébé. C'est un peu pareil.

— Non, ils fêtent la naissance ! répliqua-t-il, d'un ton indigné.

Adèle sourit.

— Soi-disant. D'après mon expérience, les ouvriers boivent pour fuir la réalité, pour ne pas penser à la bouche supplémentaire à nourrir, au loyer à payer ou à la menace du chômage.

— Nous envisageons les problèmes sous des angles opposés. Vous connaissez des couples amoureux qui le sont restés ?

— Oui, ma grand-mère et son mari. Mon grand-père est mort deux ans après la guerre. Quand elle l'évoque, son visage prend une expression très tendre. Elle contemple souvent ses tableaux.

— Il était artiste ? demanda Michael, décontenancé.

— Oui, et il avait du talent. Mais il a été blessé à la guerre et, ensuite, il n'a plus peint. Jeunes mariés, ils habitaient à Tunbridge, où ils menaient une vie très différente. Plus proche de la vôtre.

Michael paraissait très intéressé.

— Ils n'étaient donc pas de véritables « gens du marais » ? Votre grand-père est venu ici pour peindre ? C'est très romantique.

Adèle avait pensé la même chose lorsque sa grand-mère lui avait raconté leur déménagement en voiture à cheval. Elle imaginait l'ours, l'oiseau empaillé et le dressoir empilés, avec ses grands-parents et Rose assis à l'arrière.

— Ma grand-mère n'est pas du style à ressasser le passé et elle donne peu d'explications. En tout cas, elle possède une grande culture, son père était instituteur et, au cottage, certains meubles sont vraiment beaux. Mon grand-père était officier dans l'armée.

— C'est fascinant, murmura Michael d'un air songeur. Vous l'êtes aussi, Adèle. Vous paraissez très jeune mais vous avez beaucoup de maturité pour votre âge. Selon vous, quelle en est la raison ?

— Le vent dans les marais, plaisanta-t-elle en se levant. Allons-y, sinon nous n'arriverons jamais au port de Rye.

Adèle rentra chez elle à dix-huit heures. Elle avait froid et se rendit directement près du poêle pour se réchauffer les mains. Sa grand-mère était occupée à repriser une paire de chaussettes. Elle avait mis du pain à lever et une soupe de légumes cuisait à feu doux.

— Je meurs de faim, déclara la jeune fille en humant les bonnes odeurs de cuisine.

— Le jeune homme ne t'a pas offert le thé avec un gâteau ? s'enquit Honour, caustique.

— Comment sais-tu que j'étais avec un garçon ? fit-elle en se retournant.

— J'ai des yeux. Les marais sont plats, on y voit à des kilomètres. Si tu pensais le cacher, c'est raté.

Une telle remarque était typique de sa grand-mère. Elle parlait sans mâcher ses mots et allait droit au but.

— Je ne cherchais pas à le cacher. Nous avons bavardé et je lui ai montré le chemin jusqu'au port.

Adèle se sentait un peu stupide. Elle aurait dû deviner que Honour les repérerait.

— Comment s'appelle-t-il ?

— Michael Bailey. Sa grand-mère, Mme Whitehouse, vient de mourir. Il est là pour les obsèques. Tu en as parlé hier.

— Alors, c'est le fils d'Emily. Les Whitehouse avaient deux autres fils, mais ils sont morts à la guerre.

— Tu connais sa mère ?

— Oh oui ! C'était une petite bêcheuse, elle a peut-être changé avec l'âge. Je ne l'ai pas vue depuis une éternité, dit Honour en fronçant le nez.

Cela confirmait les propos de Michael.

— Son fils est très sympathique. Il aime beaucoup les marais. C'est la première fois qu'il voyait des agneaux aussi petits.

— Ce sont des gens de la ville, répliqua Honour avec un sourire ironique. D'après mes souvenirs, Emily a épousé un homme prétentieux. Bien trop imbu de lui-même, à mon goût. Je suis contente que son fils ne lui ressemble pas.

Adèle fut étonnée que sa grand-mère ne lui pose pas d'autres questions sur Michael. À l'école, les filles racontaient que leurs parents se montraient toujours méfiants envers le sexe opposé. Mais Honour connaissait la famille de ce garçon, peut-être n'avait-elle donc pas besoin d'en savoir plus. Quand Adèle demanda à sa grand-mère la permission de se promener à bicyclette le lundi, elle fut encore plus surprise qu'elle soit d'accord. Elle lui conseilla seulement de ne pas trop s'éloigner : en avril, le temps était imprévisible.

Elle avait raison. Lorsque Adèle et Michael atteignirent la plage de Camber, il se mit à tomber des cordes. Ils s'abritèrent sous un arbre puis, comme l'averse persistait, ils durent rentrer. Néanmoins, la pluie ne gâcha pas leur journée. Michael était un compagnon agréable, qui abordait les sujets les plus variés. Il lui parla de ses amis, de sa maison dans le Hampshire et de son désir de devenir aviateur.

— Mon père fait la grimace chaque fois que j'aborde le sujet, affirma-t-il en riant. Il est avocat et voudrait que je suive ses traces. Je lui ai rétorqué qu'il avait déjà entraîné Ralph dans cette voie et que je ne lui obéirais pas comme un mouton. Il imagine que, une fois à Oxford, je changerai d'avis.

Adèle avait déjà décidé qu'elle n'aimerait pas du tout M. Bailey. Michael lui avait raconté qu'il se plaignait d'être coincé à Winchelsea avec un vieillard gâteux et en partirait dès la fin des funérailles. Pas étonnant que Mme Bailey soit aussi nerveuse avec un mari pareil !

— Il pense peut-être que vous ne gagnerez pas votre vie en tant que pilote.

— Et il n'a pas tort. Seulement, je me moque de l'argent. La première fois que je me suis approché d'un petit biplan, j'ai été bouleversé. Il appartient à un ami de mon père, qui m'a emmené avec lui. Ce vol a décidé de mon sort.

— C'est merveilleux d'avoir une passion. Mais il a peut-être raison : une fois à Oxford, vous risquez de choisir une autre orientation.

Michael entrerait à Oxford à dix-huit ans, dans deux ans. Adèle lui dit qu'il devait être très brillant ; il affirma se trouver plutôt dans la moyenne et lui expliqua que c'était son collège privé qui lui facilitait l'accès à la prestigieuse université.

— Je ne changerai pas d'avis, assura-t-il avec fermeté. J'ai accepté Oxford parce qu'ils ont un corps d'aviation. Je vais l'incorporer.

Les obsèques de Mme Whitehouse devaient se dérouler le surlendemain à Winchelsea. Adèle avait l'intention de se poster près de l'église pour observer la famille de Michael. Sa grand-mère fut horrifiée quand elle apprit ce projet.

— Il n'en est pas question ! s'écria-t-elle. Un peu de tenue, ma fille ! Crois-tu qu'ils apprécieront que tu les regardes avec des yeux de merlan frit à un moment pareil ?

— Je suis curieuse, Michael m'a tellement parlé d'eux.

— « La curiosité a tué le chat », comme dit le proverbe, rétorqua Honour d'un ton acerbe. Le garçon viendra sans doute te rendre visite après les cérémonies. D'ailleurs, tu ferais mieux de l'inviter, afin que je puisse l'examiner.

Cela ne présageait rien de bon, mais le charme irrésistible de Michael fit des miracles. Il apparut deux jours après l'enterrement, un fagot dans les bras.

— Madame Harris, j'espère que vous n'allez pas me trouver impudent, déclara-t-il quand Honour ouvrit la porte. J'ai vu tout ce bois près de la rivière et j'ai pensé qu'il vous serait utile.

— C'est très gentil à toi. Cependant, je ne pense pas que tes parents aimeraient que tu traînes par ici. Entre, c'est une journée glaciale.

La présence de Michael chez elle rendit Adèle gauche et timide. Dans les marais, ils étaient à égalité, mais la maison de sa grand-mère dépourvue de tout confort moderne devait lui paraître un taudis comparé à la belle demeure de ses grands-parents. Tandis qu'ils prenaient le thé, Honour lui posa des questions sur les obsèques et sur le moral de son grand-père. Au passage, elle mentionna qu'il était un excellent joueur d'échecs. Michael paraissait très à l'aise avec elle.

Ce jour-là, elle avait prévu de mettre en bouteille une boisson gazeuse au gingembre. Le mélange de levure, de gingembre et de sucre fermentait dans une marmite près du poêle depuis une semaine.

— Vous voulez un coup de main ? s'enquit Michael quand elle en parla.

Les bouteilles qu'elle désirait utiliser se trouvaient dehors. Ravie d'avoir de l'aide, elle lui proposa de les laver dans l'arrière-cuisine. Elle lui donna une brosse et de l'eau chaude savonneuse pour bien les récurer et enlever les étiquettes.

Adèle craignait qu'il n'en ait vite assez et s'en aille, mais il nettoya les bouteilles en un clin d'œil et les apporta dans le séjour, étincelantes, juste au moment où Adèle et sa grand-mère finissaient de filtrer le mélange. Elles ajoutèrent ensuite du citron et de l'eau.

— Peut-on le boire ? demanda Michael en soulevant la grosse marmite pour verser le liquide à travers l'entonnoir que Honour maintenait dans une bouteille.

— Le mélange doit reposer au moins deux semaines. Mais j'en ai en réserve. C'est délicieux. Adèle va te faire goûter. Ce n'est pas alcoolisé et le gingembre est bon pour la circulation. J'en suis la preuve vivante, je n'ai jamais les mains ni les pieds froids.

— C'est parfait pour moi, opina Michael en adressant un clin d'œil à la jeune fille. Un des inconvénients du métier de pilote, ce sont les extrémités qui s'engourdissent.

Adèle était stupéfaite de la rapidité avec laquelle il s'était attiré la sympathie de sa grand-mère. Cette dernière lui assura qu'il serait toujours le bienvenu et le remercia chaleureusement pour son aide et pour le bois.

À partir de ce jour, il revint quotidiennement et ne manqua jamais de donner un coup de main avant de suggérer une promenade à pied ou à bicyclette. Il grimpa sur le toit pour remettre une tuile en place, aida à désherber le potager, attacha un rosier grimpant au porche en treillis de l'entrée. Il blêmit quand il vit Honour tuer les lapins, pourtant il l'aida à les dépouiller. La grand-mère d'Adèle aimait sa serviabilité mais elle appréciait surtout sa personnalité. Il n'était pas condescendant, s'intéressait vraiment à son mode de vie et admirait ouvertement son ingéniosité. Honour prisait ses questions intelligentes, ses muscles et son côté audacieux.

— C'est un garçon bien, dit-elle un soir où elles prenaient leur chocolat chaud habituel. Je n'aurais jamais cru qu'Emily Whitehouse puisse produire autre chose que des snobs dégonflés.

— Apparemment, sa mère est un peu nerveuse, avoua Adèle en espérant ne pas trahir la confiance de Michael.

— Sa mère était pareille, rétorqua Honour avec un sourire malicieux. Un jour, je lui ai dit : « Ne vous laissez pas piétiner, Cecil vous utilise comme un paillasson. » Elle a pleurniché qu'un mari se devait d'être autoritaire.

— J'ignorais que tu la connaissais aussi bien !

— Nous étions amies. Elle était beaucoup plus âgée que moi, bien sûr. Nos relations ont changé quand j'ai fait le ménage chez elle, au début de la guerre. J'avais besoin d'argent. Je l'aidais aussi quand Emily débarquait avec ses jeunes enfants parce que son mari se conduisait mal.

— Pourquoi n'en as-tu pas parlé à Michael ?

Honour réfléchit puis esquissa un sourire.

— Je n'aime pas raconter que j'ai dû être domestique chez une amie. Et, à mon avis, ce n'est pas une bonne idée de lui dire que j'ai bien connu sa grand-mère et sa mère.

— Pourquoi ? Il aurait été fasciné !

— C'est vrai. Et il est aussi très ouvert. Il serait rentré chez lui excité comme une puce et l'aurait raconté à ses parents. Mieux vaut éviter cela. Ils n'apprécieraient certainement pas que Michael te fréquente.

Adèle avait abouti à la même conclusion de son côté. Les gens des marais ne côtoyaient pas la bonne société de Winchelsea.

— Mais toi, tu ne désapprouves pas cette amitié ?

— Non, pas du tout ! s'écria Honour avec véhémence. Mon milieu familial est aussi bon que le leur et je suis enchantée que tu l'aies rencontré. En revanche, n'oublie pas qu'il retourne bientôt dans le Hampshire. Je doute que ses parents rendent souvent visite à ce cher vieux Cecil. Il se peut que tu ne le revoies jamais.

Cette nuit-là, en écoutant le vent souffler sur les marais, Adèle repensa aux paroles de sa grand-mère. C'était triste, mais elle avait raison. Elle devait être réaliste, Michael ne se serait sans doute pas lié d'amitié avec elle s'il avait trouvé d'autres personnes disponibles dans les environs. De retour au collège, il l'oublierait vite. Il lui manquerait, cependant elle n'allait pas se conduire comme les filles idiotes des romans à l'eau de rose.

La dernière semaine des vacances de Michael, le temps se mit au beau fixe et ils passèrent de merveilleux moments ensemble. Ils barbotèrent dans la mer en se tordant de rire parce que l'eau était glaciale. Ils construisirent un pont de branchages sur l'un des ruisseaux et se chronométrèrent pour savoir lequel faisait durer son bonbon le plus longtemps. Adèle ne connaissait pas ces sucreries géantes, Michael les avaient achetées en lui expliquant qu'elles changeaient de couleur quand on les suçait. Il lui demandait régulièrement d'ouvrir la bouche pour voir de quelle couleur était sa langue et Adèle riait aux éclats.

Ils firent la course sur les galets du rivage. Adèle lui montra comment glisser sur les parties de la plage en pente. Elle lui fit découvrir des millions de bébés anguilles dans un cours d'eau et il lui apprit à compter en français. N'importe quelle activité devenait drôle du moment qu'ils étaient ensemble. Il leur suffisait de se regarder pour se mettre à pouffer.

Le matin de son départ, Michael se présenta au cottage alors qu'Adèle et sa grand-mère finissaient leur petit déjeuner.

— Je ne veux pas vous déranger. C'est juste un petit cadeau pour vous remercier de votre accueil, dit-il en donnant à Honour une très jolie boîte à thé.

— Comme c'est gentil à toi ! s'écria-t-elle, rayonnante de plaisir.

— Pour vous, Adèle, j'ai choisi un livre. J'espère que vous ne l'avez pas lu.

Enchantée, elle ouvrit le paquet. C'était *Lorna Doone*.

— Non. Merci, Michael, je vais le commencer aujourd'hui.

— As-tu le temps de prendre une tasse de thé ? s'enquit Honour.

— Non, nous sommes sur le point de partir.

— Accompagne-le jusqu'au bout de l'allée, Adèle, ordonna-t-elle en lui donnant un petit coup de coude. Au revoir, Michael. J'espère que nous nous reverrons.

Sa bicyclette l'attendait au bout du chemin.

— Vous allez me manquer, Adèle, avoua-t-il d'un air abattu. Si je vous écris, vous me répondrez ?

— Bien sûr. Racontez-moi tout ce qui vous arrive. À présent filez, sinon vos parents vont se fâcher.

Elle le regarda s'éloigner. Il se mit debout sur les pédales pour aller plus vite. Quand il bifurqua pour prendre la route de Winchelsea, il lui fit un signe sans se retourner.

Adèle avait toujours le livre dans les mains. Elle l'ouvrit et découvrit une dédicace.

Pour Adèle, l'histoire d'un garçon qui rencontre une fille sur la lande et ne peut plus l'oublier. Je ne vous oublierai pas non plus.
Bien amicalement,
Michael Bailey. Pâques 1933.

10

1935

— Je n'arriverai jamais à trouver un vrai travail, soupira Adèle avec lassitude en s'effondrant sur l'herbe à côté de la chaise de sa grand-mère.

La fin du mois d'août approchait. Deux ans s'étaient écoulés depuis son départ de l'école, et elle n'avait toujours pas de travail régulier. Elle avait été employée trois semaines par-ci par-là à la blanchisserie, quand l'arrivée des vacanciers avait généré un surcroît d'activité. Elle avait ramassé les fraises, les framboises, les pommes de terre, nettoyé la poissonnerie après la fermeture, déniché une dizaine d'autres petits boulots. Elle avait écrit à toutes les entreprises de Hastings et s'y était rendue en autobus un nombre incalculable de fois, mais personne ne voulait l'embaucher de façon permanente.

— Ils exigent quelqu'un d'expérimenté, se plaignit Adèle. Comment puis-je acquérir de l'expérience si personne ne me donne la chance de montrer ce que je vaux ?

— Les temps sont durs, rétorqua sa grand-mère en lui tapotant la tête.

Les chômeurs se comptaient par millions. Certains se suicidaient parce qu'ils ne parvenaient plus à nourrir leur famille. Il ne se passait pas une semaine sans qu'un homme affamé vienne taper à leur porte pour demander de la nourriture. Honour leur donnait toujours un bol de soupe et du pain. Elle s'était même séparée des derniers vieux vêtements de son mari. Ces hommes arrivaient des Midlands ou du nord de l'Angleterre, mais la pauvreté sévissait aussi à Rye et à Hastings.

Par cette journée chaude et ensoleillée, la misère était moins évidente. L'hiver précédent, Adèle avait vu des enfants pieds nus et en haillons qui mendiaient dans la rue principale. De plus en plus d'hommes se rassemblaient sur les quais en espérant trouver un ou deux jours de travail. Certaines familles avaient vendu tout leur mobilier et les personnes âgées mouraient de froid car elles ne pouvaient pas s'acheter de charbon.

— Il faudrait peut-être que j'aille à Londres, avança Adèle

d'un air sombre. J'ai rencontré une copine en ville. Elle a réussi à décrocher un emploi dans un bureau.

— Tu es trop jeune pour t'installer à Londres. Je ne veux pas que tu vives dans une chambre meublée, à la merci de gens sans scrupule. Tu ne vas pas tarder à trouver, j'en suis persuadée.

— Les journaux prétendent qu'il y a du travail pour ceux qui en veulent, mais c'est faux ! s'emporta Adèle.

Elle avait chaud et se sentait épuisée. À Rye, elle avait croisé Margaret Forster, qui s'était vantée de son emploi chez Home & Colonial. Fière de sa nouvelle robe en crêpe de Chine rose, elle lui avait annoncé qu'elle se rendait au cinéma avec une autre vendeuse du magasin. Adèle avait vu seulement deux films, cette année.

Une chose la rendait vraiment furieuse : elle était sûre qu'on ne l'embauchait pas parce qu'elle vivait dans les marais. Les entretiens se passaient toujours bien jusqu'à ce qu'on lui demande où elle habitait. Elle était intelligente, bien élevée, plutôt séduisante, son élocution était soignée. Pourquoi son adresse posait-elle un problème ?

— Nous pouvons très bien nous en sortir une année de plus sans que tu travailles, assura sa grand-mère calmement. Grâce à ton aide, je produis deux fois plus et j'obtiens de meilleurs prix.

— Je ne supporte pas de te voir travailler aussi dur, lâcha la jeune fille.

Elle la voyait s'affairer du matin au soir sans même prendre le temps de s'asseoir. Entre les poulets, les lapins, les confitures et le vin, elle n'arrêtait pas.

— Je devrais te faciliter la vie.

— C'est par choix que je travaille autant, rétorqua Honour sèchement. J'aime ce que je fais, je ne suis pas une martyre. Va te laver le visage et les mains, bois un verre d'eau et repose-toi à l'ombre une demi-heure. Demain est un autre jour, qui sait ce qui va arriver ?

— Rien du tout, grommela Adèle un instant plus tard en se savonnant les mains dans l'arrière-cuisine.

Soudain, l'eau s'arrêta de couler. Ce fut la cerise sur le gâteau. Elles avaient l'eau potable à la pompe dans le jardin, et les eaux de pluie se déversaient dans une citerne qui alimentait le robinet de l'arrière-cuisine pour le lavage. Il n'avait pas plu depuis deux semaines et la citerne était vide.

Tout dans le cottage exigeait tellement d'efforts ! Le poêle fonctionnait au bois, qu'il fallait ramasser. Prendre un bain signifiait chauffer de nombreux seaux d'eau, remplir la baignoire en étain et ensuite la vider. Les toilettes n'avaient pas de chasse. Elles y répandaient régulièrement de la chaux et ça sentait toujours. Elles s'éclairaient à la bougie et aux lampes à huile.

La plupart des gens avaient le gaz, l'électricité, la radio, un gramophone, une lessiveuse et même un fer à repasser électrique. Elle n'était pas jalouse, il lui paraissait seulement injuste qu'il existe de telles différences entre les riches et les pauvres. À l'école, elle était la première de sa classe et ne trouvait pas de travail tandis que Margaret Forster, véritable cancre, en avait un. Les femmes de l'âge de sa grand-mère avaient le temps de lire. Honour, elle, devait dépouiller des lapins pour arrondir sa pension. Et ses peaux se transformaient en manteaux pour des élégantes qui ne faisaient rien de la journée.

Elle attrapa un grand broc en émail et se rendit au jardin pour le remplir à la pompe. Puis elle renouvela l'opération avec un seau. En portant l'eau à l'intérieur, elle se demanda comment sa grand-mère se débrouillerait quand elle serait vraiment vieille et n'aurait plus la force d'actionner la pompe ou de ramasser du bois.

« Je m'occuperai d'elle. » À cette pensée, elle éclata en sanglots. Comment pourrait-elle l'aider si elle n'arrivait même pas à subvenir à ses propres besoins ?

Honour pénétra dans la pièce.

— Pourquoi pleures-tu comme un veau ? s'enquit-elle avec sa brusquerie habituelle.

— Parce que tout est si difficile ! explosa Adèle.

— Arrête de t'apitoyer sur ton sort, des millions de gens sont dans une situation bien pire que la tienne !

Adèle courut se réfugier dans sa chambre, dont elle claqua la porte. Elle se jeta sur son lit pour pleurer de plus belle. Elle entendit sa grand-mère préparer le thé sans l'appeler : de toute évidence, Honour ne se souciait pas de son chagrin. Au plus profond d'elle-même, Adèle savait que l'absence de confort moderne ou d'un emploi n'était pas la cause de sa détresse. Elle adorait cet endroit et se moquait bien de ne pas avoir d'argent pour aller au cinéma.

Et si elle était malheureuse à cause de Michael ?

Elle n'avait pas vraiment espéré le revoir après ces vacances de Pâques, deux ans auparavant, mais il continua à lui écrire et, en juillet de la même année, il séjourna chez son grand-père à Winchelsea. Ils passèrent trois semaines fantastiques durant lesquelles ils se virent tous les jours. Ils nagèrent, se promenèrent à pied et à bicyclette. Ils prirent le bus pour Hastings et Adèle se régala de *fish and chips* pour la première fois depuis son départ de Londres. Michael lui offrit un chien en peluche gagné à un stand de tir, ils mangèrent de la barbe à papa, de la glace et des bigorneaux achetés à un éventaire sur la jetée. Ce fut le plus beau jour de sa vie et il en était de même pour Michael, elle le savait.

À Noël, il passa brièvement avec son frère Ralph pour s'occuper de leur grand-père. Il se présenta au cottage, les bras chargés de cadeaux. Pour Adèle, un foulard bleu et des gants assortis ; pour sa grand-mère, une boîte d'excellents chocolats. Toutefois, il ne s'attarda pas car son frère l'attendait dans la grande demeure familiale.

En février de l'année suivante, M. Whitehouse mourut. Sa femme de ménage le trouva inanimé dans son fauteuil. Il avait eu une crise cardiaque. Adèle se sentit très coupable de se réjouir : Michael allait revenir. Il vint en effet pour les obsèques, qui avaient été organisées depuis le Hampshire. La famille assista à la messe et repartit aussitôt après. Michael lui adressa une lettre pour lui expliquer la raison de ce séjour si bref, précisant qu'il n'arrêtait pas de penser à elle et aurait aimé la voir plus souvent.

En juillet, pour ses quinze ans, il lui envoya un magnifique collier de topazes. Elles lui rappelaient, écrivait-il, les mèches dorées qui illuminaient ses cheveux l'été précédent et, pour la première fois, Adèle le considéra comme un petit ami plutôt que comme un bon copain.

Pendant les grandes vacances, elle l'attendit, le cœur battant. Il arriva enfin à la fin du mois d'août avec ses parents pour mettre de l'ordre dans la maison de son grand-père, et il parvint à s'échapper de temps à autre afin de lui rendre visite.

Un changement s'était opéré en lui. Il avait grandi, sa voix était devenue grave, mais ce n'était pas tout. Enchantés de se revoir, ils désiraient s'adonner à leurs activités favorites, seulement une étrange timidité conduisant à de longs silences et à une gêne réciproque s'installa entre eux. Adèle surprit souvent ses regards appuyés. Quand elle lui en demandait la raison, il s'excusait en rougissant. Sa proximité la troublait. Elle remarquait ses longs cils, la courbe de ses lèvres. Son torse et ses bras avaient perdu leur maigreur d'adolescent, son corps était musclé et viril.

Ils ne bénéficiaient plus de beaucoup de temps. Michael devait retourner à Winchelsea à des heures précises. Ils piqueniquèrent une fois sur la plage, se rendirent au château de Camber et, pour son dernier jour, ils allèrent à pied à Rye où il l'invita à déguster des gâteaux et des crêpes au beurre dans un salon de thé. Adèle adorait le charme des rues pavées et raides de cette ville, bordées de belles maisons anciennes. Michael aimait le jardin sous la tour d'Ypres, qui servait de prison pendant la guerre napoléonienne. Il la photographia assise sur l'un des canons et affirma en plaisantant qu'elle avait l'air d'une pin-up.

Sur le chemin du retour, il lui prit la main pour la première fois et le contact de sa peau la rendit incroyablement heureuse. Quand ils atteignirent la bifurcation pour Curlew Cottage, il l'embrassa. Ce baiser ne ressemblait pas à celui des films, où l'héroïne se fondait dans l'étreinte du héros avec le mot *Fin* qui grandissait sur l'écran. Michael se pencha rapidement vers elle et ses lèvres effleurèrent à peine celles de la jeune fille.

— Si seulement la situation était différente ! murmura-t-il, gêné. Ce sera peut-être le cas lorsque j'irai à Oxford. Tu m'attendras, n'est-ce pas ?

Sur le moment, Adèle pensa qu'il espérait simplement rester son seul petit ami et elle l'assura qu'elle patienterait. Par la suite, elle comprit ce qu'il avait tenté de lui dire sans la blesser. Tant qu'ils étaient amis, son origine sociale n'avait aucune importance. Mais si elle devenait sa petite amie, Michael entrevoyait les problèmes qui ne manqueraient pas de se poser avec ses parents. Espérait-il que d'ici à son entrée à l'université elle se transforme en une jeune fille acceptable pour son entourage ? Ou souhaitait-il qu'elle vienne travailler à Oxford pour abolir les distances ?

Ce soir-là, Adèle s'examina sans complaisance dans la glace et vit ce que le milieu de Michael n'apprécierait pas en elle. Une exposition permanente au vent et au soleil lui avait donné un teint de Gitane. Ses mains étaient rêches, elle se rongeait les ongles, et ses cheveux, méchés de blond, étaient naturels tandis que les citadines les portaient permanentés sous de jolis chapeaux. Son regard était trop hardi et la couleur de ses yeux accentuait son côté sauvageonne.

Et si elle allait chez le coiffeur et achetait de nouveaux vêtements pour être comme les jeunes femmes élégantes des films américains ? Même si par miracle elle trouvait l'argent, cela ne changerait pas sa démarche, ses yeux, son caractère. Élevée dans un environnement sauvage, elle était musclée car elle travaillait dur, elle courait à travers champs et coupait du bois. Rien ne pourrait la transformer en délicate fleur de serre.

Pendant deux mois, Adèle ne reçut aucunes nouvelles et se dit que Michael avait cessé de rêver à une fille aussi peu convenable. Cela sembla se confirmer quand il écrivit qu'il apprenait à conduire et que son père lui offrirait une voiture s'il réussissait ses examens. La lettre avait un ton guindé, comme s'il s'adressait à une tante et non à une jeune fille qu'il avait embrassée en lui demandant de l'attendre.

Ensuite arriva pour Noël une carte adressée également à sa grand-mère. Du coup, Adèle fut stupéfaite quand il réapparut en mai au volant d'une voiture de sport bleue, vêtu d'un costume sombre très chic. Il se rendait à Rye pour y chercher des papiers chez le notaire de son grand-père et rentrait le soir même. En prenant le thé, il confirma son entrée à Oxford en octobre, témoigna de la sympathie à Adèle qui n'arrivait pas à trouver de travail et s'enquit auprès de Honour de son commerce de vins et de conserves, tout cela de façon très cérémonieuse.

Il leur proposa ensuite un tour en voiture à Hastings. Honour déclina l'invitation mais poussa Adèle à l'accompagner. C'est seulement à Hastings, en se promenant, qu'il redevint le Michael d'avant. Il lui expliqua que les relations entre ses parents étaient très tendues.

— C'est au sujet de la maison de mon grand-père. Mon père veut la vendre, mais il ne peut pas le faire sans le consentement de ma mère, qui en a hérité. Ma mère n'est pas d'accord et ils n'arrêtent pas de se disputer. À chaque séjour, j'y ai droit, c'est horrible. Je vais partir en Europe pour les grandes vacances, je ne supporte pas l'idée de passer l'été dans cette ambiance. Qu'en penses-tu ?

— Pourquoi ne pas rendre la voiture à ton père et travailler cet été ? répondit-elle d'un ton sec. Comme ça, tu serais indépendant. Tant que tu dépendras d'eux financièrement, tu seras à leur entière disposition.

Il éclata de rire et ébouriffa les cheveux d'Adèle.

— Tu es si sage, déclara-t-il tendrement. Tu n'as pas encore seize ans et tu me conseilles de ne pas être un parasite.

— Ce n'est pas ce que je voulais dire ! s'écria-t-elle avec feu. Je n'ai pas le droit de te donner de leçon puisque je dépends de ma grand-mère. Je crois seulement que travailler serait une meilleure excuse pour prendre tes distances. Voyager ressemble à une fuite.

— C'est vrai, approuva-t-il d'un ton pensif.

Changeant de sujet, ils retrouvèrent leur ancienne complicité et la spontanéité de leur première rencontre. Quand il la raccompagna, il prit congé de sa grand-mère et assura qu'il resterait en contact.

Sur la table de chevet, Adèle prit la lettre qu'il lui avait envoyée après cette visite.

Chère Adèle,

Je voulais te remercier de m'avoir écouté. Tu es la seule personne de mon entourage qui possède cette qualité. Peut-être est-ce à cause de la façon dont tu vis avec ta grand-mère, au contact de la nature, en accord avec les saisons. Je t'envie car je suis entouré de personnes aux opinions très arrêtées qui ne se soucient que de biens matériels. Je rêve du calme et de la sérénité des marais. Je chérirai toujours les bons moments que nous avons partagés, et, même si je ne suis pas tes conseils et que je pars en Europe, une partie de moi restera avec toi.

Tu ne m'as jamais dévoilé tes secrets et je sais que tu en as, sinon comment serais-tu aussi compréhensive ?

Sont-ils trop douloureux pour être révélés ? Si c'est le cas, tu dois trouver que je suis une vraie mauviette avec mes plaintes continuelles sur ma famille.

J'espère que tu auras bientôt du travail, je penserai à toi cet été.

> *Bien amicalement,*
> *Michael.*

Chaque fois qu'Adèle lisait cette lettre, l'émotion la submergeait. Aujourd'hui, elle se sentait si seule ! Elle s'était efforcée de chasser Michael de son esprit car elle avait conscience que leur relation n'aboutirait nulle part. Malgré tout, elle continuait d'espérer. Elle avait reçu trois cartes postales portant de brefs messages de Paris, de Rome et de Nice. Maintenant que Michael avait visité ces endroits, les marais risquaient de lui paraître bien ennuyeux.

Harrington, la maison de son grand-père, avait l'air abandonnée. Adèle s'y rendait régulièrement à bicyclette. Imposante, en brique rouge, la demeure avait plus de deux siècles. Les fenêtres étaient poussiéreuses et le porche, couvert de détritus apportés par le vent. Depuis la dernière visite de Michael, personne n'était venu.

« Ce n'est pas bon de penser à lui. Si tu n'arrives même pas à travailler, comment peux-tu espérer le garder comme ami ? » songea-t-elle tristement.

Le lendemain matin, à son réveil, Adèle vit du sang sur sa chemise de nuit. Elle comprit de quoi il s'agissait car Honour lui avait tout expliqué sur le cycle féminin. À l'école, ses compagnes étaient réglées depuis deux ans et elle se croyait anormale, aussi fut-elle soulagée.

— Cela explique ta conduite d'hier, constata sa grand-mère lorsqu'elle lui en parla. À ton âge, j'étais toujours déprimée quand je les avais, c'est la transformation qui s'opère quand on devient une femme. Dans le passé, tu as fait l'amère expérience du comportement de certains hommes, je suis donc persuadée que je n'ai pas à te mettre en garde.

Gênée, Adèle devint rouge comme une tomate et se précipita dans le jardin pour faire sortir les lapins de leurs clapiers. À sa façon, directe et brusque, Honour l'informait que, désormais, elle pouvait avoir un enfant, mais la jeune fille était choquée qu'elle utilise l'épisode traumatisant des Sapins en guise d'avertissement. Depuis qu'Adèle s'était confiée, sa grand-mère n'y avait plus jamais fait allusion, même de manière détournée.

Adèle s'était évertuée à tout oublier, pourtant les souvenirs surgissaient parfois aux moments les plus inattendus. Les hommes la rendaient nerveuse, surtout si leurs regards s'attardaient sur elle. Michael était l'exception, elle ne se sentait jamais mal à l'aise avec lui, ni menacée. S'il l'embrassait à nouveau, elle en serait ravie. Mais elle n'imaginait pas les choses aller plus loin, car elle redoutait l'apparition des souvenirs effrayants liés à M. Makepeace.

Une fois les lapins dans leur enclos, elle leur donna des feuilles de pissenlit puis prit Misty pour la caresser. Honour refusait que Misty ait des petits, elle avait expliqué à Adèle que la lapine ne supporterait pas qu'on les tue. Comme Adèle aimerait vivre la vie de Misty, chouchoutée, bien nourrie et protégée de la laideur de la procréation ! Avec de telles pensées, elle finirait vieille fille, sans enfants ni petits-enfants.

Elle réfléchissait aux mystères de l'amour, du sexe et du mariage en cajolant Misty quand elle entendit une voiture descendre l'allée. Les arbres et les buissons de part et d'autre du cottage masquaient le chemin et elle se leva pour aller à la rencontre du visiteur.

À son grand étonnement, elle vit Michael sortir d'une grosse voiture noire.

— Quelle surprise ! s'écria-t-elle, cramoisie – il était en costume-cravate et elle, affublée de la vieille robe avec laquelle elle faisait le ménage, ne s'était même pas coiffée. Je croyais que tu voyageais encore à travers le monde.

Il grimaça un sourire.

— J'ai dû rentrer. Je ne sais pas par où commencer, bredouilla-t-il.

À ce moment-là, Honour apparut sur le seuil de la porte. Elle avait dû entendre ses paroles car elle demanda des nouvelles de sa mère.

— Elle ne va pas bien, madame Harris. Puis-je vous parler ou êtes-vous trop occupée ?

— Pas au point de ne pas bavarder avec toi, Michael, répondit-elle de façon accueillante.

Enchantée du retour de son ami mais inquiète des problèmes qui semblaient le préoccuper, Adèle remit Misty dans son enclos puis rejoignit Michael et sa grand-mère dans le séjour.

— Mes parents se sont séparés. Mère va s'installer à Winchelsea. J'ignore le sujet de leur discorde et je vous serais très reconnaissant de n'en parler à personne.

— Ça ne me viendrait même pas à l'idée, répliqua Honour sèchement. Tu es venu organiser la maison avant son arrivée ?

— Non, Mère est déjà là. Nous avons passé la nuit à l'hôtel, elle n'avait pas la force d'aller directement à la maison. Elle est bouleversée.

Le cœur d'Adèle bondit dans sa poitrine. C'était triste que ses parents se séparent, mais de toute façon ils n'étaient pas heureux. Et elle se réjouissait car, à l'avenir, Michael viendrait plus souvent.

— Il est normal qu'elle soit bouleversée, dit Honour avec gentillesse. Elle a été mariée de nombreuses années. Je suis vraiment désolée, cette séparation doit te perturber alors que tu es sur le point d'entrer à Oxford. Mais je suis persuadée que ta mère se sera adaptée d'ici ton départ.

— C'est ça le problème ! Il faut que je rende la voiture à mon père aujourd'hui. Je ne vois pas comment elle va s'en sortir. Elle ne sait pas se débrouiller toute seule.

— Elle en est capable, rétorqua Honour avec dédain.

— Elle a toujours eu des domestiques pour prendre soin d'elle et de la maison. Il n'y a personne à Harrington, pas de cuisinière ni de bonne. C'est pour ça que je suis venu vous voir. Que dois-je faire, madame Harris ? Je ne peux pas la laisser seule.

— C'est sans doute le meilleur service à lui rendre. Elle apprendra vite à s'occuper d'elle.

— Mamie ! s'exclama Adèle, réprobatrice. Le pauvre Michael se fait déjà assez de souci sans que tu te montres dure.

Il lui lança un regard reconnaissant.

— Je suis malade d'inquiétude. Nous avons apporté des

provisions mais, je la connais, elle n'y touchera pas. Je vous ai raconté comment il lui arrivait de se conduire : elle reste au lit des journées entières. À Alton, notre gouvernante savait l'amadouer. Seule ici, elle se laissera mourir de faim.

— Balivernes ! s'écria Honour. Les gens ont un puissant instinct de conservation. Elle restera deux jours au lit en s'apitoyant sur elle-même et ensuite, dès qu'elle aura faim, elle se lèvera. Ce n'est pas une jeune fille stupide, elle est mère de trois grands enfants. Il est temps qu'elle se comporte en adulte.

— Tu as raison, mamie, seulement Michael ne sera pas là pour le voir. Et si j'allais l'aider ?

— Il n'en est pas question, répliqua Michael. Ce n'est pas le but de ma visite. J'ai juste pensé que Mme Harris me conseillerait pour trouver une domestique ou une gouvernante.

— Ai-je l'air d'employer une bonne ? fit remarquer Honour avec un sourire ironique. J'en avais une dans ma jeunesse. Passe une annonce dans les journaux. Il y a tellement de gens qui cherchent du travail !

— Ça va prendre du temps, gémit Michael, désespéré. Mère ne saura pas mener un entretien, elle se mettra dans tous ses états. Connaissez-vous une personne de Winchelsea ou de Rye qui ferait l'affaire ?

— Non, Michael. Pourquoi ne pas demander aux commerçants ou aux voisins ?

— Je ne veux pas que les gens du coin soient au courant de la situation. À long terme, ça ne l'aidera pas si la rumeur court qu'elle est un peu...

Honour acquiesça. Elle avait compris.

— En effet. En revanche, pourquoi ton père ne lui donne-t-il pas un coup de main pour s'installer ? Ça ne me regarde pas, mais il est de son devoir de s'occuper d'elle. L'a-t-il mise à la porte ou s'est-elle enfuie ?

Michael baissa la tête.

— Réponds-moi ! le pressa Honour. Aucun mot ne sortira de cette pièce.

— Depuis un an, ils se disputent au sujet de Harrington, la maison de Winchelsea. Ma mère en a hérité et mon père veut la forcer à vendre. J'étais en Europe quand tout a éclaté, alors je n'en sais pas plus.

— Il lui a dit de s'en aller si elle ne signait pas, c'est ça ?

— Je crois, reconnut Michael, les yeux remplis de larmes. Mon frère et ma sœur ont pris le parti de mon père, il y a peut-être une autre raison que j'ignore. Je suis rentré de France avant-hier et j'ai trouvé Père ordonnant à la bonne de préparer les bagages de Mère.

— Je vois, dit Honour pensivement. De toute évidence, ta mère n'a pas seulement besoin d'une domestique, elle doit trouver un bon avocat.

— Mon père est avocat ! Sur la route, Mère m'a rabâché que les amis de mon père le soutiendraient et que personne ne l'écouterait, elle.

— C'est stupide. Son père – ton grand-père – était un avocat réputé. Il était aussi très intelligent. S'il a laissé la maison à ta mère, il avait une bonne raison. Elle doit consulter l'avocat de ton grand-père à Rye. L'époque où un homme avait droit à l'argent et aux biens de sa femme en l'épousant est révolue.

Adèle avait écouté ce dialogue en silence, observant tour à tour sa grand-mère et Michael. Sa grand-mère défendait les droits de la mère de Michael, et elle brûlait de soulager son ami de l'angoisse causée par cette situation.

— Je peux aider ta mère, lâcha-t-elle de façon impulsive. Je sais cuisiner et faire le ménage.

— C'est impossible, répliqua-t-il, mais dans ses yeux brilla une faible lueur d'espoir.

— Tu ne me le demandes pas, je te l'offre. Tu serais d'accord, mamie ?

— Si c'est temporaire et si tu le désires vraiment, dit Honour prudemment.

— Alors, c'est réglé. J'irai. Crois-tu que je lui conviendrai ?

— Elle a plutôt intérêt à se montrer reconnaissante ! s'indigna sa grand-mère. Tu vaux bien plus qu'une domestique !

— C'est évident, approuva Michael en adressant un sourire chaleureux à la jeune fille.

— Elle doit être payée. Pas question de faire le larbin pour rien, lança Honour.

— Mamie !

— Mme Harris a raison. À Alton, nous payons la gouvernante deux livres par semaine, mais son mari travaille aussi pour nous

150

et ils occupent un cottage sur notre propriété. Si je vous propose deux livres et dix shillings par semaine, ça irait ?

Pour Adèle, c'était une fortune. Certaines familles avaient beaucoup moins pour vivre. Avant qu'elle puisse répondre, sa grand-mère prit la parole.

— Tu préciseras bien à ta mère que mon Adèle n'est pas une bonne. Elle était la première de sa classe. Si elle est logée et nourrie, elle doit avoir deux heures de libres l'après-midi et un jour de congé par semaine. Pas question qu'elle soit maltraitée. Et ta mère doit comprendre qu'il s'agit d'un arrangement temporaire.

Adèle eut le souffle coupé par le culot de sa grand-mère.

— Je lui transmettrai, lui assura Michael avec un sourire amusé. Adèle, tu as bien réfléchi ?

— Oui, je suis ravie.

Elle se sentait même excitée. La maison Harrington était une vieille demeure charmante et même si Mme Bailey n'avait pas un caractère facile, elle ne serait pas pire que certains de ses professeurs ou que sa grand-mère. Adèle apprendrait à varier sa cuisine. Honour affirmait que, du moment qu'on savait lire une recette, on s'en sortait toujours. Et ils avaient sans doute l'électricité, peut-être aussi le gaz.

— On y va ? s'enquit-elle, euphorique.

Michael regarda Honour, qui fit un signe d'approbation.

— Si c'est possible pour toi, ce serait le mieux. Comme ça, je te présenterai à Mère et je te montrerai les lieux.

— Parfait. Donne-moi juste le temps de m'habiller de façon présentable et j'arrive.

Elle alla se brosser les cheveux puis les noua en chignon. Honour en profita pour s'entretenir avec Michael, d'un ton sévère n'admettant aucune réplique.

— Adèle est une fille bien, honnête et travailleuse, et je suis persuadée qu'elle saura se rendre très utile. Mais je n'admettrai pas qu'on la traite de manière injuste. Si c'est le cas, elle partira sur-le-champ. Parles-en très clairement à ta mère, Michael.

— Je vous le promets. Je repasserai dès que possible. Qui sait ? D'ici mon retour à Alton, Père sera peut-être revenu sur sa décision.

— Essaie de savoir exactement ce qui se passe. Demande des informations à ton frère et à ta sœur.

— Ils subissent toujours l'influence de Père, soupira-t-il. Ils le soutiennent quoi qu'il arrive.

— Tente de rester neutre, recommanda Honour. Aide ta mère par tous les moyens, mais assure-toi aussi qu'elle fasse des efforts de son côté. Tu n'es pas responsable d'elle.

— Je ferai de mon mieux, répondit-il en souriant faiblement.

Michael conduisait et Adèle regardait droit devant elle. Sa petite robe stricte en coton bleu marine au col et aux poignets blancs, confectionnée avec l'aide de sa grand-mère, convenait tout à fait à son nouvel emploi. Mais l'anxiété la gagnait peu à peu. Elle n'avait aucune idée du travail qui l'attendait. Serait-elle à la hauteur ? Et qu'adviendrait-il de sa relation avec Michael ?

Cet emploi changerait tout entre eux. Cet été, quand elle pensait à lui, elle se souvenait de leurs promenades à pied ou à bicyclette, des pique-niques, et espérait que l'avenir lui réservait de bonnes surprises. Mais, en travaillant pour sa mère, c'était exclu. Elle avait beau ignorer comment vivait la haute société, elle savait que les gentlemen n'étaient pas amis avec leur bonne. Ça ne se faisait pas.

— Mme Bailey me dira ce qu'elle attend de moi ou ferai-je ce que j'estime nécessaire ? s'enquit Adèle nerveusement.

Michael lui jeta un coup d'œil, l'air très inquiet.

— À Alton, chaque membre du personnel a une tâche très précise et la gouvernante les surveille. Je ne sais pas si Mère a jamais donné d'instructions. Je ne me souviens que de l'avoir vue écrire des lettres à son bureau ou arranger des fleurs. Mais il est vrai que je suis souvent absent.

— Elle m'indiquera l'heure des repas et les menus ?

— Je n'en ai aucune idée. Tu improviseras le moment venu. Elle mange très peu, de toute façon.

Il semblait qu'elle allait devoir s'occuper d'une enfant gâtée. Heureusement que sa grand-mère habitait juste à côté : si c'était insupportable, elle s'en irait. Pour le moment, ils avaient décidé qu'Adèle rentrerait chez elle après le dîner. Elle se sentait capable d'affronter n'importe quelle situation si elle pouvait partir à dix-neuf heures.

Quand ils se garèrent devant Harrington, Adèle remarqua les fenêtres poussiéreuses et le cuivre terni de la poignée de porte. Ces détails n'avaient pas beaucoup d'importance, néanmoins elle se demanda dans quel état était l'intérieur de la maison.

Soudain, elle eut peur et se reprocha son impulsivité.

— Tout ira bien, la rassura Michael comme s'il lisait dans ses pensées. Mère n'est pas facile, mais elle peut aussi se révéler charmante. Montre-toi serviable et elle te témoignera de la reconnaissance.

Michael ouvrit la porte, suivi par Adèle.

— Mère ! hurla-t-il dans le hall. J'ai trouvé quelqu'un pour vous aider !

L'entrée était immense, avec un grand escalier en chêne qui montait au premier. Les dalles du sol n'avaient pas l'air très propres. L'atmosphère était sinistre et la maison moins belle que ne se l'était imaginée Adèle.

Mme Bailey apparut au sommet de l'escalier. C'était une femme petite et mince aux traits délicats, vêtue d'une robe vert pâle. Ses cheveux magnifiques, entre le roux et le blond, ondulaient sur ses épaules. Adèle savait qu'elle avait deux ans de plus que sa grand-mère, pourtant on aurait dit qu'elle venait juste de passer la trentaine. Sans ses yeux cernés de rouge, on l'aurait prise pour une vedette de cinéma.

— Tu m'as conseillé de pendre mes vêtements, mais je ne trouve pas de cintres, maugréa-t-elle.

— N'y pensez plus pour l'instant. Venez que je vous présente Adèle Talbot.

Pendant un moment, elle se contenta de dévisager Adèle. Elle avait les mêmes yeux bleus que Michael et un teint de lait, clair et lisse comme celui d'une enfant. De toute façon, elle ressemblait à une petite fille, avec sa bouche boudeuse et son caractère capricieux.

— C'est une domestique ? s'enquit-elle en descendant l'escalier.

Elle se déplaçait avec élégance et Adèle vit qu'elle portait des chaussures à hauts talons vert pâle assorties à sa robe.

— Où l'as-tu dénichée ? Elle a des références ? ajouta-t-elle comme si la jeune fille n'était pas là.

Adèle décida d'employer le comportement de sa grand-mère et d'aller droit au but. Si Mme Bailey n'appréciait pas sa franchise, tant pis pour elle.

— Je ne suis pas une domestique, je suis une amie de Michael. Lorsqu'il m'a dit que vous aviez besoin d'un coup de main pour vous installer, je lui ai offert mon aide. Je peux faire la cuisine, le ménage et m'occuper du linge. Si ça vous convient, je reste, sinon je m'en vais.

— Vous êtes encore une enfant ! s'exclama-t-elle en la toisant de la tête aux pieds avant de se tourner vers son fils. Quand as-tu rencontré cette fille ?

— Il y a deux ans. Adèle habite à Winchelsea Beach. Elle est très capable et digne de confiance.

Affolée, Mme Bailey agita la main. Elle était le genre de femme que la moindre décision paniquait.

— Je sais que vous ne me connaissez pas, madame, mais ma grand-mère a une excellente réputation dans la région. Elle a suggéré que je vienne temporairement vous aider. Si j'ai bien compris, vous n'avez personne pour l'instant.

— Non, en effet. Michael, tu aurais pu trouver une personne plus mûre, j'en suis persuadée.

— Où ? Il n'existe pas de magasin vendant du personnel disponible au pied levé.

— Pourquoi pas la grand-mère ? À moins qu'elle ne soit trop âgée.

Mme Bailey pensait sans doute qu'elle n'avait qu'à lever le petit doigt pour qu'on se plie en quatre devant elle. Cette attitude mit Adèle en colère.

— Ma grand-mère ne travaille pour personne, déclara-t-elle sèchement. C'est moi ou rien d'autre. Je ne veux pas être impolie, mais si vous me jugez trop jeune dites-le et je rentre chez moi.

— Elle est très franche, fit observer Mme Bailey d'une voix tremblante.

— J'ai confiance en elle. Allons, Mère ! Vous savez que je dois partir, et je ne veux pas vous laisser seule ici. Donnez une chance à Adèle, vous ne le regretterez pas.

— Il faut que je te parle en tête à tête. Suis-moi dans le salon.

Michael s'excusa et demanda à Adèle d'attendre. La mère et le fils se rendirent dans une pièce à droite de l'entrée et refermèrent la porte derrière eux.

Adèle entendait la voix de Michael, très basse, et celle de sa mère, haut perchée et indignée, sans saisir leurs propos. À sa gauche, elle voyait une salle à manger meublée d'une table imposante et de huit chaises. Une pièce plutôt sinistre et très poussiéreuse, mais personne n'avait occupé la maison depuis longtemps. Elle y fit quelques pas et déboucha sur une grande cuisine. Déçue, elle constata qu'elle était très démodée. Pourvu qu'ils aient une salle de bains ! Mme Bailey avait l'air du genre à se prélasser la moitié de son temps dans un bain moussant et Adèle ne se voyait pas traîner des baquets d'eau pour elle.

Un quart d'heure plus tard, Michael réapparut en souriant.

— Mère a changé d'avis et elle s'excuse de t'avoir offensée. Elle a accepté tes conditions. Nous allons visiter la maison pendant qu'elle se repose.

Dans la cuisine, il avoua ignorer comment allumer le poêle au charbon. Adèle l'examina : il n'était pas si différent de celui du cottage, en plus grand et plus récent.

— Ça ira, assura-t-elle.

Le poêle chauffait aussi l'eau et, au grand soulagement d'Adèle, elle vit des tuyaux qui montaient au premier étage, sans doute vers la salle de bains. Il y avait aussi des plaques électriques de dépannage. Elle fut ravie de découvrir un vaste cellier très froid, idéal pour conserver la nourriture l'été.

Les Bailey avaient apporté des provisions, et Adèle rangea rapidement le jambon dans le cellier. La personne qui avait préparé la caisse de nourriture savait ce qu'elle faisait. Elle n'avait omis aucun produit de base et ajouté des petits extras tels des gâteaux et des biscuits.

— Mme Bailey fera les courses ?

— Elle n'en a pas l'habitude, tu devras t'en charger.

— Elle me donnera l'argent ?

— Non, ce sera porté sur un compte.

— Il faudra que tu t'en occupes avant de partir.

Elle le bombarda de questions dont il ignorait souvent les réponses. Adèle eut pitié de lui, il semblait mort d'inquiétude et, loin d'en être convaincue, elle ne pouvait pas l'assurer que tout irait bien. Quand les gens riches changeaient-ils de draps ? Que prenaient-ils au petit déjeuner ? Elle espérait que sa grand-mère le saurait.

Chaque pièce était bourrée de bibelots, une journée entière au moins serait nécessaire pour les nettoyer. Au moins, elle trouva des cintres dans une boîte sous un lit. Tant mieux, car Mme Bailey avait éparpillé toute sa garde-robe sur le lit de sa vaste chambre.

— Je dois y aller, annonça Michael. Sans toi, je ne sais pas ce que j'aurais fait. En tout cas, je t'assure que je ne suis pas venu chez toi dans cet espoir, tu me crois ?

Adèle acquiesça en souriant.

— Arrête de t'inquiéter. Je ne serai pas la gouvernante idéale, mais ta mère vivra dans une maison propre et elle mangera. C'est tout ce que je peux promettre.

Il retira une carte de sa poche.

— Voici mon adresse et le téléphone, au cas où. Si je ne suis pas là, demande Mme Wells, notre gouvernante. Elle adore Mère et te conseillera. De toute façon, je téléphonerai.

— Je ne me suis jamais servie d'un téléphone, reconnut Adèle.

— Quand il sonne, tu réponds en annonçant : « Maison Harrington. » Si tu dois m'appeler, tu décroches et tu demandes à la téléphoniste de faire ce numéro. Pour les appels locaux, comme le docteur, tu composes le numéro et tu attends qu'on te parle. N'en dis pas trop, les opératrices écoutent souvent les conversations.

— J'espère que je vais m'en souvenir.

— Tu t'y feras vite. Je vais prendre congé de Mère et je me sauve. Au revoir, Adèle, tu es vraiment une chic fille !

Adèle se rendit à la cuisine pour ranger les courses, puis elle alluma le poêle. Elle entendit la porte d'entrée se refermer et se posta à la fenêtre de la salle à manger pour regarder Michael partir. Il montait dans sa voiture, l'air inquiet. La gorge d'Adèle se serra. Il était trop jeune pour régler les problèmes de ses parents. « Nous devons devenir adultes, un jour ou l'autre. Regarde-toi : la nuit dernière, tu t'es comportée comme une gamine, ce matin tu t'es réveillée femme et, quelques heures plus tard, tu commences à travailler », songea la jeune fille.

Elle était agenouillée devant le poêle, occupée à ajouter du charbon, quand Mme Bailey pénétra dans la cuisine.

— C'est la pause-café. Je le prendrai avec des biscuits dans le salon.

Adèle n'avait jamais bu ni préparé une tasse de café. Elle avait seulement vu les Américains le faire dans les films.

— Je suis désolée, madame, je ne sais pas faire le café. Je peux vous préparer un thé dès que le poêle chauffera.

Les yeux de Mme Bailey s'écarquillèrent.

— Vous ne savez pas faire le café ? répéta-t-elle, incrédule.

— Non, madame, dit Adèle, confuse. Et vous ?

— Pourquoi le devrais-je ? rétorqua-t-elle, indignée. Les domestiques sont là pour ça.

— Je ne suis pas une vraie domestique, souligna Adèle pour la seconde fois. Je vous donne un coup de main jusqu'à ce que vous en trouviez une. Écoutez, la maison est pleine de poussière, le poêle n'est pas encore chaud et vos vêtements m'empêchent de faire votre lit. Aujourd'hui, je vais juste avoir le temps de m'occuper de l'essentiel. Alors, ce sera du thé. Demain, on passera peut-être au café.

— Quel culot ! s'étrangla Mme Bailey. J'ai renvoyé des filles moins effrontées.

— Je suis venue parce que Michael s'inquiétait à votre sujet, poursuivit Adèle, étonnée de sa propre audace. Je pensais vous aider, pas tout faire pendant que vous boiriez du thé dans le salon. Pourquoi ne pendez-vous pas vos vêtements ? J'ai posé une boîte de cintres dans votre chambre.

Furieuse, Mme Bailey sortit de la cuisine en laissant dans son sillage un léger parfum de muguet. Adèle sourit intérieurement et continua à s'occuper du poêle. Elle ne terminerait sans doute pas la semaine, car elle ne possédait pas la soumission requise pour être une bonne.

Le poêle ne chauffa vraiment qu'à midi. Entre-temps, elle avait découvert que les plaques électriques ne fonctionnaient pas. Elle prépara une théière avec du lait et du sucre et les disposa sur un plateau, qu'elle porta au premier, dans la chambre de Mme Bailey. À sa grande consternation, elle trouva la pièce dans un désordre indescriptible, les vêtements et les chaussures jonchaient le sol et, sur le lit, Mme Bailey pleurait à chaudes larmes.

Adèle pensa que c'était à cause du café.

— Je vous ai apporté du thé.

— Je suis incapable de ranger tout ça ! sanglota la mère de Michael. Molly, ma bonne d'Alton, s'en occupe toujours. Elle les classe par couleurs, avec les chaussures assorties en dessous.

Pour la jeune fille, qui possédait la robe qu'elle portait, une autre pour faire le ménage, une jupe, un chemisier et un cardigan, ranger ses vêtements n'avait jamais posé le moindre problème. Elle n'arrivait pas à croire qu'une femme puisse avoir autant de robes et de souliers.

— Venez vous asseoir, déclara-t-elle en lui désignant une petite table basse près de la fenêtre. Je vais pendre vos affaires.

Ne supportant pas de voir quelqu'un pleurer, Adèle prit le bras de Mme Bailey, tira une chaise et lui servit une tasse de thé. Celle-ci continua de renifler tandis qu'Adèle s'attaquait à la tâche. Heureusement, la penderie était grande. En quelques minutes, elle rassembla les tenues vertes puis les roses.

— Vous avez une magnifique garde-robe ! s'exclama-t-elle, admirative.

Elle venait de découvrir une robe bleue au haut couvert de paillettes et aux manches en mousseline de soie. Adèle n'en avait jamais vu d'aussi belle.

— La plupart sont démodées, commenta Mme Bailey, qui se remit à pleurer de plus belle. On portait ces robes courtes dans les années vingt, maintenant la mode a changé. Que vais-je devenir ?

Adèle en resta bouche bée. De toute façon, elle ne voyait pas en quelles occasions Mme Bailey porterait des vêtements aussi élégants à Winchelsea. Dans la région, les femmes de la haute société s'habillaient en tweed, pendant la journée.

— Vous n'avez pas d'anciennes amies, ici ? hasarda-t-elle. D'avant votre mariage ?

— Peut-être quelques-unes, renifla Mme Bailey en tapotant son petit nez avec un mouchoir bordé de dentelle. Mais que leur dire ? Je ne peux pas leur annoncer que je suis séparée de mon mari.

— Pourquoi ?

— Parce que c'est honteux ! s'exclama Mme Bailey. Ça ne se fait pas, c'est tout.

— Je suis convaincue qu'elles compatiront, assura Adèle. De nos jours, beaucoup de gens divorcent.

Elle n'en savait rien, cependant sa grand-mère prétendait qu'il y avait une épidémie de divorces. Bien sûr, Honour trouvait cette pratique scandaleuse ; selon elle, on se mariait pour la vie, même si votre époux se révélait le pire des goujats.

— Je ne lui accorderai jamais le divorce ! hurla soudain Mme Bailey. Il peut me chasser de ma maison, monter mes enfants contre moi, mais je ne le laisserai jamais épouser cette poule.

Alors, c'était ça. Il y avait une autre femme.

À six heures du soir, Adèle avait compris pourquoi M. Bailey voulait se débarrasser de sa femme. Comme Michael le lui avait expliqué le premier jour de leur rencontre, elle était très exigeante. Elle se lamentait pour un oui ou pour un non, n'arrêtait pas de houspiller la jeune fille pendant qu'elle frottait et astiquait pour lui demander les services les plus futiles.

Au début, Adèle interrompait son travail pour aller lui chercher ses mules, son gilet ou son livre. Mais quand elle sonna du salon pour réclamer un verre d'eau alors qu'Adèle récurait la baignoire, celle-ci se mit en colère.

— Un verre d'eau ? Vous avez des jambes, non ? Et vous savez où se trouve le robinet !

— Suggérez-vous que je me serve moi-même ? s'enquit Mme Bailey, les yeux écarquillés par la surprise.

— Je ne vous le suggère pas, je vous le dis, rétorqua Adèle. Si cette maison était propre et que vous étiez infirme, je vous apporterais un verre d'eau. Mais tout croule sous la poussière et vous êtes aussi alerte que moi. Si vous aviez un peu de jugeote, vous m'aideriez au lieu de rester plantée là à ne rien faire comme une fichue despote.

— Vous êtes payée pour obéir à mes ordres. Et comment osez-vous jurer ?

— Vous feriez blasphémer un saint. Je suis venue pour faire la cuisine, le ménage et m'occuper du feu, et vous n'arrêtez pas

159

de m'interrompre pour des broutilles. Si ça continue, je devrai bientôt vous moucher.

— On ne m'a jamais parlé ainsi ! glapit Mme Bailey, au bord des larmes. Sortez immédiatement.

— Non. Je n'ai pas fini de nettoyer la salle de bains et le repas n'est pas prêt. Je ne partirai pas avant car j'ai promis à Michael de rester jusqu'à sept heures. Je reviendrai demain matin et les jours suivants jusqu'à ce que vous trouviez du personnel qualifié, que cela vous plaise ou non. Vous savez pourquoi ? Parce que votre fils est persuadé que si vous restez seule, vous vous laisserez mourir de faim.

Là-dessus, elle tourna les talons et retourna à sa tâche.

Ce n'est que beaucoup plus tard, en quittant la maison, qu'elle se rendit compte de son impudence. Pourtant, en rentrant d'un pas fourbu, elle ne regretta pas ses paroles. Elle avait bien travaillé et personne, si riche et puissant soit-il, n'avait le droit de traiter un être humain comme un esclave.

Deux semaines auparavant, sa grand-mère lui avait parlé de sa jeunesse. Même si son père instituteur n'était pas riche, il était impensable à cette époque que les filles de la classe moyenne ou de la haute société travaillent. Honour passait ses journées à coudre, à lire ou à jouer du piano. Jusqu'au mariage, une jeune fille sans chaperon n'avait pas le droit de parler à un garçon.

La guerre de 1914 avait tout changé. Ces femmes cloîtrées se transformèrent soudain en infirmières, en ambulancières, s'occupèrent de ravitailler les troupes dans les gares. Une fois qu'elles eurent goûté à la liberté, elles ne voulurent plus rester à la maison dans l'attente d'un bon parti. De toute façon, il n'y avait plus beaucoup de jeunes gens convenables, la guerre les avait décimés.

Sa grand-mère lui avait aussi expliqué que, grâce à la guerre, les filles les plus pauvres avaient échappé à une vie de soumission et de corvées ingrates, les seules solutions qui s'offraient à elles dans le passé. Soudain, de nombreuses opportunités se présentèrent dans les usines et les bureaux, plus attirantes qu'allumer du feu, laver les vêtements et nettoyer pour les nantis.

La période était mauvaise pour l'emploi, mais elle n'allait pas pour autant se sentir reconnaissante d'être la bonne à tout faire de Mme Bailey. Adèle devait garder à l'esprit qu'elle lui rendait service. Elle allait aussi acquérir de l'expérience sur la façon de vivre et le comportement des riches. Dès qu'un vrai travail se présenterait, elle s'en irait.

11

1936

Adèle recula pour admirer l'effet produit par le sapin de Noël dont elle venait de terminer la décoration. Placé près de la cheminée, il atteignait presque le plafond et le papier de crêpe rouge masquant le pot lui donnait fière allure.

Elle sourit de plaisir. Les guirlandes argentées étaient drapées à la perfection, les boules en verre bien espacées, chacune accompagnée d'une petite bougie de façon que la flamme se reflète dans les boules, comme elle avait vu dans l'un des magazines de Mme Bailey. Elle était même parvenue à accrocher l'étoile bien droite au sommet en se dressant sur la pointe des pieds sur une chaise.

Elle se sentait optimiste : ce Noël s'annonçait bien, il effacerait le souvenir du précédent, qui avait été un véritable supplice. Après seize mois au service de Mme Bailey, elle avait parcouru beaucoup de chemin. Non seulement elle savait diriger une maison, mais elle avait aussi appris à bien connaître sa patronne et à lire les signes précurseurs de catastrophes.

Sa grand-mère affirmait qu'elle était restée par stupidité et persistait par esprit de contradiction. Elle avait peut-être raison, car Mme Bailey était la personne au monde la plus difficile, la plus égoïste et la plus idiote. Belle et riche, elle se montrait charmante quand elle l'avait décidé, et les occasions étaient rares.

Les premiers mois, elle avait piqué un nombre incalculable de colères. Chaque matin, en ouvrant la porte d'entrée, Adèle s'attendait au pire. Souvent, Mme Bailey jetait son plateau du dîner contre le mur du salon, outrée que personne ne soit là pour le rapporter à la cuisine. Le lendemain, Adèle trouvait les restes de nourriture figés parmi la porcelaine cassée. Elle nettoya jusqu'au jour où, exaspérée, elle ne toucha à rien. Or ce fut le jour où se présenta l'avocat de Mme Bailey. Exprès, Adèle l'introduisit dans le salon, où il contempla la scène, stupéfait, pendant qu'elle appelait sa maîtresse.

— Comment avez-vous pu laisser cet homme voir une telle pagaille ? cria Mme Bailey après son départ. Je ne savais plus où me mettre.

— Pensez-y avant de balancer votre plateau, rétorqua Adèle. Je ne nettoierai plus, alors gare à l'invasion de rats.

En y réfléchissant, ce problème avait été résolu facilement. Mme Bailey était terrifiée par les souris, sans parler des rats, et elle perdit aussitôt cette habitude détestable. En revanche, elle jetait toute sa garde-robe par terre et laissait à Adèle le soin de la ranger. Elle exigeait du feu dans les pièces qu'elle n'utilisait même pas. Elle oubliait le bain, qui finissait par déborder. Elle se tenait près du téléphone et l'écoutait sonner alors qu'Adèle étendait le linge dans le jardin, puis elle se plaignait d'avoir manqué un appel. Parfois, elle buvait tellement le soir que la jeune fille la retrouvait le lendemain, évanouie par terre dans une mare de vomi. Le plus irritant, c'est qu'elle semblait incapable de comprendre qu'elle ne bénéficierait plus jamais d'une kyrielle de domestiques s'empressant de satisfaire ses moindres caprices.

Jacob Wainwright, l'avocat de Rye, obtint que le jardinier qui avait travaillé pour les parents de Mme Bailey revienne s'occuper du jardin et serve d'homme à tout faire. Il trouva aussi une certaine Mme Thomas, qui venait deux matinées par semaine pour la lessive et les gros travaux ménagers. Adèle s'occupait du reste. Ainsi que l'avocat le lui avait expliqué, sa patronne n'avait pas les moyens d'embaucher plus de personnel.

Adèle aimait beaucoup M. Wainwright. Grand et jovial, doté d'un gros nez rouge qui trahissait son goût immodéré pour le porto, il lui témoignait de la sympathie, la félicitait de tenir aussi bien la maison et admirait sa fermeté envers Mme Bailey. D'après lui, il était impératif que celle-ci devienne autonome, car le temps arriverait peut-être où elle devrait déménager dans une maison beaucoup plus petite et se débrouiller sans aucune aide.

La jeune fille réalisa alors que Mme Bailey ne roulait pas sur l'or, et elle fit des économies où elle pouvait. Heureusement, sa grand-mère l'y avait habituée. Elle arrêta de s'enquérir des envies de sa patronne – fini les mets extravagants – et cuisina des plats plus simples que cette dernière avalait sans rechigner. Depuis un an, Adèle était obligée de vivre à Harrington. Elle n'avait pas vraiment le choix car Mme Bailey était un vrai danger public. En plus de son alcoolisme, elle oubliait de mettre le pare-feu devant la cheminée quand elle allait se coucher. Le plancher devant le foyer était criblé de trous et le risque d'incendie, bien réel.

Adèle appréciait de prendre de vrais bains et de bénéficier de toilettes à l'intérieur, sinon elle détestait habiter à Harrington. Elle supportait mieux son travail quand elle rentrait tous les soirs chez elle et racontait sa journée à sa grand-mère. Ensemble, elles riaient des bêtises de Mme Bailey.

À présent, Adèle avait une journée de libre lorsque Mme Thomas venait. Les jours de beau temps, elle se promenait avec sa grand-mère et ramassait du bois, parfois elles allaient au salon de thé de Rye, puis au cinéma. Par grand froid, elles restaient à papoter près du poêle. Honour lui donnait souvent des idées de recette et discutait à fond des problèmes rencontrés par Adèle pendant la semaine. Au cours de ces conversations, Adèle se fit une idée plus claire du passé de sa grand-mère. Honour était un véritable manuel de savoir-vivre, elle connaissait tout : de l'empesage des draps de lin à l'utilisation des différents verres lors d'un dîner.

Michael téléphonait chaque semaine. Si Mme Bailey était sortie, il bavardait avec Adèle. Attaché au corps d'aviation de l'université, il était ravi de parler de ses leçons de vol, des matchs de cricket et de ses amis d'Oxford. Il ne mentionnait jamais de filles et Adèle était persuadée qu'il évitait ce sujet pour ne pas la blesser. Il avait sans doute une petite amie, aussi s'efforçait-elle de se convaincre qu'elle s'en moquait.

Lors de ses visites à Noël, à Pâques et aux grandes vacances, il n'était resté qu'une nuit. Les autres membres de la famille ne s'étaient jamais manifestés. Adèle les comprenait : Mme Bailey était aussi difficile que Rose Talbot. Quand elle piquait une crise, Adèle se demandait où était sa mère et comment elle vivait. En revanche, elle n'avait aucune envie de la revoir.

En novembre de l'année précédente, Mme Bailey avait été insupportable. Elle refusait de se lever, de se laver, et pleurait continuellement. Toutefois, lorsque Michael annonça son arrivée pour Noël, elle refit surface et décida d'inviter des amis d'enfance autour d'un verre.

Noël avait toujours été une grande déception pour Adèle. Avec Pamela, elles participaient à l'excitation ambiante. Elles admiraient les décorations et les lumières dans les magasins, assistaient à la pièce de la Nativité à l'école, écoutaient les chants de l'Armée du Salut dans les rues. Mais, à la maison, elles avaient toujours droit au spectacle de leur père qui rentrait ivre mort du travail, ce qui mettait leur mère dans une colère noire. Et seule Pamela recevait des cadeaux. Les fêtes avec sa grand-mère lui avaient permis d'effacer certains souvenirs douloureux. Honour achetait des petites gâteries et des surprises, elle festonnait le cottage de guirlandes de houx et de papiers de couleur et racontait à Adèle les merveilleux Noëls de son enfance. Après le décès de son mari, elle n'avait plus célébré les fêtes jusqu'à l'arrivée d'Adèle.

Afin de compenser les Noëls ratés de sa jeunesse, Adèle fit le maximum pour que Harrington soit magnifique. Elle noua des branches de houx avec des rubans rouges, sortit les plus beaux verres et passa des heures à préparer des canapés raffinés et des petits fours en suivant les instructions de sa grand-mère. Michael se présenta dans l'après-midi. Elle le vit à peine tant elle était occupée. Juste avant dix-huit heures, il vint la chercher dans la cuisine : sa mère piquait une crise sous prétexte qu'elle n'avait rien à se mettre.

Ils attendaient les invités pour dix-neuf heures et Adèle fila au premier. Mme Bailey avait décidé de porter une robe de cocktail en satin argenté, que la jeune fille avait repassée puis pendue à la porte de sa penderie. C'était un choix excellent car elle lui allait à ravir.

La scène qui s'offrit à ses yeux lorsqu'elle entra dans la chambre était des plus alarmantes. Échevelée, Mme Bailey était en combinaison de satin au milieu de ses vêtements éparpillés par terre. Taillée en lambeaux, sa robe de cocktail gisait sur le lit.

— Qu'est-ce qui vous a pris ? demanda Adèle, incrédule,

sachant que cette robe coûtait un à deux ans de son salaire. Cette tenue vous allait à la perfection.

— Elle me donnait un teint gris ! hurla-t-elle en se précipitant sur la jeune fille comme pour la frapper.

En lui attrapant le bras, Adèle constata que son haleine empestait le whisky. Elle la fit asseoir sur une chaise.

— Vos amis ne vont pas tarder. Vous voulez qu'ils vous voient dans cet état ?

Adèle la força à enfiler une robe en crêpe bordeaux. Elle brossa ses cheveux, fixa deux peignes brillants de chaque côté, puis lui poudra le visage et appliqua un peu de rouge sur ses joues. Elle se penchait pour prendre une paire d'escarpins noirs quand Mme Bailey lui donna un coup de pied au derrière. Adèle tomba et se cogna la tête sur le bord du lit. Elle pensa tout de suite au bleu qu'elle aurait le lendemain.

— Vous êtes une sale bonne femme ! J'aimerais vous planter là et vous laisser vous débrouiller. Mais pas question que vous fassiez honte à Michael !

Elle parvint à lui mettre du rouge à lèvres et des bijoux, puis la conduisit au salon. Mme Bailey se servit aussitôt un grand verre de whisky.

Blême de terreur, Michael observait sa mère.

— Il vaudrait mieux renvoyer les invités, chuchota-t-il à Adèle. Elle va être insupportable, je la connais.

— Impossible, c'est la veille de Noël. Je suis persuadée qu'elle se tiendra convenablement.

Le début de la soirée sembla lui donner raison. Mme Bailey accueillit chaleureusement ses amis, présenta Michael et clama haut et fort qu'Adèle était une perle tandis que la jeune fille passait les canapés.

Sur les cinq couples, elle en connaissait deux de vue, car ils habitaient Winchelsea. Ils paraissaient tous être venus pour soutenir Mme Bailey dans sa nouvelle vie solitaire. Michael commença à se détendre, une belle flambée crépitait dans la cheminée, le salon était magnifique et sa mère resplendissait. Elle tenait un verre à la main mais y trempait à peine les lèvres. Absorbée dans une conversation animée, elle rayonnait de bonheur.

Vers neuf heures, Adèle revenait de la cuisine avec des friands quand elle entendit un fracas épouvantable provenant du salon. Elle accourut et trouva Mme Bailey étendue par terre. Sa robe relevée jusqu'aux cuisses dévoilait le haut de ses bas. Elle était tombée sur la desserte et les verres jonchaient le sol.

Les invités la regardaient, stupéfaits.

Adèle se précipita pour la relever, mais Michael la devança.

— C'est encore ces chaussures ! Tu m'avais dit que tu t'en débarrasserais, les talons sont instables.

Adèle lui accorda dix sur dix pour avoir trouvé une excuse plausible aussi rapidement. Malgré les apparences, Mme Bailey n'avait pas arrêté de boire. Les escarpins n'y étaient pour rien.

— C'est elle qui m'a obligée à les porter, déclara Mme Bailey d'une voix pâteuse en désignant Adèle d'un doigt tremblant. Elle s'ingénie à me ridiculiser, mais il est vrai qu'elle est à la solde de mon mari.

Tous les yeux se tournèrent vers Adèle, qui, bouleversée, tenait son plateau de travers. Quelques friands glissèrent par terre.

— Vous voyez ! s'exclama sa maîtresse, triomphante. Enfin, que peut-on espérer d'une fille des marais ?

Adèle fila dans la cuisine et éclata en sanglots. Elle avait cuisiné pendant des heures et fait de son mieux pour rendre la maison accueillante. Elle avait tant souhaité que Michael passe une bonne soirée et cesse de s'inquiéter pour sa mère ! C'était un fiasco et ses efforts ne lui avaient attiré aucun remerciement.

Les invités partirent peu après. Adèle entendit Michael s'excuser auprès d'eux en les aidant à enfiler leur manteau. Persuadée qu'il blâmait sa conduite, elle sanglota de plus belle. Il se rendit ensuite dans le salon et Adèle mit son manteau pour partir définitivement. En sortant de la cuisine, elle le croisa dans le hall, le plateau de friands à la main.

— Je suis vraiment désolé. C'était horrible pour toi. Évidemment, elle est ivre, affalée dans un fauteuil. Dieu sait ce que ses amis vont penser ! Demain, toute la région sera au courant.

Il reconduisit Adèle dans la cuisine, la fit asseoir, essuya ses larmes avec un mouchoir et l'embrassa sur le front.

— Je n'aurais jamais dû t'embarquer là-dedans. S'est-elle déjà comportée de cette façon ?

Michael avait l'air si inquiet qu'elle décida de l'épargner.

— Elle a ses mauvais moments, déclara-t-elle en enlevant son manteau, résignée à ne pas le laisser seul avec sa mère.

Mais c'était l'an dernier, se disait Adèle en rangeant la boîte vide de décorations de Noël. Cette année, ce serait différent.

De nombreux événements avaient bouleversé la situation internationale, et même une personne aussi égocentrique que Mme Bailey s'était rendu compte qu'elle n'était pas la seule à avoir des problèmes. En janvier, le roi George était mort et tout le pays porta le deuil. La nouvelle était encore fraîche quand les journaux parlèrent de l'histoire d'amour du roi Édouard avec une Américaine mariée, Wallis Simpson. En juillet, la guerre civile éclata en Espagne, Mussolini semblait vouloir conquérir le monde, et des nouvelles alarmantes parvenaient d'Allemagne. Finalement, deux semaines auparavant, le roi Édouard avait abdiqué pour épouser Wallis Simpson et l'Angleterre était en émoi.

Adèle doutait que Mme Bailey se préoccupe vraiment de son pays ou du malheur des autres, cependant elle s'était beaucoup calmée. Elle se mettait rarement en colère et buvait modérément. Elle se fit à l'idée de sa séparation, car elle décora le salon et la salle à manger à son goût. Adèle n'aimait pas le papier peint à rayures bordeaux de la salle à manger, trop lugubre pendant la journée, mais le salon dans les tons verts et roses était une réussite. Mme Bailey s'occupait bénévolement d'œuvres de bienfaisance et, au printemps, elle avait passé une semaine en France avec une vieille amie.

Il y avait encore des périodes où elle refusait de se lever, et elle faisait toujours peu de cas du dur travail fourni par Adèle. Néanmoins, en juillet, pour les dix-sept ans de la jeune fille, elle lui avait offert un médaillon en argent et une chaîne en lui souhaitant un joyeux anniversaire. Sa voix manquait de chaleur et Adèle songea qu'elle était peut-être comme sa grand-mère, qui avait du mal à exprimer ses sentiments.

Michael avait persuadé son frère et son père de venir pour Noël. Ils arriveraient le lendemain, et Adèle espérait ardemment que la famille se réconcilierait.

— Je ne m'attendais pas à te voir ! s'exclama sa grand-mère l'après-midi de la veille de Noël.

Adèle enleva son manteau trempé, qu'elle secoua avant de fermer la porte.

— Il y a un problème ? demanda Honour, déjà debout.

— Non, dit sa petite-fille en déposant un panier sur la table.

Elle en sortit un cadeau enveloppé de papier brillant, un petit pudding dans un bol de porcelaine, des mandarines et une boîte en fer.

— Je voulais que tu aies tes cadeaux pour le matin de Noël.

— Tu ne viendras pas demain ?

L'inquiétude qui perçait dans sa voix confirma les soupçons d'Adèle : sa grand-mère se sentait bien seule.

— Bien sûr que si, assura-t-elle en tapotant affectueusement la joue de Honour. Je ne te laisserais pas seule le jour de Noël même si Wallis Simpson m'appelait pour me donner ses vieilles robes.

Pour Honour, Wallis était un démon envoyé directement de l'enfer pour renverser la monarchie. Mais, malgré la répugnance qu'elle lui inspirait, elle faisait souvent remarquer que ses vêtements étaient sensationnels.

— Qu'y a-t-il dans la boîte ?

— Un gâteau de Noël confectionné et glacé de mes blanches mains.

Adèle observa sa grand-mère ôter le couvercle. Elle se préparait à une remarque sarcastique sur le glaçage qui manquait d'homogénéité quand elle vit une larme couler sur la joue de Honour.

— Je n'ai pas pris les ingrédients, s'empressa-t-elle de préciser. Je les ai achetés. Mais il n'y a rien de mal à cuire deux gâteaux dans le four en même temps, non ?

— Il est magnifique, murmura Honour d'une voix douce en souriant. Tu as fait beaucoup de chemin depuis que je t'ai recueillie. C'est là meilleure décision que j'aie prise dans ma vie.

L'amour qui transperçait dans la voix de sa grand-mère fit frissonner Adèle de bonheur.

— Et il y a aussi du pudding ! s'écria Honour. N'en mange pas trop sinon, demain, tu n'auras plus faim pour notre dîner.

— Il faut que je file. Ouvre ton cadeau demain matin.

— Non, je t'attendrai. Tâche de ne pas venir trop tard.

En rentrant sous la pluie battante, elle pria intérieurement pour que Mme Bailey retourne aux côtés de son mari après Noël. Elle ne voulait plus être domestique, car elle avait compris ce que cette fonction impliquait. Deux ans auparavant, elle croyait qu'il s'agissait juste de gagner de l'argent en s'occupant d'une personne fortunée. Elle ne voyait aucune différence avec un maçon qui construisait une maison ou un boucher qui vendait sa viande.

Pourtant son statut était bien différent. Sa place de domestique avait été clairement définie dès l'instant où Michael et sa famille étaient arrivés. Son père lui avait remis son chapeau et son manteau, puis il s'était rendu dans le salon et les autres, y compris les enfants, avaient agi de façon identique. Michael avait haussé les épaules en lui adressant un sourire pincé. Il avait accroché son manteau lui-même, suivi son père et fermé la porte derrière lui.

Michael avait bu une bière au gingembre dans la cuisine de sa grand-mère, dépouillé des lapins et ramassé du bois comme un membre de la famille. Adèle avait nettoyé le vomi de sa mère, l'avait persuadée de manger à force de cajoleries, avait lavé et repassé ses vêtements et dormi dans la maison pour être sûre qu'elle n'y mette pas le feu, mais elle ne pouvait pas adresser la parole au jeune homme en présence de ses parents, si ce n'est : « Joyeux Noël » ou : « Puis-je prendre votre chapeau, monsieur ? » mais certainement pas : « Comment ça se passe à Oxford ? Raconte-moi tout ! »

Sa place était à la cuisine avec les marmites et les casseroles. Si elle travaillait dans d'autres pièces, elle devait être silencieuse et invisible. Elle n'avait aucun droit, encore moins celui d'avoir une personnalité ou des sentiments. En ce moment, réunis dans le salon, ils appréciaient le feu et l'arbre de Noël, en savourant à l'avance la dinde rôtie et le pudding du lendemain. Ils ne penseraient pas une seconde à l'organisation et à la préparation de cette soirée exceptionnelle.

« Il est temps que tu partes. Ce travail devait être temporaire », songea-t-elle en approchant de Harrington House.

Elle ouvrit la porte et M. Bailey apparut aussitôt dans l'entrée. Elle avait toujours imaginé qu'il ressemblerait à Michael, grand, mince et les cheveux noirs, mais il était de taille moyenne, corpulent, et le peu de cheveux qui lui restait était gris. Il avait la cinquantaine et adorait manger et boire, à en juger par son gros ventre et son teint couperosé. Manquant de charme et de patience, il lui avait souvent aboyé des ordres au cours du déjeuner.

— Vous voilà enfin ! s'écria-t-il alors qu'elle essuyait ses pieds sur le paillasson. J'ai sonné et vous n'avez pas répondu.

— J'ai deux heures de libres l'après-midi. Mme Bailey ne vous l'a pas dit ?

— Elle fait la sieste. Nous pensions que vous resteriez quand nous avons de la visite.

Adèle sentit la colère monter en elle, pourtant elle se força à sourire.

— J'enlève mon manteau et je suis à vous.

— Nous voulons du thé pour les enfants, rétorqua-t-il sèchement, le visage empourpré. Et ils resteront avec vous à la cuisine jusqu'à l'heure du coucher.

Adèle fut tentée de répliquer qu'elle n'était pas une nourrice et que préparer le dîner avec deux petits dans les jambes ne serait pas tâche aisée. Mais si elle ouvrait la bouche M. Bailey s'en prendrait à Michael ou à sa femme.

Finalement, Anna et James, les enfants de Ralph et Laura, ne posèrent aucun problème. Ils avaient dû passer leur enfance en compagnie de domestiques car ils étaient plus détendus et heureux dans la cuisine que dans la salle à manger. Anna avait six ans, James quatre, deux petites copies séduisantes de leur blonde mère aux yeux bleus. Leur père, Ralph, ressemblait à son propre père et commençait même à prendre du ventre.

Après un thé accompagné de sandwichs, de gâteaux et de petits pains au lait, Adèle leur donna un bocal rempli de boutons pour jouer. Elle les avait trouvés dans un placard de la cuisine lorsqu'elle avait commencé à travailler ici.

— Vous pouvez les ranger par couleurs ou faire des dessins avec, suggéra-t-elle.

Elle fit une fleur pour leur montrer puis plaça un plateau devant chaque enfant afin d'empêcher les boutons de tomber par terre. Une fois les petits occupés, elle dressa la table. Mme Bailey avait demandé de la soupe, suivie de viande froide et de *pickles*, et comme la soupe avait juste besoin d'être réchauffée elle avait le temps de préparer la farce pour la dinde, puis de coucher les petits à dix-huit heures trente pour servir le dîner à dix-neuf heures.

Elle trouva bizarre que Laura ne monte pas embrasser ses enfants, mais elle avait déjà remarqué que la jolie blonde était coulée dans le même moule que sa belle-mère : moins elle en faisait, mieux elle se portait.

— Tu nous lis une histoire, Adèle ? demanda Anna quand la jeune fille les eut bordés.

— Je ne peux pas, il faut que je prépare le dîner. Et vous devez dormir, sinon le Père Noël ne remplira pas vos chaussettes.

Les chaussettes, immenses et à rayures rouges, brodées au nom de chaque enfant, étaient suspendues au pied du lit.

— S'il te plaît, supplia Anna. Nous promettons de nous endormir juste après.

Elle était si mignonne dans sa chemise de nuit rose, avec ses cheveux blonds cascadant sur ses épaules, qu'Adèle n'eut pas le cœur de refuser.

— D'accord, mais elle sera courte.

Il n'y avait pas de pendule dans la chambre et Adèle fut tellement absorbée par l'histoire de la sorcière qui avait perdu sa baguette magique qu'elle ne se rendit pas compte de l'heure.

Quand elle retourna dans la cuisine après les avoir embrassés, elle découvrit, horrifiée, qu'il était dix-neuf heures vingt.

— Quand sommes-nous censés dîner ?

Occupée à tourner la soupe, Adèle se retourna.

M. Bailey se tenait à l'entrée de la cuisine, les mains sur les hanches.

— Dans quelques minutes, monsieur, répondit-elle, puis elle commença à lui expliquer la raison de son retard.

— Il n'y a pas d'excuse qui tienne, l'interrompit-il.

Si Mme Bailey avait parlé de la sorte à Adèle, celle-ci lui aurait rappelé qu'elle finissait normalement son service à dix-neuf heures, mais M. Bailey l'intimidait. Elle prit le plat de viande froide, le mit sur la table, alluma les bougies, sortit les pommes de terre du four et fit réchauffer les petits pains. Enfin, elle sonna le gong.

Ralph Bailey parlait de la messe de minuit quand Adèle arriva avec la soupière. Elle était très lourde et la jeune fille se demandait si elle la déposerait sur la table pour servir la famille ou sur la desserte. Elle vit Mme Bailey placer un dessous-de-plat près de son assiette et s'approcha pour y poser la soupière. Soudain, son pied glissa. Elle fit de son mieux pour se retenir. Peine perdue, la soupière s'écrasa par terre et se brisa en éclaboussant son tablier, ses mains et une bonne partie du plancher.

— Espèce d'idiote ! hurla M. Bailey en bondissant de sa chaise.

Adèle avait honte. Sa main droite était ébouillantée et lorsqu'elle découvrit le gros bouton plat sur lequel elle avait glissé, elle éclata en sanglots.

— Je suis désolée, j'ai glissé sur un bouton.

Elle se mit aussitôt à quatre pattes pour ramasser les morceaux de porcelaine.

— Que fait ce bouton par terre ? s'indigna Mme Bailey d'une voix stridente.

Adèle bafouilla que les enfants avaient joué avec ; l'un d'eux avait dû rouler jusque-là. Laura Bailey déclara qu'elle l'avait bien cherché. M. Bailey la traita de bonne à rien et Ralph demanda ce qu'ils allaient manger.

— Allons ! intervint Michael d'une voix dominant toutes les autres. Adèle n'y est pour rien, c'est un accident. Normalement, elle finit son service à dix-neuf heures et nous avons encore de quoi nous restaurer.

Il fit le tour de la table, releva Adèle et vit que sa main droite était écarlate.

— Allez vite la passer sous l'eau froide, lui conseilla-t-il gentiment, je m'occupe du reste.

Adèle fila en pleurant, mais leurs voix courroucées lui parvenaient dans la cuisine.

— Il n'y a que vous pour employer une telle gourde ! lança M. Bailey à sa femme.

Ralph se mit de la partie, soulignant qu'Adèle n'avait pas défait ses valises, ni celles de sa femme.

— Mère, vraiment, vous devez trouver du personnel qualifié.

Michael apparut dans la cuisine quelques minutes plus tard, une nappe imbibée de soupe à la main.

— J'ai essuyé le plus gros avec cette nappe trouvée dans un placard de la salle à manger. Ce n'est pas grave, j'espère.

— Non, c'est une nappe ordinaire, elle se lave facilement. C'est moins répugnant que tout le vomi de votre mère ivre que j'ai souvent éponge.

C'était une remarque cruelle, mais ils avaient tous été cruels envers elle.

— Allez dîner, ajouta-t-elle en lui tournant le dos pour ne pas voir son regard affligé. Faites attention de ne pas glisser. Je nettoierai quand ils auront fini.

Après le départ de Michael, elle ferma la porte et laissa sa main sous l'eau froide. Comment les Bailey pouvaient-ils être aussi insensibles ? Elle souhaita ardemment qu'il leur arrive à tous une mauvaise chose.

Plus tard, elle les entendit sortir de la salle à manger. Peu après, la sonnette du salon retentit dans la cuisine. Elle l'ignora, remplit un seau d'eau chaude et partit lessiver le plancher. En entrant dans la pièce, elle grimaça. Ils n'avaient pas pris la peine d'éviter les morceaux de légumes et avaient marché dedans. Elle imagina qu'elle en retrouverait dans le salon. En revanche, sa maladresse n'avait pas affecté leur appétit car il ne restait plus rien.

Elle avait fini de nettoyer et débarrassait la table quand M. Bailey apparut.

— Êtes-vous sourde ? Nous avons sonné pour le café !

— Je termine mon travail à dix-neuf heures, répliqua-t-elle en soutenant son regard. Je continue à ranger parce que c'est Noël.

— Si vous le prenez comme ça, autant vous en aller tout de suite ! fulmina-t-il en agitant un doigt grassouillet dans sa direction.

Il était très difficile de trouver du travail, et Adèle appréciait de gagner sa vie. Mais elle réalisa que si elle s'excusait, elle perdrait toute dignité et, à ses yeux, la dignité était plus importante que l'argent.

— D'accord, répondit-elle en retirant son tablier, qu'elle posa sur la table. Je préfère de loin préparer un repas de Noël pour ma grand-mère, qui elle au moins appréciera le mal que je me suis donné.

Elle crut qu'il allait la frapper.

— Comment osez-vous ? siffla-t-il. Vous avez renversé la soupe et vous ne répondez pas à nos appels. Quel genre de domestique êtes-vous ?

— Le genre qui démissionne, répliqua-t-elle, étonnée par son courage. J'en ai assez d'être insultée. Je ne le mérite pas.

— Petite insolente ! explosa-t-il. Ma femme m'a dit que vous étiez maligne. En vérité, vous avez abusé de sa gentillesse.

— Quelle gentillesse ? s'écria Adèle, furieuse. Vous la connaissez aussi bien que moi. N'est-ce pas la raison pour laquelle vous l'avez jetée dehors ? Sans moi, elle serait morte de faim dans une maison d'une saleté répugnante.

— Sortez immédiatement, ordonna-t-il en indiquant la porte d'un doigt tremblant de rage.

— Je m'en vais.

Elle se dirigea vers la cuisine pour prendre son manteau, puis s'arrêta, regarda M. Bailey et sourit.

— La dinde est prête. Il faut la mettre au four à six heures demain matin, au moment où vous allumerez les feux dans chaque pièce. La farce, les légumes et le pudding sont dans le garde-manger. Joyeux Noël !

Il bondit et la gifla violemment.

— Quel culot ! Pour qui vous prenez-vous ?

— Je ne me prends pour personne. Je sais qui je suis, c'est tout, rétorqua-t-elle en résistant à l'envie de frotter sa joue douloureuse. Et je vous suis mille fois supérieure, c'est sûr et certain.

Il agrippa son bras et elle s'attendit à une autre gifle. À la place, il la traîna jusqu'à la porte d'entrée, qu'il ouvrit. Il pleuvait des trombes d'eau et elle n'avait pas eu le temps de prendre son manteau.

— Sortez immédiatement ! hurla-t-il.

— Vous feriez mieux d'emmener votre femme avec vous, car elle ne trouvera personne dans le coin pour lui servir de nourrice comme je l'ai fait ! lança-t-elle du perron.

La porte claqua derrière elle avant la fin de sa phrase.

L'averse redoubla. En quelques minutes, Adèle fut trempée jusqu'aux os. Ses larmes se mêlaient à la pluie qui lui fouettait le visage. Il s'agissait de larmes de colère. Elle n'éprouvait aucun remords.

— Adèle, attends-moi !

Tournant la tête, elle vit Michael dévaler la route dans sa direction, mais elle poursuivit son chemin résolument.

— Adèle, je suis tellement désolé, lança-t-il, haletant, quand il la rattrapa.

— C'est moi qui devrais être désolée pour toi, fit-elle aigrement. Ton père est ignoble.

— Je sais, il est inexcusable.

— Il m'a giflée et mise à la porte. Il n'a aucun droit d'agir de la sorte. J'ai fait le maximum pour ta mère. J'ai pitié d'elle, je comprends pourquoi elle est folle.

— Reviens, s'il te plaît, la supplia-t-il. Mère a blêmi quand elle a appris ton départ. Elle sait qu'elle ne peut pas se passer de toi.

— Tant mieux ! J'espère que toute ta famille souffrira, elle le mérite.

Il lui attrapa le bras.

— Moi aussi ?

— Non, pas toi, dit-elle en repoussant sa main. Je croyais que j'avais une mère monstrueuse. Maintenant, je me rends compte que tu es bien plus à plaindre. À présent, rentre.

— Si tu crois que je vais te laisser seule dans le noir sous cette pluie, tu te trompes.

— Ma grand-mère va s'en prendre à toi, je t'avertis.

— Je cours le risque, je dois m'excuser auprès d'elle.

Ils poursuivirent leur chemin en silence car, dès qu'ils atteignirent les marais, le vent soufflait avec une telle violence qu'ils avaient du mal à tenir debout. Quand ils arrivèrent au cottage, Honour était déjà couchée et Adèle frappa à la fenêtre de sa chambre. Sa grand-mère apparut, une bougie à la main, un châle jeté sur sa chemise de nuit.

— Que se passe-t-il ?

Elle découvrit alors que sa petite-fille n'avait pas de manteau et la fit rapidement entrer en prévenant Michael qu'il avait intérêt à avoir une bonne excuse pour la ramener trempée jusqu'aux os.

Adèle débita toute l'histoire rapidement.

— Pourquoi ne l'as-tu pas soutenue, Michael ? demanda Honour en allumant la lampe à huile.

Il expliqua qu'il n'était pas présent.

— Je ne savais pas que mon père agirait ainsi. Il répétait sans arrêt : « Pourquoi ne répond-elle pas à la sonnette ? » Je me suis proposé d'aller voir, mais il m'a ordonné de rester tranquille. Quand je l'ai entendu crier, mon frère m'a conseillé de ne pas intervenir. J'ai honte, je n'aurais pas dû l'écouter.

— C'est compréhensible, il t'a tyrannisé toute ta vie.

Elle envoya Adèle se changer dans sa chambre. Michael gardait la tête basse tandis que l'eau de ses vêtements dégoulinait par terre.

— Il faut que tu apprennes à tenir tête à ton père, déclara Honour d'un ton acerbe. Les tyrans profitent de la faiblesse des autres. Tu n'es pas lâche puisque tu as couru après Adèle et eu le courage de m'affronter. Maintenant tu ferais mieux de rentrer pour passer des vêtements secs.

— Je suis vraiment désolé, madame Harris, bredouilla-t-il.

— Tu ne devrais pas t'excuser à la place de ton père. Je vais prendre des mesures à ce sujet. Pour avoir la paix, dis juste que tu as raccompagné Adèle chez elle.

— J'ai honte d'appartenir à cette famille, avoua Michael d'une petite voix. Ralph est aussi méchant que mon père.

— On ne choisit pas sa famille, répondit Honour, un peu radoucie. À présent, rentre chez toi, Michael.

12

Honour regarda sa petite-fille s'endormir sur le canapé et sourit intérieurement. Adèle luttait contre le sommeil depuis le début de l'après-midi, mais elle avait finalement perdu la bataille.

Honour la trouva très jolie avec ses cheveux lâchés encadrant son visage et ses jambes repliées sous sa nouvelle robe, dont la couleur rose foncé mettait son teint en valeur. Honour se réjouissait qu'elle lui aille à la perfection, car c'était le vêtement le plus extravagant qu'elle eût jamais confectionné. Elle avait acheté le patron – les siens étaient terriblement démodés – et, comme la coupe était en biais, elle avait eu besoin de plus de cinq mètres de tissu.

Quand Adèle avait essayé la robe, elle avait déclaré en plaisantant qu'elle ressemblait à Wallis Simpson. D'après Honour, elle n'avait rien de commun avec cet épouvantail émacié, mais effectivement la robe, avec son haut drapé, ses manches trois quarts et sa taille basse qui se prolongeait par une jupe tourbillonnante, faisait penser aux toilettes de Mme Simpson. En revanche, cette coupe était plus seyante sur Adèle, dont la silhouette était parfaite et les jambes bien galbées.

« Elle aura besoin de talons hauts, d'un beau manteau et d'un chapeau pour aller avec », songea-t-elle en contemplant sa petite-fille. Après des années passées à ne considérer les vêtements que d'un point de vue pratique, elle accordait beaucoup d'importance à l'élégance d'Adèle. C'était étrange.

« Ce doit être à cause de Michael. »

Depuis leur rencontre, trois ans auparavant, elle avait senti qu'un lien spécial unissait Michael et Adèle, même si à l'époque ils n'étaient que des enfants. Honour avait immédiatement apprécié la franchise, les bonnes manières et l'ouverture d'esprit du jeune garçon. Elle avait craint qu'Adèle ne se sente mal à l'aise en présence des hommes après l'expérience douloureuse des Sapins. Elle-même pouvait se montrer très agressive envers ceux qui s'approchaient de sa petite-fille. Mais Michael n'avait rien de menaçant et Honour avait toujours espéré qu'un jour leur amitié se transformerait en histoire d'amour.

Quand Michael partit à Oxford et qu'Adèle devint la domestique de sa mère, Honour pensa que l'étincelle entre eux s'était éteinte, et elle en fut attristée. Cependant, la veille au soir, elle avait bien vu que cette étincelle existait toujours. Michael était tendre et protecteur envers Adèle et les mesures que Honour allait prendre risquaient de le peiner. Sa démarche éteindrait sans doute cette étincelle au lieu de la raviver, seulement les

Bailey devaient savoir qu'elle ne permettrait jamais à personne de blesser ou d'humilier sa petite-fille.

Elle se leva, rangea la pièce, puis vérifia qu'Adèle était profondément endormie. Rassurée, elle la couvrit d'un plaid en espérant qu'elle ne se réveillerait pas en son absence.

Elle se rendit dans sa chambre sur la pointe des pieds et s'examina d'un œil critique dans le miroir de sa coiffeuse. Elle commençait à paraître son âge, sa peau se ridait et sa lèvre supérieure s'ornait d'une fine moustache. Quant à ses cheveux, gris acier, on avait du mal à imaginer qu'ils avaient été d'un châtain lumineux. Sa robe bleu marine au col en dentelle était sa seule tenue convenable. Très démodée, elle datait de l'année précédant la mort de son mari. Heureusement, elle n'était pas mitée et lui allait toujours bien. Le matin même, Adèle lui avait déclaré qu'elle l'associait aux jours heureux de son enfance, car la première fois que Honour l'avait portée en sa présence, c'était pour l'inscrire à l'école. Depuis, elle ne l'avait mise que les dimanches et à Noël.

Honour fixa des mèches folles dans son chignon, appliqua de la poudre sur son nez puis posa son chapeau sur sa tête. Il était aussi bleu marine, très raisonnable. Selon Adèle, il accentuait son côté sévère. Tant mieux ! C'était l'effet recherché pour la circonstance.

Elle recouvrit le col de velours de son manteau usé jusqu'à la corde de son étole en renard. Frank la lui avait offerte lors de leur lune de miel en affirmant que c'était un accessoire indispensable pour une femme de qualité. Elle n'aimait plus vraiment l'idée d'avoir deux renards morts autour du cou, et leurs yeux de verre étaient trop réalistes. Cependant ils donnaient du chic à son manteau.

Elle termina ses préparatifs en enfilant ses plus belles chaussures. Monter la côte qui conduisait à Winchelsea n'allait pas être une partie de plaisir, car elles lui comprimaient les orteils. Mais l'apparence passe avant tout quand on doit affronter l'ennemi. Elle voulait être sur un pied d'égalité avec eux, ne pas ressembler à la vieille sorcière des marais.

Le froid mordant courba Honour quand elle s'engagea dans l'allée. Le ciel avait la couleur du plomb et il n'allait pas tarder à neiger. Après les pluies diluviennes de la veille, la rivière était près de déborder. Par des journées comme celle-ci, Honour n'aimait pas les marais. La région désolée et inhospitalière ne semblait convenir qu'aux oiseaux sauvages et aux moutons qui se blottissaient les uns contre les autres pour se tenir chaud.

Devant la maison des Bailey, elle ajusta son chapeau, replaça son étole de fourrure et prit une inspiration profonde avant de sonner.

Un enfant pleurait au premier. Elle attendit un bon moment avant d'entendre des pas dans l'entrée. La porte s'ouvrit sur une jeune femme aux cheveux blonds ébouriffés et aux yeux rouges d'avoir pleuré. De toute évidence, c'était la femme de Ralph.

— Je voudrais voir M. et Mme Bailey, déclara Honour en se faufilant rapidement dans le hall avant que la jeune femme ne puisse la repousser.

— Ce n'est pas vraiment le moment, répondit-elle d'une petite voix en jetant un regard par-dessus son épaule tandis qu'un autre hurlement parvenait de l'étage.

— C'est le moment pour moi. Je vous suggère d'aller calmer votre enfant. Ne vous occupez pas de moi, je connais le chemin, lui assura Honour en se dirigeant d'un pas énergique vers le salon, dont elle ouvrit la porte.

Adèle lui avait décrit la famille de façon si vivante que Honour les identifia facilement. Emily était assise sur le canapé près du feu, à côté de son fils Ralph. Myles Bailey leur faisait face dans un fauteuil. Ils la dévisagèrent, interloqués. D'après l'atmosphère tendue qui régnait, elle arrivait en pleine dispute. Elle constata, soulagée, que Michael était absent. Il régnait un désordre indescriptible dans la pièce, des papiers d'emballage et des jouets traînaient un peu partout. Honour vit l'arbre de Noël et trouva qu'Adèle en avait vraiment réussi la décoration.

— Qui êtes-vous ? s'indigna Ralph en bondissant du canapé. Qu'est-ce qui vous prend de pénétrer ainsi chez les gens sans y être invitée ?

À l'expression perplexe d'Emily, Honour comprit qu'elle ne l'avait pas reconnue. Elle toisa Ralph. C'était la copie conforme de son père au même âge.

— Tu étais déjà impoli quand tu étais petit. Je suis Mme Harris, une amie de feu tes grands-parents, et je suis aussi la grand-mère d'Adèle.

Myles se leva.

— Écoutez, nous n'avions pas le choix, nous devions la renvoyer, elle est extrêmement insolente. Si vous êtes venue nous supplier de la reprendre, vous perdez votre temps !

— Ce n'est pas mon genre de supplier, rétorqua Honour avec condescendance. Je suis venue vous dire vos quatre vérités, prendre ses affaires et récupérer la somme qui lui est due.

— Madame Harris ! s'exclama Emily avec excitation lorsqu'elle reconnut la vieille amie de sa mère. Nous ne nous sommes pas vues depuis des années. Pourquoi Adèle ne m'a pas dit qu'elle était votre petite-fille ?

— Tu l'aurais traitée avec plus de gentillesse et de respect si tu l'avais su ?

Les années s'étaient montrées beaucoup plus indulgentes envers Emily. Son tailleur bleu pastel orné de volants n'était pas de son âge, mais elle n'avait presque pas changé. Sa chevelure avait conservé sa blondeur vénitienne et elle avait toujours un aussi joli teint. À part ça, Adèle avait raison : elle ressemblait à une poupée de porcelaine avec ses yeux bleus sans expression, semblables à du verre, et ses lèvres à la moue enfantine.

— Tu devrais avoir honte, Emily, poursuivit Honour. Adèle n'était pas qualifiée, pourtant elle a très bien tenu cette maison. Elle a été discrète, loyale et gentille avec toi. Ça n'a pas empêché ton mari de la gifler et de la mettre dehors sous une pluie battante.

— Vous ne pouvez pas débarquer chez nous comme ça et nous importuner le jour de Noël, intervint Myles. Cette fille est d'une impolitesse qui dépasse les bornes. Dieu seul sait ce qu'elle a pu dire à ma femme dans le passé. Je devais la renvoyer.

— Vous n'en aviez aucun droit. Elle travaillait pour votre femme, pas pour vous. Adèle s'est juste défendue ! cracha Honour. Monsieur Bailey, vous êtes un tyran !

Elle se lança alors dans un compte rendu au vitriol des aspects les plus pénibles du service. Chaque fois que Myles ou Ralph tentaient de lui imposer le silence, elle en rajoutait. Emily se mit à pleurer et Honour se tourna vers elle.

— Pleure ! siffla-t-elle. Tu n'es bonne qu'à ça. Adèle t'a nourrie, elle a cuisiné, cousu, repassé et lavé, elle est même venue habiter ici pour te surveiller. Pas une seule fois elle n'a jasé sur ton compte. Elle n'a rien volé et n'a pas profité de la situation. Regarde ce sapin de Noël ! Elle l'a décoré sans ton aide afin de rendre la maison accueillante pour ta famille. Qu'as-tu fait en retour ? Rien ! Pas un cadeau, pas un mot de félicitations. Tu as laissé ton mari la chasser sous la pluie sans manteau pour avoir cassé une soupière !

Livide, Emily tremblait. Ralph n'en revenait pas qu'on s'adresse à ses parents de cette façon et Myles était gonflé de colère. Sachant qu'ils avaient passé un Noël épouvantable sans domestique pour les servir, Honour espéra que sa visite explosive contribuerait à faire entrer cette journée dans les annales familiales. Pourtant elle n'en avait pas encore terminé avec eux. Débordant de colère, elle réclama les affaires d'Adèle et ses deux semaines de gages.

Myles se pavanait d'un air important, tel un avocat arpentant une salle d'audience et écoutant un tissu de mensonges.

— Je trouve cela incroyable. Dites-moi, madame Harris, si le travail d'Adèle était aussi pénible, pourquoi est-elle restée ?

— Pour certaines personnes, la compassion l'emporte sur le bon sens, répliqua Honour sèchement. Adèle avait peur de partir car Emily est un danger pour elle-même. Et surtout elle ne voulait pas que Michael s'inquiète ni interrompe ses études.

— Nous arrivons enfin au cœur du problème ! s'exclama Myles d'un ton narquois. Elle a jeté son dévolu sur mon fils, c'est ça ?

— Allons ! grogna Honour. Ils se sont connus bien avant qu'elle ne commence à travailler ici. À vrai dire, elle est venue pour lui rendre service. Depuis, elle ne l'a pratiquement pas vu, ce qu'Emily vous confirmera. Je ne vous permettrai pas d'insinuer que ma petite-fille s'est mal conduite envers votre fils !

Le teint de Myles s'empourpra. Il sortit son portefeuille, en extirpa deux billets qu'il lui fourra dans la main.

— Prenez ses affaires et partez !

— J'exige d'abord des excuses et la promesse qu'Emily lui écrira une bonne lettre de références.

— Bien sûr que je l'écrirai, assura Emily nerveusement. Mais je préférerais qu'Adèle reprenne son travail. Je ne sais pas ce que je vais devenir sans elle.

— Espèce de sotte, elle ne peut pas revenir ! explosa Myles. Je vous en trouverai une autre.

Honour le dévisagea avec intérêt. Rien ne le rachetait : c'était un tyran sectaire et imbu de lui-même.

— Alors, ces excuses ?

— D'accord, je suis désolé de m'être mis en colère, grommela-t-il en évitant de la regarder. Maintenant, partez, s'il vous plaît. Nous passons un Noël catastrophique, mes petits-enfants et ma belle-fille sont bouleversés, et Michael n'a pas été là de la journée.

Honour triompha.

— Ce serait différent si vous aviez traité Adèle comme un être humain, susurra-t-elle d'une voix suave. Je ne vais pas vous déranger avec ses affaires maintenant, je vais juste prendre son manteau dans la cuisine. Michael pourra sans doute rapporter sa valise demain.

— Pas Michael, répliqua Myles. Je ne veux plus jamais qu'il vous voie. Ralph ou moi, nous la déposerons.

Sur le chemin du retour, Honour clopinait dans ses chaussures trop étroites, plongée dans ses pensées. Elle avait eu envie de rire en voyant la pagaille qui régnait dans la cuisine. Le poêle n'allait pas tarder à s'éteindre, car ils ne l'avaient pas assez alimenté en bois, ils n'auraient donc pas d'eau chaude dans la soirée, ni le lendemain matin. Et qui serait de corvée de vaisselle ? Mais en songeant à Michael sa jubilation baissa d'un cran. Ce n'était pas bien qu'un jeune homme bouleversé erre tout seul le jour de Noël.

La journée suivante fut encore plus froide et sombre. Honour eut du mal à s'occuper des lapins tant le vent était violent.

— Je ne mettrai plus le nez dehors aujourd'hui, déclara-t-elle à Adèle en se précipitant vers le poêle pour se réchauffer. Je me fais vieille. Avant, je ne remarquais même pas le froid.

Elle se sentait mal à l'aise. Comment raconter sa visite de la veille aux Bailey ? À son retour, sa petite-fille était toujours profondément endormie, et, lorsqu'elle s'était réveillée, Honour lisait comme si elle n'avait pas bougé. Elle devrait lui en parler car elle avait de l'argent pour elle et, plus tard, on lui rapporterait ses affaires. Adèle serait furieuse d'apprendre qu'elle ne reverrait plus Michael.

— Tu crois que je pourrais être infirmière ? s'enquit soudain Adèle.

— Infirmière ! s'exclama Honour. D'où te vient cette idée ? Je croyais que tu en avais assez d'être à la disposition des autres.

— Ça n'a rien à voir avec le travail d'une bonne, répliqua la jeune fille. C'est un métier utile. Cet été, j'aurai dix-huit ans, ça vaut peut-être la peine de se renseigner.

Honour y réfléchit, heureuse de cette diversion.

— Tu ferais une excellente infirmière, répondit-elle finalement.

Elle en était convaincue. Patiente, compatissante et pleine de bon sens, Adèle était aussi forte et capable. Mais ce n'était pas dans le caractère de Honour d'exprimer ses sentiments. De toute façon, Adèle semblait très satisfaite de sa réponse et elle expliqua que cette idée lui était venue la nuit précédente dans son lit. Elle envisageait de postuler à l'hôpital de Hastings. Elle y avait mûrement réfléchi et, s'il l'acceptait comme étudiante, elle vivrait au foyer des infirmières.

Honour l'interrompit : elle avait perçu un frottement sur les galets. Elle se leva pour regarder à la fenêtre et eut juste le temps d'apercevoir Ralph Bailey qui s'en allait furtivement.

— Je m'y attendais. Il n'a même pas eu le courage de se présenter.

— De qui tu parles ?

— C'était Ralph Bailey. Il est venu déposer tes affaires comme un voleur. Il a dû laisser sa voiture sur la route, sinon nous l'aurions entendu.

Adèle ouvrit la porte d'entrée. Sa petite valise était sur le seuil.

— Mince, soupira-t-elle en rentrant dans la maison, il a oublié de rapporter mon manteau.

Honour ne pouvait plus se défiler.

— Il est dans ma chambre, je suis allée le chercher hier.

Elle se lança alors dans le compte rendu précis de sa visite chez les Bailey. Adèle l'écouta, le visage dénué d'expression.

— Je lui ai demandé deux semaines de gages pour t'avoir renvoyée sans préavis et il m'a donné dix livres. C'est trop, mais je n'allais pas le lui dire, conclut-elle.

Toujours silencieuse, Adèle se leva et ouvrit sa valise. Une enveloppe était posée sur les vêtements.

— C'est une lettre de références, souffla-t-elle, stupéfaite. Elle la lut rapidement et sourit à sa grand-mère.

— Comment t'es-tu débrouillée ?

— Lis-la-moi.

Madame, Monsieur,

Adèle Talbot a été ma gouvernante pendant seize mois.

Elle est honnête, appliquée et très travailleuse. C'est avec le plus grand regret que j'ai dû m'en séparer à la suite d'un changement de situation.

Veuillez agréer, Madame, Monsieur, l'expression de mes salutations distinguées.

Emily Bailey.

— Incroyable ! L'as-tu forcée à rédiger cette lettre ?

— Absolument pas ! Je lui ai signalé que tu en avais besoin. D'après son ton, *elle regrette de t'avoir perdue.*

— J'espère qu'elle ira bien. Elle est vraiment incapable de se débrouiller seule, soupira Adèle.

— Écoute, ne pense plus à cette femme ! lança Honour d'un ton bourru. On récolte ce qu'on a semé. C'est à sa famille de s'occuper d'elle, pas à toi.

— À part Michael, ils s'en moquent.

— C'est aussi sa faute à elle, répliqua Honour de manière acerbe.

— Dans ce cas, c'est ta faute aussi si Rose ne se soucie pas de toi ? s'emporta Adèle.

Honour se hérissa.

— J'ai donné tout mon amour à Rose, cette friponne égocentrique.

— Pourquoi ne m'as-tu jamais raconté ce qui s'était passé entre vous ?

— Cela n'a rien à voir avec toi, rétorqua Honour, sur la défensive.

— Si. Son histoire me concerne au plus au point, mamie. Elle me permettrait de comprendre pourquoi elle a été une si mauvaise mère pour moi. Allez ! S'il te plaît.

Honour savait depuis longtemps qu'elle devrait lui parler de Rose. Le bon moment ne s'était jamais présenté. Aujourd'hui, Adèle était presque une adulte et possédait une grande maturité.

— Je t'ai déjà raconté que ton grand-père était rentré de la guerre souffrant d'une psychose traumatique causée par les combats. C'est un état difficile à expliquer quand on ne le connaît pas. Il faut l'avoir vu pour le comprendre. Frank restait assis des journées entières en fixant le vide. De temps à autre, il redressait brusquement la tête comme s'il avait entendu un coup de feu. Ses doigts ne restaient jamais en place, il s'en prenait aux boutons de ses vêtements, aux fils qui pendaient et souvent aussi à son visage, qu'il mettait en sang.

Elle marqua une pause, ne sachant si elle devait poursuivre sa description ou s'arrêter là pour laisser à Frank un peu de dignité.

— Ce n'était pas juste ! s'enflamma-t-elle. Frank avait été un homme enjoué, intelligent, capable d'aborder n'importe quel sujet, et cet homme n'existait plus. C'était devenu un étranger renfermé, nerveux, souvent effrayant, qui exigeait tellement de force et de patience de ma part que, parfois, je pensais ne pas pouvoir y arriver.

Adèle acquiesça.

— Le jour où la dispute éclata avec Rose, j'avais enfin remarqué une légère amélioration de son état. On était en 1918, la guerre continuait en France, c'était la fin du printemps. Nous avions fait une promenade dans l'après-midi et il ne s'était pas jeté par terre comme à son habitude. Il avait réussi à boire son thé tout seul et m'avait dit qu'il m'aimait. C'était très important car, à cette époque, il ne parlait presque plus. Quand ça lui arrivait, il se lançait dans la description hallucinée des horreurs qu'il avait vues pendant la guerre. De plus, il ne semblait même pas savoir qui j'étais.

— Où était Rose ?

— À l'hôtel où elle travaillait. Elle devait rentrer en fin

d'après-midi. Je l'attendais avec impatience pour lui raconter cette amélioration de la santé de son père et je décidai de marquer l'événement en lui offrant la robe que je lui avais confectionnée en secret. La nuit tombait lorsqu'elle sortit de sa chambre vêtue de la robe.

Honour s'enfonça dans le canapé, les yeux mi-clos, revivant les événements de cette soirée.

La table était dressée pour le dîner, Frank se tenait assis près du poêle, et Honour allumait la lampe à huile quand Rose apparut dans la pièce. Honour se retourna, pensant que sa fille allait rire en tournoyant dans la pièce pour faire admirer sa nouvelle tenue. Avec ses cheveux blonds, son visage ravissant et sa silhouette de rêve, tout lui allait, mais dans cette robe dont le bleu était parfaitement assorti à ses yeux, elle était superbe. Honour fut fière que les longues heures passées à la coudre aient donné un résultat aussi spectaculaire.

Pourtant Rose ne manifestait aucun plaisir. Elle boudait.

— Elle est horrible, dit-elle en tenant le bas de la robe d'un air dégoûté comme s'il s'agissait d'une vieille harde. Comment as-tu pu imaginer que je porterais ça ? C'est bon pour une maîtresse d'école.

Honour en resta bouche bée. Depuis le retour de Frank, ils survivaient péniblement sur les gages de Rose. Elle avait acheté le tissu en vendant sa broche en perles. Elle aurait dû utiliser cet argent pour de la nourriture ou pour payer le docteur, mais elle savait combien il était difficile pour une jeune fille de porter tous les jours la même tenue usée jusqu'à la trame.

Cette robe au col montant n'était pas à la pointe de la mode, cependant la guerre battait son plein et, à la campagne, un vêtement devait être avant tout pratique. Rose s'en rendait bien compte, non ?

— J'ai fait de mon mieux, soupira finalement Honour, désolée de s'être séparée de sa broche, un cadeau de mariage de ses parents, le seul objet de valeur qui lui restait d'eux. Tu devrais plutôt d'estimer heureuse, Rose. De nombreuses jeunes filles donneraient tout pour avoir une robe neuve, ajouta-t-elle sèchement.

Frank dut ressentir l'atmosphère tendue de la pièce, car il se mit à secouer la tête et à baver en grognant. Honour l'apaisa pendant que Rose, l'air écœuré, lui adressait un regard méprisant.

— C'est déjà assez humiliant d'être pauvre au point d'avoir à porter cette guenille, cracha-t-elle. Mais c'est encore pire d'avoir un père qui est l'idiot du village.

Adèle avait le souffle coupé. Cette histoire lui rappelait les remarques cruelles que sa mère ne manquait pas de lui jeter à la figure.

— Qu'est-ce que tu as fait ?

— J'étais tellement consternée par sa dureté que je n'ai rien répondu, avoua sa grand-mère tristement. Plus tard, j'ai pensé que j'aurais dû la gifler ou la forcer à écouter les histoires horribles que Frank racontait dans ses moments de lucidité. Peut-être aurait-elle compris l'énorme sacrifice accompli par ces hommes qui s'étaient engagés pour défendre le pays et la royauté.

— Qu'est-il arrivé après ?

— Le lendemain matin, elle avait disparu, répondit Honour d'une voix glaciale. Elle s'était enfuie dans la nuit avec notre argent et les quelques objets de valeur qui nous restaient. Elle nous a laissés dans le plus grand dénuement.

Adèle savait que sa mère avait un cœur de pierre, elle fut pourtant choquée d'apprendre qu'à dix-sept ans elle manifestait déjà une telle insensibilité.

— Je vois… Pourquoi ne pas m'en avoir parlé plus tôt ?

— J'avais de bonnes raisons, se rebiffa sa grand-mère. Tu es arrivée ici malade et traumatisée. J'ai suivi mon instinct. Ta mère m'avait profondément blessée et je m'en suis sortie en la chassant de mon esprit. J'ai sans doute désiré que tu en fasses autant.

— Ça ne marche pas comme ça. Les secrets empoisonnent la vie. Je comprends maintenant ton amertume et je compatis, mais ça n'explique pas sa cruauté à mon égard.

— C'est vrai. Je ne peux émettre que des hypothèses à ce sujet. À ce moment-là, Rose n'était pas enceinte de toi, les dates ne correspondent pas. Elle s'est enfuie avec un homme ou s'est rendue à Londres pour chercher l'aventure et a rencontré ton père. Dans tous les cas, cet homme l'a abandonnée.

— Elle a donc décidé d'épouser Jim Talbot au lieu d'aller

dans une institution de charité ou de revenir chez elle la tête basse.

— Je doute qu'elle ait jamais envisagé de revenir ici. Elle savait dans quel désespoir sa disparition nous avait plongés. Elle a dû penser qu'on ne lui pardonnerait jamais.

— Tu lui aurais pardonné ?

— Je ne sais vraiment pas, soupira Honour. J'étais folle de rage contre elle, Frank dépendait totalement de moi, et nous avions à peine de quoi survivre. Cela dit, peut-être que si elle était apparue en te portant dans les bras, je me serais radoucie. Franchement, je l'ignore. Lui pardonnerais-tu si elle se présentait ici demain ?

Adèle réfléchit quelques secondes à la question.

— J'en doute. De toute façon, elle ne le fera pas. Pas pour se retrouver seule face à nous deux. Elle sait que je vis avec toi, n'est-ce pas ?

— Elle l'a appris en signant les papiers qui me confiaient ta garde.

— Elle était toujours à l'asile ?

— Oui, à Frien Barnet, au nord de Londres, répondit sa grand-mère, mal à l'aise.

— Elle y est encore ?

Honour hésita.

— Non, admit-elle enfin. Elle s'est échappée.

— Et tu ne m'as rien dit ! s'exclama la jeune fille. Quand et comment s'est-elle échappée ?

— Environ neuf mois après ton arrivée, avoua Honour. Elle est parvenue à gagner la confiance du personnel qui l'autorisait à sortir dans le parc. Il semblerait qu'elle se soit cachée dans une camionnette de livraison ; personne n'en est sûr.

— Donc elle allait mieux, commenta Adèle pensivement.

— Je l'espère. À l'époque, j'ai cru que c'était la signature des documents qui l'avait poussée à s'enfuir pour venir ici.

— Mais ça ne s'est pas produit, constata Adèle en expirant profondément.

Honour avait la gorge serrée. Elle percevait la peine de sa petite-fille et ne trouvait pas les mots pour la réconforter.

— Elle a peut-être pensé que tu serais plus heureuse sans elle.

Adèle haussa les épaules avec dédain.

— Si je croyais qu'elle se soucie de mon bonheur, je croirais aussi aux contes de fées, rétorqua-t-elle d'un ton sarcastique. Pendant que nous y sommes, qu'est-il arrivé à M. Makepeace ?

Honour frissonna. Comment lui expliquer que les policiers n'avaient pas tenu compte de son témoignage ? Adèle se sentirait-elle mieux si elle savait que sa grand-mère avait écrit de nombreuses lettres à l'institut de charité qui gérait les Sapins ? Quelle serait sa réaction en apprenant que M. Makepeace n'avait pas été renvoyé, ni même inquiété ?

Elle avait remporté une seule victoire : devenir sa tutrice. En fait, ce n'était pas vraiment une victoire, car les autorités avaient été soulagées de lui confier sa petite-fille plutôt que d'avoir à la prendre en charge.

— Je l'ai dénoncé à la police et aux Sapins. On ne m'a jamais informée de ce qui lui était arrivé.

Au grand soulagement de Honour, Adèle ne posa plus de questions. Dans sa naïveté, elle pensait peut-être qu'une dénonciation était toujours suivie d'effet. Elle prit sa valise et se dirigea vers sa chambre. Arrivée devant la porte, elle se retourna.

— Je suppose que je ne verrai plus jamais Michael, lâcha-t-elle tristement. On se retrouve toutes les deux seules, mamie.

Les yeux de Honour s'emplirent de larmes. Elle regarda son tableau préféré de Frank – le château de Camber planté devant la rivière sinueuse. Son mari avait toujours su exprimer ses sentiments : il lui soufflait que le moment était venu de dire à sa petite-fille combien elle lui était précieuse.

— Je t'aime, Adèle. Ton arrivée a transformé ma vie. Si seulement je pouvais arranger la situation avec Michael ! Et puis j'aimerais tant te parler de ta mère de façon plus positive. Je ne peux faire qu'une chose : te dire que tu représentes tout pour moi.

Stupéfaite, Adèle éclata de rire.

— Oh, mamie ! s'écria-t-elle. J'ai du mal à te reconnaître quand tu deviens sentimentale.

Honour ne put s'empêcher de sourire.

— Tu sais ce qui cloche chez toi, Adèle ?

— Dis-le-moi.

— Tu me ressembles trop !

13

1938

— Infirmière Talbot ! Allez changer le pansement de Mme Drew ! ordonna sœur MacDonald en passant devant la pièce où Adèle s'apprêtait à vider et à nettoyer un bassin.

— Oui, ma sœur.

Dès que la religieuse eut tourné les talons, elle lui fit un pied de nez. C'était un vrai gendarme qui dirigeait le service d'une poigne de fer.

On était le 1er janvier et l'hôpital manquait de personnel à cause d'une épidémie de grippe. Adèle ne se sentait pas bien : avec d'autres étudiantes, elle avait attendu minuit et fêté la nouvelle année en buvant un sherry de mauvaise qualité. Sœur MacDonald devait le savoir car elle l'avait harcelée toute la journée.

Elle avait commencé sa formation à l'hôpital de Hastings en avril. Elle gagnait dix shillings par semaine et les journées étaient longues, mais elle mangeait trois fois par jour, avait plein d'amies et partageait une chambre agréable avec Angela Daltry, une fille adorable et écervelée. Elles faisaient souvent équipe et passaient leurs moments de loisirs ensemble.

Son métier ne correspondait pas à ce qu'elle avait imaginé. N'ayant jamais mis les pieds dans un hôpital avant sa formation, elle avait une vision très romantique du métier d'infirmière. Elle se voyait en ange de miséricorde, tapotant des fronts enfiévrés, prenant la température et disposant des fleurs dans un vase. Elle savait bien que les patients vomiraient, saigneraient et utiliseraient des bassins, seulement elle n'avait pas pensé que ce serait aussi épuisant ni que, en tant qu'étudiante, elle accomplirait les tâches les plus rébarbatives. Elle n'avait pas songé non plus au règlement très strict. Pas question de s'asseoir sur les lits ni de laisser dépasser un seul cheveu de sa coiffe amidonnée. Très tatillonne, sœur MacDonald avait des yeux derrière la tête. Dès le premier jour, elle avait sévèrement réprimandé Adèle parce qu'elle mangeait un chocolat pendant son service. Une patiente le lui avait offert, mais, à entendre la sœur tempêter, on aurait cru qu'elle avait volé la boîte et les avait tous fourrés dans sa bouche.

Malgré ces inconvénients, elle adorait son métier. C'était gratifiant de voir l'état des malades s'améliorer après une opération et de savoir que, même si elle n'était qu'un simple rouage dans la machine de l'hôpital, son travail était vital. Les patients l'appréciaient, et la bonne humeur régnait parmi les infirmières.

Adèle prit le chariot des pansements et se dirigea vers la chambre de Mme Drew, une femme grassouillette dans la quarantaine, aux cheveux déjà grisonnants, qui avait failli mourir d'une péritonite. Adèle l'aimait beaucoup.

— C'est le moment de changer votre pansement, annonçat-elle en tirant les rideaux autour du lit.

— Déjà, soupira Mme Drew en posant son magazine. Parfois, j'ai l'impression que vous attendez qu'on se sente vraiment bien pour nous sauter dessus.

— Bien sûr ! s'écria Adèle en riant. Nous devons justifier notre salaire exorbitant.

Elle rabattit le drap et les couvertures et remonta la chemise de nuit de Mme Drew, puis enleva le pansement délicatement.

— Ça cicatrise très bien. Vous n'allez pas tarder à rentrer chez vous.

— Je ne suis pas pressée, déclara Mme Drew en souriant. On est bien ici. Il fait chaud et je me repose. Dès mon retour, les obligations familiales reprendront le dessus et je serai débordée.

Elle avait six enfants âgés de trois à dix-huit ans. Pendant des mois, elle n'avait pas tenu compte de ses douleurs abdominales, car elle n'avait pas une minute à elle et ne pouvait pas se payer le médecin.

— La sœur va leur faire la leçon. Vous avez subi une opération très importante et vous ne devez rien porter de lourd : pas de provisions, de seaux de charbon ni même votre petit dernier. Votre mari ou l'un de vos aînés devront s'en charger pour vous.

Mme Drew lança à Adèle un regard profondément désabusé.

— Vous plaisantez ! La maison sera une véritable porcherie. Si vous avez un tant soit peu de cervelle, restez célibataire. Une fois la lune de miel terminée, tout va de mal en pis.

Depuis qu'elle travaillait à l'hôpital, Adèle avait rencontré de nombreuses femmes comme Mme Drew. Leur mari et leurs enfants passaient en priorité. Elles élevaient leur famille nombreuse dans des conditions épouvantables en gardant toutefois un sens de l'humour très vif. Celui de Mme Drew était particulièrement noir. Elle appelait son époux le Porc, car il grognait au lieu de lui adresser la parole. Elle prétendait avoir songé à abandonner ses gosses pour avoir la paix. Mais son visage se fendait d'un large sourire quand Éric – son mari – lui rendait visite, et elle écrivait des messages à chacun de ses enfants, car ils n'étaient pas admis dans la salle.

— Je parie que si vous pouviez recommencer de zéro, vous vous marieriez, madame Drew, déclara Adèle pendant qu'elle nettoyait la cicatrice avant de refaire le pansement.

— Je crois, oui. Seulement je lui donnerais un bon coup dès qu'il commencerait à grogner, fit-elle en gloussant. Vous avez un petit copain ?

Adèle secoua la tête négativement.

— Il n'y en a pas un qui vous plaît ?

Adèle rit nerveusement. Pour une femme qui assurait que le mariage et les enfants étaient un piège, Mme Drew semblait avoir très envie de voir les autres se mettre en ménage.

— Si, répondit Adèle en songeant à Michael. Mais ça ne marchera pas. Ses parents ne m'accepteront jamais.

— Je serais aux anges si mon fils trouvait une fille aussi bien que vous. Vous êtes intelligente, jolie et vous parlez bien. Ses parents devraient se faire soigner.

Adèle rabattit la chemise de nuit et tapota le lit.

— C'est ce que je pense, dit-elle en lui adressant un clin d'œil. Maintenant, reposez-vous et n'allez pas vous balader pour papoter.

En poussant le chariot, Adèle se demanda où était Michael et s'il avait rendu visite à sa mère à Noël. De service ce jour-là, elle n'avait pas pu rentrer chez elle. Mais elle avait deux jours de congé à partir du lendemain et espérait que sa grand-mère aurait plein de potins à lui raconter.

En janvier dernier, Michael lui avait écrit pour s'excuser à nouveau de la conduite de ses parents. C'était une lettre étrange, très triste, bourrée de non-dits. En lisant entre les lignes, elle avait compris que son père lui avait interdit de la revoir. Michael se sentait sans doute obligé de lui obéir, persuadé qu'il ne gagnerait rien à poursuivre leur amitié, et, comme il était gentil, il ne l'exprimait pas franchement afin de ne pas la blesser.

Sans tarder, Adèle lui avait adressé une lettre très gaie. Elle l'informait qu'elle avait postulé pour être infirmière et qu'il ne devait pas être triste car tout s'arrangeait pour le mieux ; elle n'éprouvait aucun ressentiment contre lui ni contre sa mère et espérait que Mme Bailey s'en sortait bien.

Il lui avait répondu trois mois plus tard. Il était enchanté qu'elle ait choisi cette carrière car, à ses yeux, c'était un travail vital qui lui allait comme un gant. Il passerait à Hastings mais ne savait pas quand. Ses parents ne s'étaient pas réconciliés. Dans la suite de sa lettre, il relatait de façon enthousiaste son apprentissage de pilote, et il avait hâte de s'engager dans la Royal Air Force, une fois son diplôme en poche.

À cause de l'hôpital, Adèle n'avait pas vraiment le temps de penser à lui. Elle avait des examens chaque semaine et occupait ses loisirs à étudier. En mai, avec le couronnement du roi George VI, Adèle fut enrôlée à la confection de drapeaux et de banderoles pour l'hôpital. Quelques infirmières se rendirent à Londres afin d'assister aux cérémonies, mais les stagiaires durent donner un coup de main pour organiser le thé dans le parc, faire le service ou accompagner les malades dont l'état le permettait. Cet événement initia Adèle à la vie sociale de l'hôpital et elle fit de nombreuses connaissances parmi le personnel administratif, les femmes de ménage et les médecins.

Ce jour-là, elle prit conscience que l'Angleterre risquait d'entrer de nouveau en guerre. Le pouvoir grandissant d'Adolf Hitler se manifestait depuis tant d'années qu'elle n'y songeait plus. Pourtant, en entendant un docteur affirmer qu'il était prêt à gouverner le monde, comme Michael le lui avait écrit dans une lettre récente, elle frissonna. Ce serait des jeunes gens tel Michael qui se retrouveraient en première ligne. Elle regarda Raymond et Alf, les deux brancardiers qui plaisantaient toujours avec les infirmières. Ils devraient partir ainsi que la plupart des docteurs, des pères et des frères de ses amies et, de même que pendant la Première Guerre, les femmes remplaceraient les hommes dans l'attente et l'espoir que leurs fils, maris et frères ne soient pas tués.

Michael vint la voir à l'improviste au début de ses grandes

vacances. Il passait deux jours avec sa mère avant d'aller en Écosse. Par hasard, Adèle était libre : au lieu de rentrer chez elle, elle était restée pour bûcher ses examens. Des collègues aperçurent Michael dans l'entrée et la taquinèrent impitoyablement par la suite. D'après elles, se présenter au foyer des infirmières au lieu de lui donner rendez-vous en ville prouvait qu'il en pinçait vraiment pour Adèle. En prime, la surveillante générale l'aurait à l'œil à l'avenir.

Il pleuvait à verse, aussi prirent-ils sa voiture pour se réfugier dans un salon de thé des environs. Les nappes, les rideaux à carreaux et de nombreux ustensiles en cuivre suspendus aux poutres donnaient à l'endroit une atmosphère charmante.

Enthousiaste d'avoir commencé son stage, Adèle ne parlait que de ses études. Michael était dans le même état d'esprit. Il se rendait au bord d'un lac, chez des châtelains dont il allait piloter l'avion privé. Ils ne mentionnèrent pas les marais, comme désireux d'endosser de nouvelles personnalités. Extrêmement chic dans son pantalon de flanelle gris et son blazer, Michael employait un argot d'étudiant qu'elle ne comprenait pas toujours. Il était devenu très beau, son visage s'était affiné, et, quand il commanda un autre thé, la lumière filtrant de la fenêtre souligna ses pommettes saillantes.

Elle était enchantée de le revoir mais ne pouvait s'empêcher de penser que, avec sa robe en coton bon marché et ses jambes sans bas, elle ne faisait pas le poids, comparée aux jeunes filles de bonne famille habillées à la dernière mode. Il devait aussi la trouver bien naïve avec ses histoires d'hôpital.

Sa mère l'attendait pour dîner à dix-neuf heures. Quand il gara la voiture devant le foyer des infirmières, il lui embrassa la joue.

— La prochaine fois, nous nous organiserons plus à l'avance. Je t'emmènerai au restaurant ou danser.

Adèle prit une profonde inspiration avant de répondre. Michael représentait tout pour elle. En sa présence, ses jambes tremblaient, son cœur battait et elle pouvait contempler ses yeux bleu foncé sans jamais s'ennuyer. Cependant, elle était réaliste : quelle que soit la nature du lien qui les unissait depuis cinq ans, à présent ils étaient aux antipodes l'un de l'autre. Même si ses parents n'étaient pas remontés contre elle, ça ne marcherait pas et elle ne voulait pas de sa condescendance.

— Michael, déclara-t-elle avec fermeté, nous n'irons pas dîner ou danser. Envoie-moi juste une carte postale de temps à autre pour me donner de tes nouvelles.

Elle s'attendait à le voir, soulagé, éclater de rire en disant qu'il appréciait sa franchise. À son grand étonnement, son visage s'assombrit et il coupa le moteur de la voiture.

— Tu ne m'aimes plus ?

Il posa une main sur sa joue ; ses yeux sondèrent ceux d'Adèle.

— Mais si, idiot ! lança-t-elle de façon faussement enjouée. Tu seras toujours mon meilleur ami, mais ne te sens pas obligé de me sortir pour racheter la conduite ignoble de ton père.

— Tu crois que je suis venu pour ça ?

— Eh bien, oui. Peut-être n'en as-tu pas vraiment conscience. Maintenant, je suis infirmière et l'expérience acquise avec ta mère m'a aidée. Je ne vous en veux pas.

Il prit le visage d'Adèle entre ses mains.

— Tu te trompes complètement. Je ne t'invite pas pour me déculpabiliser, mais parce que je désire que tu sois ma petite amie.

— C'est impossible ! Je n'aurai jamais de place dans ton monde, répliqua-t-elle, prête à s'évanouir sous le contact de ses mains sur ses joues.

— Regarde-toi, fit-il en souriant tendrement. Tu es belle, capable et forte, tu peux te faire une place n'importe où. Cela dit, c'est inutile, je préfère que tu restes comme tu es. J'aime tes valeurs, ta simplicité, ta gentillesse. Je t'aime beaucoup !

Sans lui laisser le temps de répondre, il l'embrassa. Pas un baiser rapide et gêné comme la première fois, deux ans auparavant, mais un vrai baiser d'amoureux, le premier d'Adèle. Sa bouche était beaucoup plus douce que dans ses rêves et il la serra fort entre ses bras. Le bout de sa langue sépara un peu ses lèvres et soudain elle comprit pourquoi les amoureux passaient des heures dans les gares ou sous un porche à s'embrasser. Si la surveillante générale l'avait observée du perron, Adèle l'aurait superbement ignorée. Elle désirait rester là pour toujours.

— Tu acceptes mon invitation, à présent ? souffla-t-il ensuite.

Il la tenait toujours contre lui et lui frotta le nez avec le sien.

Elle ne pouvait qu'accepter. Lorsqu'elle sortit de la voiture, elle était tellement heureuse qu'elle avait envie de courir à travers tout le foyer pour annoncer que Michael Bailey l'aimait.

Cependant, il semblait qu'on leur avait jeté un mauvais sort. Il rentra plus tôt d'Écosse pour la voir, mais elle était de nuit et ils ne passèrent que deux heures ensemble dans l'après-midi. En septembre, la voiture de Michael tomba en panne après qu'il eut annoncé sa visite. Il vint tout de même quand elle fut réparée, beaucoup moins longtemps que prévu, et Adèle travaillait encore de nuit. Le lendemain matin, il l'emmena prendre un petit déjeuner, mais elle était si fatiguée qu'elle s'endormit dans la voiture.

En octobre, il retourna à Oxford. Comme c'était sa dernière année, il étudiait d'arrache-pied. Il lui écrivit toutes les semaines en la suppliant de ne pas tomber amoureuse d'un jeune docteur. Ses lettres amusaient Adèle. Ses journées étaient si longues que, à la fin de son service, elle ne pensait qu'à son lit. En outre, elle devait aussi étudier pour ses examens. De toute façon, il était strictement interdit aux infirmières de se lier avec les médecins, et, même si cela avait été autorisé, aucun n'arrivait à la cheville de Michael.

Elle rêvait beaucoup à lui, revivait ses baisers, se rappelait chaque compliment et chaque plaisanterie. Mais elle gardait la tête froide et n'osait pas envisager l'avenir : en plus de l'animosité de son père planait à présent la menace bien réelle d'une guerre. Le Premier Ministre, M. Chamberlain, avait beau tenir des discours apaisants, il ne trompait personne. Michael parlait beaucoup de la Royal Air Force dans ses lettres. On aurait dit qu'il souhaitait un peu cette guerre. Il prétendait avec enthousiasme que les combats se dérouleraient dans les airs et non plus dans les tranchées.

Comment penser au futur quand Michael s'apprêtait à embrasser la carrière la plus dangereuse qui soit ?

Adèle s'endormit à plusieurs reprises dans le bus qui la conduisait à Rye. Chaque fois que sa tête touchait la vitre froide, elle se réveillait en sursaut. Elle connaissait la route par cœur et n'avait pas besoin de percer l'obscurité pour savoir où elle se trouvait. Même les yeux fermés, les virages, les côtes et le nombre de personnes qui montaient et descendaient lui indiquaient les arrêts.

En arrivant à Winchelsea, elle guetta Harrington House, comme d'habitude. À sa grande surprise, elle vit un grand arbre de Noël resplendissant de guirlandes électriques près de la fenêtre du salon. Tout à fait réveillée, elle chercha la voiture de Michael, en vain. Elle aperçut une femme qui tirait les rideaux dans la chambre de Mme Bailey. C'était sans doute la gouvernante dont Honour lui avait parlé. Elle était arrivée l'été dernier. D'après les commérages, elle était veuve et très pieuse. Adèle se demanda ce qu'elle pensait de l'alcoolisme de Mme Bailey.

Quand elle descendit de l'autobus, le chauffeur lui conseilla de faire attention car les routes et les chemins étaient verglacés, et Adèle resserra son écharpe autour de son cou. Elle n'y voyait pas à un mètre. Il faisait un froid glacial et un vent vif soufflait de la mer. Mais le silence était merveilleux. Au foyer et à l'hôpital, il y avait toujours du bruit. Elle se rappela soudain son premier hiver dans les marais. Rentrer de l'école dans le noir la terrorisait. Elle prenait le gémissement du vent dans les arbres pour des revenants et craignait sans cesse l'attaque d'un rôdeur. Sa grand-mère la guérit de cette peur en lui affirmant qu'un rôdeur malintentionné choisirait un endroit moins froid et plus fréquenté pour guetter ses victimes. Quant aux revenants, s'ils existaient, ils préféraient hanter les vieilles demeures de Rye plutôt qu'un coin de campagne désert.

Honour n'a vraiment peur de rien, songea Adèle en évitant les flaques verglacées de l'allée. Pour sa part, elle n'aimerait pas vivre seule dans un endroit aussi isolé quand elle serait vieille. Mais, en sentant l'odeur du feu de cheminée et en voyant la lumière accueillante à la fenêtre, elle oublia sa fatigue, la faim et le froid. Quel plaisir de rentrer à la maison !

— C'était délicieux, soupira Adèle. Mamie, tu es un vrai cordon-bleu.

— C'est facile quand on a des produits frais, répliqua Honour en souriant de plaisir. Je suppose que les légumes à l'hôpital sont vieux de plusieurs semaines.

— Et réduits en bouillie. Tout a le même goût. Allez, raconte-moi les potins !

— Maintenant que tu n'es plus là, je fais moins de courses à Winchelsea, je n'ai donc rien à te raconter sur les Bailey. Je ne sais même pas si Michael est venu pour Noël.

Adèle rougit. Elle ne pouvait rien lui dissimuler.

— Il a été retenu à Oxford, mais il m'a envoyé ça, dit-elle en plongeant sa main sous son pull, d'où elle sortit un médaillon ovale.

Sa grand-mère se rapprocha pour l'examiner.

— Il est en or ! Il a dû coûter une fortune.

— Je sais. Toutes mes copines sont jalouses. Il s'ouvre. Si seulement j'avais une photo de lui !

— Ses parents savent que vous vous fréquentez ?

— Je ne crois pas.

Honour soupira sans faire aucun commentaire.

Le lendemain, elles se contentèrent de nourrir les poules et les lapins, puis elles restèrent blotties près du poêle toute la journée. Adèle recopiait des notes et Honour tricotait. Le jour suivant était aussi glacial. Adèle remarqua qu'il restait très peu de bois et, comme elle rentrait à l'hôpital le soir même, elle insista pour aller en ramasser.

C'était bon de se retrouver dehors, emmitouflée dans ses vieux vêtements. À Hastings, elle ne marchait pas beaucoup ; après ses longues journées, elle était trop fatiguée. L'air frais et la solitude qui avaient tant fait partie de sa vie lui manquaient.

En une heure, elle avait rempli son petit chariot, car le vent violent des dernières semaines avait poussé beaucoup de bois flotté sur le rivage. Elle revenait de la plage quand, à son grand étonnement, elle aperçut Michael dans le lointain. Il arrivait du port de Rye et progressait difficilement contre le vent, la tête baissée. Il n'était pas vêtu pour la marche, portant un long manteau sur un costume.

— Michael ! cria-t-elle.

À cause du vent, il ne l'entendit pas. Elle courut à sa rencontre et il ne la vit que lorsqu'elle fut à quelques mètres de lui.

— Adèle ! Je croyais que tu travaillais ! s'exclama-t-il, enchanté.

Il était venu pour le jour de l'an mais sa voiture faisait des siennes, alors il l'avait emmenée au garage de Rye. Elle devait être réparée dans la matinée, un voisin l'avait même conduit pour la récupérer, mais, comme il leur manquait une pièce, elle ne serait prête que le lendemain.

— J'aurais dû rentrer par la route, déclara-t-il en regardant ses élégantes chaussures noires couvertes de boue. Mais je me suis rappelé notre première rencontre, quand tu m'as indiqué le chemin pour le port, et j'ai eu envie de me promener. Et te voilà !

— Tu serais allé au cottage si tu ne m'avais pas vue ?

— Je ne crois pas. J'y ai réfléchi, seulement je n'aurais pas le courage d'affronter ta grand-mère.

— Pourquoi ? Elle ne t'en veut pas. D'ailleurs, elle sait que nous nous fréquentons. Elle est au courant pour le médaillon et n'a fait aucune remarque désagréable. Il est magnifique, mais tu n'aurais pas dû dépenser tout cet argent pour moi.

Elle repoussa le col de son manteau pour lui montrer le bijou.

— J'ai aussi quelque chose pour toi, rien d'aussi beau. En fait, j'attendais que tu sois à Oxford pour te l'envoyer.

— Regarde-toi ! s'exclama-t-il en souriant. Tu es superbe avec tes joues roses et ce bonnet en laine.

— Je suis plutôt à faire peur, fit-elle en rougissant. Pourquoi arrives-tu toujours à l'improviste ?

— Comment pourrais-tu être plus belle ? Même si tu passais des heures à te pomponner, insista-t-il en la regardant de façon si intense qu'elle dut baisser les yeux. Tu sais bien que je suis éperdument amoureux de toi.

Son regard était doux et tendre, ses lèvres charnues, rouges à cause du vent, à peine entrouvertes comme s'il retenait son souffle.

— Tu parles sérieusement ? demanda-t-elle d'une voix tremblante.

Il la prit dans ses bras.

— Je n'ai jamais été aussi sérieux, chuchota-t-il. Je me suis dit des centaines de fois que c'était pure imagination de ma part, mais non, ce que j'éprouve est bien réel.

Il l'embrassa et leurs bouches se réchauffèrent au contact l'une de l'autre. Adèle oublia le froid des marais, elle oublia le bois qu'elle avait ramassé et sa grand-mère qui l'attendait. Plus rien ne comptait, excepté cette merveilleuse sensation de tourbillon.

— Allons au château, lança-t-il en lui prenant la main pour l'entraîner. Nous y serons à l'abri du vent.

Des moutons s'y étaient réfugiés et Michael la fit rire quand il se mit à leur courir après pour les chasser.

— Ce n'est pas gentil, fit-elle remarquer, c'est leur maison.

— Non, c'est la nôtre, assura-t-il en la serrant dans ses bras. Nous sommes venus ici le premier jour de notre rencontre et je t'ai raconté mes histoires de famille, tu t'en souviens ?

Adèle acquiesça. Elle avait tout de suite eu confiance en lui, pourtant elle n'avait pas osé lui parler d'elle.

— Tu ne m'as jamais révélé tes secrets, hasarda-t-il d'un ton plein de sous-entendus après l'avoir fait asseoir sur un talus herbeux. Tu peux te confier à moi maintenant que je t'ai avoué mon amour.

Adèle préféra ignorer sa demande.

— As-tu pensé à la réaction de tes parents ? s'enquit-elle en prenant le visage de Michael entre ses mains.

— Oui, et je m'en moque. Cet été, j'aurai vingt et un ans et je m'engagerai dans la Royal Air Force. Je suis libre. Je ne leur dois rien.

— Si, insista-t-elle. Ce sont tes parents, ils t'ont permis de faire des études. S'ils rompent les liens avec toi, tu ne le supporteras pas.

— Tu crois ça ? Père ne se soucie pas vraiment de moi, il me donne de l'argent, c'est sa façon à lui de me contrôler. Mère m'aime, mais je n'existe que par rapport à elle. Je suis censé la soutenir, être dans son camp et jouer pour la galerie le rôle du fils brillant.

Adèle ne trouva rien à redire à ces propos réalistes. Cependant, comment une fille des marais pourrait-elle être transplantée dans ce milieu ?

Il la fit s'allonger dans l'herbe et l'embrassa avec une telle fougue qu'elle oublia ses inquiétudes et fut portée dans un monde magique où seul l'instant comptait. Mais quand ses mains se glissèrent sous son vieux manteau et touchèrent sa poitrine, elle revint sur terre. M. Makepeace surgit soudain dans son esprit. Subjuguée, elle avait oublié que les hommes promettaient n'importe quoi pour obtenir ce qu'ils voulaient. Elle repoussa les mains de Michael et s'assit.

— Je dois rentrer à la maison, déclara-t-elle. Ma grand-mère m'attend pour déjeuner. Je prends le bus de cinq heures et je veux passer du temps avec elle avant de partir.

Il se redressa sur un coude et la regarda avec perplexité.

— Je ne sais pas quand on se reverra.

— Eh bien, il faudra que tu trouves le temps, rétorqua-t-elle en se levant. Je ne peux pas me rouler dans l'herbe quand ça te convient, j'ai des responsabilités.

Il se leva à son tour.

— Pourquoi es-tu en colère ? Qu'est-ce que j'ai fait ?

M. Makepeace resurgit. À lui aussi elle avait fait confiance, et il l'avait trahie. Comment savoir si Michael l'assurait de son amour pour arriver à ses fins ou s'il l'aimait vraiment, si ses caresses exprimaient cet amour ? Ses amies infirmières discutaient souvent entre elles des limites qu'elles imposaient à leur petit copain. Elles semblaient jouer un jeu, lui accordant un peu plus de liberté à chaque rendez-vous. Adèle ne désirait jouer aucun jeu, elle voulait savoir exactement où elle en était. Mais le sujet la gênait trop pour en parler avec Michael.

Il lui prit la main et ils retournèrent chercher le chariot de bois. Ils marchaient en silence et Adèle lui lançait de fréquents coups d'œil. Que ressentait-il ?

— Je suis désolée, lâcha-t-elle enfin, incapable de supporter ce silence plus longtemps. J'ai juste un peu peur.

— Peur que je te viole ? répliqua-t-il, furieux. Je t'aime, Adèle. Je ne te forcerai jamais à faire quoi que ce soit.

Adèle se sentit stupide, pourtant la peur subsistait. Elle avait cru que l'épisode douloureux des Sapins ne l'affecterait plus jamais. Après tout, sept ans s'étaient écoulés et elle y pensait rarement. Elle devait une explication à Michael, elle n'aimait pas le voir contrarié, mais, au plus profond d'elle-même, elle était indignée qu'il lui ait touché la poitrine. Elle s'efforçait de ne pas pleurer. Son esprit était si confus !

Quand ils arrivèrent devant le chariot, Michael s'apprêta à le tirer. Le contraste entre lui et la carriole dotée de vieilles roues de landau rappela alors cruellement à la jeune fille leur différence de milieu social.

— Non, je m'en charge, décida-t-elle en saisissant la poignée.

— Je ne peux même plus toucher ton chariot ? fit-il remarquer d'un ton sarcastique.

Elle s'enfuit, secouée de sanglots, laissant tomber une partie du bois derrière elle. Michael le ramassa, déconcerté par le comportement étrange d'Adèle, qu'il suivit dans l'intention de déposer le bois près du cottage. Il avait froid et faim et était très déçu que cette rencontre imprévue se termine aussi mal.

Lorsqu'ils arrivèrent en vue du cottage, Mme Harris apparut sur le seuil de la porte. Adèle prit de la vitesse et, à cause du vent, Michael n'entendit pas ce qu'elle cria à sa grand-mère. Elle abandonna le chariot dans l'allée avant de s'engouffrer à l'intérieur. Mme Harris vint à la rencontre de Michael.

— Que lui as-tu fait ? Elle pleure à chaudes larmes.

— Je l'ignore, répondit-il en déposant le bois et en essuyant son manteau. Je l'ai rencontrée par hasard en rentrant de Rye. Nous sommes allés au château et, soudain, elle a déclaré qu'elle devait rentrer. Questionnez-la. Peut-être qu'à vous elle parlera.

— Elle est partie d'ici gaie comme un pinson, affirma Honour en lui adressant un regard pénétrant.

— Je lui ai dit que je l'aimais et ça l'a apparemment mise dans tous ses états, répliqua Michael d'un ton cassant.

Il se détourna pour reprendre sa route.

— Attends ! tonna Honour.

— Écoutez, madame Harris, je ne comprends pas sa réaction. Je lui téléphonerai ce soir au foyer des infirmières. Ma voiture est en panne et je ne peux pas la raccompagner à Hastings.

— Tu seras là demain matin, alors ?

Michael acquiesça.

— Viens me voir. Il est temps que nous ayons une petite discussion.

Honour agita la main quand le bus démarra. À la façon dont Adèle s'était précipitée à l'arrière de l'autocar puis effondrée sur son siège, Honour savait qu'elle pleurerait durant tout le trajet.

Elle devinait que les démons secrets de la jeune fille étaient revenus la torturer.

Elle prit le chemin du retour en soupirant. Elle avait toujours détesté le mois de janvier, le froid glacial, la nuit qui tombait très tôt ; c'est à cette époque que son mari était mort. Aujourd'hui, elle se sentait encore plus seule et malheureuse. Dans la matinée, le facteur lui avait annoncé qu'on allait fournir des masques à gaz aux enfants scolarisés. C'était terrible de penser que les Allemands risquaient d'attaquer la population civile au moyen de gaz, pourtant elle s'inquiétait surtout pour Adèle. La jeune fille n'avait pas voulu lui confier ce qui s'était passé avec Michael, mais Honour l'imaginait sans peine.

Le lendemain, Michael se présenta au cottage peu après neuf heures. Honour lui offrit une tasse de thé. Il semblait inquiet, croyant sans doute qu'elle allait le prendre à partie.

— As-tu joint Adèle au téléphone, hier soir ?

— Sa chambre ne répondait pas.

La jeune fille avait donc refusé de lui parler.

— C'est dommage. J'espérais que vous vous seriez réconciliés.

— J'ai essayé, répliqua-t-il avec une pointe de colère dans la voix. J'ignore ce qui l'a contrariée.

— Tu lui as dit que tu l'aimais. Tu es sincère ?

— Bien sûr ! s'écria-t-il, indigné. Mais je ne crois pas que ce soit réciproque.

— Pourquoi ?

Il regarda ses mains posées sur ses genoux.

— Je ne trouve pas de mots pour l'expliquer.

— Peut-être qu'Adèle n'arrive pas à exprimer ses sentiments. Je connais ça car j'en suis incapable. Il est très difficile de parler de ses émotions. Il faut que tu comprennes que lorsque Adèle a travaillé pour ta mère, elle a été reléguée au rang de domestique. Tu étais son maître. Elle sait que tes parents ne l'accepteront jamais.

Il releva la tête, le regard peiné.

— Je lui ai assuré que je m'en moquais. À mes yeux, Adèle et moi sommes sur un pied d'égalité. Regardez-vous, madame Harris. Vous avez beau habiter ici, pour moi, vous valez bien plus que ma mère, et vous le savez.

— C'est vrai, mais je suis fille d'instituteur et je me suis mariée dans une bonne famille. Mon éducation m'a donné de l'assurance. Adèle ne possède pas cette confiance. Elle a été élevée dans un milieu ouvrier où elle a vécu des expériences qui l'ont persuadée qu'elle ne valait rien.

— Elle a été maltraitée dans son enfance, c'est ça ?

— Je ne t'en dirai pas plus, déclara soudain Honour, consciente qu'Adèle ne lui pardonnerait jamais si elle révélait quoi que ce soit sans sa permission.

— Cela concerne sa mère, n'est-ce pas ? Le jour où je l'ai rencontrée, elle m'a expliqué qu'elle était venue vivre ici parce que sa mère était malade. Après, elle ne m'en a plus jamais reparlé. Où est sa mère ? Pourquoi Adèle ne la voit-elle pas ?

— Nous ne savons pas où elle se trouve. Personnellement, je m'en fiche, elle s'est enfuie quand son père était très malade, sans se soucier de nous. J'ignorais que j'avais une petite-fille jusqu'à ce qu'Adèle surgisse à ma porte il y a sept ans.

Les yeux de Michael s'écarquillèrent et il resta bouche bée.

— Si tu aimes Adèle, tu devras gagner sa confiance de façon qu'elle te raconte son histoire. Traite-la avec douceur, elle a beaucoup souffert dans le passé.

Elle refit du thé en observant Michael du coin de l'œil. Il était plongé dans ses pensées, encore plus perplexe qu'à son arrivée. La veille, elle avait été furieuse contre lui, puis, en réfléchissant, elle avait compris que sa petite-fille avait réagi de manière excessive à des caresses innocentes. Michael était un garçon sensible et intelligent ; si une personne pouvait soigner le traumatisme d'Adèle, c'était bien lui.

— Et si nous parlions de ton futur engagement dans la Royal Air Force ? lança-t-elle jovialement en posant la théière sur la table.

14

— Arrête ! C'est horrible ! cria Adèle en attrapant la main de Michael.

Allongés sur une plage proche d'Eastbourne, ils profitaient du soleil printanier. Elle s'était endormie et Michael lui chatouillait le nez avec des brins d'herbe.

— Réveille-toi, dit-il avec un large sourire, je voudrais te parler.

Trois mois s'étaient écoulés depuis l'incident du nouvel an. Michael lui avait rendu visite quelques jours après. Elle s'était excusée, soutenant qu'elle ignorait les raisons qui l'avaient poussée à se conduire de façon aussi étrange. Il l'avait ensuite invitée à dîner et, une fois Adèle détendue, il était arrivé à lui faire parler de son enfance à Londres.

Le récit de ses épreuves l'avait choqué et attristé : si elle lui avait caché ces événements douloureux aussi longtemps, réalisa-t-il, c'est parce qu'elle ne lui faisait pas entièrement confiance. En revanche, au fur et à mesure qu'elle dévidait son histoire et éclaircissait de nombreux points demeurés obscurs pour lui, il la vit soulagée de se dévoiler.

Cette nuit-là, Michael l'avait quittée à contrecœur car Adèle était bouleversée, et lui ne savait pas quand il reviendrait. En rentrant, il lui écrivit qu'il l'aimait éperdument et se réjouissait qu'il n'existe plus aucun secret entre eux. Quand il lui téléphona deux jours plus tard, elle était redevenue elle-même, enjouée et dynamique, et lui demanda de ne pas s'inquiéter, elle allait bien et était désolée d'avoir été si bizarre au nouvel an.

— De quoi veux-tu discuter ? demanda-t-elle en se mettant à plat ventre, appuyée sur les coudes. Oh ! j'ai deviné : de ton uniforme qui te transforme en Apollon.

— Je le sais déjà, répondit-il en éclatant de rire. Et aussi que je serai le meilleur pilote du monde.

— Il ne reste alors plus tellement de sujets à aborder. À moins que tu ne veuilles entendre mes passionnantes histoires de bassins ou de courbes de température.

Michael restait avec sa mère pendant les vacances de Pâques

pour préparer ses examens de fin d'études à Oxford. Il venait d'être accepté dans la Royal Air Force et ne parlait que de ça. Adèle avait réussi à obtenir trois jours de congé. Le lendemain, elle reprendrait son travail dans le service de gynécologie. Ils avaient de la chance, le temps était chaud et ensoleillé pour un mois d'avril.

— Tu pourrais me parler des Sapins, suggéra-t-il en lui embrassant le front. Qu'est-il arrivé pour que tu t'enfuies et marches jusqu'à Rye ?

Vivre leur histoire d'amour par téléphone ou par lettre se révélait très frustrant car ils n'avaient jamais la possibilité de discuter sérieusement. Ils s'entretenaient de leur quotidien, du travail, des amis. Michael brûlait d'envie d'en savoir plus sur l'enfance d'Adèle et, en repensant à ses confidences, il réalisa qu'elle n'avait rien raconté sur son séjour aux Sapins. L'endroit devait être horrible pour qu'elle parte se réfugier chez une inconnue.

Les propos énigmatiques de Mme Harris le poursuivaient. En allant au rendez-vous, il s'était attendu qu'elle lui passe un savon et lui interdise de revoir Adèle. C'est l'attitude qu'auraient adoptée des parents soupçonnant un jeune homme d'avoir fait des avances à leur fille. Toutefois, elle ne l'avait accusé de rien. Elle avait cherché à savoir ce que sa petite-fille lui avait révélé de son passé. Quand Adèle avait avoué que sa mère avait été internée, il avait cru que c'était cela, son secret. Mais, plus tard, le doute s'insinua dans son esprit. Cette révélation n'avait rien de spectaculaire. Après tout, sa mère à lui aussi était folle. Adèle lui cachait autre chose, qu'il était déterminé à découvrir.

Pour Michael, passer plus de deux jours avec sa mère était une dure épreuve. Il avait pris son mal en patience, l'avait accompagnée dans les magasins et lors de ses visites à ses vieux amis dans l'espoir qu'elle ne ferait pas toute une histoire de le voir sortir seul ensuite. Heureusement, elle n'avait pas paru soupçonneuse lorsqu'il avait prétexté devoir se rendre à Brighton pour acheter un livre ou déjeuner avec un copain d'Oxford domicilié dans le coin. Si elle apprenait qu'il voyait Adèle, elle ne manquerait pas de piquer une colère.

Les deux premiers jours, ils avaient parlé de l'imminence de la guerre et des bouleversements qu'elle provoquerait. Adèle risquait d'être envoyée dans un hôpital militaire et Michael n'avait aucune idée de sa mutation. À présent, le temps pressait, Adèle reprenait son travail le lendemain et ils ne se reverraient pas avant l'été. Il devait savoir.

— Allez ! Raconte-moi tout, la pressa-t-il.

— Il n'y a rien à raconter. J'y suis restée très peu de temps.

— Tu t'es enfuie. Pourquoi ? insista-t-il.

— Je te l'ai déjà expliqué. Je voulais savoir si j'avais des grands-parents. Je croyais que Rye était beaucoup plus près. Maintenant, embrasse-moi et dis-moi que tu m'aimes.

Elle s'allongea sur le dos et lui tendit les bras. Michael la contempla en souriant. Elle était si belle avec ses joues hâlées par le soleil et ses yeux couleur d'ambre. La plupart des filles raffolaient de la beauté artificielle de Hollywood. Elles frisaient leurs cheveux, dessinaient leurs sourcils de sorte qu'elles avaient toujours l'air étonné, et elles se maquillaient au point de paraître beaucoup plus vieilles que leur âge. Adèle portait ses cheveux lâchés quand elle ne travaillait pas. Michael avait toujours envie de les toucher. Elle ne se poudrait pas le nez et ne transformait pas sa silhouette en s'infligeant le port d'une gaine. Elle était aussi naturelle et gracieuse qu'un cygne. Et il l'aimerait jusqu'à sa mort.

— Tu m'aimes ? demanda-t-il en approchant son visage du sien.

— Bien sûr.

— Alors, dis-le.

— Je t'aime, Michael, avoua-t-elle timidement.

— Tu as confiance en moi ?

— Totalement.

— Alors raconte-moi ce qui est arrivé aux Sapins.

— Il ne s'est rien passé. Je n'aimais pas l'endroit, c'est tout.

— Tu mens. Dis-moi la vérité, sinon cet épisode douloureux restera toujours entre nous.

Les yeux d'Adèle reflétaient son désarroi. Elle voulait parler mais n'osait pas.

— J'ai mûrement réfléchi à cette journée de janvier dans les marais pour essayer de comprendre ce qui t'avait soudain boule-versée. Et je m'en suis souvenu : j'ai caressé ta poitrine.

Les yeux de la jeune fille se remplirent de larmes. Il avait vu juste. Dans l'ensemble, Adèle était directe, elle parlait des fonctions physiologiques sans embarras, elle n'était pas nerveuse ou timide. Mais quand leurs baisers devenaient trop passionnés, elle se dégageait de son étreinte au lieu de presser son corps contre le sien, comme le faisaient les autres filles avec qui il était sorti.

— Ce geste t'a rappelé un homme des Sapins ?

Michael sentit les larmes lui monter aux yeux tant cette pensée lui était intolérable.

— Oui, souffla-t-elle, ne m'en demande pas plus.

Il la prit dans ses bras et elle posa sa tête contre son épaule.

— Je ne poserai plus de questions. Tu vas juste tout me raconter, l'encouragea-t-il avec douceur.

— Je ne peux pas, dit-elle en frissonnant.

— Je veux t'épouser, Adèle. Je veux que nous ayons des enfants. Comment y parviendrons-nous si le souvenir de cet homme malfaisant plane sur notre couple ?

Il marqua une pause.

— Ta grand-mère est au courant. Tu lui en as donc parlé quand tu es arrivée ici. À l'époque, c'était une inconnue, ce qui n'est pas mon cas. Nous nous connaissons depuis cinq ans, tu es ma petite amie et aussi ma meilleure amie.

— C'était le directeur, lâcha-t-elle soudain en enfouissant son visage dans ses mains. Je le trouvais merveilleux parce qu'il s'intéressait beaucoup à moi. Personne ne m'avait prêté attention auparavant.

Elle débita toute l'histoire précipitamment en gardant son visage caché derrière ses mains. Quand elle eut terminé, elle sanglota dans les bras de Michael. Il était profondément choqué. Il n'arrivait pas à croire qu'un homme puisse se conduire ainsi avec une enfant dont il avait la responsabilité. Par ailleurs, il comprenait mieux la personnalité d'Adèle. Au début, il avait trouvé bizarre qu'une fille aussi sympathique n'ait pas d'amis. Elle était également très mûre pour son âge, mais cette maturité allait de pair avec une certaine réserve.

Il eut honte en repensant à son départ pour la France, puis pour Oxford. Il avait pris du bon temps, bu avec ses copains et invité des filles pendant que son amie gardait ce terrible secret enfoui en elle. Il l'avait laissée s'occuper de sa mère en l'exposant à de mauvais traitements. À présent, en agissant comme un psychiatre amateur, il risquait de l'avoir encore plus perturbée.

— Ça va, mon cœur ? chuchota-t-il, complètement désemparé.

— Je croyais avoir tout oublié.

— C'est revenu quand je t'ai touchée, murmura-t-il avant de se mettre lui aussi à pleurer. Je suis vraiment désolé, ma chérie.

— Tu n'y es pour rien. Tu ne pouvais pas savoir.

Elle s'assit, se moucha et essuya ses yeux. Puis elle se tourna vers lui en s'efforçant de sourire.

— Tu regrettes d'avoir appris la vérité ?

— Oui. Non. Je ne sais vraiment pas, avoua-t-il tristement. Je persiste à penser qu'il est préférable de ne pas avoir de secret, mais j'aurai peur de te caresser à nouveau.

— N'aie pas peur, déclara-t-elle en prenant sa main, dont elle embrassa les doigts. C'est différent, maintenant. L'autre fois, je n'étais pas consciente de ce qui m'arrivait. C'est fini, à présent. Terminé.

Ils restèrent assis côte à côte, les mains enlacées. La journée était très claire et ils voyaient les champs bigarrés s'étendre à perte de vue. Derrière eux, en bas de la falaise, ils entendaient la mer se briser contre les rochers et les cris des mouettes qui tournoyaient dans le ciel. Le soleil était chaud, un vent doux soufflait, et, dans le silence qui suivit, Michael sentit qu'Adèle était soulagée d'avoir pu lui parler.

— Tu es adorable, Michael, dit-elle soudain en lui effleurant la joue. Si patient, si compréhensif. Si j'avais su que ça me ferait autant de bien, j'aurais tout avoué depuis longtemps.

— Il y a un temps pour tout, répondit-il, profondément ému. Je n'aurais peut-être pas compris si tu m'en avais parlé plus tôt. T'aimer m'a ouvert les yeux.

— Pareil pour moi. J'avais du mal à accepter que mes grands-parents aient tout laissé tomber pour s'installer dans les marais. Je regardais les beaux meubles et les bibelots de ma grand-mère et j'imaginais leur maison de Tunbridge Wells. J'étais même en colère qu'elle ne vive plus ainsi. Mais j'ai changé ma façon de

209

voir. J'ai réalisé qu'ils avaient vécu une grande histoire d'amour, de celle que nous recherchons tous.

— C'est le problème avec mes parents, déclara Michael d'un ton pensif. Je n'ai pas l'impression qu'ils se sont aimés. Mère était belle, avec un parterre de prétendants à ses pieds, et Père était riche, ambitieux et astucieux. Ils se sont mariés parce que leur entourage les trouvait bien assortis, sans penser une seconde qu'ils n'avaient rien en commun.

Encore aujourd'hui, les Bailey campaient sur leurs positions. Quand Emily avait eu la preuve que Myles avait une maîtresse, plutôt que de divorcer, elle avait insisté pour qu'il vienne régulièrement afin de sauver les apparences. Myles jouait le jeu, car il redoutait qu'Emily fasse un scandale qui compromette sa carrière. Cette situation rendait Michael malade.

Quand ils découvriraient que Michael et Adèle envisageaient de se marier, la crise serait inévitable. Sur ce point, ses parents étaient d'accord : Adèle n'était pas assez bien pour leur fils. Michael semblait s'en moquer.

— Tu veux vraiment m'épouser ? demanda-t-elle.

— Bien sûr ! Nous devons juste attendre la fin de tes études.

— Et mettre de l'argent de côté, ajouta-t-elle en riant.

— Mais nous pouvons nous fiancer cet été, quand tu auras dix-neuf ans, lança-t-il avec empressement.

Adèle se leva et étendit les bras en grand, folle de joie. Ils se trouvaient à quelques mètres du bord du précipice. Le ciel bleu radieux, la mer, les falaises blanches et le vert profond de l'herbe étaient d'une telle beauté qu'elle en eut la gorge nouée.

— J'ai envie de hurler de bonheur.

— Ne le fais pas, dit Michael nerveusement en voyant des randonneurs se diriger vers eux. Ils vont croire que tu t'apprêtes à sauter.

— Si je sautais, je volerais, répliqua-t-elle, et, battant des bras, elle se mit à courir vers les champs.

Michael éclata de rire, soulagé de savoir la vérité, heureux de terminer ses études à Oxford et enchanté de gagner bientôt sa vie en tant que pilote. Il attendit que les promeneurs s'approchent puis se leva et rejoignit Adèle à fond de train. Les marcheurs durent penser qu'ils étaient deux fous échappés de l'asile.

Par une belle soirée de juin, Honour essuyait son service à thé. Elle alluma ensuite la TSF pour écouter les nouvelles de dix-huit heures. Michael lui avait apporté ce poste en affirmant qu'un de ses amis d'Oxford allait le jeter, mais elle n'en croyait pas un mot ; il était flambant neuf. En tout cas, elle l'adorait. Les soirées passaient à toute vitesse à l'écoute des pièces de théâtre ou des concerts.

Elle s'assit, prit son tricot. Michael avait peut-être raison de suggérer qu'elle fasse installer l'électricité. La lumière des bougies et des lampes à huile n'était pas suffisante maintenant que sa vue avait baissé.

Comme d'habitude, les nouvelles étaient très déprimantes. L'Allemagne avait envahi l'Autriche et les Juifs du pays étaient licenciés de leur travail. La semaine précédente, elle s'était rendue au cinéma avec sa petite-fille ; elles avaient vu Adolf Hitler aux informations Pathé. C'était la première fois que Honour le découvrait sur un écran et elle réalisa la menace qu'il représentait. Filmé lors d'un rassemblement, il hurlait, roulait des yeux et faisait de grands moulinets des bras tel un fou furieux. Comment pouvait-on suivre un type pareil ? Quant aux saluts nazis, ils étaient ridicules ! Si elle était en Allemagne, elle aurait eu envie de lui en adresser un bien obscène. De retour à la maison, Adèle l'avait amusée en collant un morceau de laine noire sous son nez et en marchant au pas de l'oie dans le séjour. Le gouvernement avait beau affirmer que l'Angleterre ne s'embarquerait pas dans une autre guerre contre l'Allemagne, Honour n'en était pas convaincue.

À la radio, les nouvelles se terminèrent sur une note plus gaie. Un nouveau zoo avait ouvert ses portes à Regent's Park, il s'agissait du plus beau et du plus grand au monde. Honour eut envie de s'y rendre avec Adèle, un peu plus tard dans l'été.

Une série de coups secs à la porte d'entrée la prit au dépourvu. Qui venait lui rendre visite à cette heure-là ? Elle se leva, agacée d'être dérangée à un moment aussi agréable. Elle ouvrit la porte. Une femme se tenait sur le seuil. Elle ressemblait à une fille de mauvaise vie, avec sa robe moulante d'un bleu criard, son rouge à lèvres écarlate et ses talons hauts. Elle ne portait ni bas ni chapeau.

— Oui ? demanda Honour.

Que fabriquait une créature pareille dans un endroit aussi isolé ?

La femme se contenta de lui adresser un petit sourire narquois et Honour se dit qu'elle lui rappelait vaguement quelqu'un.

— Je vous connais ?

— Je crois bien. Je suis ta fille !

Sous le choc, Honour recula. Effectivement, Rose était la seule personne à avoir des yeux de ce bleu si particulier.

— Que... que fais-tu ici ? bégaya-t-elle.

— Je suis venue te voir, Mère, déclara-t-elle en accentuant le dernier mot de façon sarcastique.

— Je ne veux pas te parler, répliqua rapidement Honour, qui essayait de reprendre ses esprits. Tu n'as aucun droit de me rendre visite depuis que tu t'es enfuie en me dépouillant.

— J'espérais que tu t'étais adoucie depuis que tu t'occupes d'Adèle, lança Rose en pénétrant dans la pièce. Où est-elle ?

Honour eut peur. La jeune fille qui avait disparu vingt ans auparavant était une rebelle au cœur de pierre, pourtant elle était bien élevée. La vulgarité de la Rose actuelle l'intimidait. Elle fusilla sa fille du regard.

— Elle travaille, rétorqua-t-elle. Comment as-tu le culot de rappliquer après tout ce temps ?

Rose ouvrit son sac et en sortit un paquet de cigarettes. Elle en alluma une, puis parcourut la pièce des yeux.

— Rien n'a changé, déclara-t-elle. C'est comme si le temps s'était arrêté pendant vingt ans. Je t'imaginais vieille et ridée, mais tu es encore pas mal.

— Va-t'en, ordonna Honour, stupéfaite par son insolence. Je ne veux pas de toi ici.

— Je partirai quand j'en aurai envie, rétorqua Rose en soufflant la fumée avec langueur. J'ai parfaitement le droit de demander des nouvelles de ma fille.

— Absolument pas.

Honour n'avait pas l'habitude d'avoir peur et ignorait quelle attitude adopter. Rose avait l'air de chercher les problèmes, car, si elle avait voulu voir Adèle, elle aurait déployé son charme au lieu de se montrer menaçante. On devait encore la trouver très séduisante. À trente-sept ans, elle avait un peu épaissi, mais sa silhouette demeurait belle et ses yeux étaient magnifiques. En revanche, son teint était grisâtre, ses dents peu soignées et ses cheveux blonds ressemblaient à de la paille. Une dureté impitoyable émanait de toute sa personne.

— Tu as perdu tes droits envers Adèle quand tu as été internée, souligna Honour avec fermeté. Si j'avais appris que tu la maltraitais, je serais venue la chercher. Il n'est pas question que tu resurgisses dans sa vie pour la détruire.

— Qui te dit que je veux resurgir dans sa vie ? Je désire juste prendre de ses nouvelles.

— Où es-tu allée après t'être échappée de l'asile ?

Rose s'assit sur le bras du canapé, croisa les jambes et envoya la cendre de sa cigarette en direction du poêle, qu'elle rata.

— À Londres, bien sûr.

Honour lui arracha la cigarette des mains et la jeta dans le poêle.

— De quoi vivais-tu ?

— De petits boulots, répondit-elle vaguement.

Honour se hérissa. Vu son allure tapageuse, elle aurait aussi bien pu faire le trottoir.

— Et ton mari, Jim Talbot ? Où est-il ?

— Comment le saurais-je ? Il a fichu le camp le jour où ils m'ont emmenée. Parle-moi d'Adèle. Tu as une photo d'elle ?

— Non. Elle fait des études d'infirmière. Elle est heureuse. Alors, va-t'en et ne reviens jamais.

— Elle a un petit copain ? s'enquit Rose calmement comme si elle n'avait pas entendu les paroles de sa mère.

— Oui, répondit Honour d'un ton guindé. Un jeune homme très bien. Ne me demande pas où elle travaille. La dernière chose dont elle a envie, c'est de te voir.

— Qu'en sais-tu ? dit-elle d'un air méprisant. Je parie que tu l'as étouffée. Les filles n'aiment pas ça, tu sais.

— Je ne t'ai pas étouffée, répliqua Honour, indignée.

— Si. Je devais manger ce que tu voulais, faire ce que tu voulais, aller où tu voulais. Je n'ai jamais eu le choix. Tu m'as arrachée d'une bonne école pour m'installer ici. « Nous allons vivre à la campagne, ce sera une aventure passionnante », minauda-t-elle en imitant Honour. La campagne ! Ces foutus marais, oui ! Avec le vent qui hurle et pas un chat à des kilomètres à la ronde. L'aventure ! C'était l'enfer. Quel genre de mère étais-tu ?

— Tu aimais passer les vacances ici, se défendit Honour. Quand nous avons perdu le magasin, nous n'avions pas d'autre solution.

— Si ! Nous aurions pu habiter avec mamie. J'avais onze ans, à l'époque, tu t'en souviens ? Je n'étais pas un bébé. Je comprenais ce qui se passait. Papa et toi étiez enchantés de vous éloigner de la famille et des amis, mais pas moi. Pourquoi papa n'a-t-il pas cherché un travail comme tout le monde ?

— Tu te crois en position de critiquer les décisions de ton père après ce que tu as fait vivre à Adèle ? Elle avait douze ans quand sa sœur est morte et tu lui as reproché cette mort. Plus tard, tu as essayé de la tuer. Lorsqu'elle est arrivée ici, elle était tellement malade que j'ai cru la voir mourir. J'ai pensé qu'elle ne se remettrait jamais des chocs qu'elle avait subis. Tu l'as maltraitée ! Toi, depuis ta naissance, nous t'avions choyée.

Honour marqua une pause pour reprendre sa respiration.

— Je sais à quoi tu joues. Tu voudrais faire croire que ta conduite envers Adèle est ma faute et que je te dois quelque chose. Eh bien, ça ne marche pas. Tu étais une petite peste égoïste qui a volé ses parents et s'est enfuie avec un amant. Quand il agonisait, ton père réclamait ta présence en pleurant. Je ne te le pardonnerai jamais.

— Quand est-il mort ?

— En janvier 1921 ! cracha Honour. Il a retrouvé la raison peu après ton départ. La guerre a brisé son âme et toi, tu lui as brisé le cœur.

À ce moment-là, Rose cessa de se montrer insolente.

— Je pensais vous envoyer de l'argent. Mais rien ne s'est déroulé comme prévu. Tu ne sais pas par quoi je suis passée.

— Oh si, je le sais ! Tu t'es enfuie avec un homme riche en pensant qu'il t'épouserait. Mais il a décampé en apprenant que tu étais enceinte. Alors tu as épousé Jim Talbot et tu as fait payer ton erreur à Adèle pendant toute son enfance.

Elle sut à l'expression de Rose qu'elle avait raison.

— Dans la vie, on est libre de ses choix. Seulement, il y a

toujours le revers de la médaille : on doit assumer les conséquences de ses actes et ne pas en rejeter la responsabilité sur les autres.

— Dis-moi seulement comment va Adèle et je disparaîtrai, souffla Rose d'un ton maussade. Elle est bonne élève ?

— Oui, elle est brillante, comme tu l'étais. C'était dur quand elle a quitté l'école, il n'y avait pas de travail, mais elle a trouvé un emploi de gouvernante et maintenant elle étudie pour être infirmière. Elle adore son métier, elle est faite pour ça.

— Comment est-elle ?

— Elle est grande, les cheveux châtain clair et elle est ravissante, déclara Honour avec fierté. Elle n'a pas ta beauté spectaculaire, mais les gens l'aiment bien, elle est gentille, travailleuse, joyeuse. Et si tu veux lui rendre service, ne l'approche pas.

Au grand étonnement de Honour, Rose ne se rebiffa pas.

— Je m'en vais. Je suis désolée si je t'ai contrariée.

Honour acquiesça et ouvrit la porte sans un mot. Rose partit en clopinant sur ses talons hauts. À travers les buissons, Honour observa sa fille qui descendait l'allée. Elle s'arrêta pour allumer une cigarette puis reprit sa route. Lorsqu'elle la vit disparaître au bout du chemin, elle expira profondément.

Ses jambes flageolaient, elle transpirait et son cœur battait à tout rompre. En verrouillant la porte de derrière, elle se mit à pleurer. Elle ne s'était jamais sentie aussi seule, ni aussi désemparée.

15

Une Ford noire stationnait près de la rivière, au bout de l'allée. Johnny Galloway reposait son bras contre la vitre ouverte. Rose monta dans la voiture du côté passager.

— Tu l'as vue ?

— J'ai vu ma mère, répondit-elle d'un air sombre. Mais pas Adèle. Elle travaillait.

Vêtu d'un costume aux couleurs criardes, petit, maigre et nerveux, Johnny Galloway ressemblait à un furet avec ses cheveux noirs gominés, lissés en arrière. Il en avait aussi le comportement : il se cramponnait à Rose et en satisfaisait tous les caprices.

Ils s'étaient rencontrés trois mois auparavant au Grapes, un pub de Soho proche du restaurant où Rose occupait un emploi de serveuse. Elle savait que Johnny était un vaurien, comme la plupart des clients du Grapes. Analphabète, il était assez intelligent pour cacher ses activités criminelles derrière deux affaires légales de façade. Lors de leur première soirée, il n'avait pas cessé de remplir le verre de Rose jusqu'à la fermeture en lui répétant qu'elle était belle et, plus tard, il lui avait payé un taxi pour rentrer chez elle sans insister pour l'accompagner. Du coup, Rose l'avait trouvé très intéressant.

Elle n'avait aucun scrupule à coucher avec un homme si ça l'aidait à ouvrir son portefeuille. Mais, après le deuxième verre, elle comprit que Johnny était différent. Il se montrait très attentionné et généreux, et Rose décida de mettre le paquet. Elle organisait un rendez-vous puis lui posait un lapin. Elle l'embrassait passionnément, puis prétendait ne pas pouvoir aller plus loin tant qu'elle n'était pas sûre de lui. Parfois, elle n'ouvrait pas la bouche, à d'autres moments, elle pétillait comme du champagne.

Le mélange de sa voix aux intonations snobs, de ses bonnes manières et de sa sensualité dépravée intriguait et fascinait les hommes. Mais pour Johnny elle avait ajouté une autre dimension à son personnage : celle de l'honnête femme trahie. En laissant échapper que son mari l'avait fait interner afin de mettre la main sur son argent, elle avait suscité la compassion de Johnny. Quand elle racontait en plaisantant son évasion de l'asile, elle se présentait comme rusée et courageuse. Johnny mit son alcoolisme sur le compte du chagrin causé par la mort de sa fille cadette et par l'absence de l'aînée, confiée à la garde de sa mère. Cette vision des choses arrangeait bien Rose.

En revanche, elle ne s'attendait pas que Johnny eût bon cœur. Il se mit en tête de réunir Rose et Adèle, persuadé que cette rencontre lui remonterait le moral. Elle souleva toutes les objections possibles et imaginables, affirmant que sa mère avait dû raconter des horreurs à Adèle pour la pousser à la détester. Mais

Johnny assura que si elle se présentait à l'improviste, Adèle se rendrait compte de la fourberie de sa grand-mère.

Rose se retrouva dans une situation délicate. Elle était morte de trouille à l'idée d'affronter sa mère et n'avait aucune envie de voir Adèle, mais si elle ne suivait pas les conseils de Johnny, il risquait de la soupçonner de mensonge. Elle ne voulait pas le perdre, il la couvrait de cadeaux et lui donnait du bon temps. Aussi, quand il lui proposa de la conduire à Rye, elle se sentit obligée d'accepter.

Arrivée devant le cottage, elle aurait pu tourner les talons et lui raconter qu'il n'y avait personne, mais pour une raison incompréhensible elle éprouva l'envie irrésistible d'aller jusqu'au bout. Était-elle poussée par la curiosité ou par le faible espoir que sa mère serait enchantée de sa visite ? Elle n'aurait pu le dire.

— Ta mère a été correcte avec toi ? demanda-t-il après avoir allumé une cigarette, qu'il lui tendit.

— Non, c'est une vraie peau de vache, répliqua Rose, tirant sur sa cigarette comme une malade car elle tremblait encore, sous le coup de l'épreuve. Elle a toujours été folle de rage que mon père me laisse son argent. Elle n'a jamais cru que Jim s'était tiré avec quand il m'a fait interner. À présent, elle m'interdit de voir ma fille par dépit. Elle oublie que j'ai dû vivre dans un taudis et m'épuiser à la tâche pour leur envoyer de l'argent.

— Ne te tracasse pas, ma jolie, la réconforta Johnny, un bras sur son épaule. Au moins, tu as essayé. Lorsque ta fille apprendra ta visite, elle sera aux anges.

— Cette vieille teigne n'en soufflera pas un mot, grommela Rose d'un ton maussade. Quelle idée stupide ! Je n'aurais pas dû t'écouter.

— Ne te décourage pas aussi vite. Tu l'as prise au dépourvu. Ma vieille m'engueulait chaque fois que je me pointais, mais le lendemain elle était douce comme un agneau. Si on passait la nuit dans le coin ? Tu reviendras demain matin. Elle aura réfléchi et je parie qu'elle te recevra bien.

Rose posa sa tête sur l'épaule de Johnny et se força à pleurer pour être consolée. Cette entrevue ombrageuse avec sa mère la confortait dans sa conviction que Honour était sans cœur.

Cependant, elle ne s'était pas attendue à être aussi

bouleversée. Avant de franchir le seuil du cottage, tout était clair dans sa tête. Elle voulait avoir la confirmation que la maison de son enfance était un taudis, que la gamine qu'elle n'avait jamais aimée était désagréable et que sa vie aurait été un enfer si elle ne s'était pas enfuie.

Mais le cottage n'avait rien d'un taudis. Simple, il était dénué de tout confort moderne, pourtant il possédait un charme rustique, et une bonne odeur de cire et de savon flottait dans l'air. Les souvenirs avaient afflué, souvenirs dont elle se serait bien passée ! Et, de toute évidence, sa mère éprouvait de l'amour envers Adèle pour la protéger avec autant d'acharnement.

— Allez, allez, la réconforta Johnny. À Hastings, nous trouverons une pension de famille pour la nuit. On se promènera sur la jetée et on s'amusera. J'aime cette ville, j'y allais souvent quand j'étais gosse.

Rose n'avait pas envie de coucher avec lui. Mais si elle insistait pour rentrer à Londres, il serait déçu et soupçonneux. Il était plus sage de faire semblant de réfléchir à la possibilité de retourner voir sa mère, même si elle n'en avait aucune intention. Elle renifla, essuya ses yeux avec un mouchoir.

— Je ne sais pas si j'aurai le courage de retenter ma chance. Enfin, demain je verrai peut-être les choses différemment.

Le visage de Johnny s'éclaira.

— Voilà qui est mieux ! En route pour les lumières de Hastings, d'accord ?

— Pourquoi ne pas dormir à Winchelsea ? suggéra-t-elle en montrant la colline. On pourrait prendre une chambre au pub au nom de M. et Mme Galloway.

Le visage de Johnny rayonna de plaisir et ses yeux en boutons de bottine disparurent presque complètement.

— Ce sera un plaisir, ma chérie.

Une demi-heure plus tard, ils étaient installés au bar du Bridge Inn, Johnny devant une pinte de bière et Rose devant un grand verre de rhum. Elle ignorait pourquoi elle avait proposé de venir là, peut-être un peu par nostalgie car, enfant, elle y buvait souvent un verre de limonade en terrasse avec son père. En tout cas, selon ses critères, la chambre tout en chintz rose avec un grand lit moelleux était luxueuse. Il ne lui restait qu'à avaler plusieurs verres pour montrer de l'enthousiasme.

— Ne laisse pas échapper que je suis du coin, chuchota-t-elle à Johnny. Je ne veux pas que mon Adèle apprenne que j'étais avec un homme.

— D'accord, concéda-t-il, l'air un peu perplexe. Mais si quelqu'un te reconnaît ?

— C'est peu probable, j'étais très jeune quand je suis partie. Si on nous parle, répète ce que je dis.

Personne ne leur adressa la parole, même pas la grosse fille qui se dandinait pour ramasser leurs verres sales.

— On aurait dû aller à Hastings, déclara Johnny après sa quatrième bière.

Le pub était aussi calme qu'une église. Les vieux étaient assis dans un silence complice, les chiens couchés à leurs pieds, passifs. Les seuls bruits provenaient du claquement des dominos, des quintes de toux ou d'un salut à voix basse accueillant un nouveau venu.

— On aurait pu manger du *fish and chips* et se promener sur la jetée. Je ne pensais pas que ce serait aussi sinistre, ici.

Rose aussi était déçue, malgré l'atmosphère pittoresque du pub. Petite, elle trouvait ce village merveilleux. Il n'y avait qu'une rue principale, le pub et deux boutiques, mais les vieilles maisons avaient un charme fou avec leur jardin fleuri, et tout le monde se connaissait. Elle revivait l'excitation qu'elle éprouvait dans le magasin de son père, bourré de marchandises du sol au plafond, qui servait aussi de bureau de poste. La boutique était très sombre et on y trouvait tout : de la laine, des serpillières, des seaux et des bonbons. Elle passait une bonne heure à contempler les bocaux de friandises avant de fixer son choix. Elle rêvait que c'était son magasin et qu'elle pesait les bonbons sur la grande balance en cuivre, puis les emballait dans un cône en papier.

Elle avait toujours souhaité vivre à Winchelsea pour papoter avec les passants, juchée sur la barrière d'un jardin. Sa mère avait une amie à laquelle elles rendaient visite, et sa maison lui rappelait la vaste demeure de sa grand-mère à Tunbridge. Rose se souvenait du grand piano et du jardin magnifique. Elle se demanda si elle la reconnaîtrait en se promenant dans la rue principale.

À la fermeture du pub, ils étaient ivres. Quand ils montèrent l'escalier pour regagner leur chambre, Rose pensa faire semblant de tomber dans les pommes pour éviter de coucher avec Johnny. Heureusement, sitôt au lit il s'excita tellement qu'il jouit avant de la pénétrer. Il s'endormit peu après comme une masse et Rose poussa un soupir de soulagement.

Le lit était très confortable, mais elle n'arrivait pas à s'endormir. Le silence l'oppressait et le léger bruissement des rideaux qui bougeaient dans la brise à travers la fenêtre ouverte lui rappelait les nuits d'été de son enfance. Elle revoyait son père entrant à pas de loup dans sa chambre pour la border, l'embrasser sur le front et fermer la fenêtre en cas d'averse ou de vent violent.

Rose avait appris son décès le jour où elle avait signé les papiers de tutelle à l'asile ; seul le nom de Honour figurait sur le document. Sur le moment, elle n'avait eu aucune réaction, car la dernière image qu'elle conservait de lui était celle d'un pauvre diable. Il ne souffrait plus, c'était le principal.

À présent, émue par les souvenirs et les propos de sa mère, elle éprouvait des remords. Elle se remémorait le départ de son père pour la France. Appuyé à la fenêtre du compartiment, il leur souriait en leur envoyant des baisers. Il ne s'était jamais montré distant ni sévère comme les pères de ses amies. Il était toujours si chaleureux, si affectueux ! Intelligent et bienveillant, il pensait qu'il fallait profiter de la vie au maximum. « Mes deux femmes préférées », disait-il en les serrant dans ses bras. C'était triste qu'il ait passé les deux dernières années de sa vie sans savoir où elle était.

— Qu'est-ce qu'on fait aujourd'hui ? demanda Johnny le lendemain au petit déjeuner.

La patronne avait dressé une table dans le bar et le soleil coulait à flots par les fenêtres ouvertes. Johnny était satisfait. Ils venaient de faire l'amour et, au grand étonnement de Rose, elle y avait pris du plaisir. Finalement, la perspective de passer le week-end avec Johnny se révélait plutôt séduisante.

— Je ne crois pas que je gagnerais quoi que ce soit à retourner chez ma mère, déclara-t-elle en raclant le reste du jaune d'œuf avec un morceau de pain. Il vaut mieux que je lui écrive. Allons à Hastings, la journée est magnifique.

— Super ! s'écria Johnny avec un large sourire. Tu verras, je suis un as de la carabine au stand de tir.

— Mais avant, j'aimerais me balader un peu, voir ce qui a changé.

— Vas-y. Pendant ce temps, je réglerai la note et je t'attendrai au soleil. Sauf si tu désires que je t'accompagne ?

— Non, je préfère être seule.

Elle appréciait qu'il respecte son besoin de solitude. Il n'avait pas non plus insisté pour l'accompagner voir sa mère. Si les hommes avaient compris ce besoin, ses relations auraient duré plus longtemps.

Sa promenade la transporta dans le passé. Les rosiers grimpants sur les façades des cottages, les chats affalés au soleil sur le rebord des fenêtres, le rouge délavé des vieilles tuiles, les portes grandes ouvertes pour laisser entrer l'air frais : rien n'avait changé depuis son enfance. Rye avait toujours été une ville animée, pleine de monde, d'agitation et de bruits. Winchelsea était sa voisine endormie. Pour un samedi matin, il y avait peu de passants : deux femmes avec un panier et un vieillard appuyé sur une canne. Elle entendit une radio et des enfants jouer dans un jardin. L'atmosphère était si paisible qu'elle percevait aussi le chant des oiseaux et le bourdonnement des insectes.

Rose reconnut immédiatement la maison où elle se rendait avec sa mère et les lettres peintes décolorées indiquant son nom : Harrington House. Le seul changement notable était la présence des voitures. Il y en avait une superbe, aux lignes épurées, stationnée devant la maison. La dame qui habitait là, Mme Whitehouse, donnait souvent à Honour les vêtements de sa propre fille. Rose se rappelait une robe en velours bleu qu'elle adorait. Mais, dans les marais, Honour n'avait pas vraiment l'occasion de la porter.

Rose traversa la rue pour acheter des cigarettes au bureau de poste. Il y avait toujours les bocaux de bonbons sur les étagères et la laine à tricoter, mais la boutique avait perdu le côté caverne d'Ali Baba gravé dans sa mémoire. Elle acheta un paquet de Woodbines et une carte postale de Winchelsea.

— Vous nous avez apporté le soleil, déclara la vendeuse en lui souriant. Ils ont annoncé que le beau temps continuerait quelques jours.

Bien en chair, avec un visage rouge et jovial et des cheveux noirs tirés en arrière, la commerçante avait environ le même âge que Rose. Elle n'avait pas l'accent du coin et Rose, convaincue qu'elles n'avaient pas été à l'école ensemble, s'attarda.

— Je venais ici quand j'étais petite, confia-t-elle. Il n'y a aucun changement.

— Il ne se passe pas grand-chose, confirma la femme avec une petite grimace. Nous avons acheté ce magasin avec mon mari il y a dix ans et je pourrais vous raconter tous les événements qui se sont passés pendant cette période. Rien de bien palpitant, des naissances, des mariages et des enterrements.

— Il y avait une dame, Mme Whitehouse, qui vivait à Harrington House. Elle y habite encore ?

— Non, elle et son mari sont morts il y a quelque temps. C'est leur fille qui occupe la maison, maintenant.

Rose réalisa que la robe en velours bleu appartenait à cette fille et en fut intriguée.

— Comment est-elle aujourd'hui ? Je me souviens d'une belle femme élégante.

— Oh, elle l'est toujours. Quoiqu'un peu toquée.

— Ah bon...

Ravie de cancaner, la commerçante s'accouda au comptoir.

— On sait qu'elle est séparée de son mari, mais elle prétend que tout marche comme sur des roulettes. Il vient la voir le week-end pour sauver les apparences.

— Pourquoi font-ils semblant d'être toujours ensemble ?

— M. Bailey est avocat.

À ce nom, les cheveux de Rose se dressèrent sur sa tête.

— Je pense qu'il a peur du scandale. Les hommes importants sont comme ça, paraît-il.

— Pouvez-vous me répéter son nom ?

Ce ne pouvait pas être le Bailey qu'elle connaissait ! Lui aussi était avocat et il avait parlé une fois de parents à Winchelsea.

— Bailey, Myles Bailey.

En voyant Rose bouleversée, elle rougit.

— Mon Dieu ! Mon mari me conseille toujours de réfléchir avant d'ouvrir la bouche. C'est un ami à vous ?

— Non, non, s'empressa de répondre Rose. Il s'agit d'un autre Bailey. Je dois y aller, on m'attend.

Rose eut la nausée en retrouvant la chaleur du soleil. Elle se hâta vers le pub, s'assit sur un banc à l'ombre et ouvrit son sac d'une main tremblante pour prendre une cigarette.

Bailey était un nom courant, mais pas Myles. C'était bien lui, même s'il vivait dans le Hampshire quand elle l'avait rencontré. Lorsqu'il avait mentionné des parents à Winchelsea, elle avait pensé qu'il s'agissait de lointains cousins. Il est vrai qu'un homme marié en goguette désireux de séduire une jeune serveuse ne va pas pérorer sur ses beaux-parents.

— Te voilà !

La voix de Johnny la fit sursauter.

— Tu t'es bien promenée ?

Elle acquiesça, incapable de parler.

— Qu'est-ce que tu as ? demanda-t-il en l'observant. Tu es blanche comme un linge !

— J'ai un peu mal au cœur. Les œufs frits du petit déjeuner me sont restés sur l'estomac. Tu peux m'apporter un verre d'eau ?

16

Devant l'évier de l'arrière-cuisine, Honour sourit intérieurement. Michael et Adèle étaient assis sur une couverture sous le pommier du jardin, et elle devinait que le petit paquet qu'il lui offrait contenait une bague de fiançailles.

Elle trouvait de bon augure que le soleil soit revenu pour les dix-neuf ans d'Adèle. Après la vague de canicule du mois de juin, quand Rose était arrivée à l'improviste, il n'avait pas cessé de pleuvoir. Depuis cette visite, Honour avait broyé du noir, redoutant une autre visite intempestive de sa fille. Si seulement elle était arrivée à comprendre pourquoi et comment elle était venue ! Ce devait être en voiture, car le bus arrivait plus tôt et elle ne pouvait pas avoir marché depuis Rye avec ses hauts talons. Voulait-elle être pardonnée ou ses intentions étaient-elles plus menaçantes ?

À moins qu'elle ne soit passée par hasard dans le coin avec un ami et n'ait éprouvé l'envie de venir la voir ? Mais quelle personne sensée se présenterait ainsi sans s'assurer d'être la bienvenue ? Comme la soudaine réapparition de sa fille demeurait un mystère, Honour avait décidé de ne pas en parler à Adèle.

Le cri de joie de sa petite-fille chassa ses sombres pensées et elle contempla le couple dans le jardin. Ils formaient un tableau charmant. Michael, un genou à terre, avait fière allure avec son nouvel uniforme de la Royal Air Force, et Adèle était jolie comme un cœur dans sa robe rose et blanc. Honour essuya une larme du coin de son tablier. Frank lui avait offert une bague de fiançailles tressée de pâquerettes, car il devait d'abord demander la main de la demoiselle à son père. Ils étaient à une fête donnée par le club de tennis et avaient échappé à leur chaperon tout l'après-midi. Si on avait su qu'ils s'étaient embrassés, ils auraient eu de sérieux ennuis.

Elle avait désiré Frank passionnément dès leur premier baiser et ce n'est que par manque d'occasion qu'elle arriva vierge à son mariage. Michael et Adèle étaient pareils. Le courant entre eux était palpable, ils cherchaient toujours à se prendre la main, leurs corps semblaient osciller ensemble quand ils marchaient. Ils auraient de la difficulté à vivre de longues fiançailles, mais, avec la menace de la guerre, se marier rapidement n'était pas raisonnable.

— Mamie ! cria Adèle. Viens voir !

Honour se composa un visage impassible.

— Je suis occupée, lança-t-elle du seuil de la porte.

— C'est important ! s'écria sa petite-fille d'une voix vibrante d'émotion. Michael m'a demandée en mariage et il m'a offert une bague.

Composée d'un saphir entouré de minuscules diamants, elle était splendide et avait dû coûter une fortune. Honour allait dire qu'il aurait été plus sage d'avoir placé cet argent à la banque pour préparer leur vie de couple, mais l'expression peinte sur le visage de Michael l'arrêta. Il regardait Adèle avec une telle tendresse que Honour ne put déprécier son cadeau.

— Elle est magnifique. Je vous souhaite d'être toujours aussi heureux.

— Vous êtes donc d'accord ? s'enquit Michael avec anxiété. J'aurais dû vous demander d'abord, mais je ne savais pas comment m'y prendre.

— Je suis enchantée, assura-t-elle. Tu seras un excellent mari pour ma petite-fille. Je n'aurais pas pu en choisir de meilleur.

Michael avait pensé à tout. Il avait apporté une bouteille de champagne dans une glacière et de vraies flûtes. Ils le burent dans le jardin. Très vite, Adèle se mit à pouffer car l'alcool lui montait à la tête.

— Je ne veux pas assombrir votre bonheur, avança Honour un peu plus tard, mais quand vas-tu en parler à tes parents, Michael ?

— Demain. Nous nous réunissons pour le week-end, c'est l'occasion rêvée. Je suggérerai que, lors de la prochaine réunion familiale, Mère invite Adèle pour la présenter officiellement.

Michael avait l'air très sûr de lui. Le cœur de Honour se serra.

— C'est très bien, Michael.

Michael lui prit la main.

— S'ils ne sont pas d'accord, je m'en moque. Ce sont eux qui auront le plus à perdre. Ils ne me reverront plus.

Honour admira son courage et le lui dit.

— Mais vas-y doucement, lui conseilla-t-elle. Il serait peut-être plus avisé de les laisser réfléchir avant d'insister pour qu'ils invitent Adèle.

— Mamie a raison, renchérit Adèle. Il ne faut pas leur forcer la main. Je préférerais d'abord rencontrer ta mère.

— Elle ne posera aucun problème, assura Michael en lui caressant la joue. Il y a quelques semaines, je lui ai dit que je te voyais.

— Tu ne m'en as pas parlé ! s'écria Adèle, indignée.

— Est-ce que tu me racontes absolument tout ? demanda-t-il en souriant.

— Je t'épargne le plus ennuyeux. Comment a-t-elle réagi ?

— Elle ne l'a pas mal pris.

— Ton père ne sera pas aussi accommodant. Il me considère

comme une ancienne domestique qui lui a donné du fil à retordre.

— Peut-être, seulement il ne manque pas de bon sens. Nous ne sommes plus à l'époque victorienne, une guerre se prépare et il sait que son refus renforcerait ma détermination.

Le lendemain soir, lors du dîner familial, Michael se sentait très optimiste. Ses parents étaient détendus, son frère et sa sœur semblaient heureux de se retrouver en famille et Mme Salloway, la gouvernante, s'était surpassée en préparant une délicieuse tourte à la viande de bœuf et aux rognons accompagnée de légumes frais du jardin.

La flamme dansante des bougies, l'argenterie étincelante et la brise douce et chaude pénétrant par les fenêtres ouvertes créaient une atmosphère propice pour son annonce. L'opposition éventuelle de ses parents à son mariage ne le tracassait pas. Trois ans à Oxford et sa nouvelle vie dans la Royal Air Force, où il côtoyait des hommes venant de tous les horizons, l'avaient endurci. Il espérait même parfois bénéficier d'un prétexte qui lui permettrait de prendre ses distances par rapport à sa famille, car le jeu ridicule de ses parents l'exaspérait. Il trouvait également Ralph et Diana d'un snobisme épouvantable.

C'était uniquement pour Adèle qu'il allait se battre. Il refusait qu'elle éprouve un sentiment d'infériorité. Elle valait bien mieux que toute sa famille réunie et la pensée qu'ils puissent la mépriser le rendait furieux.

Son père présidait en bout de table, s'enivrant de vin rouge comme si l'alcool l'aidait à passer le week-end avant de courir retrouver sa maîtresse. Diana, qui chipotait dans son assiette, ressemblait à sa mère comme deux gouttes d'eau. Ses cheveux d'un blond vénitien, ses yeux bleus et sa robe en mousseline lui donnaient la même élégance. Malheureusement, elle avait hérité de son père ses manières guindées et son côté caustique.

Son mari, David, était peu avenant. Maigre, les épaules voûtées, le menton fuyant, il commençait à se dégarnir. Mais il n'avait pas eu besoin d'être séduisant pour attirer Diana, la fortune familiale avait suffi.

La femme de Ralph, Laura, avait beaucoup grossi ces derniers temps. Michael l'aimait bien, elle était paresseuse et lymphatique, mais elle avait bon cœur et aurait mérité mieux que son tyrannique mari. Dans sa robe de soie vert pâle, avec ses cheveux blonds coiffés en boucles lâches, elle arborait un côté angélique qui ne manquait pas de charme.

Ralph, occupé à se servir pour la troisième fois, s'empiffrait comme s'il n'avait pas mangé depuis une semaine. Lui aussi grossissait à vue d'œil, ce que Diana lui avait fait remarquer. Il était avide de tout, d'argent, de nourriture et d'attention.

Leur mère, impeccable comme d'habitude, portait ses cheveux sévèrement tirés en arrière et enroulés en deux macarons lisses. Michael trouvait qu'elle avait l'air d'une téléphoniste et supposa qu'il s'agissait de la coiffure dernier cri, car elle étudiait constamment les magazines de mode. Elle était vêtue d'une robe couleur lilas à manches bouffantes de petite fille. Michael avait noté qu'elle s'habillait toujours de façon à paraître jeune et vulnérable quand Père lui rendait visite. Elle s'était abstenue de boire, sans doute parce que son mari avait été agréable avec elle toute la journée.

Michael ne voyait pas ce qu'Adèle pourrait avoir de commun avec eux.

Mme Salloway vint desservir. Michael l'appréciait beaucoup, c'était un vrai cordon-bleu, doublé d'une femme posée qui savait s'y prendre avec sa mère.

— Votre tourte était succulente. Qu'avez-vous préparé pour le dessert ?

— Un pudding aux cassis, répondit-elle avec un large sourire. J'espère qu'il sera bon car la saison est presque terminée.

— Je suis persuadé qu'il sera délicieux.

Quand elle quitta la pièce, Ralph lui adressa un regard dédaigneux.

— Pourquoi faut-il toujours que tu lèches les bottes du personnel ? On les paie pour leur travail.

— Les domestiques aussi ont besoin d'être appréciés, souligna Michael en s'efforçant de cacher son irritation. Si Mme Salloway partait, Mère aurait beaucoup de mal à la remplacer.

— C'est vrai, approuva Myles. Elle serait obligée de prendre n'importe qui, comme cette épouvantable fille des marais.

— Elle n'était pas épouvantable ! rétorqua Michael, horrifié qu'Adèle se présente ainsi dans la conversation.

— Michael a raison, Myles, intervint sa mère. Elle m'a manqué quand elle est partie. Elle était vive, joyeuse et avait un cœur d'or. Mme Salloway est une meilleure gouvernante, mais elle est un peu sinistre.

Michael réfléchit à toute vitesse. Le soutien de sa mère l'encourageait à parler, cependant elle risquait de changer d'avis s'il faisait son annonce tout de suite. Par ailleurs, s'il différait la nouvelle de ses fiançailles, il trahirait son amour pour Adèle. Il prit une inspiration profonde.

— J'avais pensé attendre le digestif, déclara-t-il en regardant sa famille, mais, vu les circonstances, je vous l'annonce maintenant. Hier, j'ai demandé à Adèle Talbot de m'épouser et elle a accepté.

— Qui est Adèle Talbot ? s'enquit Diana en plissant son nez pointu.

— Cette épouvantable fille des marais ! railla Ralph. Bon Dieu, tu nous fais marcher, Michael !

— L'ancienne domestique de maman ? glapit Diana. Ce n'est pas possible !

Tous les visages autour de la table étaient pétrifiés d'horreur. Même Laura, sur qui il avait compté, était choquée. Sa mère paraissait paniquée.

— Je connaissais Adèle bien avant qu'elle vienne aider Mère, poursuivit Michael en s'efforçant de garder une voix ferme. Je l'ai rencontrée quand elle avait quatorze ans. À l'époque, c'était juste une amie et vous devriez être reconnaissants de la façon dont elle s'est occupée de Mère. À présent, elle est infirmière. Je suis resté en contact avec elle et notre amitié s'est transformée en amour. Nous sommes fiancés et, avec ou sans votre accord, je l'épouserai.

— Elle est ordinaire, répliqua Diana, la bouche tordue de mépris.

— Ce n'est pas mon avis, intervint Emily en lui lançant un regard désapprobateur. Elle est plutôt singulière. Ma mère appréciait beaucoup Honour, sa grand-mère. Elle disait toujours que son prénom la définissait. Néanmoins, continua-t-elle en se tournant vers son fils, je ne peux pas approuver ce mariage.

Personnellement, je n'ai rien contre elle, mais ce n'est pas une fille convenable pour un garçon de ton milieu.

— Merci beaucoup, Mère, rétorqua Michael de façon sarcastique. Sachez que vos critères ne signifient rien pour moi. Par convenable, j'entends une femme que j'aime, que je respecte et qui partage mes idées. Je n'en partage aucune avec vous et je ne vois pas de véritable amour autour de cette table.

— Tu es stupide, mon fils ! rugit soudain Myles. Si tu épouses cette petite arriviste des marais, tu le regretteras toute ta vie. Une excellente carrière s'offre à toi, et cette fille t'empêchera de grimper les échelons.

— Pourquoi ? Elle est aussi cultivée que moi, elle parle un anglais correct et connaît les bonnes manières. C'est une personne bien. Je ne peux pas en dire autant de vous. Inutile de prolonger cette discussion, j'épouserai Adèle avec ou sans votre bénédiction. Si vous refusez de voir en elle la femme de ma vie, je n'ai plus rien à vous dire.

Mme Salloway arriva à ce moment-là avec un énorme pudding. Elle n'avait pas entendu la conversation et souriait. Incapable de rester dans cette atmosphère étouffante, Michael se leva.

— Où vas-tu ? s'écria sa mère en se levant à son tour.

— Loin de vous tous, fit-il d'un ton sec. Je vais retrouver des personnes qui se soucient de mon bonheur.

Il monta au premier, jeta ses affaires dans une valise, attrapa son uniforme et redescendit. Il ouvrait la porte d'entrée lorsque sa mère se précipita sur lui.

— Ne pars pas, le supplia-t-elle, les larmes aux yeux. Tu es tout ce que j'ai.

— C'est faux. Vous avez deux autres enfants malheureux en ménage et quatre petits-enfants.

— Tu sais bien que tu as toujours été mon préféré, l'implora-t-elle en se tordant les mains. Je ne supporterai pas de te perdre.

— Si vous voulez me garder, vous devrez accepter Adèle. Quand vous serez prête, faites-le-moi savoir.

Sa mère éclata en sanglots. Elle se tenait toujours sur le seuil de la porte quand il démarra.

Sur la route, Michael se rendit compte qu'il n'était pas en état de conduire. Totalement bouleversé, il risquait d'avoir un accident. Il décida de se rendre à Curlew Cottage. Adèle était retournée au foyer des infirmières de Hastings, mais il était persuadé que Mme Harris se montrerait bienveillante et lui offrirait l'hospitalité pour la nuit.

La lampe à huile était allumée lorsqu'il se gara au bout de l'allée. Elle écoutait probablement la radio, et il espéra ne pas l'effrayer par son arrivée aussi tardive.

— C'est moi, Michael ! cria-t-il en frappant à la porte. Je suis désolé de vous déranger.

Honour lui ouvrit, vêtue d'une robe de chambre.

— Adèle est repartie ce matin, dit-elle, étonnée.

— Je sais. Puis-je entrer ?

Pendant son récit, il fut frappé par le calme avec lequel Honour l'écouta exposer les grandes lignes de sa difficile situation. Elle ne l'interrompit pas, ne manifesta aucune peine quand il expliqua que ses parents ne jugeaient pas Adèle assez bien pour lui.

— Je ne devrais pas vous raconter tout ça. J'ai honte de ma famille, conclut-il.

— Tu n'y peux rien, tout comme Adèle ne peut pas changer ses origines, répondit Honour sèchement. Leur réaction ne me surprend pas, je m'y attendais. Si j'étais restée à Tunbridge, j'aurais été révoltée que ma fille désire épouser un garçon issu d'un milieu modeste.

Elle se leva, tisonna le feu, puis mit de l'eau à chauffer.

— Si tu souhaites dormir ici cette nuit, il n'y a pas de problème. J'admire énormément ton courage et ta loyauté envers ma petite-fille, mais je veux que tu réfléchisses avec soin avant de te couper de ta famille.

— Nous fonderons notre propre famille.

— C'est ce que tu crois aujourd'hui, fit remarquer Honour en préparant le thé. Quand tu auras des enfants, ton point de vue sera différent. J'étais fille unique et il m'est arrivé de penser que j'ai privé Rose de l'amour et de l'attention de mes parents en venant m'installer ici.

— Essayez-vous de me dire que nous ne devrions pas nous marier ? demanda Michael avec incrédulité. J'ai du mal à croire qu'une personne aussi forte et franche s'incline devant les préjugés ridicules de ma famille.

— L'arbre le plus solide est celui qui plie, rétorqua-t-elle. Je ne désire pas te décourager, je te conseille juste d'être prudent et de ne pas brûler tes vaisseaux.

— Vous me conseillez t'attendre ? D'espérer qu'ils changeront d'avis ?

Honour haussa les épaules.

— Il n'y a pas que tes parents. La guerre va éclater. Tu seras aux premières loges en tant que pilote. Qu'arrivera-t-il si tu es tué et qu'Adèle reste veuve avec un enfant ? Tant que je serai en vie, je l'aiderai, mais l'année prochaine j'aurai soixante ans. Je ne suis pas éternelle.

— Que me suggérez-vous ? Je ne me vois pas révéler à Adèle l'hostilité de ma famille. Et je ne retournerai pas chez eux pour quémander leur accord.

Elle lui versa une tasse de thé, puis le regarda d'un air sévère.

— Raconte juste à Adèle que tu as mis tes parents au courant de tes projets et qu'ils ne se sont pas montrés très enthousiastes ; cela ne l'étonnera pas. Ensuite, écris à ton père et à ta mère que leur comportement t'a attristé et demande-leur de donner une chance à Adèle. Tu peux aussi annoncer tes fiançailles officiellement dans un journal et l'épouser quand elle aura terminé ses études d'infirmière. De cette façon, vous montrerez que vous êtes sérieux.

— Et si mes parents ne changent pas d'avis ?

— Mariez-vous comme prévu en vous résignant à l'idée que je serai la seule personne de la famille présente à vos noces.

17

Janvier 1939

Michael et Adèle s'arrêtèrent devant l'hôtel Clarendon. Elle mordait sa lèvre inférieure et contemplait la façade avec inquiétude.

— Pourquoi as-tu si peur ? Je veux te faire l'amour, pas te découper en morceaux.

Adèle rit nerveusement. Elle n'avait pas peur de Michael, il était gentil, drôle, et, à ses yeux, c'était le plus bel officier de la Royal Air Force d'Angleterre. Qu'il l'aime faisait d'elle la fille la plus heureuse du monde.

Doté d'une belle grille de fer noire et d'une volée de marches en marbre, l'hôtel l'impressionnait. Ils n'étaient qu'à cinq minutes à pied des jardins de Kensington, dans un très beau quartier de Londres.

— Je n'ai pas peur de toi, j'ai peur des gens de l'hôtel, qui risquent de ne pas croire notre mensonge.

— Les hôteliers s'en moquent, assura Michael en se penchant pour l'embrasser. Surtout à Londres. De nombreux types de mon escadrille sont venus ici, et ils disent que le propriétaire a un pied dans la tombe.

On était le 15 janvier 1939 et depuis leurs fiançailles, six mois auparavant, ils s'étaient à peine vus. Adèle était toujours de service les jours où il avait un congé et, plusieurs fois, quand leurs dates correspondaient, la permission de Michael avait été annulée à la dernière minute. Il faisait parfois un saut à Hastings, mais ils ne disposaient que de deux heures car le règlement du foyer des infirmières était très strict.

Ces instants volés devenaient pénibles, ils mouraient d'envie de se retrouver seuls dans un endroit chaud et confortable. Rester dans la voiture de Michael sur un chemin de terre retiré était parfait pendant l'été, mais pas très engageant les soirées d'hiver. Ils n'avaient même pas passé Noël ensemble car Adèle travaillait. Aussi, lorsque Michael l'avait rejointe à Hastings pour lui donner son cadeau, il avait suggéré d'aller à l'hôtel lors de son week-end de libre en janvier.

Il avait déclaré qu'il ne la pousserait pas à faire l'amour, il voulait juste passer plus de temps avec elle, et Adèle le savait sincère. Elle savait aussi que même si elle avait eu l'intention d'attendre jusqu'à leur mariage, c'était impossible. Chaque fois qu'ils s'embrassaient, il leur était de plus en plus difficile d'en rester là. Un jour, ils franchiraient le pas naturellement, sans prendre aucune précaution. Du coup, il était plus sage de tout prévoir et de se retrouver dans un endroit douillet et tranquille où ils pourraient rester ensemble ensuite au lieu de rentrer chacun de son côté.

— Tu es prête ? demanda-t-il en caressant sa joue de sa main gelée.

Elle lui prit la main, dont elle embrassa la paume, puis la chatouilla du bout de sa langue.

— Oui. Si nous restons dehors plus longtemps, je vais me transformer en glaçon.

Michael parla au vieil homme de la réception et signa le registre tandis qu'Adèle se tenait en retrait, s'efforçant d'adopter une attitude désinvolte. Avec ses hauts plafonds et l'escalier majestueux qui conduisait aux étages, l'hôtel l'intimidait. Cependant, la décoration était miteuse : la peinture des murs s'écaillait, les tapis étaient usés jusqu'à la trame et une légère odeur de moisi et de cuisine rance flottait dans l'air.

— Nous sommes au dernier étage, chérie, déclara-t-il de la voix snob qu'il employait quand il désirait se montrer mûr et raffiné.

Il prit leurs petites valises et passa devant elle. Ils arrivèrent au quatrième étage en haletant. Adèle s'empêcha de pouffer de rire lorsqu'une femme de chambre arrêta son aspirateur bruyant pour les observer, alors que Michael se démenait pour ouvrir la porte du 409. Pourvue d'une seule fenêtre minuscule, la pièce était sombre, meublée d'un grand lit à la courtepointe bleu marine, d'une commode et d'une penderie en bois foncé.

— C'est… ! s'exclama Adèle.

Elle n'arrivait pas à trouver ses mots.

— Sinistre ? suggéra Michael.

— Non, répondit-elle pensivement. Basique serait peut-être plus approprié.

— Au moins, il y a un radiateur électrique, constata-t-il en l'allumant.

Adèle resta debout, gênée, pendant que Michael se réchauffait les mains au-dessus du radiateur. Depuis qu'il avait réservé la chambre, elle n'avait pensé qu'à cet instant et avait réfléchi à sa tenue avec soin. Elle portait son nouveau manteau de couleur fauve avec l'étole de fourrure offerte par Michael à Noël, ses plus belles chaussures à talons et un élégant chapeau à large bord, acheté à une collègue. Au cours du trajet en train, elle avait imaginé la scène à plusieurs reprises : un tourbillon romantique et passionné les emporterait dès qu'ils franchiraient la porte de la chambre.

Mais elle se sentait bizarre, comme si Michael était un inconnu.

Il avait annoncé leurs fiançailles dans le *Times* de juillet, en lui assurant que son père – qui se présentait comme une personne à l'esprit ouvert – ne voudrait pas admettre son opposition à ce mariage devant ses amis et finirait donc par changer d'avis. En effet, peu après la parution de l'annonce, Mme Bailey avait écrit à Adèle pour l'inviter à prendre le thé. Elle s'était montrée étonnamment aimable et avait insisté sur le fait que Michael aurait dû la mettre au courant de ses fiançailles afin qu'elle puisse préparer la famille à cette nouvelle.

Elle n'accorda toutefois pas sa bénédiction car elle trouvait que Michael était trop jeune pour l'épouser, surtout avec la menace de la guerre planant au-dessus de leurs têtes. Elle souligna également que la Royal Air Force n'aimait pas que ses pilotes se marient et que le supérieur de Michael risquait de ne pas donner son accord. Elle affirma n'être pas opposée à de longues fiançailles, car elle désirait par-dessus tout le bonheur de Michael. Adèle, qui connaissait le caractère égocentrique de Mme Bailey, devina qu'elle voulait garder son fils. Au moins, elle avait fait un compromis.

M. Bailey, lui, demeurait toujours hostile. Il n'avait pas écrit à Michael, ne lui avait pas rendu visite au camp d'aviation ni même téléphoné. Michael prétendait s'en moquer, mais Adèle savait que c'était faux. Il aimait son père. Pourquoi ? Elle n'en avait aucune idée car elle le trouvait détestable, seulement elle avait l'intelligence d'admettre qu'elle ne le connaissait pas assez pour porter un jugement.

— Ça va mieux, dit Michael quand la pièce commença à se réchauffer. Alors, quel est le programme ?

La gorge d'Adèle se serra. Elle ignorait complètement comment les femmes étaient censées se comporter en pareille circonstance.

— Je ne sais pas, répondit-elle d'une petite voix.

— Qu'est-ce qui ne va pas ? s'enquit-il en se rapprochant d'elle.

— Je me sens bizarre, avoua-t-elle, tête baissée.

Il lui leva le menton.

— Et si nous allions nous promener dans le parc et déjeuner ?

Elle acquiesça. Il la serra fort dans ses bras.

— Je me sens un peu bizarre, moi aussi, admit-il. Après tout, ce n'était peut-être pas une si bonne idée.

— C'est une excellente idée. Nous voulions être seuls et nous sommes heureux d'être ensemble.

Quand ils rentrèrent à quatre heures de l'après-midi, la nuit tombait déjà. Ils s'étaient promenés dans les jardins de Kensington, avaient déjeuné puis s'étaient fait prendre en photo dans un atelier proche de l'hôtel. Le vin avait détendu Adèle et il faisait si froid qu'elle avait hâte de regagner leur chambre.

Ils avaient laissé le radiateur allumé en partant et la pièce était agréablement chauffée. Michael tira les rideaux, Adèle enleva son manteau, son chapeau et ses chaussures et s'assit sur le lit, qui grinça. Elle éclata de rire.

— Crois-tu qu'il y ait d'autres couples comme nous dans cet hôtel ?

Michael défit les boutons de sa tunique.

— Tu veux dire aussi intelligents, aussi beaux et aussi éperdument amoureux ?

— C'est ce que nous sommes ?

— Oui, et bien plus encore, assura-t-il en se glissant près d'elle sur le lit.

Adèle s'allongea. Elle était vêtue de la robe en laine vieux rose que sa grand-mère lui avait confectionnée. Elle était usée, mais la coupe lui conférait une telle élégance qu'elle ne pouvait pas s'en séparer. Michael se pencha sur elle et commença à retirer les épingles de ses cheveux.

— Tes cheveux sont comme les saisons, déclara-t-il en y passant les doigts. L'été, ils sont illuminés de mèches blondes, en automne, ils tirent sur le roux et, l'hiver, ils sont châtains avec des reflets dorés. Quand nous serons mariés, j'aimerais que tu les portes toujours dénoués.

— Ils sont trop longs et raides, ils m'arrivent à la taille.

— Tant mieux, fit-il en humant une mèche. Imaginer tes cheveux cascadant sur tes épaules nues suffit à m'exciter.

— Les hommes sont en général excités par la poitrine ou les jambes d'une femme, non ? gloussa Adèle.

— Lors de notre première rencontre, ce sont tes cheveux qui m'ont le plus frappé. Ils étaient tout emmêlés à cause du vent. J'y pensais tout le temps quand je retournais à l'école.

— Je devais ressembler à une mendiante. J'avais un vieux pantalon horrible et un pull qui avait appartenu à ma grand-mère. Je me demande pourquoi tu t'es arrêté.

— Tu faisais complètement corps avec les marais. Aussi naturelle que les plantes et les oiseaux. Je suis tombé amoureux de toi ce jour-là, je savais que tu serais une personne très importante dans ma vie. C'était pareil pour toi ?

— Je crois, oui.

Elle se rappela sa joie après leur rencontre. Michael lui avait permis de croire qu'après tout elle valait peut-être quelque chose.

— Tu étais le premier garçon auquel je parlais vraiment. Je t'ai immédiatement fait confiance sans oser espérer quoi que ce soit, car tu étais un gentleman.

— Il faudra que tu apprennes à cesser de te déprécier, ordonna-t-il en la regardant droit dans les yeux. Ta grand-mère est une dame, comme ma mère, même si elle dépouille des lapins et porte des vêtements d'homme. Comme elle, tu as de la classe. Je suis convaincu que ton père appartenait à la haute société.

236

— Parfois, j'aimerais revoir ma mère. Il y a tant de mystères que je désire éclaircir. À l'hôpital, certaines familles commencent à s'épancher quand l'un de leurs membres est malade ou sur le point de mourir. À mon avis, les gens ne devraient pas attendre une crise pour se pardonner ou exprimer leurs sentiments.

— Serais-tu prête à pardonner à ta mère ? Ou as-tu surtout envie de lui dire ses quatre vérités ?

— J'arriverais à lui pardonner si elle me donnait une explication sensée justifiant sa cruauté à mon égard. Je ne veux pas passer le reste de ma vie à ressentir de l'amertume à son sujet, comme mamie.

Michael s'appuya sur un coude et contempla Adèle. Elle n'avait aucune conscience de sa beauté tant physique qu'intérieure. Elle avait le teint de pêche d'une enfant et ses yeux, bordés de longs cils noirs, offraient un mélange extraordinaire de marron pailleté de vert. Mais c'était sa sensibilité aux autres qui l'attendrissait le plus. Elle compatissait aux malheurs de ses patients, écoutait leurs histoires et essayait de les aider de son mieux. Durant ses jours de congé, elle rendait visite à des malades qui vivaient seuls. Elle leur apportait des fruits, des friandises, des magazines. Elle s'occupait aussi des problèmes de cœur du foyer des infirmières, car ses collègues lui demandaient conseil quand elles rencontraient une difficulté.

— Je t'aime, Adèle. Et je t'aimerai toujours.

Il l'embrassa et lorsqu'elle l'attira dans ses bras, le monde autour d'eux cessa d'exister.

Adèle craignait d'avoir peur quand le moment viendrait de se déshabiller. Au contraire, emportée par l'ardeur de ses baisers et les frissons délicieux suscités par ses caresses, elle se retrouva nue sous les draps sans s'en rendre compte. C'était merveilleux de sentir le torse de Michael, qu'elle avait si souvent admiré sur la plage, pressé contre sa poitrine. Elle haleta, émerveillée lorsque ses doigts explorèrent délicatement sa peau.

Elle percevait sa nervosité. Il redoutait de l'effrayer ou de mal s'y prendre, et elle se surprit à l'encourager par des mots doux, en bougeant contre lui pour l'exciter encore plus. Elle avait conscience que le test consisterait à toucher le sexe de Michael, car c'était ce qui risquait de lui rappeler l'épisode douloureux des Sapins. Mais le gémissement de plaisir de Michael sous ses doigts dissipa ses dernières inquiétudes.

Les infirmières expérimentées discutaient parfois de sexualité avec les patientes, et elles se plaignaient souvent de la rapidité avec laquelle les hommes les pénétraient. Michael, lui, apparemment plus attentif à lui faire plaisir, prenait son temps. Ils avaient éteint la lumière mais elle distinguait son expression tendre, ses lèvres rouges et l'éclat de ses dents blanches. Le voir n'était pas nécessaire, la peau de Michael était plus douce que du satin et elle devinait les parties de son corps qui réclamaient des caresses. Elle sentait son souffle sur son visage et l'odeur de son corps, un parfum chaud et musqué de transpiration, de savon et de cigarette, et cette odeur était si délicieuse qu'elle se mit à le lécher et à le mordre pour savourer le goût salé de sa peau.

C'est Adèle qui le guida en elle. Elle avait l'impression d'être en feu, elle le désirait tant. Il batailla un peu pour mettre un préservatif et elle détourna les yeux, car son pénis était si gros et si dur qu'elle eut peur de souffrir. Mais elle n'eut pas vraiment mal. Pendant une brève seconde elle paniqua, puis la joie d'être enfin possédée compensa largement cet instant d'affolement.

— Est-ce que c'est bon ? chuchota-t-il, la bouche contre sa nuque.

— C'est merveilleux, je t'aime, Michael, murmura-t-elle.

— Oh, ma chérie ! C'est si bon, je t'aime tant, souffla-t-il tandis que sa respiration s'accélérait.

Quand il cria son nom et s'arrêta de bouger, Adèle eut la sensation d'avoir été laissée au-dessus d'un précipice. En tenant dans ses bras le corps brûlant et frissonnant de Michael, elle réalisa alors qu'il pleurait contre son épaule et comprit.

— Certains aviateurs affirment que voler est meilleur que le sexe, mais je n'ai jamais eu un vol aussi excitant que celui-là.

Adèle rit doucement.

— C'était bon aussi pour toi ? demanda-t-il.

Elle se contenta de hocher la tête. Submergée par l'émotion, elle n'arrivait pas à parler, alors elle attira son visage contre le sien et l'embrassa.

Ils se prélassèrent au lit un long moment, puis ils se douchèrent et s'habillèrent pour dîner. Il était vingt et une heures, trop tard pour aller au cinéma ou à un spectacle, comme ils l'avaient prévu. Ils se rendirent à un restaurant proche de l'hôtel qu'un ami avait indiqué à Michael et dévorèrent un assortiment de grillades accompagné d'une bouteille de vin.

— J'aimerais qu'on se marie immédiatement, déclara-t-il soudain. Je donnerais n'importe quoi pour rentrer chez nous tous les soirs.

Adèle posa sa main sur la sienne.

— Tu sais bien que c'est impossible. Je n'aurais plus de travail, car les infirmières ne peuvent pas se marier. Et la Royal Air Force n'aime pas que leurs jeunes pilotes se marient non plus.

— Ça ne m'empêche pas d'en avoir envie, répondit-il avec mélancolie. On ne sait même pas quand on passera un autre week-end ensemble.

Michael lui raconta que, dans l'ensemble, les jeunes soldats de l'armée de l'air ne pensaient pas à la guerre. Voler était leur passion et, après l'entraînement, ils jouaient au football, au rugby, ou ils s'entassaient dans des voitures et fonçaient dans un hurlement de moteur au pub du coin pour semer la pagaille. Ils se faisaient des farces, bizutaient les nouvelles recrues et, pour renforcer les liens entre les hommes de l'escadrille, le mariage n'était pas encouragé. Parler de politique était tabou, on privilégiait l'atmosphère de franche rigolade, mais Michael n'était pas dupe.

Il avait remarqué le récent réarmement massif du gouvernement, les campagnes de recrutement, et vu les nouveaux avions Hurricane et Spitfire arriver au camp. Il s'extasiait sur les performances de ces engins, qui volaient à plus de trois cents miles à l'heure. On les entraînait aussi aux combats entre avions de chasse, ils apprenaient le maniement des mitrailleuses et devaient garder le secret sur les parachutes, qui n'existaient pas auparavant. Comme lui, Adèle avait conscience que les pilotes seraient en première ligne et que cette guerre ne se déroulerait pas dans les tranchées, mais dans les airs.

Le nouveau tour pris par leur relation amoureuse avait fait réaliser à Michael que ce n'était pas la désapprobation de ses parents qui pourrait les séparer, c'était la mort.

Adèle frissonna. Récemment, à l'hôpital, les jeunes infirmières avaient suivi des formations supplémentaires concernant les blessures et les brûlures. Elle savait qu'on stockait des médicaments, des bandages et beaucoup de matériel. Elle trouva soudain que les civils baignaient dans une douce inconscience.

— Profitons au maximum du temps que nous passons ensemble, conclut-elle en s'efforçant d'être calme et gaie. Nous avons encore une nuit et toute la journée de demain. Ne pensons à rien d'autre.

Rose sortit de la station de métro Temple et s'arrêta pour consulter un plan. On était dans la première semaine de février et la neige tombée la veille recouvrait d'un épais manteau blanc les arbres et les toits. Sur les trottoirs et la chaussée, elle s'était transformée en plaques de verglas dangereuses. Il faisait un froid de canard.

Rose s'était habillée pour séduire et le regrettait amèrement, car elle ne sentait plus ses pieds dans ses escarpins à talons hauts. En automne, Johnny lui avait offert un manteau bleu au col de renard gris qui lui avait paru très chaud, pourtant le vent le transperçait. Si elle n'avait pas fixé sa petite toque avec des épingles à chapeau, elle se serait envolée dans les courants d'air du métro.

Elle aurait aimé prendre un taxi, mais il ne lui restait que dix shillings pour terminer la semaine. Si tout se passait comme prévu, elle n'aurait plus jamais à emprunter le métro de sa vie. Pour ne pas glisser, elle marcha avec précaution en s'appuyant aux murs ou aux rampes et atteignit enfin Inner Temple. Elle ne connaissait pas ce quartier de Londres et fut surprise de découvrir qu'il ressemblait à un labyrinthe de vieux immeubles, abritant chacun des dizaines d'avocats.

Elle était tombée sur l'annonce des fiançailles d'Adèle par hasard. Les gens laissaient souvent leurs journaux au restaurant où elle travaillait. Les employés les déposaient en pile dans la réserve pour les étaler sur le sol de la cuisine après l'avoir lavé.

En novembre dernier, Rose en avait emporté chez elle pour allumer le feu et elle s'était retrouvée à les feuilleter. Quand elle arriva à la rubrique des naissances, décès et mariages dans le *Times*, elle eut une pensée pour sa mère, qui lisait ces annonces par curiosité, pour voir si elle connaissait quelqu'un. Rose parcourait les noms d'un œil distrait lorsque celui de Bailey, dans la rubrique des fiançailles, retint son attention. Stupéfaite, elle lut que Michael Bailey, fils de Myles Bailey, avocat de la Couronne, originaire d'Alton dans le Hampshire, était fiancé à Adèle Talbot de Winchelsea, Sussex.

L'espace d'un instant, elle crut qu'elle allait avoir une crise cardiaque. Son cœur s'emballa et elle se mit à transpirer. Pour se calmer, elle se servit un verre de cognac.

Depuis son voyage avec Johnny à Winchelsea, Rose avait souvent songé à Myles Bailey. Une fois le choc passé, elle repensa à lui avec un humour empreint d'ironie. Il avait toujours ignoré son adresse car elle avait été très vague à ce sujet. Mais quand sa femme avait emménagé à Winchelsea, il s'était certainement rappelé sa jeune maîtresse qui habitait dans les environs. Il avait peut-être redouté qu'elle soit revenue vivre là lorsqu'il l'avait quittée.

Rose s'était amusée à l'imaginer, terrifié à l'idée de la rencontrer lors de ses visites à sa femme, et elle avait envisagé de lui adresser une lettre énigmatique à Harrington House : « Je te tiens à l'œil. » Finalement, elle y avait renoncé : ces événements étaient trop anciens pour lui créer des ennuis. En revanche, elle ne trouvait absolument rien d'amusant dans l'annonce écrite noir sur blanc devant elle. Le fils de Myles avait l'intention d'épouser sa fille. Il fallait empêcher ce mariage à tout prix !

Ils étaient frère et sœur !

Rose rédigea plusieurs lettres d'explication à sa mère pour lui demander d'arrêter le mariage, mais elle les déchira, consciente du mépris de Honour à son égard. Persuadée qu'il s'agirait d'une tentative ignoble pour gâcher les belles perspectives d'avenir d'Adèle, Honour n'en croirait pas un mot.

Rose tenta désespérément de trouver une solution à ce problème. Comme toujours quand elle était perdue, elle but de plus belle et fut incapable de réfléchir. Les semaines passaient, elle travaillait puis se soûlait tous les soirs pour oublier. Johnny la harcela de questions afin de comprendre ce qui clochait. Finalement, comme elle refusait de lui parler, il cessa de la fréquenter. Sans lui, sans ses cadeaux et l'argent qu'il lui donnait, elle sombra d'autant plus. Elle ne payait plus son loyer, se trouvait à deux doigts de perdre son emploi et, pire que tout, se sentait glisser dans le monde des ténèbres qui l'avait engloutie après la mort de Pamela.

À Noël, elle eut l'idée d'aller voir Myles. Il trouverait bien une solution. Si la situation lui donnait des cauchemars, il ne l'aurait pas volé. Elle se rendit à la bibliothèque, dénicha son adresse personnelle et celle de son cabinet dans le Bottin mondain. Quand elle vit figurer son nom dans ce gros livre relié en cuir, elle se rendit compte qu'il était devenu un homme important et prospère. Et lorsqu'elle compara la situation de Myles à la sienne, aux souffrances endurées à cause de lui, l'appât du gain surgit dans son esprit, reléguant l'aspect moral de l'affaire au second plan.

Rose se concentra sur son projet. Début janvier, elle arrêta de boire, fit des heures supplémentaires au restaurant pour payer ses arriérés de loyer, se rendit chez le coiffeur et acheta de nouveaux vêtements.

Elle avait rendez-vous avec Myles aujourd'hui. Elle s'était fait passer pour Mme Fitzsimmons, avait donné une fausse adresse à Kensington. Elle expliqua à la secrétaire qu'il s'agissait d'une affaire très délicate concernant la succession de son père et que M. Bailey lui avait été recommandé par une amie.

*

Devant l'immeuble, Rose repéra le nom de Myles gravé en lettres dorées sur un panneau à l'intérieur du porche. Elle avait dix minutes d'avance. Elle avait prévu d'arriver à l'heure pile pour éviter d'avoir à répondre à d'éventuelles questions embarrassantes, mais elle avait trop froid pour rester dehors.

Elle gravit l'escalier du vieil immeuble dont les marches en bois, usées par des milliers de visiteurs, étaient concaves et lisses. Il régnait une odeur de moisi, de vieux papiers et de livres anciens. Au dernier étage, une porte vitrée ouvrait sur une pièce meublée de chaises et d'un bureau. Un grand feu crépitait dans la cheminée.

Une femme dans la cinquantaine, portant des lunettes, lui sourit de façon accueillante.

— Je suis Mme Fitzsimmons, j'ai rendez-vous avec M. Bailey à seize heures.

— Veuillez vous asseoir, l'invita la secrétaire en se levant. Je vais l'informer de votre arrivée.

Rose résista à l'envie de retirer ses chaussures pour réchauffer ses pieds auprès du feu. À bout de nerfs, elle mourait d'envie de boire. Elle prit son poudrier dans son sac, se poudra le nez et appliqua un peu plus de rouge à lèvres. Elle se trouva à son avantage. Le col en fourrure et la toque mettaient en valeur son teint de pêche, et le voile minuscule qui s'arrêtait au-dessus de ses sourcils attirait l'attention sur ses yeux.

Elle venait de ranger son poudrier quand la réceptionniste l'informa que M. Bailey la recevrait immédiatement. Elle se leva, lissa son manteau et suivit la secrétaire dans un couloir étroit qui desservait de petites pièces dans lesquelles les gens travaillaient aussi silencieusement que dans une bibliothèque.

En voyant Myles, l'étonnement la cloua sur place. Il n'était pas grand, ni beau ni séduisant comme l'image gravée dans sa mémoire, mais rondelet, flasque, rougeaud, pratiquement chauve et de taille moyenne. Néanmoins, si elle l'avait croisé dans la rue, elle l'aurait reconnu à ses yeux. Ils n'avaient pas changé et elle n'avait jamais pu les oublier puisque Adèle avait exactement les mêmes : d'un marron pailleté de vert. Ils avaient été un rappel constant de l'homme qui l'avait détruite.

— Madame Fitzsimmons ! s'écria-t-il chaleureusement en lui tendant la main sans vraiment la regarder. Entrez, je vous en prie. Si j'ai bien compris, vous avez un problème avec la succession de votre défunt père.

Rose s'était attendue qu'il la reconnaisse sur-le-champ. Elle l'avait imaginé chanceler sous le coup de l'émotion, prononcer son nom d'une voix entrecoupée. Que rien de la sorte ne se produise renforça sa détermination à le blesser.

Elle lui serra la main, sourit et attendit que la réceptionniste soit sortie. La pièce était chaude et confortable avec un feu ronflant, des fauteuils en cuir, un bureau en acajou, des murs tapissés de gros livres. Il y avait aussi une grande photo de trois enfants, les siens, manifestement. Le fils aîné ressemblait beaucoup au Myles de son souvenir. Le plus jeune devait être Michael ; il avait environ six ans, les cheveux noirs, et arborait un sourire d'autant plus malicieux que ses dents de devant étaient tombées.

Myles s'assit quand elle prit un siège et se cala dans son fauteuil, un sourire plaqué sur son visage rebondi.

— Comment puis-je vous aider ? s'enquit-il d'un ton mielleux.

— Vous pouvez essayer de me reconnaître, répliqua Rose.

— Nous nous sommes déjà rencontrés ? demanda-t-il en fronçant les sourcils.

— Oh oui ! Rose, cela vous dit quelque chose ? Ou l'hôtel George, à Rye ?

Son sourire s'évanouit. Ses yeux s'écarquillèrent et il se redressa sur son siège.

— Rose ! s'exclama-t-il en rougissant. Mon Dieu ! Quelle surprise ! Comment vas-tu ?

— Pas trop mal, rétorqua-t-elle d'un ton condescendant. Beaucoup mieux qu'il y a vingt ans, quand je t'ai attendu en vain.

— Je... je... je, bégaya-t-il. Je n'avais pas d'autre solution. La situation était si difficile pour moi. Et je t'ai laissé une lettre.

— Tu t'es conduit comme un lâche. Ne méritais-je pas mieux qu'une lettre ? Si tu m'avais parlé de ta femme et de tes enfants lors de notre première rencontre, je n'aurais jamais eu de liaison avec toi.

— Tu sais comment c'est ! s'énerva-t-il.

— J'étais encore une enfant ! cracha-t-elle.

— Écoute, tu m'as supplié de t'emmener à Londres, j'étais complètement contre. J'ai finalement accepté parce que tu as prétendu que ton père te battait et que tu allais chercher du travail. Mais tu ne l'as pas fait.

— Je ne suis pas venue ici pour remuer le passé, répliqua-t-elle avec dédain. La vérité, c'est que tu m'as abandonnée enceinte de ton enfant.

— C'était il y a vingt ans ! À l'époque, vu tous les mensonges que tu m'avais racontés, je n'avais aucune raison de te croire. Alors, qu'est-ce qui t'amène aujourd'hui, Rose, si tu ne veux pas remuer le passé ?

— Parfois il resurgit et nous donne une grande gifle. C'est ce qui a provoqué ma visite. Si j'ai bien compris, notre fille, Adèle, projete d'épouser ton fils Michael.

Si elle lui avait jeté un seau d'eau glacé en pleine figure, il n'aurait pas reçu un plus grand choc. Sa bouche tomba, il blêmit, ses yeux s'agrandirent.

— Adèle est ta fille ? souffla-t-il d'une voix étranglée.

— Notre fille, rectifia-t-elle. Tu savais très bien que j'étais enceinte.

— C'est impossible, bredouilla-t-il. C'est trop extraordinaire.

— Pourquoi ? Tu n'arrives pas à croire qu'une fille dont la grand-mère vit à Winchelsea Beach rencontre ton fils, qui a aussi des grands-parents à Winchelsea ? Le contraire serait étonnant, deux cents personnes à peine vivent dans ce coin.

Rose marqua une pause. Elle voyait bien qu'il se creusait la cervelle pour démolir son histoire.

— Quand on s'est rencontrés, si j'avais appris que tu étais marié et que tes beaux-parents étaient M. et Mme Whitehouse, je ne serais même pas allée me promener avec toi. Après tout, ma mère, Honour Harris, était amie avec ta belle-mère.

Il posa ses coudes sur la table et enfouit son visage dans ses mains.

— Je ne sais pas quoi dire. Je n'ai jamais fait le rapprochement entre Adèle et toi. Et elle a habité dans la maison de ma femme en tant que domestique !

C'était une nouvelle pour Rose. Honour l'avait informée de son travail de gouvernante sans lui donner de précisions. Apparemment, Adèle était bien la fille de son père, elle saisissait les bonnes occasions quand elles se présentaient. Dommage qu'elle ait mis le grappin sur son propre frère.

— Mon Dieu, que vais-je faire ?

Rose eut un petit sourire. Elle supposa que Myles Bailey, avocat de la Couronne, ne faisait pas souvent ce genre d'aveu. Sa perruque pour plaider au tribunal était posée sur la tête d'un mannequin et sa robe, suspendue à la porte. Il avait l'habitude d'arracher la vérité aux accusés et aux témoins, pas de reconnaître ses propres erreurs.

— Tu devras avouer à ton fils qu'Adèle est sa sœur afin d'éviter un mariage incestueux.

— Quelle preuve as-tu qu'Adèle est mon enfant ? demanda-t-il soudain. Elle s'appelle Talbot. D'où lui vient ce nom si tu es à présent Rose Fitzsimmons ?

— Fitzsimmons n'est qu'un paravent, repartit-elle avec

désinvolture. J'ai épousé Jim Talbot juste avant la naissance d'Adèle pour qu'elle porte son nom. Mais si tu penses qu'il est son vrai père, calcule les dates. Nous sommes partis de Rye en mars 1918 quand j'avais dix-sept ans. Je suis restée avec toi jusqu'au jour où tu m'as abandonnée à King's Cross en janvier de l'année suivante. J'étais déjà enceinte de trois mois. Je me suis mariée en mai et Adèle est née en juillet.

— Ce n'est pas la preuve que je suis son père.

— Tous ceux qui m'ont rencontrée pendant les dix mois de notre liaison pourraient garantir que je passais mes journées à t'attendre. J'ai aussi donné ton nom au docteur de King's Cross. Sinon, il y a les examens de sang.

Myles resta silencieux un long moment. Rose vit une veine battre sur sa tempe. Il transpirait et tira sur le col de sa chemise comme s'il l'étranglait.

— Que veux-tu, Rose ? s'enquit-il enfin. Je doute que tu sois venue uniquement poussée par le désir que Michael et Adèle cessent leur relation.

Elle décida d'ignorer la question pour le moment.

— J'espérais plutôt que tu m'expliquerais comment procéder, répondit-elle en redressant la tête en signe de défi.

— Je ne parle plus à Michael, confessa-t-il. Si je vais le voir pour lui raconter ça, il ne me croira pas.

Rose gloussa.

— Tu n'aimais pas l'idée que ton fils épouse mon Adèle, c'est ça ? Elle n'est pas assez bien pour ton enfant chéri ? Une fille des marais épousant le fils d'un avocat de la Couronne !

Il eut l'élégance de paraître un peu honteux.

— Si cette histoire s'ébruite, ta femme divorcera. Et elle peut s'ébruiter facilement. Qu'en penseront tes autres enfants ? Comment ce scandale affectera ta carrière ? L'inceste est un très vilain mot. Il s'est peut-être déjà produit. Et Michael est officier dans la Royal Air Force, ne l'oublie pas.

Myles était terrorisé et elle jubila. Il tendit la main pour prendre un cigare, qu'il alluma d'un geste tremblant.

— Il existe un autre moyen, poursuivit-elle en l'observant tirer frénétiquement sur son cigare. Rends visite à Adèle, mets-la au courant et demande-lui de rompre avec Michael en la suppliant de ne pas lui révéler la vérité. De cette manière, nous ne serons que trois à être dans la confidence.

— Pourquoi ne t'en charges-tu pas ?

— Elle est allée vivre chez ma mère quand j'étais malade il y a des années. Réapparaître dans sa vie à cette occasion la ferait horriblement souffrir.

— Je ne crois pas que tu suggères cette solution pour éviter de la peine à quiconque. Que veux-tu vraiment ?

— Nous n'en serions pas là si tu t'étais montré honnête dès le début, siffla-t-elle, agacée. Tu m'as laissée à Londres sans ressources avec un bébé dans mon ventre. Pour ne pas accoucher dans un hospice de charité, j'ai dû épouser un homme que je n'aimais pas. Tu as détruit ma vie et il est temps que tu paies pour ça.

— Ah ! s'écria-t-il, les yeux plissés. Nous voilà enfin au cœur du problème. C'est de l'argent que tu veux, n'est-ce pas ?

— Oui, admit-elle en haussant les épaules. Mille livres.

— Mille livres !

— Tu peux te le permettre. Cela ne représente que cinquante livres pour chaque année de la vie d'Adèle. Je suis persuadée que tu as dépensé beaucoup plus pour tes autres enfants.

— Et si je refuse ?

— Je déballerai tout dans les journaux. À toi de voir.

Elle sortit de son sac une carte du restaurant où elle travaillait et la déposa sur son bureau avec assurance.

— Apporte-moi la somme en liquide à cette adresse, lundi soir prochain. J'ai écrit notre histoire et je l'ai confiée à une amie, au cas où il arriverait quelque chose à Adèle ou à moi.

— Et si elle ne consent pas à garder le silence ?

— Tu devras la récompenser pour sa peine.

— Qu'est-ce qui me prouve que tu ne me réclameras plus d'argent ?

— Tu m'as assuré que tu m'aimais. À cette époque, dans ma naïveté, j'ai cru que tu ne m'abandonnerais jamais. J'ai des défauts, mais je ne suis pas un maître chanteur. J'exige seulement mon dû pour une vie brisée. Estime-toi heureux que je ne désire pas détruire la tienne.

18

Adèle gravissait les marches du foyer des infirmières en compagnie de ses camarades. C'était le 15 février et les filles la taquinaient au sujet de la carte de la Saint-Valentin que Michael lui avait adressée la veille.

Il avait dessiné un avion Spitfire et collé une minuscule photo de lui, coincé dans le cockpit. Devant le nez de l'appareil, sur un nuage, il y avait un petit cliché du visage d'Adèle, qu'il avait habillée en ange.

Depuis notre rencontre, ma tête est dans les nuages.
Le soleil brille et le ciel est bleu,
Tu es mon ange, la fille de mes rêves,
Je passe la journée à concevoir des projets,
Pour t'emmener dans un endroit merveilleux,
Pour te voir habillée en robe de mariée en dentelle.
Tu es mon amour pour l'éternité.
Quand reviendras-tu jouer avec moi ?

Adèle trouvait le poème mignon, mais ses collègues la charriaient en disant qu'elles l'espéraient meilleur pilote que poète.

— Vous êtes jalouses ! gloussa-t-elle.

Quand elle vit le sévère M. Doubleday, le concierge, debout dans l'entrée, elle rabattit par jeu sa coiffe sur ses yeux.

— Infirmière Talbot, fit-il d'un ton bourru, cessez ces enfantillages. Vous avez un visiteur. Il vous attend dans le salon.

— C'est Michael ? demanda-t-elle avec empressement.

— Si Michael est l'aviateur, alors ce n'est pas lui, répondit-il sèchement. Et votre coiffe est de travers.

Perplexe, Adèle ouvrit la porte du salon et, à son grand étonnement, y découvrit Myles Bailey.

— Bonsoir, dit-elle poliment tandis qu'un frisson lui parcourait l'échine : il n'avait pas fait tout ce chemin pour une simple visite de courtoisie.

— Il faut que nous discutions. Serons-nous tranquilles, ici ?

— Cette pièce est consacrée aux visiteurs. À cette heure-ci, les infirmières se changent pour se rendre ensuite au réfectoire.

— Votre uniforme vous va à la perfection, déclara-t-il en la regardant de la tête aux pieds. Comment se passent vos études ?

Déconcertée, Adèle s'assit en face de lui. Surprise par sa gentillesse, elle espéra qu'il avait changé d'avis au sujet du mariage de son fils.

— Très bien, mais c'est dur de préparer les examens après une longue journée de travail ou une nuit de garde. Dans un an, je serai infirmière diplômée d'État.

Il s'éclaircit la voix, gêné et nerveux.

— Il est arrivé quelque chose à Michael ? s'enquit-elle, soudain alarmée.

— Non. Je suis venu vous parler de lui et de vous.

Il poussa un grand soupir. Persuadée qu'il s'apprêtait à bafouiller des excuses, la jeune fille sentit son cœur bondir dans sa poitrine.

— Il s'agit d'un sujet très délicat. Je n'aurais jamais pensé qu'il se présenterait et il m'est difficile de l'aborder.

Adèle était complètement désorientée. Elle eut un mauvais pressentiment.

— Vous ne pouvez pas épouser Michael, lâcha-t-il. Vous êtes frère et sœur.

— Ne soyez pas stupide ! pouffa Adèle.

— Je suis très sérieux. Il semblerait que je sois votre père.

Elle le dévisagea, stupéfaite. C'était une plaisanterie ! Mais Myles Bailey n'était pas un plaisantin.

— J'ai... j'ai eu...

Il marqua une pause et toussa.

— J'ai eu une liaison avec votre mère.

Adèle continua à le dévisager avec incrédulité. Il était devenu fou !

— Monsieur Bailey, parvint-elle enfin à articuler. Ma mère ne vit pas dans les environs. Vous ne la connaissez pas.

— Si, Adèle, je l'ai connue il y a environ vingt ans. Je l'ai rencontrée à Rye quand elle travaillait à l'hôtel George. Elle m'a accompagné à Londres.

Adèle était assommée. D'après sa grand-mère, Rose s'était sans doute enfuie avec un homme marié. Adèle avait imaginé un voyageur de commerce, un soldat ou un marin, pas un avocat pontifiant au visage rougeaud et au crâne presque chauve !

— C'est impossible, insista-t-elle.

Mais une petite voix lui soufflait que cet homme ne confesserait pas une chose pareille si elle était fausse. Elle se revit au lit avec Michael et frissonna.

— C'est une démarche désespérée pour que Michael et moi nous séparions, n'est-ce pas ? Comment osez-vous ? s'écria-t-elle, indignée.

— Non, Adèle. Comment pourrais-je inventer une histoire aussi abracadabrante ? Je suis avocat !

— Quelle différence ? siffla-t-elle. Il y a deux ans, vous m'avez giflée et mise à la porte sous la pluie. Ce n'était pas digne d'un avocat !

— Je le regrette, convint-il en s'essuyant le front avec un mouchoir. Je subissais une forte pression à cette époque et, bien sûr, je n'avais aucune idée de votre identité.

Adèle se rappela soudain que sa grand-mère lui avait rendu visite le jour de Noël et en était revenue avec une lettre de références et dix livres.

— Est-ce à ce moment-là que vous l'avez découverte ? demanda-t-elle, furieuse. Vous saviez que j'étais votre bâtarde depuis deux ans, mais vous n'avez pas pipé mot même en apprenant que Michael continuait à me voir ? Quelle sorte d'homme êtes-vous ?

— Écoutez-moi, jeune femme, rétorqua-t-il de son ton cassant habituel. J'ai pris connaissance de ces faits il y a quelques jours à peine, lorsque Rose m'a rendu visite à mon cabinet à Londres.

— Elle est venue vous voir alors qu'elle m'ignore depuis des années ? s'exclama Adèle en bondissant sur ses pieds.

— Elle s'est dit qu'il fallait agir quand elle a lu l'annonce de vos fiançailles. Elle avait raison, évidemment.

La tête d'Adèle lui tournait. Le choc était trop fort. Sa gorge se serra, elle prit une inspiration profonde.

— Vous êtes sûr que c'est la vérité ?

— Je… je savais qu'elle était enceinte quand je l'ai quittée, avoua-t-il. Ce n'était pas très galant de ma part, je le reconnais, mais j'avais mes raisons.

Adèle réalisa soudain qu'il disait vrai. Elle s'approcha de la fenêtre et observa le jardin. Dans la grisaille de l'hiver, il était aussi triste et ravagé qu'elle. Elle se rappela les propos de Michael pendant leur week-end à Londres : il était convaincu que son père venait de la haute société. Quelle serait sa réaction en apprenant qu'ils partageaient le même géniteur ?

— Vous l'avez dit à Michael ? demanda-t-elle sans se retourner, les yeux pleins de larmes.

— Je ne peux pas.

Adèle lui fit face et vit son regard suppliant. C'est à ce moment-là qu'elle remarqua avec dégoût qu'elle avait hérité de ses yeux.

— Vous ne pouvez pas ? explosa-t-elle. C'est votre faute !

— J'en suis conscient, admit-il. Seulement, si je lui en parle, nous serons tous dépassés par la situation. Ma famille sera déshonorée. S'il vous plaît, Adèle, ne me demandez pas de blesser autant de personnes.

Elle le dévisagea froidement. Elle avait imaginé son père tant de fois, mais Myles Bailey était le dernier homme sur terre qu'elle aurait choisi. C'était un snob tyrannique doublé d'un coureur de jupons qui abandonnait les femmes enceintes.

— Je vois, déclara-t-elle, les mains sur les hanches en le fusillant du regard. Vous voulez que je disparaisse de la vie de Michael, c'est ça ? Vous vous en tirerez à bon compte. Personne ne saura rien à part vous, moi et ma fichue mère.

— Si vous racontez tout à Michael, il sera traumatisé, l'implora-t-il. Je le connais, il est aussi sensible que sa mère, il va se replier sur lui-même. Il adore son métier et ne pourra plus l'exercer s'il apprend que sa future femme est sa sœur.

Adèle était d'accord sur ce point. Elle pensa à leur week-end londonien et en eut la nausée. Elle était convaincue que Michael se sentirait encore plus mal.

— Sortez ! s'écria-t-elle, le doigt pointé vers la porte. Je ne supporte pas d'être dans la même pièce que vous. Dommage que vous ne soyez pas resté avec Rose. Vous formez le couple idéal !

— Qu'allez-vous faire ? s'enquit-il, paniqué.

— Monter dans ma chambre pour vomir ! Je viens de découvrir que j'ai des parents ignobles et je ne peux pas épouser l'homme que j'aime. Vous êtes satisfait ?

— Par pitié, ne dites rien à Michael !

— Sortez ! répéta-t-elle. Je déciderai moi-même de ce que je ferai. Je n'ai aucun ordre à recevoir de vous.

Myles fila comme un lapin apeuré, laissant Adèle folle de rage.

Heureusement, Angela, sa colocataire, était partie en congé chez ses parents. Une fois dans sa chambre, Adèle verrouilla la porte et s'effondra sur son lit en sanglotant. Michael représentait tout pour elle ; si on le lui enlevait, il ne lui restait plus rien. Mais le pire était que les souvenirs qu'elle chérissait étaient souillés.

Elle vomit plusieurs fois dans le lavabo, jusqu'à ne plus rendre que de la bile. Après avoir enlevé son uniforme, qu'elle laissa en boule par terre, elle se glissa dans son lit en sous-vêtements. Du couloir lui parvenaient les rires et les bavardages habituels, les filles qui s'empruntaient des vêtements pour sortir, d'autres qui demandaient si la salle de bains était libre, une autre encore les implorant de faire moins de bruit pour qu'elle puisse étudier. Elles étaient ses amies, auprès desquelles elle s'épanchait en toute confiance. Mais ce qu'elle venait d'apprendre, elle ne pouvait en parler à personne.

Cette situation lui rappela son enfance, quand elle se rendait à l'école couverte de bleus. Elle les camouflait car elle avait honte. Ensuite, elle n'avait jamais raconté que sa mère avait été internée, puis il y avait eu M. Makepeace, et elle avait aussi gardé le silence. Pourquoi lui incombait-il toujours de cacher les méfaits des autres ?

Elle tairait le secret de ses origines. Protéger M. Bailey était le cadet de ses soucis. Qu'il grille en enfer avec Rose ! Elle s'en fichait. Elle le ferait pour Michael, car cette révélation le détruirait.

Mais comment s'y prendre ? Elle ne parviendrait pas à voir Michael et à lui mentir, il s'en rendrait compte immédiatement. Elle n'arriverait pas à lui téléphoner : rien qu'en entendant sa voix, elle fondrait en larmes. Si elle se terrait ici, il viendrait la harceler et importunerait tout le monde. Il ne la lâcherait pas sans avoir obtenu de bonnes raisons.

Le lendemain matin, Adèle se rendit au bureau de la surveillante générale. Elle avait de grands cernes noirs provoqués par sa nuit sans sommeil, elle souffrait de nausées et était incapable de travailler. Mais elle avait revêtu son uniforme pour éviter les questions de ses collègues.

— Entrez ! lança la surveillante générale de sa voix tonitruante.

Adèle se glissa furtivement dans la pièce et referma la porte. Sa supérieure, une grande et maigre femme d'environ cinquante ans, aux manières aristocratiques, était très impressionnante.

— Je vous écoute, infirmière Talbot.

— Je ne peux plus travailler ici. Je dois partir.

— Vous êtes enceinte ?

— Non, cela n'a rien à voir. S'il vous plaît, ne me posez pas de questions. Il faut que je m'en aille.

— Cette décision a-t-elle un rapport avec la visite que vous avez reçue hier ?

Le cœur d'Adèle se serra.

— Oui. Je ne dirai rien de plus. C'est personnel.

— Talbot, vous avez l'étoffe d'une excellente infirmière et je sais que vous aimez votre métier. Je ne veux pas que vous arrêtiez vos études à un an de l'examen final.

— Je désire les terminer. Mais pas ici. Puis-je être transférée dans un autre hôpital ?

La surveillante fronça les sourcils et la regarda par-dessus ses lunettes.

— C'est possible. Cependant, je ne le ferai pas sans connaître votre raison. Je vois bien que vous êtes bouleversée, et vous n'êtes pas le genre de fille à agir de façon criminelle. Confiez-vous à moi, Talbot, rien ne sortira de cette pièce.

La surveillante était une femme d'honneur. Elle avait beau être très dure envers les infirmières qui la décevaient, elle était aussi juste et bienveillante. Sans son aide, Adèle n'avait aucune chance de finir sa formation. Elle devait tout lui avouer.

— L'homme qui est venu hier m'a annoncé qu'il était mon père. Il est également le père de Michael, l'aviateur auquel je suis fiancée.

Les mots sortaient de sa bouche, pourtant Adèle ne parvenait toujours pas à les croire. La surveillante la regardait, abasourdie. Adèle expliqua les grandes lignes de son histoire et reconnut que, de toute évidence, il lui était impossible de revoir Michael. Elle éclata en sanglots et la surveillante vint lui tapoter l'épaule.

— Je comprends. Vous vous trouvez dans une impasse. Vous redoutez que Michael vienne ici pour avoir des explications si vous refusez de l'affronter.

— Je finirais par tout lui raconter. Il vaut mieux que je disparaisse.

La surveillante reprit sa place derrière le bureau. Elle garda le silence un long moment, plongée dans ses pensées.

— Ce serait très cruel de laisser tomber le jeune homme sans explication, fit-elle remarquer enfin. Et je ne suis pas d'accord avec son père. Michael devrait savoir la vérité. Et votre grand-mère ? Avez-vous l'intention de filer sans lui dire où vous êtes ?

— Il le faudra bien, au début, murmura Adèle en se tordant les mains. Il se précipitera chez elle dès qu'il apprendra ma disparition.

— Adèle, vous n'avez rien à vous reprocher. Je suis consternée que le père de Michael vous fasse autant souffrir alors qu'il s'en tire à si bon compte.

— Cela blessera tant de personnes si cette histoire s'ébruite ! insista Adèle. La mère de Michael, son frère, sa sœur. Et que penseront les gens de ma mère et de moi ? J'y ai réfléchi toute la nuit, il n'y a pas d'autre solution.

— Votre grand-mère va s'inquiéter. Épargnez-lui ce chagrin.

— Je lui écrirai que j'ai changé d'avis au sujet de Michael et que je pars jusqu'à ce qu'il se remette. Je lui donnerai réguliè-rement des nouvelles pour la rassurer.

— Et Michael ?

— Je lui écrirai aussi, pour lui dire qu'il ne me convenait pas.

La surveillante poussa un profond soupir et hocha la tête.

— Je ne trouve pas ça bien. Mais, vu les circonstances, vous ne pouvez pas rester ici. J'ai une vieille amie, surveillante à l'hôpital de Whitechapel à Londres, qui est à la recherche de bonnes infirmières. Je vais lui téléphoner.

— Merci beaucoup, souffla Adèle avec reconnaissance tandis que des larmes roulaient sur ses joues. Vous ne lui raconterez rien, n'est-ce pas ?

— C'est évident. Nous sommes assez liées pour qu'elle me

fasse confiance sans poser de questions. Retournez à votre chambre, je viendrai vous voir quand je lui aurai parlé.

— Je désire m'en aller aujourd'hui.

— Je m'en occupe. Je vais vous faire porter un petit déjeuner. Il faut manger, même si vous n'avez pas faim.

À quinze heures, le même jour, Adèle quitta le foyer des infirmières avec sa valise pour se rendre à la gare de Hastings. La surveillante avait tout organisé avec l'hôpital de Londres. Elle avait aussi promis que si Michael téléphonait ou se présentait, elle lui parlerait en privé et lui expliquerait qu'Adèle était partie pour des raisons personnelles. Elle agirait de façon identique avec ses collègues.

En chemin, Adèle posta ses deux lettres. Elles avaient été si difficiles à rédiger ! À Michael, elle avait écrit qu'ils n'étaient pas faits l'un pour l'autre, elle venait de le comprendre. Elle partait vivre et travailler dans une autre ville et il devait l'oublier.

Elle raconta la même chose à sa grand-mère, précisant qu'elle préférait ne pas révéler son adresse jusqu'à ce qu'il cesse de la rechercher. Elle la suppliait de ne pas s'inquiéter et lui promettait de lui envoyer régulièrement des nouvelles ; elle l'aimait et ses meilleurs souvenirs concernaient sa vie avec elle dans les marais. Elle concluait en affirmant que l'histoire ne se répétait pas : elle n'était pas comme Rose et reprendrait bientôt contact.

Lorsque le train quitta la gare, ses yeux s'emplirent de larmes au souvenir de son dernier voyage à Londres. Elle était si heureuse ce jour-là ! Elle avait eu du mal à rester assise tant elle était excitée. Seulement Michael ne l'accueillerait pas à Charing Cross, cette fois-ci, il ne l'étreindrait pas tendrement en lui chuchotant des mots d'amour. Sa bague de fiançailles pendait toujours à une chaîne autour de son cou car le règlement de l'hôpital n'autorisait pas les infirmières à porter une bague pendant leur service. Elle aurait dû la lui renvoyer, mais la sentir toute chaude entre ses seins la réconfortait.

Elle était enchantée d'aller dans un endroit aussi horrible et surpeuplé que Whitechapel. L'absence du vent salé soufflant de la mer, des grands espaces et de la nature l'aiderait à tourner la page.

Plus tard, elle vit un avion dans le ciel. Le pilote faisait des loopings. Elle distingua le dessous des ailes noir et blanc, il s'agissait d'un Spitfire. Ce pouvait être Michael ou un homme de son escadrille, et elle pria intérieurement pour qu'il la chasse de son esprit au plus vite et sache se protéger quand la guerre éclaterait.

En ce qui la concernait, elle pria seulement pour être une bonne infirmière. Elle estimait n'avoir pas droit au bonheur ni à la sécurité.

19

Septembre 1939

— Venez voir tous ces bouts de chou qu'on évacue ! s'écria l'infirmière Wilkins, postée à la fenêtre du pavillon d'obstétrique.

Adèle et Joan Marlin la rejoignirent. Une file d'enfants à la queue leu leu marchait en traînant les pieds en direction de la gare. Chacun tenait une petite valise ou un baluchon et, en bandoulière, ils portaient une boîte contenant un masque à gaz. Une large étiquette indiquant leur nom et leur âge était épinglée sur leur manteau et six femmes, sans doute des institutrices, les escortaient.

— Pauvres gosses, dit Joan, la voix brisée par l'émotion. Mickey et Janet partent aussi aujourd'hui. Maman était dans tous ses états, hier soir. D'après elle, les familles d'accueil ne sauront pas chouchouter les enfants.

— Pour certains d'entre eux, c'est peut-être la meilleure chose qui arrive, répliqua Adèle pensivement en se rappelant son arrivée chez sa grand-mère. Ils seront protégés des bombardements et connaîtront de nouveaux modes de vie, ils découvriront aussi la nature, les oiseaux, les vaches, les moutons. Et les gens sont vraiment gentils avec les enfants dans les situations critiques.

— Je n'imagine rien de pire que de me retrouver nez à nez avec une vache, assura Joan avec une moue dégoûtée.

C'était une rousse très sociable, au nez parsemé de taches de rousseur. Fille de docker et aînée de sept enfants, elle était devenue la meilleure amie d'Adèle depuis son arrivée à Whitechapel. Sans son sens de l'humour grivois, son bon cœur et sa gaieté, Adèle n'aurait pas supporté la dureté de la vie dans ce quartier de l'East End.

— On ne dirait pas que l'on va entrer en guerre, fit remarquer l'infirmière Wilkins en observant le ciel sans nuages. Le soleil brille, les gens continuent à travailler, ils prennent le bus ou le train, même ces enfants pensent partir à l'aventure. J'espère qu'il s'agit d'une erreur, que dans une semaine ils enlèveront ces sacs de sable et ôteront les bandes de papier des fenêtres. Je n'arrive pas à croire que nos hommes sont sur le point de tuer d'autres hommes.

Wilkins adorait s'interroger sur le sens de la vie. À vingt-cinq ans, elle était maigre, franche, très dévouée et profondément croyante. Deux mois auparavant, elle avait invité Adèle à dîner chez elle. Vu son élocution soignée et sa culture, Adèle s'était attendue à se rendre dans une belle demeure. Elle avait été stupéfaite de découvrir une minuscule maison délabrée, d'une propreté immaculée mais dénuée de tout confort. Pas de tapis, une toile cirée miteuse sur la table, aucun tableau, ni bibelots, ni radio. Une table, des chaises, un buffet et des lits au premier, c'était tout. Et le bénédicité récité par la famille avant le maigre repas constitué de viande froide et de pommes de terre dura une bonne dizaine de minutes. Les parents de Wilkins et leurs deux autres filles étaient des évangélistes et ils s'employèrent bien vite à vouloir persuader Adèle de se rallier à leur cause.

En arrivant dans l'East End, Adèle avait été horrifiée. Pourtant, elle connaissait la pauvreté et le chômage : certaines parties de Hastings et de Rye étaient des bidonvilles. Au pire, elle avait imaginé que le quartier ressemblerait au King's Cross de son enfance.

Mais, en comparaison, King's Cross était le paradis. Dans

l'East End, les rues étaient bordées de masures misérables. Un coup d'œil à travers une porte ouverte ou une vitre cassée révélait que leurs locataires ne possédaient pas grand-chose de plus que ce qu'ils avaient sur le dos. Des enfants blafards en haillons, les traits tirés, jouaient avec apathie dans des ruelles d'une saleté répugnante. Des femmes au visage émacié et aux yeux creux, avec souvent un bébé dans les bras, fouillaient les caniveaux à la fin du marché, à la recherche de nourriture. Des ivrognes, des prostituées, des vieux soldats mutilés, des mendiants et des infirmes dormaient un peu partout. Il flottait toujours dans l'air une odeur nauséabonde d'excréments, de pourriture, de corps sales et de bière éventée.

À l'hôpital, elle voyait les conséquences de cette vie misérable : les enfants sous-alimentés, les femmes usées par les maternités, les blessures horribles des bagarres d'ivrognes, les poux, la tuberculose, le rachitisme et quantité d'autres affections dues à la surpopulation et au manque d'hygiène. Toutefois, elle s'aperçut très vite que, malgré leur pauvreté, ces gens avaient du courage. Ils s'entraidaient, se montraient généreux avec le peu qu'ils avaient, riaient devant l'adversité, et ils étaient hauts en couleur en dépit de leur environnement lugubre.

La douleur d'avoir perdu Michael était presque aussi vive que lors de son départ de Hastings, mais elle ne pouvait pas se complaire dans l'apitoiement quand autour d'elle régnait une si grande misère. Il était difficile de ne pas rire en compagnie de personnes toujours optimistes et gaies. Toutes avaient conscience que Londres serait la cible principale des bombardements, pourtant il n'y avait pas de panique, la population ne fuyait pas la ville.

Quand le souvenir de Michael menaçait de l'anéantir, Adèle observait le vieil homme qui vendait les journaux devant l'entrée principale de l'hôpital. Perclus de rhumatismes, il souffrait visiblement, mais il saluait tout le monde avec un grand sourire et se tenait là par tous les temps.

Adèle se jura d'être comme lui. Les grincheux n'attiraient personne et elle n'était pas la seule à avoir des problèmes. Elle s'efforça donc de sourire, de bavarder, et ce comportement devint chez elle une seconde nature. Cependant, elle s'endormait épuisée de pleurer presque chaque nuit. Connaître les réactions de Michael et de sa grand-mère à ses lettres l'aurait aidée. Elle avait imaginé le pire : Michael qui ne redressait pas son avion à temps exprès, ou sa grand-mère qui tombait dans la rivière et se noyait. Elle lui envoyait une carte chaque semaine, qu'elle allait poster à des kilomètres de Whitechapel pour que le cachet de la poste ne permette pas de la localiser. Ces cartes s'empilaient peut-être dans la boîte aux lettres de Curlew Cottage sans être lues.

En juillet, le jour de ses vingt ans, elle reçut une lettre de sa grand-mère. En reconnaissant son écriture sur l'enveloppe, elle n'en crut pas ses yeux. Comment avait-elle découvert son adresse ?

J'ai pris le bus pour Hastings et j'ai demandé à la surveillante générale de me dire où tu étais. J'ai toujours pensé qu'elle avait joué un rôle dans ton départ. Elle cache bien son jeu, celle-là ! Mais j'ai réussi à la convaincre que je ne voulais pas connaître les raisons de ta fuite, je ne désirais que ton adresse. Bien sûr, je ne la donnerai pas à Michael. Le pauvre garçon m'a rendu visite plusieurs fois pendant les premières semaines, il a aussi souvent survolé le cottage, en inclinant son aile pour que je le reconnaisse. Je ne crois pas qu'il reviendra à présent. Il ne s'est pas remis de votre séparation et est aussi stupéfait que moi, mais il a beaucoup de dignité.

Au début, j'ai pensé que tu étais bien cruelle et puis, avec la venue du printemps, j'ai réfléchi aux bons moments passés ici ensemble et j'en ai conclu qu'il n'y a pas une once de cruauté en toi. Un jour, peut-être, tu m'expliqueras tout. Je ne te harcèlerai pas à ce sujet, j'ai assez de secrets de mon côté que je ne souhaite pas partager. Dans mon cœur, je sais que tu n'as pas agi en égoïste, tu devais être poussée par de bonnes raisons.

Je suis soulagée que tu continues ta formation d'infirmière car tu es faite pour ce métier. Écris-moi, raconte-moi si ma petite-fille courageuse et aimante est sinon heureuse, du moins occupée à reconstruire sa vie.

De mon côté, je me porte bien pour une vieille bonne femme de soixante ans. J'ai un chien, une bête très laide que j'ai appelée Towzer. Il était abandonné et il est venu gémir à la bonne porte. C'est un gentil garçon, il n'attaque pas les poules ni les lapins et me tient compagnie. Je lui ai même appris quelques tours, tu les verras quand tu reviendras à la maison.

Nous ne pouvons plus nous leurrer, la guerre est imminente. Je ne te demanderai pas de changer d'hôpital pour être plus en sécurité, car une infirmière doit se trouver là où on a le plus besoin d'elle. Mais ne prends pas de risques, mon enfant, et continue à m'écrire. Sache qu'ici tu seras toujours chez toi.

Affectueusement,
Mamie.

Adèle fut étonnée du ton enjoué de la lettre et de l'absence de critique à son égard. Elle pleura. Sa grand-mère lui manquait énormément et elle ne supportait pas de lui avoir infligé un tel supplice. En revanche, ces quelques lignes lui redonnèrent du courage. Si une femme de soixante ans seule au monde, sans personne vers qui se tourner, montrait cette force de caractère et cette intelligence du cœur, alors une fille jeune et en bonne santé devait pouvoir s'en sortir.

— Ils viennent juste de peindre une croix blanche sur ce maudit toit, indiqua Joan à Adèle un peu plus tard dans la matinée, alors qu'elles préparaient deux lits pour de nouveaux patients. N'en parle pas à Wilkins, sinon elle croira que l'hôpital est transformé en église et nous obligera à nous agenouiller pour prier.

Adèle éclata de rire. Joan plaisantait toujours au sujet de la ferveur religieuse de Wilkins.

— Espérons que les Allemands ne la confondront pas avec une piste d'atterrissage ! répliqua Adèle.

Au moment où elle prononçait ces mots, elle pensa à Michael. À Noël dernier, lorsqu'il lui avait rendu visite, il portait une canadienne. Il avait dit que tous les pilotes de chasse avaient adopté cette tenue, car elle tenait chaud et les protégerait si leur avion était touché par l'ennemi. À l'époque, cette remarque n'avait pas signifié grand-chose pour elle, mais maintenant elle prenait tout son sens. Quand la guerre commencerait, Michael devrait abattre les avions allemands pour ne pas être abattu en premier.

Adèle eut soudain envie de vomir. Elle se précipita aux toilettes, où elle arriva juste à temps.

— Qu'est-ce qui se passe ? demanda Joan, dans son dos. Il y a cinq minutes, tu te portais comme un charme. Tu veux que j'appelle l'infirmière-chef ?

— Non, répondit Adèle faiblement. Ça va aller. Retourne dans la salle et couvre-moi.

Elle se ressaisit et reprit son travail. Joan lui lançait des coups d'œil insistants mais, avec vingt-quatre patients sur les bras, elles n'eurent pas l'occasion de se parler.

À dix-huit heures, quand l'équipe de nuit arriva pour les remplacer, Joan la questionna sur le chemin du foyer des infirmières.

— Qu'est-ce que tu as ?

— Rien. J'ai dû manger un truc qui n'est pas passé.

— Si je ne te connaissais pas, je penserais que t'es enceinte.

— Ne sois pas stupide.

— Je sens bien que quelque chose ne va pas. Souvent, tu te replies sur toi-même et tu es mélancolique. C'est à cause d'un homme, hein ?

Adèle se contenta de hausser les épaules.

— Je ne suis pas idiote. Tu as été transférée de la côte. Personne ne fait ça sans de satanées bonnes raisons.

Adèle savait qu'elle n'abandonnerait pas la partie facilement.

— D'accord, c'est un homme, et parler d'avion m'a rendue malade parce qu'il est pilote de chasse. S'il te plaît, ne me demande rien d'autre, je suis venue ici pour l'oublier.

— O.K. Mais si un jour tu désires tout me dire, j'ouvrirai mes oreilles en grand.

Dans la salle à manger, une fille de salle les accueillit en leur racontant que l'Allemagne avait envahi la Pologne. La radio l'avait annoncé aux informations de dix-huit heures, et le personnel, regroupé autour de l'appareil, discutait des conséquences de cette nouvelle pour l'Angleterre.

Le traité de protection mutuelle entre l'Angleterre et la Pologne avait été signé six mois auparavant à la suite de l'invasion de la Tchécoslovaquie par l'Allemagne, et, un mois plus tard, les jeunes garçons entre vingt et vingt-deux ans étaient appelés pour faire leur service actif. Neville Chamberlain allait tenter d'obtenir le retrait des troupes allemandes de Pologne, mais s'il échouait l'Angleterre serait obligée de déclarer la guerre à l'Allemagne.

Adèle bénéficiait d'une chambre seule. Minuscule, il y avait juste la place pour un petit lit, une commode et un bureau qui lui servait aussi de coiffeuse. Elle appréciait d'avoir son intimité. À Hastings, elle avait toujours trouvé l'animation du foyer très agréable. Les filles qui débarquaient dans sa chambre à l'improviste pour discuter, emprunter un vêtement ou raconter une blague ne la dérangeaient jamais. Ici, elle le vivait mal. Elle éprouvait un besoin maladif de solitude et de silence complet. La mesquinerie des disputes entre infirmières l'irritait. Parfois, leurs tentatives de se lier d'amitié avec elle la contrariaient. Elle ne supportait que la présence de Joan.

Pourtant, ce soir-là, elle apprécia le vacarme dans le couloir. Les voix des infirmières l'apaisaient de la même façon qu'elle aimait entendre sa grand-mère tisonner le feu ou déplacer sa chaise.

Commençait-elle enfin à se rétablir ? Pour se mettre à l'épreuve, elle posa sa main sur la bague de fiançailles nichée entre ses seins et se força à penser au visage de Michael le jour où il la lui avait offerte. Elle revoyait nettement ses cheveux noirs brillant dans le soleil, le plissement de ses yeux quand il souriait et son intense regard bleu foncé.

Cette fois-ci, pas une larme ne jaillit de ses yeux. Elle n'en avait peut-être plus. Elle avait tant pleuré ! La tristesse et le manque étaient toujours là. Elle ressentait encore une honte lancinante d'avoir couché avec son frère. Mais elle parvenait à se raisonner ; après tout, ils ignoraient leur parenté, et elle avait pris la bonne décision en s'enfuyant à l'annonce de cette nouvelle.

Soudain, elle réalisa que le moment était venu de revoir sa grand-mère. On lui devait trois jours de congé. Le lendemain, elle les réclamerait à la surveillante générale.

— On va se promener, Towzer, déclara Honour en éteignant la radio.

On était le 3 septembre et elle venait d'écouter le discours du Premier ministre. L'Allemagne n'avait pas retiré ses troupes de Pologne, la guerre était donc déclarée.

Honour n'avait pas vraiment envisagé que l'Allemagne, avec ce fou de Hitler à sa tête, revienne sur sa position. Mais elle avait tout de même espéré un miracle. La journée était si belle ! Elle s'était levée de bonne heure pour découvrir un magnifique ciel bleu et une légère brume au-dessus de la rivière. Avant même de s'habiller, elle alla chercher Misty, le lapin d'Adèle, et s'assit sur le banc pour le caresser comme elle le faisait chaque jour.

Des cygnes glissaient sur l'eau, un vol d'oies sauvages fendait l'azur et les branches du sureau ployaient sous l'abondance des baies. La beauté de la nature se manifestait partout où ses yeux se posaient. L'herbe ondoyait derrière la clôture, le massif d'asters jetait ses notes mauves et violettes et le rosier grimpant fleurissait depuis le mois de juin.

Elle s'était dit que c'était le genre de journée où les miracles pouvaient s'accomplir, mais lorsqu'elle avait entendu les nouvelles elle s'était effondrée. Elle aurait dû savoir que les miracles n'existent pas.

Elle se souvenait très bien du jour où la Première Guerre mondiale avait éclaté. C'était le 4 août, elle avait trente-cinq ans, Rose treize. Ils étaient assis dans le jardin, occupés à écosser des petits pois pour le déjeuner, quand un jeune garçon avait surgi à bicyclette et leur avait crié la nouvelle. Frank avait aussitôt enfourché son vélo pour se rendre à Rye. Il leur avait raconté ensuite que la ville était en ébullition et que tous les jeunes voulaient s'engager.

Frank non plus ne tenait pas en place, et Honour avait ressenti de la colère face à son comportement puéril. Plus tard, elle avait eu la nausée. Pressentait-elle les catastrophes à venir ? Elle éprouvait le même dégoût aujourd'hui et elle décida de marcher jusqu'au port de Rye avec son chien et de cueillir des mûres en chemin.

— Viens, Towzer !

Elle sourit en le voyant gambader dans sa direction. Du colley il avait le pelage noir et blanc, mais d'où avait-il hérité sa grosse tête, son moignon en guise de queue et ses grandes pattes ? Mystère. Quand elle l'avait trouvé devant sa porte quatre mois

263

auparavant, il était squelettique, couvert de puces, et il perdait des touffes de poils. Son arrivée lui avait fait penser à celle d'Adèle et Honour avait mis tout en œuvre pour le sauver.

Il avait transformé sa vie comme l'avait fait Adèle.

La disparition de sa petite-fille l'avait plongée dans le désespoir. Elle ne crut pas un mot de sa brève lettre d'explication. Pourquoi Adèle n'était-elle pas venue la voir pour lui confier ses problèmes ? Chaque visite de Michael la bouleversait et la désorientait un peu plus. Parfois, il écumait de rage ; à d'autres moments, il pleurait comme un enfant, et elle redoutait qu'il se suicide car il n'avait plus goût à rien.

Un jour, ses visites cessèrent. Honour se persuada que c'était pour le mieux, qu'il acceptait la situation. Seulement elle n'avait plus personne pour partager son chagrin et son angoisse. Elle mangeait à peine, se mit à négliger le jardin et le potager. Certains jours, elle s'occupait des poules et des lapins puis retournait se coucher. Une petite voix lui soufflait qu'elle perdait peu à peu la tête, mais quelle importance ! Tout le monde s'en fichait.

Un soir, alors qu'il pleuvait à verse, elle entendit un grattement et la curiosité l'emporta. Elle ouvrit sa porte sur une petite bête pitoyable et galeuse qui l'implorait du regard.

Peut-être était-elle devenue folle : elle pensa qu'il n'avait pas atterri là par hasard. Elle lui donna un reste de civet de lapin et, quand elle s'aperçut qu'il était incapable de s'alimenter seul, elle le nourrit à la main, petit morceau par petit morceau, puis elle lui aménagea un lit sous l'appentis car il était trop couvert de puces pour entrer dans la maison.

Le lendemain, il essaya d'agiter son moignon de queue en la voyant. Honour eut vraiment pitié de lui. Il mangea un peu de lapin, puis s'effondra, épuisé. Il mit beaucoup de temps à reprendre des forces. Il lui arrivait de l'observer avec ses grands yeux tristes comme s'il se demandait pourquoi elle se donnait tout ce mal alors qu'il voulait mourir. Mais, chaque jour, elle arrivait à le faire manger un peu plus. Ensuite, elle le traita contre les vers, les puces, le lava et le brossa.

Une fois dans le cottage, il dévora sa pâtée de bon cœur. Ils s'étaient soigné l'un l'autre : elle l'avait nourri et il l'adorait.

Si elle avait su que la compagnie d'un chien procurait autant de plaisir, elle en aurait pris un depuis longtemps. Être réveillée par son museau froid pressé contre son visage égayait sa journée. C'était bon de le voir bondir à ses côtés lorsqu'elle ramassait du bois. Et le soir, quand Honour écoutait la radio, il couchait sa tête sur les pieds de la vieille femme et soupirait de contentement. Sans Towzer, elle n'aurait jamais trouvé la force d'aller à Hastings pour soutirer l'adresse d'Adèle.

Malgré le temps radieux, elle ne croisa aucun promeneur. Honour pensa que les gens passeraient le reste de la journée à discuter des nouvelles avec leurs voisins, leurs amis et leur famille. Elle alla sur la plage de galets, jeta des bouts de bois à son chien et le regarda les rapporter.

À Londres, Adèle se retrouverait au cœur des raids aériens, car l'Allemagne prendrait pour cible les chantiers navals. En imaginant sa petite-fille en danger, elle ressentit les mêmes appréhensions que lorsque son mari était parti à la guerre. Elle revoyait ses promenades au bord de la mer, d'où elle regardait en direction de la France en souhaitant de toutes ses forces la fin du conflit. À présent, elle ne pouvait même pas atteindre la mer à cause du déploiement des rouleaux de barbelés destinés à prévenir une invasion.

Michael serait en première ligne. S'était-il remis de la rupture avec Adèle ? Rien n'était moins sûr. Il allait peut-être faire la fête avec les autres pilotes, mais, très sensible et déterminé comme il l'était, la souffrance causée par la disparition de sa fiancée avait dû le marquer profondément.

Honour comprit mieux la situation le jour où il mentionna leur week-end ensemble à Londres, juste avant sa fuite. Honour s'était convaincue que sa petite-fille avait oublié l'épisode éprouvant des Sapins, car elle paraissait follement heureuse avec Michael. Mais peut-être, au moment crucial, Adèle s'était-elle sentie incapable d'envisager le mariage si la sexualité la replongeait dans des souvenirs aussi douloureux.

Honour l'avait suggéré à Michael et sa réponse l'avait fait pleurer.

— J'y ai pensé, c'est la seule raison plausible. J'aurais

continué à l'aimer, même si elle n'avait plus jamais couché avec moi.

Vision très idéaliste du couple, mais Michael était sincère. Éperdument amoureux d'Adèle, il aurait décroché la lune pour elle. Honour doutait qu'il retrouve la même intensité de sentiments auprès d'une autre femme.

Vers trois heures de l'après-midi, Honour reprit le chemin du cottage. Elle marchait jusqu'à l'épuisement car, troublée et préoccupée, c'était sa seule façon de trouver le sommeil. Towzer semblait la comprendre : au lieu de poursuivre les oiseaux comme d'habitude, il restait à son côté en lui lançant des regards mélancoliques.

Soudain, il aboya. Quelqu'un venait à leur rencontre en courant. La personne était trop loin pour qu'elle puisse la reconnaître, mais elle lui adressait de grands signes. Honour s'arrêta et mit ses mains en visière pour s'abriter les yeux du soleil. C'était Adèle ! Son cœur bondit dans sa poitrine. Elle voulut s'élancer mais ne réussit qu'à clopiner.

— Mamie !

Aucune voix n'aurait pu être plus douce.

Avec ses cheveux volant dans la brise, Adèle avait l'allure d'une jeune biche qui se jouait des obstacles. Spontanément, Honour ouvrit grand les bras, les joues ruisselantes de larmes de joie. Après tout, elle avait raison, c'était un beau jour pour les miracles.

20

1940

— Félicitations, infirmière Talbot ! déclara la surveillante en remettant à Adèle son diplôme, son badge et la ceinture bleu foncé qui indiquait son statut de diplômée d'État. Et, je vous en prie, ne pensez pas au mariage. L'Angleterre a plus que jamais besoin d'infirmières.

Adèle sourit. Si certaines de ses collègues étaient de véritables cœurs d'artichaut, ce n'était pas son cas. Elle avait appris à vivre sans Michael, mais aucun autre garçon ne l'avait séduite.

La surveillante remit son diplôme à Joan et lui tint le même discours. Plus tard, les huit infirmières qui venaient de réussir leur examen recevraient leur nouvelle blouse à rayures bleues et blanches et une coiffe amidonnée plus recherchée. Elles bénéficieraient d'une augmentation de salaire et déménageraient au deuxième étage du foyer, dans des chambres spacieuses.

Dans la soirée, Adèle et Joan célébreraient leur réussite autour d'un verre, puis elles iraient danser. La route avait été longue, mais elles avaient réussi. Adèle comprit ce qu'avait ressenti Michael le jour où il avait reçu son brevet de pilote.

On était le 12 mai. Dans deux mois, Adèle aurait vingt et un ans et, jusqu'à présent, la guerre n'avait pas vraiment affecté la vie de la population civile. Les gens l'appelaient la drôle de guerre. Depuis janvier, le sucre, le beurre et le bacon étaient rationnés, on ne trouvait plus certains articles et le gouvernement avait disposé des kilomètres de barbelés et de mines le long des plages par peur d'une invasion. Le *black-out* représentait l'inconvénient majeur dont tout le monde se plaignait. Une fois la nuit tombée, il était difficile de circuler et les gens n'appréciaient pas les préposés à la défensive passive qui contrôlaient les rues à la recherche de rais de lumière filtrant à travers les rideaux. La moitié des patients qui arrivaient la nuit s'étaient cassé la figure ou étaient rentrés dans des réverbères à cause de l'obscurité qui régnait sur la ville. Les hôpitaux londoniens tournaient en partie à vide car ils ne s'occupaient plus que des urgences, aussi quiconque avait besoin d'une opération était envoyé dans un hôpital périphérique. Les hommes et les femmes en uniforme dans les rues, ainsi que la liste des blessés dans les journaux, étaient un rappel constant de la guerre, mais, pour les civils, le danger demeurait lointain.

Le Danemark et la Norvège avaient été envahis en avril. Récemment, l'armée allemande était entrée en Hollande, en Belgique et au Luxembourg. Le même jour, Winston Churchill avait pris la tête du gouvernement de coalition, remplaçant Neville Chamberlain, qui avait démissionné peu de temps auparavant. Malgré la paix qui régnait en Angleterre, les discours vibrants de Churchill à la radio ne laissaient planer aucun doute : l'Angleterre ne tarderait pas à affronter la guerre, dans les airs, sur la mer et au sol. L'excitation était palpable, une sorte d'impatience qui électrisait l'atmosphère. Le plus tôt serait le mieux, afin d'en finir au plus vite.

— Mince alors ! C'est sensass ! se réjouit Joan en découvrant avec Adèle leur nouvelle chambre.

Quelques mois plus tôt, Adèle avait emménagé avec Joan dans une pièce très exiguë. Celle-ci, à l'arrière du foyer des infirmières, donnait sur des toits lugubres et quelques arbres rabougris, mais elle était très calme, beaucoup plus grande, et comportait un lavabo et deux fauteuils confortables.

— Les lits sont aussi durs, constata Adèle en bondissant dessus. Enfin, c'est merveilleux d'avoir davantage d'espace. Tu devras être plus ordonnée, j'en ai marre de ramasser tes affaires.

Les deux amies avaient commencé à partager une chambre juste après la déclaration de guerre, à la suite de la visite d'Adèle chez sa grand-mère. Le retour à la maison l'avait galvanisée. En dépit des souvenirs pénibles qui l'assaillaient, le train-train quotidien – ramasser le bois, nourrir les poules et les lapins, faire le ménage et la cuisine – l'avait aidée à se ressaisir. Elle vit qu'elle était forte, à la fois physiquement et mentalement, et elle réalisa que son enfance douloureuse avait contribué à faire d'elle une bonne infirmière. Elle décida d'arrêter de se morfondre, de nouer des amitiés, de sortir. Quitter sa chambre avait été le premier pas, et, en compagnie de Joan, qui adorait s'amuser, elle prenait peu à peu ses distances avec le passé.

— Tu te crois peut-être parfaite, répliqua Joan. Si on parlait de toutes les fois où tu m'as réveillée à cause de tes maudits cauchemars ?

Adèle rougit. La journée, tout allait bien, seulement elle ne pouvait pas empêcher Michael de hanter ses nuits. Elle prétendait ne pas se souvenir de ses cauchemars mais, en réalité, il s'agissait toujours du même. Il était si pénétrant qu'elle ne risquait pas de l'oublier.

Elle marchait dans les marais en regardant un avion dans le ciel. Elle savait que c'était Michael, car il inclinait une aile comme sa grand-mère le lui avait raconté. Il n'arrêtait pas de tourner au-dessus de sa tête et elle riait en lui adressant de grands signes. Soudain, on entendait une détonation et son avion tombait en vrille. Il prenait feu et Michael criait à l'aide.

Elle avait fait beaucoup de mauvais rêves depuis son départ de Hastings, mais celui-ci avait commencé juste après la déclaration de guerre. Probablement à cause de cet article dans le journal : à la base de Michael, une jeune recrue avait trouvé la mort lors de son premier vol en Spitfire. Depuis, elle avait entendu parler de nombreux aviateurs tués par l'ennemi en France et aussi au cours d'accidents pendant leur période de formation. Chaque matin, elle parcourait le journal, le cœur battant. Il était malsain d'entretenir cette obsession, aussi s'était-elle obligée à ne plus le consulter.

— Je fais des cauchemars parce que je partage une chambre avec toi, rétorqua Adèle.

Joan éclata de rire. Elle avait de la chance de l'avoir pour amie. Joan était un soleil qui rayonnait même par les journées les plus ennuyeuses. Son joli visage, criblé de taches de rousseur, sa crinière de cheveux roux indisciplinés et ses yeux verts pétillants la rendaient populaire auprès des infirmières et des patients. Mais ce qu'Adèle appréciait le plus chez elle, c'était sa simplicité et sa loyauté. Une fois qu'elle s'était liée d'amitié, elle acceptait la personne avec tous ses défauts. Souvent, après une nuit agitée, elle s'était glissée dans le lit d'Adèle et l'avait tenue dans ses bras sans poser de questions.

Si Adèle lui parlait de Michael, Joan ne raconterait rien à personne. Pourtant c'était un secret qu'Adèle avait l'intention d'emporter avec elle dans la tombe.

— Alors, comment on s'habille ? demanda Joan. Tu crois que je peux remettre ma robe vert émeraude ? Les gens risquent de penser que je n'en ai pas d'autre, non ?

— Je vais porter celle à rayures pour la centième fois, car c'est la seule qui soit à peu près convenable. Alors tu peux bien mettre la tienne.

Elles n'avaient pas d'argent pour s'acheter des vêtements. Joan donnait une partie de son salaire à sa mère et Adèle envoyait de l'argent à Honour.

— Essayons de séduire deux copains, ce soir, suggéra Joan.

Si on arrive à se faire inviter chaque semaine au cinéma, on pourra économiser et s'acheter une robe d'été au marché.

Adèle s'allongea sur son lit en riant.

— Qu'est-ce qu'il y a de si drôle ?

— Toi.

Joan avait l'intention de lui dégoter un petit ami, elle s'y était attelée depuis plusieurs mois de façon directe ou indirecte, mais cette ruse battait tous les records.

— Tu me vois accepter une invitation juste pour économiser quelques shillings ?

— Non, tu en es incapable, rétorqua son amie avec humeur. C'est plutôt toi qui lui offrirais sa place et tu lui achèterais aussi des *fish and chips*, car un mec qui veut sortir avec toi a forcément des problèmes.

— Tu crois que je suis comme ça ? s'enquit Adèle, incrédule.

— Je ne le crois pas, j'en suis convaincue. Je t'ai observée. Un type commence à te parler, tu ne flirtes pas, non, tu lui poses des questions et il te raconte ses ennuis. Je suis persuadée que s'il te confiait qu'il a un furoncle dans le dos, tu lui proposerais de le lui percer. Ce n'est pas la manière de trouver un petit ami, Adèle. Tu es trop bonne.

Adèle ne sut pas quoi répondre. C'était vrai, elle ne flirtait pas car elle ignorait comment s'y prendre. En outre, cela lui semblait inutile, à moins d'être vraiment attirée. Elle avait apprécié de nombreux garçons rencontrés lors de sorties avec Joan, mais pas de cette façon-là. Pourquoi jouer un rôle ?

— Mon attitude te fait perdre tes moyens quand nous sortons ensemble ? s'inquiéta Adèle.

— Bien sûr que non ! Je suis fière de t'avoir comme copine, tu as de la classe, ce qui n'est pas vraiment mon cas. Je m'inquiète à ton sujet, c'est tout. Tu pourrais jeter ton dévolu sur n'importe qui si tu voulais, mais à mon avis tu en pinces toujours pour le pilote.

— Peut-être. À moins que je n'attende le prince charmant.

Joan fit la grimace.

— Pour l'instant, si on se contentait de s'amuser avec quelques crapauds ?

Adèle se leva du lit et passa en revue la pile de vêtements déposés sur une chaise.

— La robe à rayures sera parfaite pour un crapaud, déclara-t-elle en souriant. Et tu es si ravissante dans ta robe vert émeraude que tu éclipseras toutes les autres filles.

Très loin de là, Michael entendit la voix de Stan Brenner lui annoncer qu'il était temps de se lever et d'avaler cette tasse de thé. Il ouvrit les yeux avec difficulté pour découvrir son ordonnance debout près du lit. Déjà quatre heures du matin ? Il avait l'impression qu'il venait de fermer les yeux.

— OK.

Sa langue était pâteuse, il avait encore dans la bouche le goût du whisky de la veille. Il repoussa les couvertures, se leva en se frottant les yeux, puis but avec reconnaissance le thé chaud et sucré. Brenner s'en alla, satisfait de le savoir complètement réveillé. En dix minutes, Michael se lava, se rasa et se rendit au mess pour prendre son petit déjeuner. Il n'avait pas faim. Comme d'habitude, il avait l'estomac barbouillé, cependant la peur se calmerait une fois dans le cockpit et il n'aurait sans doute pas l'occasion de manger avant plusieurs heures.

Ses compagnons d'escadrille l'avaient devancé au mess, déjà très enfumé. Il était trop tôt pour parler, aussi chacun se contentait de hocher la tête pour saluer les arrivants. Michael avait conscience que, comme lui, ils s'efforçaient de ne pas penser à celui qui ne serait peut-être plus parmi eux dans la soirée.

On était le 28 mai et ils survoleraient la France pour intercepter les bombardiers allemands qui massacraient les troupes anglaises et françaises se repliant sur Dunkerque.

La veille, Michael avait abattu un ME 109. La journée avait été éprouvante. C'était déjà très dur de voir les longues lignes irrégulières de soldats tentant d'atteindre les plages de Dunkerque, mais, à l'intérieur du pays, il avait pu observer les hordes de réfugiés fuyant les Allemands : les femmes portaient leur bébé dans leurs bras, des tout-petits accrochés à leur jupe, et les hommes poussaient des charrettes où s'entassaient leurs affaires. Ils se frayaient un passage parmi des corps mutilés, des véhicules en flammes, des chariots et des cadavres d'animaux, et Michael avait éprouvé des envies de meurtre envers les pilotes allemands qui ouvraient le feu sur des civils innocents.

Le réservoir d'un Spitfire contenait du carburant pour une heure et demie au plus. L'aller-retour prenait quarante minutes, il restait donc cinquante minutes pour attaquer les avions ennemis. La seule façon d'avoir ces salauds était de voler à la vitesse maximale, d'arriver tout près, d'ouvrir le feu et de filer comme une flèche. Mais, à la vitesse maximale, le moteur consommait beaucoup de carburant et Michael devait s'assurer d'en avoir assez pour rentrer en Angleterre.

La quatrième sortie de la journée avait été la pire. Tout à coup, il se retrouva entouré d'avions allemands et eut l'impression de voler dans un essaim de guêpes. Michael fonça sur un avion qui se tenait à l'écart afin de lui porter le coup de grâce. Il fut alors encerclé par les autres. Il avait oublié de mettre son foulard en soie, et son col écorchait son cou car il n'arrêtait pas de tourner la tête en tous sens dans le but de surveiller les mouvements de ses agresseurs. Il tira sur le 109 qui se trouvait à sa droite et sur celui du dessous, puis piqua rapidement pour leur échapper. Soudain, il sentit une trépidation. Il avait été touché et se crut perdu. Mais ils n'avaient endommagé que son aile gauche et il parvint à rentrer à la base de justesse, planant pendant les derniers kilomètres pour économiser du carburant. Le soleil tapait impitoyablement sur le cockpit et il voyait à peine devant lui à cause de la transpiration dégoulinant sur ses yeux. Il l'avait échappé belle.

Après le thé et une tartine grillée, Michael rejoignit ses compagnons dans la Jeep qui les conduisait au terrain d'aviation, chacun muni de son parachute. L'aube était grise et froide, le terrain silencieux quoique très animé, car les équipes au sol les attendaient. Beaucoup d'hommes avaient travaillé toute la nuit pour effectuer des réparations et des réglages sur les avions. Michael avait vu cette scène de nombreuses fois, mais elle l'émouvait toujours. Dans la brume matinale, les petits Spitfire alignés ressemblaient à une meute de terriers se préparant à la chasse. Bientôt les moteurs vrombiraient, l'odeur de l'essence et de l'huile emplirait l'atmosphère.

L'avion de Michael était réparé. Celui-ci sauta sur l'aile, se glissa dans le cockpit et fit démarrer le moteur. Comme d'habitude, une fois installé, il sentit sa peur s'apaiser. Il vérifia ses instruments de contrôle, la radio, la jauge d'essence et du liquide de refroidissement, puis il leva le pouce pour indiquer à l'équipe au sol que tout allait bien. Ensuite il coupa le contact, sortit de l'appareil et se dirigea vers la tente pour attendre l'ordre de décoller.

C'était le moment qu'il détestait le plus. Tendu par la perspective du départ, il ne voulait pas avoir le temps de réfléchir. Certains lisaient, d'autres jouaient aux échecs ou s'allongeaient sur les lits de camp pour dormir, d'autres encore fumaient cigarette sur cigarette.

Michael, lui, se retrouvait invariablement à penser à Adèle. Il avait traversé beaucoup de hauts et de bas depuis sa fameuse lettre. Il était passé par l'incrédulité, la colère, la pitié, la haine et un immense chagrin. Il s'était creusé la cervelle pour comprendre ce qu'il avait fait de mal et se disait parfois qu'il était bien mieux débarrassé d'elle. Il s'évertuait à se convaincre qu'elle l'avait trompé, ou qu'elle était folle. Cependant, il en arrivait toujours à la même conclusion : lors de leur week-end à Londres, les souvenirs douloureux de son passé étaient revenus la tourmenter. C'était la seule explication possible.

Si c'était le cas, elle avait d'autant plus besoin d'amour. Et le sentiment d'abandon qu'éprouvait Michael n'était sans doute rien du tout comparé à celui d'Adèle.

Il ne supportait plus de retourner à Winchelsea. Si sa mère voulait le voir, ils se retrouvaient à Londres. Au début, il avait refusé de rencontrer son père car il le rendait en partie responsable de la décision d'Adèle. Mais, juste après la déclaration de guerre, celui-ci s'était présenté à la base et Michael n'avait pas pu se défiler.

À son grand étonnement, son père s'excusa d'avoir été aussi dur envers Adèle. Bien sûr, il déclara qu'à long terme cette séparation était peut-être pour le mieux, mais il reconnut que la jeune fille avait des qualités admirables. Il manifesta également une sensibilité inhabituelle. Serrant son fils dans ses bras, il affirma qu'un premier amour était toujours douloureux et qu'il le comprenait.

— Tu as envie de jouer aux cartes, Mike ?

Michael sortit de sa rêverie. John Chapman était son meilleur

273

ami et, malgré leurs origines sociales fort différentes, ils étaient devenus très complices.

Avec son visage joufflu, ses cheveux blonds et ses grands yeux innocents, John faisait plus jeune que ses vingt ans. Élevé dans une ferme, il avait fréquenté le lycée du coin et travaillait dans un garage quand il avait découvert les avions. Il était allé livrer des pièces détachées à un terrain d'aviation. Une fois sur place, on lui avait offert un baptême de l'air dans un biplan. Le pilote lui avait concocté un vol à faire dresser les cheveux sur la tête mais, malgré sa peur, John sut qu'il avait découvert son métier. Il avait posé sa candidature pour s'engager dans la Royal Air Force, s'attendant à être recruté plutôt comme équipier au sol. Mais le jury l'apprécia : il fut sélectionné pour une formation de pilote accélérée.

Michael accepta de jouer aux cartes afin de ne plus penser à Adèle. John distribua. Avant de prendre les siennes, il dévisagea Michael.

— S'il m'arrive quelque chose aujourd'hui, tu contacteras ma famille ?

— Bien sûr, et toi la mienne, répondit Michael.

Ils n'auraient pas évoqué avec plus de détachement l'endroit où ils iraient boire une bière plus tard. John acquiesça et ils commencèrent leur partie.

L'ordre de décoller arriva à sept heures et demie.

— La barbe ! J'espérais qu'on aurait droit au deuxième petit déjeuner de huit heures, grommela John en enfilant en vitesse son gilet de sauvetage.

Michael noua son foulard en soie en courant vers son avion, sauta dans le cockpit, fixa son parachute au siège et fit démarrer le moteur. Son angoisse l'abandonna ; un pilote détendu volant à l'instinct avait de bien meilleures chances de survivre. Tandis que son avion se dandinait vers la piste telle une vieille oie, il se concentrait sur ses objectifs : abattre au moins un avion et rentrer sain et sauf.

L'escadrille approchait la Manche en formation serrée et Michael leva le pouce à l'adresse de John, qui volait sur sa droite. Le temps était parfait, avec un petit vent et quelques nuages blancs cotonneux. L'excellente visibilité lui permettait de distinguer sans peine un groupe d'écoliers aux visages tournés vers le ciel, qui se protégeaient les yeux du soleil pour regarder les avions.

Quelques secondes plus tard, il se trouva au-dessus de la mer. Limpide, bleue et tentante dans la lumière du soleil, elle lui évoqua d'heureux souvenirs de baignade avec Adèle. Mais la Manche était aussi redoutable pour les pilotes que les Allemands. Y sauter en parachute laissait peu de chance de survie. Il se demanda si le pilote du Hurricane qu'il avait vu tomber hier avait été repêché à temps.

La radio l'avertit qu'une douzaine de ME 109 se dirigeaient vers Dunkerque. Presque aussitôt, Michael les aperçut dans le lointain. Il voyait aussi des colonnes de fumée noire s'élever des côtes françaises et il se prépara à contempler les dégâts causés par les bombardements.

Le ciel fut soudain rempli d'avions ennemis fonçant sur lui. Leurs croix argentées brillaient dans le soleil. Il monta pour leur échapper, vit John faire de même sur sa droite. Mais, en sortant d'un amoncellement de nuages, il se trouva face à deux autres avions de chasse. Il vola entre eux, tira et, pensant avoir touché celui de gauche, revint à la charge pour l'achever.

John avait disparu et Michael songea qu'il avait à nouveau piqué. Mais, en repassant à l'attaque, il aperçut du coin de l'œil une lueur éblouissante. Il n'eut pas le temps d'en vérifier la provenance car il se concentrait sur la meilleure position à adopter pour en finir avec l'avion allemand. Sa proie tentait de s'enfuir, seulement la première frappe le ralentissait. Michael s'approcha si près qu'il vit nettement le pilote allemand ; il tira et toucha le nez de l'avion. Un jet de liquide de refroidissement aspergea le pare-brise du cockpit. En filant comme une flèche, il eut la satisfaction de le voir tomber en vrille dans une traînée de fumée noire.

Le ciel fut soudain désert et, à la vue du niveau du carburant, Michael réalisa qu'il avait volé beaucoup plus loin que le reste de l'escadrille. Il fit demi-tour et c'est à ce moment-là qu'il localisa l'avion de John. La queue était en flammes, c'était la lueur qu'il avait aperçue plus tôt. Bien que John fût en bonne position pour sauter en parachute, il semblait ne pas réussir à ouvrir le cockpit. La transpiration dégoulina sur le visage de Michael ; il se mit à trembler. Il avait déjà perdu quatre amis de son escadrille, et une douzaine de garçons qu'il connaissait étaient morts eux aussi. Mais c'était la première fois qu'il assistait à un accident mortel.

— Ouvre le cockpit ! hurla-t-il instinctivement.

Paroles inutiles, il en avait conscience. La seule personne susceptible de l'entendre était l'opérateur radio.

Michael pleura tout le long du chemin de retour. John était si innocent ! Deux jours plus tôt, il lui avait confié qu'il n'avait jamais couché avec une fille. Chaque semaine, sa mère lui envoyait un gâteau, et son père, les comptes rendus des matchs de l'équipe de foot locale. Ils étaient si fiers de leur fils unique.

Quelle injustice ! John était un pilote exceptionnel, un garçon adorable, aimé de tous. Ses blagues et son caractère enjoué avaient plus d'une fois remonté le moral de Michael. Il avait tant à donner. Pourquoi lui ?

Debout dans le jardin, Honour abritait ses yeux du soleil pour suivre les avions. Elle était contente qu'ils soient au-dessus de Dungeness car, si l'un d'eux s'écrasait, il n'y avait aucune maison dans le secteur.

Six semaines auparavant, depuis l'évacuation de Dunkerque, elle avait vu de nombreux combats. Winston Churchill avait surnommé cette bataille aérienne la « bataille d'Angleterre ». Que la moyenne d'âge de ces pilotes adroits et courageux fût de vingt ans à peine lui paraissait incroyable. Le vrombissement de leurs moteurs réveillait Honour tous les matins. Elle les observait se rendre en formation serrée vers les côtes françaises et revenir par petits groupes. Au début, elle décida de les compter pour vérifier s'ils rentraient tous, mais le découragement s'emparait d'elle quand il en manquait.

Elle en avait vu deux s'écraser. L'un des pilotes avait pu sauter en parachute, indemne, l'autre avait brûlé vif. Ce n'était pourtant rien comparé aux innombrables morts dans le sud de l'Angleterre. Les bombardiers apparaissaient sournoisement pour larguer leur chargement mortel sur les terrains d'aviation, tuant les équipes au sol et les civils. Ceux qui n'arrivaient pas à atteindre leur cible larguaient leurs bombes n'importe où, sans se soucier de toucher des hôpitaux, des écoles ou des villages.

Six semaines plus tôt, le moral de Honour était remonté en flèche lorsqu'elle avait vu des centaines de personnes prendre leurs petits bateaux pour secourir des soldats coincés à Dunkerque. Elle était convaincue que, avec une population aussi courageuse et déterminée, l'Angleterre vaincrait. Mais à présent, en observant les pilotes de chasse combattre jour après jour, en lisant la liste des blessés, plus longue chaque semaine, elle redoutait que l'Angleterre ne possède pas assez d'hommes ou d'armes pour gagner la guerre.

Elle se coucha très angoissée et se réveilla dans le même état d'esprit. Au début, elle priait pour Adèle et Michael. Maintenant, elle trouvait égoïste de ne penser qu'à ses proches. Chaque soldat, marin ou aviateur était le petit-fils, le fils, le mari, l'amoureux ou le frère d'une personne. Elle éprouvait de la compassion pour tous.

— Regarder le ciel n'enlèvera pas les mauvaises herbes ! lui cria Jim, le postier, d'un ton jovial.

— Vous avez raison, concéda Honour, ravie de cette visite distrayante.

Elle appréciait beaucoup Jim. Il avait soixante-sept ans, une belle tignasse blanche et les jambes très arquées. Il s'était battu lors de la Première Guerre et, malgré sa mauvaise santé, il remplaçait son fils, qui avait été appelé. Il aimait se sentir utile.

— Les mauvaises herbes peuvent attendre si vous avez envie d'une tasse de thé.

— J'espérais que vous alliez me le proposer, je meurs de soif. Et c'est un jour à marquer d'une pierre blanche pour vous. Il semblerait que j'aie une lettre de votre petite-fille. L'enveloppe porte le cachet de Londres.

Jim s'assit sur le banc près de la porte et Honour rentra préparer le thé. Après avoir mis de l'eau à chauffer, elle parcourut rapidement la lettre.

Chère mamie,
Je n'ai pas grand-chose à raconter, tout est très calme dans l'ensemble, à part quelques urgences puisque les malades sont envoyés dans des hôpitaux périphériques. Les chambres des étages supérieurs sont fermées et ils en ont fait de nouvelles dans le sous-sol pour se protéger en cas de bombardement. Je

me suis mise au tricot pendant mes nuits de garde et j'ai presque terminé le dos d'un cardigan. C'est affreux que Paris soit tombé aux mains des Allemands. Parfois, je me demande si nos hommes peuvent vraiment les arrêter.

J'aimerais tant rentrer à la maison pour les vacances, Londres est pénible pendant l'été et la nourriture ici est horrible. Ça ne va pas s'arranger car on manque peu à peu de tout.

Je suis allée plusieurs fois danser avec Joan et d'autres infirmières. C'est drôle, les gens éprouvent plus l'envie de s'amuser qu'en temps de paix. Le West End est vraiment amusant la nuit malgré le black-out, même s'ils ont tout condamné à l'aide de planches. Nous sommes restées tard un soir et l'on ne voyait rien à un mètre. Mais l'obscurité pousse les gens à se parler et à s'entraider. En revanche, j'en ai assez de trimbaler mon masque à gaz.

Beaucoup d'enfants sont revenus à Londres, je pense que leurs mères sont imprudentes, même s'ils leur manquaient énormément. J'ai participé à ma première naissance par césarienne, la femme était en contractions depuis deux jours chez elle et c'est un voisin qui a appelé une ambulance. C'était passionnant. Du coup, je songe à devenir sage-femme. Le bébé, un garçon, se porte bien mais l'état de la mère est préoccupant. Son mari est dans l'armée et elle a trois autres enfants. Certaines femmes ont une vie vraiment difficile.

Je ne vois pas grand-chose d'autre à te raconter. Nous nous ennuyons car nous avons très peu de malades. Comment va Towzer ? Je suis ravie qu'il soit avec toi, si un Allemand tombe du ciel, je suis convaincue qu'il l'attaquera pour te défendre.

Prends soin de toi et ne travaille pas trop dur dans le potager. Flatte bien les lapins pour qu'ils aient plus de petits. Fais un câlin à Misty et caresse Towzer pour moi.

Affectueusement,
Adèle.

Honour sourit et fourra la lettre dans la poche de son tablier pour la relire plus tard. Elle s'inquiétait beaucoup pour Adèle, mais quand elle recevait des nouvelles elle se détendait pendant quelque temps.

À midi, alors que Honour arrachait les mauvaises herbes du potager, Rose s'asseyait dans son lit pour prendre une cigarette.

— Merde, marmonna-t-elle en constatant que le paquet était vide.

Elle s'effondra sur les oreillers.

Elle avait touché l'argent de Myles Bailey depuis un an et cinq mois et, à l'époque, elle avait pensé être tirée d'affaire. Mais la guerre avait bouleversé ses projets.

Au début, tout se déroula à merveille. Suivant les conseils d'un homme d'affaires client du restaurant où elle travaillait, elle acheta une maison de huit pièces très bon marché à Hammersmith. Selon lui, la location de chambres représentait un excellent rapport. De cette façon, elle conserverait son capital. Elle eut pas mal de difficulté à trouver un plombier pour construire une autre cuisine et une salle de bains pour les locataires. Elle refit aussi la décoration, marchandant des meubles dans des magasins d'occasion. Enfin, les aménagements terminés, elle eut pour la première fois de sa vie le sentiment d'avoir construit quelque chose.

C'était divin d'avoir sa propre maison, une salle de bains pour elle toute seule et de l'argent à dépenser en vêtements, parfums et coiffeur. Les premiers locataires avaient été parfaits. Deux couples mariés dans les grandes chambres et deux hommes d'affaires âgés dans les petites. Ils payaient leur loyer en début de semaine, et les femmes nettoyaient la cuisine et la salle de bains communes. Les hommes d'affaires rentraient chaque week-end chez leur femme et n'utilisaient pas la cuisine.

Tout était si calme, si harmonieux ! Les couples avaient sympathisé, elle entendait leurs conversations et leurs rires discrets. Dans sa naïveté, Rose les imaginait rester indéfiniment. Les hommes seuls étaient trop vieux pour être appelés, un des jeunes était pompier et l'autre, qui travaillait dans l'administration, fut exempté. Mais Rose n'avait pas réalisé que la guerre affecterait aussi les civils.

Le fonctionnaire fut muté et sa femme le suivit. Le couple qui les remplaça se fâcha avec le pompier, qui utilisa ce prétexte pour retourner vivre près de chez sa mère. Les deux hommes d'affaires décidèrent de rentrer tous les soirs dans leur famille, au cas où Londres serait bombardé.

Rose découvrit alors qu'elle ne pouvait pas se permettre de faire la difficile pour choisir ses locataires : beaucoup de gens quittaient Londres, il y avait donc des centaines d'appartements et de chambres à louer. Très vite, elle accepta n'importe qui et les problèmes ne tardèrent pas à se présenter. Elle eut des réfugiés juifs venant de Hollande et d'Allemagne, qui ne parlaient pas anglais. Des hommes bruyants et rudes qui ne payaient pas le loyer à temps. Des femmes accompagnées d'enfants qui dérangeaient les autres locataires. Elle eut un homme qui cassait tout quand il était soûl, une femme qui se révéla être une prostituée et de nombreux cinglés en délicatesse avec la police.

Découragée, Rose parcourut sa chambre des yeux. Le papier peint rose et blanc posé par le décorateur l'avait enchantée. Comparé à ce qu'elle avait connu, la pièce ressemblait à une chambre de vedette de cinéma. La grande fenêtre donnait sur des jardins luxuriants et le soleil matinal imprimait des reflets ambrés sur le lit, la penderie et la coiffeuse en noyer. Ils avaient l'air de meubles de famille, tel le tapis vert et rose à franges, mais tout provenait d'un dépôt-vente. Au début, Rose en avait pris le plus grand soin : elle défroissait le couvre-lit de satin rose et achetait souvent des fleurs qu'elle disposait dans un vase, sur la coiffeuse. Parfois, elle s'asseyait et savourait la beauté de son intérieur.

À présent, elle laissait ses vêtements traîner par terre, les draps n'étaient plus très propres et une fine couche de poussière recouvrait les meubles.

Rose était loin d'être sans ressources. Elle possédait deux cents livres à la banque et les loyers payaient ses dépenses quotidiennes. Pourtant elle n'avait pas le moral. Les dégâts causés par ses locataires lui donnaient envie de pleurer et leur saleté la révoltait. Mais surtout elle se sentait terriblement seule. Si elle sympathisait avec certains, ils en profitaient pour la rouler. Déboucher des lavabos ou changer le joint d'un robinet n'entrait pas dans ses compétences, et quand elle avait à se montrer impitoyable et à jeter quelqu'un à la porte, ses nerfs en prenaient un sacré coup.

Le pire, c'était la culpabilité. Pas d'avoir soutiré de l'argent à Myles Bailey – il le lui devait bien –, mais envers Adèle.

Elle ne l'avait pas éprouvée tout de suite. Au début, elle était fière d'avoir acheté la maison et elle vivait sur un petit nuage. La culpabilité s'insinua sournoisement. Elle surgissait lorsqu'elle croisait de jeunes pilotes marchant main dans la main avec leur petite amie, ou quand elle voyait une infirmière de l'hôpital du quartier. Maintenant, elle la ressentait fréquemment. Même si elle se répétait qu'elle avait accompli son devoir en empêchant sa fille d'épouser son frère, elle savait qu'Adèle la considérait comme la femme la plus méprisable au monde.

Rose avait trente-neuf ans. Quand elle se contemplait dans le miroir, elle constatait les ravages opérés par le temps, l'alcool, l'égoïsme et les liaisons sans amour. Tout l'argent du monde ne lui redonnerait pas sa beauté. Il pouvait acheter de la compagnie, mais pas des amis véritables. Il pouvait acheter le confort matériel, mais pas l'affection. Si une bombe tombait sur sa maison et la tuait, qui s'en soucierait ? Personne.

Incapable de dormir la nuit, elle se souvenait des vacances à Curlew Cottage. Elle se rappelait les rires de ses parents lorsqu'ils préparaient le dîner, les promenades où elle leur tenait la main, les soirées assise au coin du feu sur les genoux de sa mère tandis que son père leur lisait une histoire. Si Adèle évoquait son enfance, Rose doutait qu'elle eût un seul bon souvenir de sa mère.

Pendant des années, Rose avait vu cette période de sa vie dans les marais comme les croquis au fusain de son père, dans des tons gris et noirs : froide, lugubre et misérable. Mais lors de sa visite à sa mère, le soleil brillait, aussi le croquis au fusain avait-il peu à peu cédé la place à un splendide tableau en Technicolor. Elle se représentait les reines-des-prés élancées oscillant dans la brise et l'herbe d'un vert émeraude parsemée de boutons-d'or dorés et de trèfles violets. Des martins-pêcheurs lançaient des éclairs turquoise sur les berges de la rivière et des iris jaunes poussaient dans la tourbe.

Sa mère ne lui apparaissait plus sous les traits d'une mégère. Elle se la rappelait cuisant des bonshommes en pain d'épice ou cueillant des fleurs avec elle. Ses yeux lui piquaient quand elle imaginait Adèle à sa place.

Jusqu'à présent, Rose ne s'était jamais sentie coupable de s'être enfuie de chez elle. Elle travaillait dur à l'hôtel et devait donner toute sa paie à une mère qui ne se rendait même pas compte de son travail harassant. Myles était apparu comme la chance de sa vie. Ensuite, lorsqu'elle s'était retrouvée enceinte, elle avait été trop orgueilleuse pour écrire qu'elle avait des ennuis.

L'apathie avait peu à peu remplacé cet orgueil. Sa vie d'adulte flottait dans un brouillard d'où émergeaient quelques scènes. Son mariage avec Jim dans un horrible bureau d'état civil crasseux, où l'employé avait regardé son ventre gonflé avec un petit sourire narquois en lançant : « Il était temps. » La naissance d'Adèle dans une pension de famille sinistre, au lit plein de puces. Elle avait souffert pendant des heures, assistée d'une vieille bonne femme caustique. Il n'était pas étonnant qu'elle n'éprouve aucun amour envers un bébé qui l'avait déchirée, un bébé qui l'avait empêchée de rentrer chez elle et obligée à épouser un crétin.

Avec la naissance de Pamela, rapide et sans souffrance, elle avait vécu une expérience bien différente. Jim avait été adorable et aimant, et elle avait cru en être finalement amoureuse. La tendresse qu'elle ressentait en contemplant le visage adorable de Pamela l'avait convaincue que sa vie prenait une meilleure tournure.

Pamela avait dix-huit mois quand tout tourna à l'aigre. Dans le passé, Rose avait connu des périodes d'abattement et de morosité, mais ces états étaient toujours passagers. Cette fois-là, elle avait l'impression qu'une ombre froide et grise l'étouffait peu à peu. À la perspective des couches à laver, des repas à préparer et des demandes incessantes des deux enfants, elle n'arrivait plus à se lever. Elle aspirait au silence total, à la solitude. Les voix de Jim et d'Adèle suffisaient pour qu'elle ait envie de fuir en courant jusqu'à trouver cette paix dont elle avait un besoin maladif.

Seul le sourire de Pamela l'aidait à tenir le coup. Adèle, qui lui rappelait sans cesse Myles, la mettait dans des colères noires. Un jour – Pamela avait trois ans –, elle avait essayé de partir pendant qu'Adèle était à l'école. Elle avait réussi à économiser deux livres et voulait prendre un train pour vivre à la campagne. Mais, en emballant tout ce dont elle avait besoin, elle avait réalisé qu'elle n'aurait pas la force de porter un sac lourd en plus d'une enfant incapable de marcher longtemps. Elle s'était effondrée par terre en pleurant comme une gamine frustrée.

Par la suite, elle avait songé souvent à s'enfuir, pourtant elle savait qu'elle ne parviendrait pas à travailler et à s'occuper de Pamela en même temps. Plus elle se sentait piégée, plus son état mental s'aggravait.

À la mort de Pamela, elle fut dépossédée de son seul repère. Elle ne se rappelait pas les événements ayant précédé son internement. Elle se souvenait seulement que, après l'enterrement de sa fille, elle avait eu la sensation d'être un jouet mécanique dont le ressort s'était cassé. Elle avait alors perdu le contrôle de son corps et de son esprit.

Elle se souvenait de certains traitements de l'asile. On l'avait plongée dans des bains glacés, forcée à avaler des médicaments horribles qui la faisaient vomir. Elle avait recouvré ses esprits grâce à la solitude de sa chambre. Le silence, l'inactivité et la possibilité de dormir tout son soûl l'avaient sauvée. Une fois son corps et son esprit reposés, elle avait été capable de réfléchir.

Quand on l'informa que sa mère était devenue la tutrice d'Adèle, on lui expliqua aussi qu'elle ne sortirait de l'asile qu'avec l'accord de son mari. Or, Jim ne se souciant plus d'elle, elle resterait donc enfermée à vie.

Le personnel se montrait impitoyable envers les patients qui leur donnaient du fil à retordre. À son arrivée, elle avait insulté et frappé les employés, qui l'avaient battue en retour. La peur des coups l'avait rendue obéissante et elle avait compris que la seule façon de s'échapper était de conserver cette façade. Elle fit exactement ce qu'on lui ordonnait et ne causa plus aucun ennui. En persévérant dans cette voie, elle espérait gagner la confiance des infirmiers et obtenir des petits boulots.

Elle avait vu juste. Ils ne tardèrent pas à lui confier de la couture, elle lava aussi les sols, travailla à la blanchisserie, puis ils l'autorisèrent enfin à se promener dans le jardin.

À certains moments, elle pensait avoir perdu la faculté de parler, de sourire, de rire ou de marcher d'un pas rapide. Elle s'habitua à arborer un visage dénué d'expression, à avancer en traînant des pieds, tête baissée, comme les autres malades, et elle apprit à être indifférente quand le personnel parlait d'elle en sa présence comme si elle était débile. Mais elle gardait les yeux ouverts, écoutait avec soin et prenait note de ce qui pourrait lui être utile.

Elle avait raconté à Johnny qu'elle s'était échappée dans la camionnette de la blanchisserie, et c'était vrai. Mais elle ne raconterait jamais à personne qu'elle avait offert de coucher avec le chauffeur afin qu'il la cache dans le panier à linge. C'était un échange honnête. En revanche, une fois tirée d'affaire, elle avait continué à se prétendre amoureuse de lui pour qu'il lui achète des vêtements, la nourrisse et lui offre son toit. De cela, elle avait encore honte.

Le pauvre Jack n'avait jamais eu de femme dans sa vie et il adorait Rose. Il ne buvait pas, ne fumait pas et menait une vie frugale dans le minuscule cottage délabré où il était né. Ses parents étaient morts, il n'avait pas d'ami, son métier de chauffeur était la seule chose dont il puisse s'enorgueillir. Qu'elle soit restée chez lui une année entière, en lui piquant de l'argent en douce jusqu'à ce qu'elle en ait assez pour filer, était infect.

Plusieurs semaines après son départ, elle avait lu dans le journal qu'il s'était pendu dans un bois. Elle s'en était vraiment voulu. Il avait pris le risque de perdre son travail pour l'aider. Il aurait même pu aller en prison si on avait découvert qu'il l'hébergeait. Il n'avait que trente ans et elle lui avait brisé le cœur.

Pourquoi se mettait-elle à ressasser le passé ? Elle avait toujours cru que, avec de l'argent et un endroit convenable où vivre, le bonheur serait au rendez-vous. Pourtant elle n'était pas heureuse. Comment serait-ce possible ? Elle était hantée par le souvenir des personnes qu'elle avait manipulées, par les tours pendables qu'elle avait joués, par la culpabilité qu'elle éprouvait envers sa mère et Adèle.

Parfois, après quelques verres, elle écrivait à Honour pour s'excuser, mais lorsqu'elle relisait les lettres le lendemain matin, elle les déchirait. Quels mots trouver pour être pardonnée ? Aucun ne semblait assez puissant.

21

Honour s'arrêta sur le trottoir et ordonna à Towzer de s'asseoir. Elle regarda le numéro 103 de Shepherd's Bush Road, à la fois soulagée d'avoir trouvé et nerveuse à l'idée de ce qui l'y attendait.

Elle ne s'était pas souvent rendue à Londres, sinon pour visiter des galeries d'art ou courir les magasins dans le West End, et elle ne connaissait pas les quartiers ouvriers. Comparé aux descriptions qu'Adèle lui avait faites de l'East End, Hammersmith avait l'air d'un quartier respectable, pourtant à ses yeux l'endroit était sordide et hideux.

C'était le 23 août, on étouffait et les feuilles couvertes de poussière et de suie pendaient mollement des arbres. Les fenêtres calfeutrées et les amoncellements de sacs de sable faisaient partie du décor inévitable de la guerre, mais les poubelles qui débordaient et l'odeur des égouts lui répugnaient. Elle ne supporterait pas de vivre dans une rue où des hordes d'enfants malpropres couraient en poussant des cris stridents toute la journée. À son avis, les femmes en tablier qui papotaient sur les perrons auraient mieux fait d'emmener leur marmaille dans un parc.

La veille, Honour avait reçu une lettre de Rose. Une fois le choc passé, elle fut stupéfaite de son ton doux et contrit. Elle l'avait relue une dizaine de fois, se demandant ce qu'elle cachait. Elle avait répondu sans tarder, mais, incapable de trouver les mots justes, elle avait décidé tôt le matin de venir à Londres afin de la rencontrer. Ce n'était pas la curiosité ni le désir de faire la paix qui la poussaient à rendre visite à sa fille dévoyée. Elle pensait seulement qu'il était temps de tirer un trait sur le passé.

Personne ne pouvait prévoir ce que la guerre réservait. Récemment, les environs de Londres avaient été bombardés. Le 16 août, une bombe avait touché Wimbledon et tué de nombreuses personnes ; or, d'après le plan, ce quartier n'était pas très loin de Hammersmith. Si Rose était tuée ou grièvement blessée lors d'un raid aérien, Honour regretterait toute sa vie de ne pas avoir essayé de la revoir. On était samedi, il y avait donc toutes les chances qu'elle soit chez elle.

Le trajet en train avait duré une heure de plus que d'habitude, lui donnant largement le temps de nourrir les plus vives inquiétudes au sujet de ce voyage. Elle s'était sentie obligée d'emmener Towzer, au cas où il y aurait un contretemps et qu'elle ne puisse pas rentrer comme prévu dans la soirée. Il avait été parfaitement à l'aise dans le compartiment, mais elle se demandait comment il réagirait face à la circulation. Heureusement, il n'avait pas montré d'appréhension et Honour était fière d'avoir trouvé toute seule son chemin jusqu'à Hammersmith.

Rose avait juste mentionné qu'elle louait des chambres, et Honour ne pouvait s'empêcher de penser qu'elle avait des problèmes. Pour quelle autre raison prétendrait-elle s'excuser pour tout le mal qu'elle avait causé ? Honour dégoulinait dans sa robe bleu marine, trop chaude pour l'été. Ses pieds étaient douloureux, ses yeux pleins de poussière, et Towzer et elle avaient désespérément besoin de boire. En tout cas, le 103 n'était ni pire ni meilleur que les autres numéros de la rue.

Il s'agissait d'une maison mitoyenne encrassée de suie, qui donnait directement sur la rue. Elle comportait trois étages et un sous-sol, avec une volée de marches conduisant à la porte d'entrée peinte en bleu roi. La plupart des fenêtres étaient ouvertes. Tant mieux ! Son périple n'aurait pas servi à rien.

La sonnette retentit assez fort pour réveiller un mort, mais Honour attendit un certain temps avant qu'on lui réponde. Une jeune femme d'environ vingt-cinq ans aux cheveux roux flamboyants et au rouge à lèvres écarlate finit par ouvrir la porte.

— Oui ?

— Je viens voir Mme Talbot, annonça Honour.

— J'sais pas si elle est là, lança la femme en haussant les épaules. Tapez à cette porte.

Elle indiqua la seconde sur la gauche dans le couloir avant de remonter l'escalier avec humeur en plantant Honour dans l'entrée.

Honour frappa puis appela Rose. Sans succès. En haut de l'escalier, elle vit une porte ouvrant sur une salle de bains. Elle avait besoin d'aller aux toilettes et de donner à boire à son chien, aussi monta-t-elle à l'étage. Les W-C n'étaient pas très propres. Elle sortit de son sac le bol en fer-blanc de Towzer et le remplit au lavabo. Comme la fenêtre était ouverte, elle regarda sur quoi donnait l'arrière de la maison. À son grand étonnement, elle découvrit Rose endormie dans une chaise longue. Sa gorge se serra : de loin, dans sa robe bain de soleil à rayures blanches et roses remontée au-dessus des genoux, sa fille avait l'air très jeune et vulnérable.

Honour se pencha à la fenêtre et l'appela.

Il était presque risible que Rose n'ait pas entendu la sonnette et que la voix de sa mère ait suffi à la réveiller en sursaut. Elle bondit sur ses pieds et inspecta les alentours avec perplexité.

— Je suis au premier ! cria Honour. J'ai frappé à ta porte mais tu n'as rien entendu.

Cinq minutes plus tard, Honour se trouvait dans la cour, assise face à Rose. Towzer, couché entre elles, haletait en les regardant alternativement comme s'il détectait la tension entre les deux femmes.

— Je n'aurais pas dû envoyer cette lettre, répéta Rose pour la troisième fois. Je n'étais pas vraiment moi-même.

— Tu étais ivre ? demanda sa mère sans ménagement.

— Bien sûr que non ! rétorqua Rose un peu trop vite. Juste un peu déprimée.

Honour était persuadée que Rose ne se rappelait plus l'avoir écrite ou postée, car, en voyant sa mère, elle avait semblé frappée de stupeur. Ce détail n'avait aucune importance pour Honour, qui considérait qu'une personne ivre exprimait vraiment la vérité de son cœur.

— Je n'arrive pas à croire que tu as fait tout ce chemin en train, poursuivit Rose pour détourner la conversation. Avec un chien, en plus ! Et tu ne t'es pas perdue.

— J'ai peut-être soixante ans mais je ne suis pas gâteuse, rétorqua Honour sèchement. Le voyage m'a donné soif. Vas-tu m'offrir du thé ?

Elle n'avait eu qu'un bref aperçu de la salle de bains et de la cuisine de l'appartement de sa fille, car cette dernière l'avait rapidement invitée à venir dans le jardin, où, selon elle, il faisait plus frais à l'ombre des arbres. Méfiante de nature, Honour doutait que ce soit la véritable raison l'ayant poussée à installer une autre chaise longue face à la sienne.

— Bien sûr, dit Rose en rougissant. Je n'y pensais pas. Je vais aller le préparer.

Honour resta dehors pour donner à sa fille le temps de se ressaisir. Abasourdie par l'arrivée de sa mère, Rose n'avait pas paru horrifiée ni agressive, comme lors de sa visite à Winchelsea. Elle avait l'air en forme, son allure était moins vulgaire et la cuisine était propre et rangée.

La cour était étonnamment agréable et bien entretenue, avec son petit carré d'herbe, le chèvrefeuille sur les murs et un massif d'asters d'automne en pleine floraison. Il n'y avait pas de mauvaises herbes et la partie en béton, près des marches conduisant à la cuisine, était fraîchement balayée. Dans sa lettre, Rose avait écrit qu'elle était propriétaire de la maison. Si c'était vrai, où avait-elle trouvé l'argent ? Mais il y avait beaucoup de choses que Honour ignorait à son sujet, et si elle voulait arriver à un résultat aujourd'hui, elle ne devait pas poser certaines questions qui lui brûlaient les lèvres.

Rose revint avec un plateau. Elle avait brossé ses cheveux, appliqué un peu de rouge à lèvres, et elle paraissait calme. Le service à thé causa un petit choc à Honour : en porcelaine délicate avec un liseré bordeaux sur les tasses décorées d'or, il ressemblait au sien.

— Depuis combien de temps as-tu ce chien ? demanda Rose en déposant le plateau sur une caisse en bois.

Elle tendit la main pour le caresser. Mal à l'aise, elle cherchait des sujets de conversation anodins. Honour lui raconta l'arrivée de Towzer et la raison pour laquelle elle l'avait emmené avec elle. Ensuite, elles parlèrent de la bataille d'Angleterre. Rose n'en savait pas grand-chose. Il est vrai que la plupart des combats aériens avaient eu lieu dans l'Essex, le Kent et le Sussex. Elle se plaignit du rationnement, du *black-out* et des nombreuses fausses alertes qui terrifiaient la population.

— Nous n'en tenons plus aucun compte, poursuivit-elle en haussant les épaules. Ils ne bombarderont pas Londres. Les inévitables oiseaux de malheur feraient mieux de se taire. C'est déjà assez difficile de trouver de bons locataires par les temps qui courent, inutile de clamer que Londres sera bientôt rasé.

En effet, d'après ce qu'avait vu Honour aujourd'hui, il n'y avait vraiment pas de quoi s'alarmer. Les transports fonctionnaient, les magasins étaient ouverts comme d'habitude et les Londoniens flânaient au soleil, insouciants. Une femme avec qui elle avait discuté dans le métro lui avait dit que les gens en avaient assez de se précipiter dans les abris antiaériens quand les sirènes se déclenchaient. Elle avait affirmé qu'elle ne risquait pas de retourner dans un de ces abris crasseux à la moindre fausse alerte. Rose avait donc peut-être raison. Après tout, elle vivait à Londres.

— C'est ta maison ? s'enquit Honour après avoir écouté une diatribe contre certains locataires.

— Oui. J'ai fait des économies très longtemps et j'ai réalisé un petit bénéfice. Un ami m'a conseillé d'investir dans l'immobilier, répondit-elle, un peu sur la défensive, comme si elle avait appris cette explication par cœur.

— C'est un choix excellent.

Honour voulait revenir aux raisons pour lesquelles Rose lui avait écrit. Le service à thé offrait l'occasion d'aborder ce sujet.

— Ton service est presque identique au mien, lança-t-elle jovialement en prenant la théière pour l'examiner.

— C'est la raison pour laquelle je l'ai acheté, avoua Rose d'un air penaud. Je l'ai vu dans un dépôt-vente et il m'a rappelé la maison.

— Je n'aurais pas imaginé que tu aies envie de vivre avec des souvenirs de ton enfance, commenta Honour en prenant soin de conserver un ton neutre.

— Tu vas être étonnée, mais je pense souvent au passé, répliqua Rose, tête baissée. D'accord, continua-t-elle en regardant sa mère droit dans les yeux, je regrette vraiment ma conduite. Si j'avais la possibilité de recommencer de zéro, j'agirais différemment.

— C'est ce que tu m'as écrit. D'après ta lettre, tu souhaites aussi qu'on te pardonne et qu'on t'offre une seconde chance. Pourquoi en éprouves-tu le besoin maintenant ?

— Je le désire depuis très longtemps, mais avec la guerre c'est devenu vital.

— J'ai ressenti exactement la même chose. Je suis contente et soulagée de t'avoir retrouvée, seulement je ne peux pas promettre le pardon. Tu dois le mériter.

— Comment ? demanda Rose en fronçant les sourcils.

— Il faut que tu y réfléchisses. Sois sincère avec toi-même, analyse les motivations qui te guident. Est-ce parce que tu es seule ou en difficulté en ce moment ?

— Non, je vais très bien ! s'indigna Rose. J'ai ma maison, des revenus locatifs. Visite, si tu veux, tu t'en rendras compte par toi-même.

— Les biens matériels ne m'ont jamais impressionnée. Vous avez été, ton père et toi, l'axe autour duquel mon monde a tourné. Maintenant, c'est Adèle. Et comme j'aurais fait n'importe quoi pour vous protéger, j'agis de même avec ma petite-fille. Aussi, tu dois me convaincre de tes bonnes intentions avant que je t'autorise à l'approcher.

— Je ne sais pas si c'est ce que je souhaite, répondit Rose d'un ton maussade. Nous ne nous entendions pas quand elle était petite. Je doute que ça puisse changer.

— Si c'est ce que tu penses, autant que je parte immédiatement ! lança Honour d'un ton brusque. Adèle et moi formons un bloc. Si tu me veux dans ta vie, tu devras te racheter auprès d'elle.

Rose resta silencieuse un moment en se tordant les mains.

— Je veux me racheter, finit-elle par lâcher. Seulement je ne crois pas qu'Adèle fera de compromis. Le jour où je suis venue, je m'y suis très mal prise. J'avais tant à dire, mais je n'aurais pas dû arriver à l'improviste et me conduire de façon aussi...

Elle marqua une pause, incapable de trouver le mot juste.

— Insolente ? suggéra Honour. C'est ce que tu étais. Désagréable et insensible, aussi. Je n'ai pas reconnu la fille que j'avais élevée avec tant de soin. Tu as dû côtoyer des gens bien grossiers pour devenir comme ça.

— Ils ont été les seuls à me donner un toit, se rebiffa Rose. Je n'aurais pas épousé Jim Talbot si je n'avais pas été désespérée.

Honour observa sa fille avec intérêt. Elle était beaucoup mieux que lors de sa dernière visite. Ses cheveux blonds brillaient et arboraient la dernière coupe à la mode, une sorte de gros rouleau sur la nuque dont Honour se demandait comment il tenait. Elle était hâlée, plus mince, et sa robe bain de soleil avait du chic. Mais son visage était ridé et ces rides n'avaient pas été façonnées par le rire. Bien que toujours séduisante, elle avait un air très dur.

— Jim Talbot appartient au passé. Pourquoi le remettre sur le tapis ?

— C'est toi qui ressasses le passé ! s'énerva Rose.

— Ne commence pas, coupa Honour d'un ton ferme. Écoute-moi. La façon dont tu t'es enfuie et la mort de ton père m'ont remplie d'amertume. J'ai vécu comme une recluse jusqu'à l'apparition d'Adèle. Alors question apitoiement sur soi-même, j'en connais un rayon ! Une fois sortie de l'asile, t'es-tu efforcée de changer de vie ?

— Évidemment ! Regarde-moi : est-ce que j'habite dans un taudis ? Suis-je négligée, sale ou cinglée ?

— Non, admit Honour. Mais as-tu obtenu cette maison en travaillant ?

— Tu crois que j'ai soutiré de l'argent à un homme ? cria Rose. Tu crois que je suis une putain ?

Honour allait lui répondre quand elle entendit le bruit d'un avion dans le lointain. Ce vrombissement sourd, elle le savait par expérience, ne correspondait pas à celui d'un petit avion de chasse.

— Écoute, fit-elle en bondissant sur ses pieds et en attrapant le bras de Rose. Des bombardiers !

— Peut-être, mais ils ne largueront aucune bombe ici, répliqua Rose après s'être dégagée de l'étreinte de sa mère. C'est déjà assez pénible que tu me considères comme une prostituée. Épargne-moi une crise de nerfs par-dessus le marché.

Honour restait clouée sur place. Le bruit sourd s'amplifia, puis la sirène de l'alerte aérienne se déclencha. Towzer se mit à hurler à la mort.

— Où est l'abri le plus proche ? demanda Honour en prenant son sac et la laisse du chien, qui continuait à aboyer comme un fou.

— Il y en a un en bas de la rue, mais les chiens y sont interdits, répondit Rose, agacée. Pour l'amour de Dieu, Mère, calme-toi et fais taire cette maudite bête !

— Alors, nous devons rentrer, déclara Honour en entourant Towzer de ses bras pour l'apaiser. Tu as une cave ?

Rose prit le plateau à thé avec nonchalance.

— Oui. Ne panique pas. Allons au dernier étage, on y voit à des kilomètres à la ronde. Ça te rassurera.

De la pièce en question, il y avait bien une vue imprenable, seulement la scène qui s'offrit à leurs yeux les laissa sans voix. Le ciel était noir d'avions. À cette distance, ils ressemblaient à des oiseaux mais un sinistre champignon de fumée noire s'élevait déjà à leur rencontre.

— Mon Dieu ! s'exclama Rose, terrifiée. Ils bombardent ! Qu'allons-nous faire ?

— Descendons à la cave. Je n'irai pas dans un abri sans Towzer. D'où provient ce nuage de fumée, à ton avis ?

— Je n'en sais rien, bredouilla Rose. Du West End, peut-être. Ou bien de l'East End, c'est difficile à dire.

— De Whitechapel ? s'enquit Honour, en sentant ses jambes se dérober sous elle.

— C'est possible. Filons à la cave avant qu'ils arrivent ici.

Plus tard, Honour réalisa que, sans cette attaque aérienne, elle n'aurait pas découvert grand-chose sur sa fille. Elles auraient sans doute fini par se disputer et Honour serait rentrée chez elle sans obtenir de réponses à ses questions.

L'alerte s'était déclenchée à seize heures. À dix-neuf heures, Honour avait constaté que Rose paniquait facilement, répugnait à tout travail manuel et avait bien peu d'humanité.

Le bruit était distant mais incessant. Les bombes tombèrent pendant deux heures. On entendait également les canons anti-aériens, les sirènes d'ambulance et celles des pompiers. Aux informations de dix-huit heures, elles apprirent que seuls les quartiers de l'East End et des chantiers navals avaient été touchés.

Honour estima impératif d'aménager un lieu sûr aussi vite que possible. Pendant ce temps, Rose hésitait, fumait cigarette sur cigarette et se contentait de fermer les fenêtres. C'est Honour qui alla taper aux portes des locataires. Ce fut elle qui rangea la cave, balaya le sol, descendit des chaises, des couvertures, des oreillers et d'autres objets de première nécessité. Quand elle suggéra à sa fille de remplir des seaux d'eau en cas de bombes incendiaires, Rose la regarda, le visage dénué d'expression, comme si elle n'en avait jamais entendu parler.

— Cette maison sera peut-être épargnée aujourd'hui, lui expliqua-t-elle, mais ils bombarderont sans doute ce quartier plus tard. Tu dois t'y préparer, Rose ! Et te soucier aussi de la sécurité de tes locataires.

— Il faut que je m'occupe d'eux ? s'exclama-t-elle, horrifiée.

Lorsque Honour s'était rendue dans les étages, elle n'avait trouvé personne, sans doute parce qu'il faisait très beau.

— Tu dois les aider jusqu'à un certain point. C'est à eux de décider s'ils veulent ou non se réfugier dans un abri antiaérien. Mais, en cas d'urgence, ils doivent avoir accès à cette cave.

Dès que le signal de fin d'alerte retentit, Rose fila dehors sans explication, laissant à sa mère le soin de continuer à aménager la cave. Cette dernière dressait une liste de ce que Rose aurait besoin d'acheter – des bougies, du lait en boîte, des denrées alimentaires et un poêle à mazout pour l'hiver – quand sa fille revint avec une bouteille de cognac, en annonçant que les chantiers navals brûlaient.

La sirène d'alerte retentit de nouveau à dix-neuf heures trente, au moment où la nuit tombait. Si Honour n'avait pas préparé des sandwichs au cornedbeef, une Thermos de thé et la pâtée de Towzer avec la nourriture qu'elle avait apportée, elles auraient eu très faim car Rose se précipita à la cave avec son cognac sans se préoccuper de rien d'autre. Honour se rendit une nouvelle fois dans les étages, au cas où des locataires seraient rentrés. Il n'y avait toujours personne, mais ce qu'elle découvrit de la fenêtre du haut la stupéfia. Le ciel nocturne était d'un rouge éclatant jusqu'à l'est, où les chantiers étaient en flammes.

Honour n'avait pas eu l'intention de révéler à Rose qu'Adèle était infirmière à Londres avant d'avoir établi si elle méritait de renouer avec sa fille. Toutefois, elle eut tellement peur pour Adèle quand elle vit les flammes qu'elle l'en informa.

Ce fut à ce moment-là que Rose sortit de sa stupeur.

— Elle travaille dans l'East End ? J'étais persuadée qu'elle était dans le Sussex, près de Rye !

— Elle était à Hastings jusqu'à ce qu'elle rompe ses fiançailles, expliqua sa mère. Ensuite, elle a été transférée au London Hospital, à Whitechapel.

Rose arrêta aussitôt de boire et voulut connaître toute l'histoire. Honour raconta l'angoisse terrible qu'elle avait ressentie en ignorant où se trouvait Adèle.

— Je ne sais toujours pas pourquoi elle l'a quitté. Ils étaient si heureux ensemble ! Sans doute à cause de ce qu'elle a vécu dans la maison pour enfants.

Rose ne souffla mot tandis que Honour lui exposait en détail les tourments subis par Adèle. Éclairée par la lumière lugubre d'une faible ampoule, Honour ne voyait pas nettement l'expression du visage de sa fille, mais cette dernière essuyait ses yeux avec un mouchoir, et, lorsqu'elle reprit la parole, sa voix tremblait.

— Je suis désolée, je n'étais pas au courant. J'ai cru qu'elle était allée directement chez toi. Comment un homme peut-il se comporter ainsi envers une enfant ?

— Le monde pullule de personnes malfaisantes. Si tu avais aimé cette enfant, elle aurait eu davantage confiance en elle et cet homme ne serait pas parvenu à l'attirer dans son piège.

— Comment m'y serais-je prise ? sanglota Rose. Tu n'as aucune idée de ce que j'ai enduré. J'ai vécu dans un taudis, coincée avec un bébé non désiré. C'était l'enfer et je ne pouvais pas m'empêcher de tenir Adèle pour responsable. En revanche, j'aimais Pamela. Quand elle est morte, je ne supportais plus la présence d'Adèle. J'avais les nerfs malades, ce n'est pas de ma faute.

Honour l'écouta patiemment relater sa vie de misère avec Jim et les idées noires qu'elle avait nourries.

— Je comprends, assura-t-elle quand Rose eut terminé. J'étais dans le même état après la mort de Frank. Mais ne justifie pas tout par la maladie, tu dois reconnaître tes erreurs. Si tu y arrives, tu pourras enfin faire amende honorable.

— C'est trop tard, répondit Rose d'une voix entrecoupée.

— Il n'est jamais trop tard, insista Honour. Adèle a très bon cœur. Tu trouveras un moyen de la rendre fière de toi et je suis persuadée qu'elle te pardonnera. Si on priait pour elle, ce soir ?

— Tout va bien, vous êtes en sécurité maintenant, affirma Adèle d'une voix rassurante à la vieille femme blessée qu'on venait d'amener.

La femme gémissait encore de terreur. D'après ce qu'Adèle avait aperçu par les fenêtres de l'étage supérieur de l'hôpital, elle était étonnée que cette malade ne soit pas en train de hurler.

L'attaque aérienne avait pris tout le monde par surprise. C'était un samedi après-midi radieux et les gens se promenaient nonchalamment, savourant à l'avance la soirée à venir, quand soudain le ciel s'était assombri de bombardiers.

Adèle était levée depuis une heure à peine car, de garde de nuit, elle ne devait reprendre son service qu'à dix-huit heures. Elle allait acheter des enveloppes lorsque la sirène avait retenti. Il y avait eu des centaines de fausses alertes pendant l'année et plus personne n'en tenait compte. Mais, le 25 août, des bombes incendiaires avaient explosé dans la City et, deux jours auparavant, des installations pétrolières à l'embouchure de la Tamise avaient pris feu. Du coup, Adèle restait sur ses gardes.

Comme tout le monde, elle pensait que les Allemands n'attaquaient que les terrains d'aviation et les bateaux, et elle sortit pour voir comment la population réagissait à cette alerte. Parvenue à Mile End Road, elle entendit le vrombissement des avions juste avant d'en voir des centaines. Comme il n'y avait pas de tirs de la DCA, elle crut qu'il s'agissait d'avions anglais jusqu'à ce qu'elle aperçoive les Spitfire et les Hurricane en train de foncer sur eux. Les gens réalisèrent soudain le danger car ils se mirent à crier et à se sauver.

Adèle rentra en courant au foyer des infirmières pour passer son uniforme. Elle était dans sa chambre quand elle entendit le sifflement aigu de la première bombe, et elle se précipita pour se mettre à l'abri tandis que les fenêtres tremblaient sous le souffle de l'explosion.

Terrifiée, elle n'arrivait pas à mettre sa coiffe droite, pourtant elle savait qu'elle devait se rendre immédiatement à l'hôpital. Elle comprit instinctivement que ce serait la nuit la plus difficile de toute sa carrière.

Dans le couloir, elle fut rejointe par d'autres infirmières qui se hâtaient comme elle, en silence. Plusieurs bombes tombèrent tandis qu'elles fonçaient vers l'hôpital. En se retournant, elles virent un nuage de poussière grise s'élever dans le ciel. Les sirènes des ambulances et des pompiers se joignirent à celles de l'alerte et, au coin de la rue, un camion rempli d'hommes de la défense passive klaxonnait.

À côté des bruits et du tumulte de l'extérieur, l'hôpital paraissait d'un calme inquiétant. La surveillante générale surgit alors que les infirmières de nuit affluaient.

— Bravo ! Je suis très contente que vous ayez eu le bon sens de venir immédiatement. Nous aurons besoin de toute l'aide disponible cette nuit.

Elle leur ordonna ensuite d'aller avaler un repas au réfectoire. En voyant leur stupéfaction, la surveillante esquissa un sourire.

— Les premiers blessés n'arriveront pas avant un bon moment. Vous n'aurez sans doute plus l'occasion de manger cette nuit.

Elle avait raison. Elles commencèrent à travailler une heure plus tard et, pendant tout ce temps, les bombes n'arrêtèrent pas de pleuvoir. Blessées par des pans de mur ou des toits, les premières victimes souffraient de déchirures graves ou de fractures.

À dix-huit heures, heure à laquelle les infirmières commençaient d'habitude leur service de nuit, le signal de fin d'alerte retentit. Le répit fut cependant de courte durée car les sirènes se déclenchèrent à nouveau à dix-neuf heures trente et les bombardements recommencèrent.

Les équipes de la défense civile dégagèrent peu à peu les gens enfouis sous les décombres et les blessés arrivèrent dans un état de plus en plus préoccupant. Bientôt, l'hôpital fut submergé de malades.

Les infirmières et les médecins travaillaient à toute vitesse ; ils avaient du mal à communiquer au-dessus du vacarme des sirènes, des explosions et des sanglots des patients en état de choc. Couverts de poussière de brique, ceux-ci avaient les yeux cerclés de rouge et l'air farouche. La plupart suppliaient les infirmières d'envoyer quelqu'un pour voir si leurs enfants, leur mari, leur femme ou leurs parents avaient été secourus.

Ceux qui parvenaient à parler apprirent aux infirmières que des rues entières avaient été détruites. Les morts jonchaient le sol. Une femme avait vu le bras arraché de sa propre fille, identifié grâce à un bracelet qu'elle lui avait offert. Le reste du corps était sans doute enseveli sous les gravats de leur maison.

À chaque grondement, du plâtre tombait du plafond. Adèle s'efforçait de ne pas penser à ce qui arriverait si l'hôpital était touché. Une infirmière se glissa au dernier étage et raconta que les chantiers navals étaient en flammes et que toutes les voitures de pompiers étaient mobilisées pour éteindre le feu. Elle pensait que l'usine de peinture aussi avait sauté car il y avait des émanations nocives, âcres et suffocantes.

Le temps cessa d'exister pour les infirmières, qui se précipitaient d'un blessé à un autre. Le sol était éclaboussé de sang et les filles de salle avaient beau nettoyer au fur et à mesure, il était souillé aussitôt. Les cas les plus graves étaient opérés puis emmenés dans une chambre, mais les lits ne tardèrent pas à être tous occupés, et les patients moins gravement atteints durent s'asseoir ou s'allonger où ils pouvaient, en évitant de gêner les mouvements du personnel. La plupart étaient affolés car ils tremblaient pour le reste de leur famille. Une femme au bras en partie coupé essaya de se lever d'une civière pour retourner chercher son petit garçon.

Adèle était persuadée que si cette attaque avait eu lieu au début de la guerre, les Londoniens auraient été prêts. Mais la drôle de guerre les avait maintenus dans une sécurité trompeuse. Ils avaient arrêté de trimbaler leur masque à gaz et ne tenaient plus compte des instructions des préposés à la défense passive, qu'ils trouvaient autoritaires et suffisants. Certains ne savaient plus où étaient les abris. De toute façon, ils n'étaient pas assez grands.

Ses collègues et elle n'étaient pas vraiment compétentes pour s'occuper de jambes fracassées, de dos criblés d'éclats de verre, de mains et de pieds broyés. Aucun cours théorique ne les avait préparées à des blessures aussi horribles.

Des kilomètres de bandages, des monceaux de tampons, de compresses, de sparadraps, des litres d'antiseptique et d'eau se teintèrent de sang. Il fallait préparer les patients en toute hâte pour la salle d'opération, courir avec des haricots pour recueillir le vomi, exercer une pression sur une blessure d'où le sang coulait à flots, et en même temps tenter de consoler et de rassurer les victimes.

— Où irons-nous ? gémit une pauvre femme blessée à la tête, son bébé dans les bras. Notre maison est démolie, nous avons tout perdu. Je n'ai même pas de couche propre pour le petit.

À deux heures du matin, Adèle put faire une pause afin de prendre un sandwich et une tasse de thé. Joan, qui avait été de service de jour et avait enchaîné la nuit comme le reste du personnel, la rejoignit pour quelques minutes.

— Quand je pense que j'avais rendez-vous ce soir avec ce pompier, déclara-t-elle en tirant profondément sur sa cigarette. C'est le seul mec qui m'ait tapé dans l'œil depuis un an et, si ça se trouve, je ne le reverrai jamais.

Adèle ne la détrompa pas : les nouvelles concernant l'incendie des docks étaient mauvaises. De nombreux pompiers se trouvaient piégés dans les immeubles en flammes. Un garçon de seize ans servant de messager entre les équipes était arrivé à l'hôpital sérieusement brûlé.

L'hôpital Stratford avait été touché, mais un ambulancier avait raconté que le personnel continuait à travailler. Beaucoup de bombes tombaient près de l'hôpital d'Adèle. Avec les feux tout le long de la Tamise qui éclairaient Londres comme en plein jour, les Allemands choisissaient facilement leurs cibles. Toute la nuit, les gens demandèrent où se trouvait la Royal Air Force et pourquoi ils n'avaient pas arrêté les bombardiers. Quelques semaines auparavant, les pilotes de chasse étaient les hommes les plus aimés en Angleterre. Aujourd'hui, on leur reprochait d'avoir laissé passer les avions allemands.

Adèle les avait vus arriver. On disait qu'il y en avait trois cents. Elle avait aussi vu les Spitfire et les Hurricane fondre sur eux. Après le carnage de la journée et de la nuit, elle pensa bien sûr à Michael. Mais elle dédia aussi une prière silencieuse à tous ceux qui affrontaient le même danger.

— C'est de la folie d'aller là-bas ! déclara Rose pour empêcher sa mère de sortir à huit heures le lendemain matin. Les bombardiers peuvent revenir d'un moment à l'autre.

— Je dois voir Adèle, insista Honour. Occupe-toi de Towzer, je ne veux pas le laisser dehors si je dois me réfugier dans un abri.

— Ça m'étonnerait que tu atteignes l'hôpital. Il n'y aura pas de bus, ni de métro.

— Eh bien, je marcherai. Veille sur mon chien, c'est tout ce que je te demande.

Elles avaient entendu aux informations que l'East End avait été touché. Cependant, pour éviter la panique et ne pas démoraliser la population, on n'avait donné aucun détail sur le nombre des victimes. Les bombes étaient tombées toute la nuit et, à un moment, Honour était montée au dernier étage pour regarder le rougeoiement des flammes. Elle ne pouvait pas attendre plus longtemps, il fallait qu'elle s'assure par elle-même que sa petite-fille était saine et sauve.

Honour put prendre le métro jusqu'à Aldgate. Un contrôleur l'informa que la ligne était coupée ensuite à cause des bombardements, mais Whitechapel n'était pas loin à pied. Dans la rue, l'odeur de brûlé assaillit ses narines et l'air était imprégné de poussière. Les passants semblaient couverts de talc ou de farine. Elle découvrit les dégâts causés par les bombes après avoir dépassé la Tour de Londres. Les bâtiments étaient intacts, mais du verre, des tuiles et des pierres jonchaient la rue. Des gens balayaient les débris pour dégager la chaussée.

Quand elle s'approcha de la grand-rue de Whitechapel, les dégâts devinrent plus importants. La plupart des vitrines des magasins étaient brisées ; des bouts de verre pendaient dangereusement au-dessus des marchandises. Elle vit bientôt une première maison réduite à un tas de décombres. De façon absurde, un mur était toujours intact, avec un tableau représentant des cygnes sur un lac. Une vieille femme ratatinée le regardait en pleurant tandis que deux femmes plus jeunes tentaient désespérément de retrouver des affaires parmi les gravats.

Ensuite, elle en vit beaucoup d'autres. La plupart se trouvaient dans les petites rues transversales. Mais c'est surtout les gens qui lui firent pitié. La tête couverte de bandages, ils contemplaient, ahuris, leurs logements détruits. Une femme, le visage ruisselant de larmes, essayait de nettoyer inutilement la rue.

Honour demanda à un groupe d'hommes de la défense civile ce qu'allaient devenir ces sans-abri.

— Ils vont dormir dans les églises et les écoles, répondit un grand gaillard au teint livide. Ici, ce n'est rien comparé à Silverstone. Ils sont encore occupés à sortir les corps des décombres. Nous irons les rejoindre dès que nous aurons dégagé cette rue pour que les ambulances et les corbillards puissent passer.

— Le London Hospital est toujours debout ? risqua Honour.

— Ouais. Vous y avez un parent ?

— Ma petite-fille y travaille comme infirmière, bredouilla-t-elle. Je veux m'assurer qu'elle va bien.

— Ce sont des anges, là-bas, assura-t-il en lui tapotant l'épaule. J'y ai emmené des blessés toute la nuit. C'était le cirque, mais ils nous ont reçus comme des rois.

C'était toujours le cirque à l'hôpital. Honour n'avait rien vu de tel depuis la Première Guerre, quand elle s'était rendue à Douvres afin de retrouver Frank. Là-bas, les blessés étaient des hommes propres et rafistolés, heureux d'être de retour en Angleterre et de bénéficier d'un répit, loin de l'enfer qu'ils venaient de traverser. Ici, les blessures atroces des femmes et des enfants lui firent détourner les yeux. Les blouses des infirmières étaient tachées de sang. Les traits tirés par la fatigue, les docteurs, également couverts de sang, semblaient sur le point de s'effondrer, la tête penchée vers leurs malades.

Honour arrêta une infirmière.

— Est-ce que l'infirmière Talbot est là ?

— Elle était là il y a un moment. On l'a envoyée se reposer pour deux heures.

— Elle reprendra son service après ?

— Bien sûr, pour nous relayer. Vous êtes une parente ?

— C'est ma petite-fille. Je voulais juste m'assurer qu'elle allait bien.

— Elle ira bien après un petit somme. Comme nous toutes, déclara-t-elle en souriant. Vous pouvez rentrer chez vous, je lui dirai que vous êtes venue prendre de ses nouvelles.

Honour retourna en direction d'Aldgate. En marchant, elle pensa qu'elle n'avait pas envie de monter dans le métro, de récupérer Towzer et de repartir chez elle. Elle éprouvait le besoin de s'occuper des sans-abri. Elle aperçut l'homme de la défense civile auquel elle avait parlé plus tôt. Il s'apprêtait à monter dans son camion et elle se dirigea droit sur lui.

— Vous avez trouvé votre petite-fille ?

Honour lui expliqua qu'Adèle se reposait et qu'elle désirait se rendre utile en attendant.

— Montez ! lança-t-il en ouvrant la portière du camion. Je sais exactement où vous emmener.

Le camion zigzaguait entre les nids-de-poule et les débris. Honour n'en croyait pas ses yeux : des rues entières avaient disparu. Les équipes de secours travaillaient dur à la recherche des morts et des survivants. La chaussée était bordée de corps recouverts de sacs de jute, de couvertures ou de vieux rideaux. Des hommes et des femmes fouillaient les gravats à mains nues à la recherche de membres de leur famille. À travers la vitrine d'un magasin, Honour vit un mannequin étendu en haut d'un escalier encore intact qui s'était détaché de son mur. Soudain, elle se rendit compte qu'il s'agissait d'une femme morte.

L'air était suffocant, un mélange de poussière et de fumée provenant des feux qui ravageaient toujours les docks. Dan, l'homme de la défense civile, tenta de lui remonter le moral en lui racontant que, à l'aube, ils avaient dégagé un vieil homme et un bébé, tous les deux sains et saufs.

— La porte de la penderie s'est ouverte et son contenu s'est déversé sur le vieux tandis que la maison s'écroulait. Il a eu l'impression d'être enterré vivant. Le bébé était encore dans son landau, sous une porte. Il s'époumonait, c'est comme ça que nous l'avons retrouvé aussi vite.

Il avait travaillé toute la nuit avec son équipe. Il expliqua à Honour qu'il l'emmenait dans une église convertie en centre d'accueil.

— Ils vont se réjouir d'avoir de l'aide. J'espère que ça ne vous dérange pas de faire des sandwichs, du thé, et de noter les informations nécessaires pour aider les gens à retrouver un toit.

À quatre heures de l'après-midi, Honour était aussi épuisée que les personnes qu'elle secourait. Elle avait passé beaucoup de temps à écrire les renseignements concernant les sans-abri et les descriptions des membres de leur famille disparus, car les autres bénévoles avaient remarqué qu'elle était instruite et moins impliquée qu'eux émotionnellement.

Pourtant, leurs histoires déchirantes avaient profondément bouleversé Honour. Ces gens ne possédaient déjà pas grand-chose avant l'attaque aérienne. À présent, ils n'avaient plus rien. En outre, ils avaient perdu des membres de leur famille. Elle n'aurait jamais imaginé qu'elle pourrait prendre un bébé sale et affamé des bras de sa mère affolée, le déshabiller, le laver et lui donner le biberon. Le seul bébé dont elle s'était occupée était Rose. Mais la pitié prit le pas sur sa réticence, et elle dorlota de nombreux nourrissons. Elle dut aussi câliner et faire manger des enfants dont on n'avait toujours pas retrouvé les mères, et rassurer des personnes âgées.

Ceux qui possédaient encore un foyer n'avaient plus de gaz ni d'électricité et ils redoutaient une autre attaque. Ils se plaignaient du manque d'abris, craignant que le gouvernement ne les autorise pas à se réfugier dans le métro.

À dix-sept heures trente, Honour décida d'aller voir Adèle avant de rentrer chez Rose. Elle ne se souciait plus de retourner à Winchelsea, résolue à revenir le lendemain dans ce quartier pour donner un coup de main. Sa plus belle robe était très sale, ses yeux piquaient, son crâne la démangeait à cause de la poussière, et ses poumons semblaient congestionnés. Elle demanda à un camion se rendant dans la direction de Whitechapel de la prendre.

L'hôpital était un peu plus organisé que durant la matinée, aussi Honour trouva-t-elle Adèle rapidement. Les yeux rougis, elle avait l'air épuisée, mais, quand elle vit sa grand-mère hésiter nerveusement à l'entrée de la salle, elle se précipita sur elle.

— Que fais-tu ici ? Il peut y avoir une attaque d'un moment à l'autre !

Honour expliqua rapidement que, en visite chez Rose, elle avait voulu s'assurer qu'Adèle était indemne après les bombardements. À la mention du nom de sa mère, le visage d'Adèle se ferma. Furieuse, elle déclara que Honour devait avoir perdu la tête pour quitter la sécurité de Winchelsea afin de s'occuper d'une personne aussi dénuée d'intérêt. Lorsque sa grand-mère lui reprocha son manque de charité, Adèle haussa les épaules, soulignant que c'était de la folie de venir à Whitechapel.

— Écoute, mamie, poursuivit-elle avec un regard désapprobateur sur sa robe sale, j'apprécie vraiment que tu t'inquiètes pour moi, mais je suis en sécurité, ici. Va récupérer Towzer et rentre chez toi. Ne reste pas une minute de plus avec Rose. Londres n'est pas un endroit pour toi.

— Je ne suis pas d'accord, rétorqua Honour avant de lui raconter ce qu'elle avait fait tout l'après-midi. J'y retournerai demain si Rose prend soin de mon chien. Je peux me rendre bien plus utile ici qu'en restant sur la côte.

— Mamie, c'est dangereux, s'inquiéta Adèle en la raccompagnant à la porte. S'il te plaît, si tu m'aimes un peu, repars à la maison. Immédiatement. Avant que je me mette en colère contre toi.

Honour sourit intérieurement devant ce renversement des rôles. Elle n'avait aucune intention de regagner le Sussex, mais il était plus sage de ne pas en parler maintenant à Adèle. Elle l'embrassa, puis la laissa retourner auprès de ses malades.

Elle avait parcouru la moitié du chemin avant la station d'Aldgate quand la sirène se déclencha. Autour d'elle, les gens se dispersaient en courant. D'après les Londoniens, le métro constituait un endroit sûr ; elle s'élança vers la station. Elle ne se retourna pas en entendant le vrombissement des bombardiers, n'interrompit pas sa course quand une bombe explosa au loin et fit trembler la terre. Un homme lui cria quelque chose qu'elle ne comprit pas.

Une autre bombe tomba, beaucoup plus près, et une femme hurla. Honour sentit un souffle d'air chaud contre son visage, la poussière l'aveugla, un poids la renversa et elle s'effondra par terre, transpercée par une douleur fulgurante.

Sa dernière pensée fut pour Adèle : elle ne lui avait pas donné l'adresse de Rose.

22

— Ne me regarde pas comme ça ! Je ne sais pas où elle est ! hurla Rose à Towzer.

Quand la sirène s'était déclenchée une demi-heure auparavant, il s'était mis à aboyer comme un fou en courant d'une pièce à l'autre pour chercher Honour. Il avait refusé de descendre à la cave et Rose avait été obligée de l'y traîner par son collier. Tandis que les bombes tombaient, il avait posé ses pattes de devant sur ses genoux. Les yeux implorants et les gémissements de l'animal lui tapaient sur les nerfs.

Avant l'alerte, elle l'avait emmené se promener au parc, puis elle s'était arrêtée au pub du bout de la rue pour boire un coup. Les clients avaient été aux petits soins pour le chien ; Bob, le tenancier, lui avait même donné des restes. Tout le monde parlait des bombardements de la veille dans l'East End et le bruit courait qu'il y avait des centaines de morts. On pensait que les avions visaient les chantiers navals et que les civils avaient été tués par erreur. Les gens du quartier avaient l'intention de passer la nuit dans un abri. Plusieurs hommes annoncèrent qu'ils allaient envoyer femmes et enfants loin de Londres. Rose avait bu deux verres puis elle était rentrée chez elle pour attendre sa mère. Dans l'après-midi, comme elle n'était toujours pas revenue, elle s'était énervée. Honour abusait vraiment de sa gentillesse en lui laissant son chien sur les bras !

Mais, à présent, réfugiée dans la cave, elle était persuadée que le pire était arrivé à Honour et à Adèle. Sa mère n'avait pas pu s'éterniser à l'hôpital. Son absence signifiait qu'elle n'avait pas trouvé sa petite-fille. Une autre pensée lui traversa l'esprit. Elle frissonna. Et si Myles avait raconté la vérité à Adèle ?

Rose, qui ne se rappelait pas avoir écrit ni posté la lettre à sa mère, avait été abasourdie en la voyant. Elle avait pensé aussitôt qu'elle était venue lui faire une scène au sujet de Myles et d'Adèle.

Quand elle avait compris que Honour n'était pas fâchée

contre elle, Rose s'était détendue. Apparemment, Myles avait trouvé un moyen pour inciter Adèle à rompre avec Michael sans lui avouer qu'il était son père. Peut-être lui avait-il offert de l'argent, et c'était la raison pour laquelle elle n'avait rien dit à sa grand-mère.

Lorsque sa mère l'avait informée qu'Adèle était venue à Londres pour oublier Michael, Rose avait souri intérieurement. C'est ce qu'elle aurait fait : empocher l'argent et s'installer à la capitale. Il semblait qu'Adèle n'était pas la petite sainte vantée par Honour, mais bien la fille de son père.

Cependant, plongée dans les affres de l'attente, Rose se mit à douter. Et si elle se méprenait sur le compte d'Adèle ? Myles lui avait peut-être révélé la vérité et elle s'était tue afin de ménager les sentiments de sa grand-mère. Si c'était le cas et que Honour lui racontait sa visite ici, Adèle serait furieuse. Et les deux femmes n'auraient pas besoin de réfléchir beaucoup pour comprendre comment elle avait acheté la maison. Rose eut la nausée rien que d'y penser. Était-ce la raison pour laquelle Honour n'était pas revenue ? Parce qu'elle ne pouvait pas supporter de rester une nuit de plus avec sa fille dépravée ?

Le sifflement strident d'une bombe, suivi d'un grondement qui fit vaciller la lumière de l'ampoule, la terrorisa. Si la maison était touchée, elle serait ensevelie sous un monceau de briques. Elle n'avait jamais aimé être seule, et il n'y avait aucun locataire à la maison. Les deux jeunes filles, Margery et Sonia, qui partageaient la grande chambre du premier, étaient passées dans la matinée prendre des vêtements propres. La veille, elles étaient parties faire des courses et avaient dû se réfugier dans un abri pour la nuit. Elles lui avaient raconté que c'était lugubre et qu'elles avaient eu une peur bleue, aussi avaient-elles décidé d'aller chez les parents de Margery.

Rose s'allongea sur le matelas, se recouvrit d'une couverture et enfouit sa tête sous l'oreiller pour ne plus entendre les bombes. Mais, tout comme ses pensées, elle n'arriva pas à les chasser de son esprit. Au pub, des clients qu'elle considérait comme des amis s'étaient organisés pour se rencontrer dans l'abri du quartier en cas d'alerte. Personne ne lui avait proposé de se joindre à eux. Margery et Sonia ne lui avaient pas non plus demandé ce qu'elle comptait faire.

La veille, Honour lui avait posé toutes sortes de questions sur ses locataires : leur âge, d'où ils venaient, le métier qu'ils exerçaient. Rose avait été incapable de répondre car elle ne savait pratiquement rien à leur sujet.

Jusqu'à présent, elle n'avait jamais songé que c'était un défaut de montrer si peu d'intérêt envers autrui. Les locataires semblaient la considérer seulement comme la propriétaire qui encaissait les loyers, non comme une femme seule ayant besoin de compagnie. Les clients du pub avaient sans doute la même image, celle d'une femme indépendante et autonome.

Elle se rendit soudain compte qu'elle n'avait pas d'amis. Elle pouvait entrer dans de nombreux pubs et être accueillie par une connaissance. Il ne s'agissait pas d'amitié, seulement de camaraderie entre ivrognes. Qui la pleurerait si elle mourait cette nuit ?

Aujourd'hui, Honour et Adèle se ficheraient éperdument qu'elle soit tuée. Sentiment que partageraient les nombreux hommes du passé de Rose, car si par hasard ils se souvenaient d'elle ce ne serait que pour ses talents de manipulatrice.

— Madame Harris ! Vous m'entendez ?

Honour perçut une voix féminine avec un brouhaha derrière, comme lors d'une réception bruyante. Elle n'arrivait pas à ouvrir les yeux et souffrait sans parvenir à localiser l'origine de la douleur.

— Madame Harris ! Vous avez été blessée pendant le raid aérien, mais vous êtes en sécurité, maintenant, à l'hôpital.

Le raid aérien ! L'hôpital ! Ces mots avaient un sens, mais lequel ? Est-ce qu'elle rêvait ? Devait-elle se réveiller pour s'occuper de Towzer ?

— Il faut faire sortir Towzer, articula-t-elle faiblement en se forçant à ouvrir les yeux.

La lumière l'aveugla.

— Voilà qui est mieux, reprit la voix. Nous avons trouvé votre nom grâce à une enveloppe dans votre sac. Vous habitez à Londres ou dans le Sussex ?

Les yeux de Honour s'accommodèrent peu à peu à la lumière, et un visage émergea du brouillard. Un visage jeune et beau, aux yeux marron, que dominait une coiffe d'infirmière.

306

— Est-ce qu'Adèle est là ? demanda-t-elle d'une voix rauque. Sa bouche lui semblait remplie de poussière.

— Adèle qui ?

— Talbot, ma petite-fille. Elle est infirmière.

— Vous êtes la grand-mère d'Adèle ? s'exclama la jeune fille avec incrédulité. Oh, mon Dieu !

Honour était convaincue de rêver. Elle ferma les yeux, éblouie par la lumière, et se rendormit.

— Mamie !

La voix d'Adèle la réveilla aussitôt.

— Adèle ?

Elle ne la voyait pas nettement, mais la main qui tenait les siennes lui fit du bien. Elle n'avait plus besoin de parler à présent qu'Adèle était là, et elle se laissa gagner par le sommeil.

Adèle fonça dans le bureau de l'infirmière-chef. Toute la soirée, elle s'était occupée de patients qui revenaient de la salle d'opération, aussi n'avait-elle pas assisté à l'arrivée des nouveaux blessés. Elle avait éprouvé un choc terrible quand sa collègue lui avait annoncé que sa grand-mère en faisait partie. Adèle la croyait en sécurité à Hammersmith. Lorsqu'elle la vit emmaillotée dans des bandages et apprit qu'elle souffrait peut-être de lésions cérébrales – elle était restée inconsciente très longtemps –, elle paniqua.

Adèle informa l'infirmière-chef Jones que Mme Harris était sa grand-mère.

— Est-ce vrai qu'elle a des lésions cérébrales ?

— Il est trop tôt pour se déclarer, répondit l'infirmière en lui tapotant l'épaule. C'est très bon signe qu'elle vous ait demandée. Mais la blessure à la tête est importante. Elle a aussi une jambe cassée et des déchirures un peu partout.

— Elle est forte et en bonne santé, assura Adèle, la voix tremblante d'émotion. Cela l'aidera, n'est-ce pas ?

— Oui, bien sûr. Votre présence sera aussi d'un grand secours. Est-elle mariée ?

— Elle est veuve. Elle est venue rendre visite à quelqu'un à Londres et y a laissé son chien. Mais je ne connais pas l'adresse.

Elle ne pouvait pas se résoudre à avouer que ce quelqu'un était sa mère. Depuis que Honour lui avait annoncé qu'elle avait passé la nuit avec Rose, Adèle bouillait de rage. Quel culot de tenter de s'immiscer dans leur vie !

L'infirmière-chef expliqua qu'elle avait trouvé une lettre dans le sac de Honour.

— Je ne l'ai pas lue, bien sûr, mais vous devriez le faire car elle vient peut-être de cette personne. Dites-moi, depuis combien d'heures êtes-vous de service, infirmière Talbot ?

— Depuis le raid d'hier. J'ai arrêté trois heures dans la matinée, comme le reste de l'équipe. Mais je ne veux pas m'absenter maintenant que ma grand-mère est là.

— Il faut que vous vous reposiez. Les infirmières épuisées commettent des erreurs. De plus, il n'y aura aucun changement dans l'état de Mme Harris avant demain matin.

Lorsque Adèle lut la lettre larmoyante de Rose, sa colère envers sa mère monta d'un cran. Quel toupet de demander pardon après toutes les souffrances qu'elle avait causées ! Cela défiait l'entendement ! En outre, laisser partir Honour pour le West End juste après l'attaque était criminel. Adèle mourait d'envie de foncer à Hammersmith, de récupérer Towzer et de balancer sans ambages à sa mère qu'elle ne voulait plus jamais la voir ni entendre parler d'elle. Mais elle ne pouvait pas quitter l'hôpital, ni prendre le chien en charge, tant que Honour était malade.

Elle demanderait à la police d'avertir Rose et espérait qu'elle aurait la décence de bien s'occuper de Towzer.

La sonnerie de la porte d'entrée réveilla Rose à onze heures le lendemain matin. Elle était restée dans la cave jusqu'à ce que le signal de fin d'alerte retentisse à l'aube. Ensuite, morte de peur, elle n'avait pas fermé l'œil. Elle avait emmené Towzer faire une courte promenade et fut soulagée de constater que son quartier avait été épargné. Puis elle était allée se coucher dans sa chambre.

Quand elle vit l'agent de police, elle se prépara au pire et serra sa robe de chambre autour d'elle.

— Madame Talbot ?

— Oui, bredouilla Rose en frissonnant.

— Je suis désolé de vous apporter de mauvaises nouvelles. Votre mère a été blessée dans le raid de la nuit dernière.

Rose se contenta de dévisager l'agent, bouche bée.

— Elle est au London Hospital, à Whitechapel. Je viens de la part de votre fille, qui, si j'ai bien compris, est infirmière là-bas. Votre mère est grièvement blessée, mais son état est stationnaire.

— J'ai son chien, lança Rose sans réfléchir. Que dois-je faire ?

— Vous en occuper jusqu'à ce qu'elle se rétablisse ? suggéra-t-il d'un ton sarcastique.

— Ça va prendre combien de temps ?

— Appelez l'hôpital ou rendez-lui visite, vous le saurez, répliqua-t-il sèchement.

Rose referma la porte et traversa son appartement lentement. Elle mit un certain temps à intégrer la nouvelle, avant de se rendre compte que sa réaction avait dû paraître monstrueuse. Elle contempla le jardin, fouilla les poches de sa robe de chambre pour trouver ses cigarettes. Pourquoi avait-elle parlé du chien ? Elle avait donné l'impression qu'elle se préoccupait davantage d'être débarrassée de lui que de la santé de sa mère.

Elle alluma sa cigarette, les mains tremblantes. Toute sa vie elle avait réagi de cette façon, c'était comme si son esprit ne fonctionnait pas en accord avec ses cordes vocales. Beaucoup d'hommes l'avaient traitée de garce parce qu'elle avait lâché une remarque blessante sous l'effet d'une trop grande tension.

L'événement dont elle avait le plus honte remontait à ses dix-sept ans, le soir où sa mère lui avait offert la robe bleue qu'elle avait confectionnée. Les horreurs qu'elle avait proférées n'avaient rien à voir avec cette robe raisonnable et pratique. Mais, éperdument amoureuse de Myles, elle voulait vivre une histoire d'amour, être entourée de beauté et de magie, et cette robe représentait tout ce qu'elle méprisait : son métier de serveuse et sa vie dans les marais qui l'excluaient du monde chatoyant entrevu à l'hôtel. Elle avait sorti toutes ces méchancetés sous l'effet de la frustration et de l'envie.

À l'époque, s'enfuir lui avait semblé la meilleure solution. Désespérée, elle avait pris tous les objets de valeur qu'elle avait trouvés car elle n'était pas sûre que Myles l'emmènerait avec lui, même s'il l'assurait de son amour. Elle lui avait raconté un tissu de mensonges pour qu'il accepte. Et elle avait continué à lui mentir une fois arrivée à Londres.

Rose s'effondra en sanglots sur les marches conduisant au jardin. Elle avait fait un tel gâchis de sa vie ! À chaque croisée des chemins, elle avait choisi la voie de la facilité : la mauvaise pente.

Deux semaines s'écoulèrent avant que Rose ne se présente à l'hôpital. Elle avait téléphoné tous les matins et avait été soulagée d'apprendre que l'état de sa mère s'améliorait de jour en jour. L'infirmière-chef lui avait conseillé d'attendre, car Honour se ferait du mauvais sang si Rose laissait son chien seul.

Rose fut ravie de suivre ce conseil. Elle détestait les hôpitaux, et la pensée de se retrouver nez à nez avec Adèle la terrorisait. Elle était forcément hostile, sinon elle lui aurait donné un numéro où la joindre. De plus, il y avait les attaques aériennes toutes les nuits. La BBC et les journaux ne donnaient aucun détail sur les dégâts, ne mentionnaient pas non plus le nombre de morts, mais tout le monde savait que le quartier de l'East End était dévasté. Ce devait être l'enfer.

Chaque matin, Rose découvrait de nouveaux dégâts causés par les bombes et les incendies, et, en faisant la queue pour acheter à manger, elle entendait les voisins parler des quartiers les plus touchés. Les gens du West End et de la City trouvaient les vitrines de leurs magasins soufflées, le toit de leurs bureaux effondré. Les décombres bloquaient les rues défoncées, les conduites d'eau et de gaz étaient détruites et les fils multicolores des téléphones pendaient dans la brise.

Rose était stupéfaite de voir que de nombreuses personnes qui ne fermaient pas l'œil de la nuit dans les abris parcouraient des kilomètres pour se rendre à leur travail. Les commerçants ouvraient même s'ils n'avaient plus de devanture. Selon elle, ils étaient fous : ni le roi ni le gouvernement ne les récompenseraient pour leur zèle. Pour sa part, elle rentrait directement chez elle après avoir déniché des cigarettes et de la nourriture. Pas question qu'on lui force la main afin qu'elle aide à la distribution de thé ou de vêtements pour les sans-abri !

Au bout de quinze jours, Rose en avait assez de rester seule à la maison tous les soirs avec Towzer. Ses locataires descendaient dans les abris, où ils paraissaient bien rigoler. Aussi, quand elle appela l'hôpital et que l'infirmière-chef lui annonça que Honour pouvait quitter Londres, son moral remonta en flèche. Une fois débarrassée du chien, elle se rendrait dans un pub pour se dégoter un nouvel amant. Elle en avait marre de vivre comme une nonne et, d'après les rumeurs, le West End était bourré de militaires qui ne pensaient qu'à s'amuser.

Dans le métro, Rose jeta un coup d'œil à son reflet dans la vitre. Le manque de sommeil, l'angoisse et une mauvaise alimentation avaient tiré ses traits, et, malgré le soin qu'elle avait apporté à son apparence, elle paraissait son âge. Mais en regardant les passagers qui l'entouraient elle reprit courage. Ils étaient bien pires : sales, miteux et verdâtres.

— Bonjour, madame Talbot, lança sèchement l'infirmière-chef Jones en entrant dans la petite salle d'attente où Rose patientait depuis plus d'une heure.

Rose ne s'était pas encore remise du choc éprouvé en arrivant à l'hôpital. Des centaines de personnes, assises ou couchées, souffrant de blessures plus épouvantables les unes que les autres, occupaient chaque espace disponible. Un homme à la veste criblée d'éclats de verre perdait abondamment son sang. Une femme dont les deux jambes étaient coupées reposait sur un brancard, le visage couvert d'une épaisse couche de poussière. Ces horreurs suffirent à lui donner la nausée, mais le bruit était encore plus insupportable : des pleurs, des cris, des hurlements et des gémissements. Elle s'apprêtait à filer quand une infirmière l'introduisit dans cette petite salle relativement calme, à l'atmosphère étouffante, où six autres personnes attendaient, plongées dans l'affliction.

— Mme Harris est transportable et nous avons besoin de son lit, annonça l'infirmière-chef sans préambule. Elle veut rentrer chez elle, il lui faut une garde-malade.

— Vous n'y pensez pas ! s'écria Rose avec indignation. Je dois m'occuper de ma pension de famille.

— L'infirmière Talbot avait prévu votre réponse. Elle voudrait s'occuper de sa grand-mère, bien sûr, seulement j'ai besoin d'elle ici, nous manquons cruellement d'infirmières.

— Où est-elle ? s'enquit Rose, qui n'appréciait pas du tout cette femme et son air condescendant.

— Auprès d'un malade, mais elle sait que vous êtes là et ne va pas tarder.

— Je ne peux pas rester ici toute la journée, déclara Rose d'un ton agressif.

Elle se montrait désagréable car elle avait une peur bleue de rencontrer Adèle. L'infirmière-chef la fusilla du regard.

— Certains blessés attendent plus de huit heures. Ils souffrent, n'ont aucune nouvelle de leur famille et la plupart n'ont plus de toit. Estimez-vous heureuse.

Elle tourna les talons sans ajouter un mot. Rose avait l'impression d'avoir reçu une gifle.

Une bonne heure s'écoula avant qu'une autre infirmière ne pénètre dans la pièce. Elle était grande, mince et très séduisante malgré son tablier éclaboussé de sang. Rose bondit de son siège.

— J'attends l'infirmière Talbot depuis une éternité.

— Je suis l'infirmière Talbot, répondit la jeune femme froidement. Bonjour, Mère ! On ne s'est pas vues depuis longtemps mais j'espérais que tu reconnaîtrais ta propre fille.

Tous les regards convergèrent vers Rose. Désorientée et gênée, elle n'arrivait pas à croire que cette ravissante infirmière à la belle chevelure méchée et aux dents parfaites soit Adèle. Elle l'avait imaginée quelconque, maigre, avec une mine de papier mâché et des cheveux ternes.

— Je... je..., bégaya-t-elle.

— Tu n'avais pas imaginé que je pouvais avoir changé en neuf ans ?

— Tu es si jolie, répondit-elle faiblement. Je ne m'y attendais pas.

— Nous n'avons pas le temps de parler de ça, répliqua Adèle d'un ton acide. Il faut prendre une décision pour mamie. Elle veut rentrer à Winchelsea. Selon moi, elle se rétablira plus vite chez elle, mais je n'aurai que deux jours pour l'installer. Est-ce que tu resteras avec elle ?

Rose était complètement déroutée. L'Adèle dont elle se rappelait n'aurait jamais osé se montrer aussi directe.

— C'est impossible. Je dois veiller sur mes locataires.

— Je suis convaincue qu'ils peuvent se débrouiller tout seuls.

— J'ai mes loyers à percevoir, l'escalier et la salle de bains à nettoyer.

— Nous sommes en guerre. Les gens sont tués dans des bombardements. Est-ce qu'un peu de poussière sur les marches a de l'importance ? Trouve une personne pour toucher les loyers. De plus, tu seras plus en sécurité dans le Sussex.

Rose réfléchit à toute vitesse. Elle répugnait à l'idée de s'occuper de sa mère, seulement, si elle refusait, les liens seraient définitivement rompus. Et puis, il y avait Curlew Cottage. Ce serait très agréable de dormir en paix et de prendre un peu de vacances.

— Qu'est-ce qu'il faudra faire ? s'enquit-elle prudemment.

— Pas grand-chose. Elle peut marcher avec des béquilles. Tu devras l'aider à s'habiller, à se laver, et il y aura aussi la cuisine et le ménage.

— Je peux essayer, opina-t-elle mollement.

Adèle lui lança un regard assassin et Rose se souvint des nombreuses fois où elle lui avait dit que ses yeux étaient étranges. Ils n'avaient rien d'étrange, en fait, ils étaient très beaux, bordés d'épais cils noirs.

— Tâche de manifester davantage d'enthousiasme quand tu verras mamie, la sermonna-t-elle. C'est toi qui l'as fait venir à Londres, tu as maintenant l'occasion de lui prouver que tu pensais vraiment ce que tu lui as écrit, conclut Adèle plus gentiment.

— Bien sûr que je le pensais ! Je suis juste épuisée à cause des bombardements.

— Parfait, allons la voir, maintenant. Elle sera heureuse et soulagée que tu acceptes de t'occuper d'elle.

Le lendemain après-midi, Rose préparait sa valise, les nerfs à vif. Les scènes terrifiantes auxquelles elle avait assisté à l'hôpital l'avaient convaincue qu'en partant elle faisait le bon choix. De plus, la veille, une bombe était tombée dans la rue juste à côté. Mme Arbroath, sa voisine, avait accepté de s'occuper de la maison en échange d'une petite commission. Rose pouvait lui faire entièrement confiance car elle était très pieuse.

Mais elle avait peur d'Adèle.

Il n'y avait plus aucune trace de la fillette qui avait accepté l'indifférence et la cruauté. Adèle était calme et très agréable, cependant Rose avait un mauvais pressentiment. Il n'y avait pourtant aucune raison. Adèle s'était montrée gentille et pratique. Elle avait adressé un télégramme au facteur pour lui demander de nourrir les lapins et les poules. Puis elle lui en avait envoyé un second l'informant qu'elles arriveraient le lendemain autour de midi. Elle avait aussi organisé leur départ. Une personne viendrait chercher Rose avec le chien à neuf heures, ensuite ils passeraient prendre Honour et Adèle pour les conduire à Rye. La jeune fille avait paru se réjouir qu'elles forment une vraie famille.

Ce comportement n'empêchait pas Rose d'être persuadée que sa fille avait l'intention d'exiger son dû à un moment ou un autre.

Honour n'allait pas poser de difficultés. Elle avait une jambe dans le plâtre et certaines blessures étaient loin d'être cicatrisées, mais elle n'avait aucune lésion cérébrale et son esprit était aussi vif que d'habitude. Elle avait dit à Rose sans ambages d'oublier ses « belles fringues » et d'emporter des chaussures solides et des vêtements chauds. Elle lui rappela de prendre son carnet de rationnement et toutes ses conserves. Elle lui demanda aussi si elle se rappelait comment tordre le cou à un poulet.

Pendant le bombardement de la nuit, Rose avait pensé qu'il n'y avait pas de salle de bains ni d'électricité au cottage et que les premiers commerces étaient au diable. Elle regretta d'avoir accepté car elle détesterait être l'esclave de sa mère, même si elle se réjouissait d'échapper aux bombes. Mais elle ne pouvait plus se défiler. Dans une semaine, elle inventerait une excuse plausible pour rentrer à Londres et le tour serait joué.

23

— Quand tu auras fini, nous irons chercher du bois, dit Adèle à Rose, qui essuyait les assiettes du déjeuner. Ce matin, j'ai remarqué deux arbres abattus par l'orage, nous prendrons la hache pour en couper des branches.

Rose soupira. C'était son deuxième jour au cottage et, depuis leur arrivée, Adèle n'avait pas arrêté de la faire travailler. C'était compréhensible car il y avait beaucoup de tâches à organiser, mais elle avait espéré se reposer dans l'après-midi.

Elles avaient voyagé dans une fourgonnette. Honour allongée sur un matelas à l'arrière avec Towzer et Adèle, Rose à l'avant près du chauffeur, un vieil homme sourd qui criait comme si elles-mêmes étaient dures d'oreille. Ils passèrent par de nombreux quartiers dévastés au sud de Londres et, à deux reprises, ils durent effectuer des détours avant de regagner la route principale.

Mais, dès qu'ils quittèrent Londres, le moral de Rose remonta en flèche lorsqu'elle découvrit les arbres parés de couleurs automnales. La nature étincelait dans le soleil pâle, l'air frisquet était vivifiant. Ils traversèrent une suite de villages calmes et pittoresques et les bombardements commencèrent à ressembler à de mauvais rêves. Elle ressentit une pointe de nostalgie inattendue en revoyant les marais. L'herbe était verte et luxuriante ; dans les fossés, les joncs oscillaient sous le vent et les talus scintillaient de toiles d'araignée couvertes de rosée comme dans son enfance.

Jim, le facteur, avait allumé le poêle. Sur la table trônaient un panier d'œufs, un pot de lait, une tarte aux pommes et aux mûres, envoyée par sa femme, et dans un vase un bouquet de fleurs sauvages souhaitait la bienvenue à Honour. Rose éclata de rire à la vue de Towzer reniflant partout joyeusement, car elle se réjouissait elle aussi de retrouver l'excitation des vacances au cottage.

Toutefois sa joie s'évanouit lorsque le ciel s'assombrit, qu'il se mit à pleuvoir des cordes et qu'elle dut courir aux toilettes pour vider la chaise percée de sa mère. Honour aurait volontiers affronté la pluie en marchant avec ses béquilles, seulement Adèle ne voulut rien savoir. Elle soutint qu'elle ne devait les utiliser qu'à l'intérieur : dehors, le sol était beaucoup trop accidenté et glissant. Elle fit promettre à sa grand-mère de ne pas déroger à cette règle une fois qu'elle aurait le dos tourné et ajouta d'un ton sinistre : « Même si Rose t'encourage à croire que c'est sans danger. »

Changer les pansements de sa mère et vider sa chaise percée révoltaient Rose, mais elle aimait bien cuisiner et faire le ménage. Ce retour à la maison de son enfance, loin des terreurs nocturnes de Londres, l'apaisait, et voir son indomptable mère sans défense l'attendrissait. Forte et musclée, Honour s'était toujours tenue droite comme un i. Dans sa jeunesse, Rose l'avait vue porter des pierres, piocher le jardin comme un homme et monter sur le toit pour remettre des tuiles en place. Infatigable, elle se levait au chant du coq et travaillait jusqu'au crépuscule.

À son arrivée à Londres, il était clair qu'elle avait toujours la même vitalité. Elle avait beau avoir les cheveux gris et quelques rides, elle débordait d'énergie. Maintenant, avec sa jambe cassée soutenue par un tabouret et son énorme pansement sur la tête, elle faisait bien ses soixante ans. Sa peau était jaune à cause des contusions et toute ridée. Elle avait maigri, ses yeux étaient chassieux et sa voix avait perdu son ton de commandement. Adèle lui avait mis une couverture tricotée aux couleurs vives sur les épaules et, ses lunettes au bout du nez, elle incarnait la frêle grand-mère des livres d'images.

Plus tard, l'averse tourna à l'orage et elles eurent du mal à écouter la radio à cause des hurlements du vent et du tambourinement de la pluie sur le toit. Mais Rose trouva cela infiniment préférable aux bombes, et elle s'endormit dès que sa tête toucha son oreiller.

Adèle passa la nuit sur le canapé du salon. Rose lui avait proposé de partager son lit. Elle avait répondu que, comme elle ne dormait que trois heures par nuit depuis quinze jours, elle risquait de ne plus jamais se réveiller si elle bénéficiait d'un lit confortable. Rose ne fut pas dupe : sa fille ne supportait pas son contact.

Elle ne s'attendait pas qu'Adèle la prenne dans ses bras et lui pardonne. Elle souhaitait seulement entendre des mots qui lui laisseraient espérer une éventuelle réconciliation. Elle s'étonnait de la transformation de sa fille. Elle n'était pas seulement belle, elle était aussi intelligente, pleine d'assurance et très capable. N'importe quelle mère aurait été fière d'avoir une telle fille. Rose avait mauvaise conscience : si Adèle était devenue une jeune femme accomplie, ce n'était pas grâce à elle, mais malgré elle. Son instinct lui soufflait que sa fille n'était pas prête à pardonner ni à oublier. Adèle la tenait à l'œil, ses sourires étaient forcés et presque toutes ses paroles étaient imprégnées de sarcasme.

Lorsque Adèle lui montra comment changer les pansements

de la tête et du bras de Honour, Rose sentit que sa fille l'observait. Plus tard, quand elles nourrirent les lapins et les poules, elle ne lui adressa pas la parole. On aurait dit qu'elle bouillait intérieurement, attendant le bon moment pour exploser.

— Les arbres sont plus bas, indiqua Adèle, qui marchait devant en poussant le chariot.

Elles les virent bientôt en contrebas, avec leurs grosses racines dénudées. Adèle commença à débiter le tronc à la hache et Rose rassembla les branches et les brindilles. Le chariot fut plein en un clin d'œil.

— Nous en avons assez, non ? s'enquit-elle.

Adèle avait déjà débité trois grosses bûches. En nage, elle avait enlevé son manteau et son gilet. La sueur dégoulinait sur son visage et sa robe lui collait au corps.

— Ce poêle brûle beaucoup de bois, dit-elle en s'arrêtant pour essuyer son front. Il faudra que tu viennes tous les matins pour en couper.

— C'est impossible ! s'exclama Rose, horrifiée. Je ne peux même pas soulever la hache.

Adèle lui lança un regard glacial.

— Je... j'essaierai, poursuivit Rose en toute hâte. Mais il vaudrait mieux qu'on trouve un homme qui s'en chargerait.

Adèle ramassa la hache et émit un petit rire sans joie.

— Tu n'as pas changé, hein ? Tu attends toujours qu'un homme fasse tout pour toi. À mon avis, tu n'as jamais travaillé dur de ta vie, j'ai tort ?

— J'ai toujours gagné ma vie, répondit Rose d'une voix tremblante – c'était le début de l'épreuve de force qu'elle redoutait tant. Du moins, depuis que Jim m'a abandonnée.

— Vraiment ? Et, comme ça, tu es arrivée à acheter une maison.

— Oui. Enfin, juste un acompte, répliqua Rose en commençant à s'éloigner, car elle avait peur.

— Menteuse ! hurla Adèle.

Elle la rattrapa et l'agrippa par le bras.

— Je sais d'où vient cet argent. De Myles Bailey. Tu l'as fait chanter !

— De quoi parles-tu ? Qui est Myles Bailey ?

Le coup en plein visage fut si rapide qu'elle ne vit pas bouger la main d'Adèle. Rose vacilla en arrière, trébucha sur une branche et s'étala sur le dos. Adèle se dressa au-dessus d'elle, l'œil mauvais, balançant la hache dans sa main gauche.

— Espèce de sale garce perfide ! siffla-t-elle. Quelle idiote ! Tu croyais qu'il ne m'avait rien dit ? C'est un sale type, mais au moins il a eu l'honnêteté de protéger son fils. Toi, tu me dégoûtes. Tu n'as même pas eu la décence de venir m'expliquer pourquoi ce mariage était impossible, mais tu as utilisé cette histoire pour extorquer de l'argent.

— C'est faux, soutint Rose farouchement, sachant qu'Adèle n'avait aucune preuve. Je n'ai pas pris d'argent. Je suis juste allée le voir parce que je ne pouvais pas te l'annoncer moi-même.

— Je suis une adulte, à présent, lança Adèle d'une voix rageuse. J'ai repensé à ta cruauté et j'en ai compris la raison. En une semaine, j'ai sans doute passé plus de temps à réfléchir à ton sujet que tu ne l'as fait pour moi en vingt ans. Tu m'as traitée comme un chien ! Tu m'as reproché la mort de Pamela, tu m'as mis ton alcoolisme sur le dos. Tu es une putain et une menteuse ! Tu ne vaux rien !

Abasourdie par la férocité d'Adèle, Rose restait allongée sur l'herbe, pétrifiée. Elle ne quittait pas la hache des yeux, persuadée que sa fille allait l'attaquer.

— Je suis désolée, Adèle, pleurnicha-t-elle. Je souffrais d'une maladie mentale, tu le sais bien. Demande à ta grand-mère, elle est au courant.

— Je ne lui demanderai rien du tout. Tu lui as déjà causé assez de chagrin. Ce n'était pas assez de lui briser le cœur ? Il fallait aussi que tu reviennes pour détruire ma vie et celle de Michael ?

— J'ai été stupide, sanglota Rose. Je ne voulais pas te faire de mal, mais je devais agir. Si tu avais épousé Michael, vos enfants auraient pu être débiles.

— Tu aurais pu venir me dire la vérité ! hurla Adèle. Mais tu es allée le trouver, lui, car tu as vu là une occasion en or de te renflouer !

— Si tu as une si piètre opinion de moi, pourquoi désires-tu que je m'occupe de Honour ?

— En fait, je voulais t'attirer ici afin de te tuer.

À la grande horreur de Rose, Adèle éleva la hache puis l'abattit rapidement, s'arrêtant à quelques centimètres à peine de sa tête.

— Toi aussi tu as voulu me tuer, tu te rappelles ? Et je ne t'avais rien fait.

— J'étais malade et désespérée à cause de la mort de Pamela ! cria Rose en se tortillant pour s'éloigner tandis qu'Adèle faisait tournoyer la hache devant son visage. Tu n'as jamais su ce que j'ai enduré. Myles m'a abandonnée quand j'étais enceinte de toi. Je l'adorais. S'il te plaît, Adèle, épargne-moi.

— Quelle somme lui as-tu extorquée ? tonna Adèle. Dis-le-moi ou je te tue !

— Mille livres, chevrota Rose, acculée. Il me les devait bien, j'ai tant souffert à cause de lui.

Adèle refit tournoyer la hache. Rose hurla et s'enfouit le visage dans les mains, mouillant sa culotte. La lame lui effleura la joue avant d'atterrir dans l'herbe tout près de son oreille.

— Tu me dégoûtes ! siffla Adèle avec mépris. Regarde-toi, tu es terrorisée par l'enfant que tu battais comme plâtre ! Tu mérites de brûler en enfer, mais j'ai une meilleure idée.

— Je ferai tout ce que tu voudras, gémit Rose, terrifiée. Écoute, je vais vendre la maison et donner l'argent à Mère.

— Et lui apprendre l'origine d'une telle somme ? Tu penses qu'elle accepterait de l'argent sale ? rugit Adèle.

— Qu'est-ce que tu veux, alors ?

— Je veux qu'elle ait une vieillesse heureuse, c'est tout, répondit-elle, la voix cassée par l'émotion. Je ne veux pas qu'elle vive un jour de plus dans l'angoisse. Je veux qu'elle croie que Frank et elle ont mis au monde une personne bien. Même si c'est faux.

Rose tremblait de peur.

— Es-tu prête à te consacrer à elle ?

Rose acquiesça. Elle n'avait pas le choix.

— Assieds-toi ! aboya-t-elle. Et écoute bien, je ne le répéterai pas deux fois.

Rose s'exécuta en essuyant son visage à l'aide de sa manche.

— Parfait ! Je vais te donner une seule chance de te racheter et ça ne va pas être facile. Tu vas entourer mamie de soins, vider sa chaise percée, la laver, la nourrir, t'occuper du cottage, du jardin et des animaux. Tu vas te transformer en la fille altruiste qu'elle mérite.

— Je le promets, assura Rose, désespérée.

— Tu as intérêt, avertit Adèle en lui lançant un sourire narquois. Je sais que dès que j'aurai tourné les talons tu chercheras à t'échapper d'ici pour retourner à ta lamentable vie d'ivrogne. Mais ne t'y risque pas. Un seul faux pas et je le saurai. Je partirai à tes trousses. Tu n'auras pas de seconde chance, je peux te l'assurer.

Le regard de sa fille lui rappela la façon dont Myles l'avait dévisagée juste avant de la quitter. C'était comme s'il avait sondé son âme et n'avait pas aimé ce qu'il y avait découvert. À l'instar d'Adèle, il avait percé à jour ses mensonges et ses ruses.

— J'aimerais te parler de ton père, commença Rose, qui ressentait le besoin urgent de s'épancher.

— Je me fiche de lui. Je le déteste autant que toi, rétorqua sa fille sèchement. Je dois rapporter ce bois à la maison. Ressaisis-toi et rentre par-derrière pour te laver le visage avant que mamie ne te voie.

Adèle ramassa calmement les bûches, les balança au sommet du tas de bois et déposa la hache sur le côté. Puis elle partit en poussant le chariot comme si rien ne s'était passé. Rose se leva, prit une cigarette puis s'effondra sur l'un des troncs abattus par l'orage ; elle fuma nerveusement pour tenter de réprimer ses tremblements.

En vérité, pendant toutes ces années, elle avait souvent pensé à sa fille, mais sans jamais ressentir de culpabilité. Même quand Honour lui avait signifié qu'elle n'avait pas été une bonne mère, elle n'avait pas réalisé qu'elle avait pu traumatiser Adèle à ce point. À présent, elle le voyait. La fureur et la haine de sa fille avaient balayé les justifications qu'elle s'était trouvées au fil des ans. Elle n'avait aucune excuse, elle était bien une menteuse, une putain et une tricheuse. Elle se mit à pleurer de dégoût pour elle-même. Elle avait toujours utilisé les gens. Avait-elle un jour agi par gentillesse, générosité ou altruisme ? Submergée par la honte, elle s'enfouit le visage dans les mains, souhaitant mourir pour ne plus jamais avoir à affronter Honour ou Adèle.

Elle resta dehors jusqu'au crépuscule, secouée de sanglots

convulsifs. Elle comprenait la signification du vieux proverbe :
« On récolte ce qu'on a semé. » Comment pouvait-elle espérer
de l'amour, de la gentillesse ou de la compréhension alors qu'elle
n'en avait jamais donné ? Il était si tentant de se réfugier dans
un pub et de boire pour oublier ! Elle réagissait toujours ainsi
en cas de crise. Pourtant, cette fois-ci, elle suivrait les ordres
d'Adèle à la lettre. Elle n'en ferait sans doute jamais assez, ni
pour sa mère, ni pour sa fille. Mais elle essaierait.

Quinze jours plus tard, Honour, assise près du poêle, regardait sa jambe plâtrée soutenue par un tabouret. Le plâtre était
sale à cause de Towzer, qui rentrait en frottant son pelage
mouillé contre elle. Dessous, sa jambe la démangeait et Honour
en avait assez d'être immobilisée. Elle s'ennuyait à mourir. Pourtant, elle devait s'estimer heureuse. Elle avait de la chance d'être
en vie et se réjouissait que ses autres blessures aient cicatrisé
aussi rapidement.

Rose plumait un poulet dans l'arrière-cuisine. De temps à
autre, elle éternuait à cause des plumes. Chaque fois, Honour ne
pouvait s'empêcher de sourire. Rose n'était pas équipée pour
la vie campagnarde. Ses mains étaient trop douces pour les
travaux difficiles, elle n'avait pas d'endurance et était facilement
dégoûtée. Mais, étrangement, elle ne s'était pas plainte une seule
fois depuis le départ d'Adèle.

Honour savait qu'elles s'étaient disputées. Elles avaient fait de
leur mieux pour le dissimuler, mais elle l'avait senti à travers le
mutisme intimidé de sa fille. Rose avait écouté attentivement les
recommandations d'Adèle au sujet des médicaments de Honour
et du changement des pansements. Elle avait accepté docile-
ment de se rendre chaque semaine à la cabine téléphonique à
une heure précise pour appeler Adèle à l'hôpital afin de
l'informer de la santé de sa grand-mère.

Il était très étonnant que Rose n'ait pas rembarré Adèle quand
celle-ci lui rabâchait d'avoir toujours des seaux pleins d'eau et
du sable disponible en cas de bombes incendiaires. Elle s'était
comportée en domestique soumise et cette attitude ne lui correspondait pas du tout. Cela lui ressemblait encore moins de se
lever à six heures, d'enlever les cendres du poêle et de l'allumer,

puis d'apporter une tasse de thé à Honour une heure plus tard et de lui demander si elle était prête pour utiliser la chaise percée.

Honour s'attendait qu'un tel dévouement se termine au bout de quelques jours, mais ce ne fut pas le cas. Elle s'occupait aussi du jardin et des animaux et cuisinait à merveille – sa soupe avait beaucoup plus de goût que celle de Honour. Elle se montrait aussi très douce lorsqu'elle la soignait, la lavait et l'habillait.

Elle était en revanche incapable de tuer un poulet ou un lapin. Cela n'avait aucune importance, Jim était ravi de donner un coup de main. Ce qui surprenait le plus Honour, c'est que Rose était d'une compagnie très agréable. Elles aimaient les mêmes émissions à la radio et riaient souvent ensemble en écoutant des pièces de théâtre comiques. Elle jouait bien aux cartes et avait appris plein de nouveaux jeux à sa mère.

À plusieurs occasions, elle avait paru s'ennuyer. Quand elle allait à Rye faire les courses, elle s'absentait longtemps et Honour la soupçonnait de s'arrêter au pub. Pourtant, dans l'ensemble, elle était facile à vivre car elle ne papotait pas pour ne rien dire comme tant de femmes de sa connaissance.

La vie s'était installée dans un train-train agréable et Honour éprouvait de la reconnaissance envers Rose. À deux reprises, elle avait failli lui exprimer cette gratitude, mais il était encore trop tôt et elle se méfiait toujours de sa fille. Rose était une énigme. Elle ne lui avait toujours pas parlé d'elle. Qui était le père d'Adèle ? Parfois, Honour pensait que ce mutisme était dû aux traitements de l'asile. Dans ce cas, il était étrange qu'elle se rappelle son enfance et ait du plaisir à l'évoquer.

Elle posait aussi énormément de questions sur Adèle, son séjour aux Sapins, son arrivée au cottage et sa rencontre avec Michael Bailey. En reconstituant les événements de la vie de sa fille, elle espérait peut-être gagner son pardon.

— J'ai terminé de plumer le poulet, annonça Rose du seuil de l'arrière-cuisine.

— Parfait ! lança Honour en résistant à la tentation

d'ajouter : « Pas trop tôt. » Tu as mis toutes les plumes dans le sac ?

— Oui, Mère, répondit-elle avec lassitude. Et j'ai balayé le sol. Si on prenait une tasse de thé ?

— Je m'en occupe, déclara Honour en prenant sa jambe plâtrée à deux mains pour la poser par terre. Il est temps que je fasse un peu d'exercice. Viens t'asseoir, tu as assez travaillé pour aujourd'hui.

Rose enleva son tablier avant de se rendre au salon. Honour se leva à grand-peine sur sa jambe valide et tendit le bras pour attraper ses béquilles. Puis elle s'approcha du poêle afin d'y placer la bouilloire.

— Les muscles doivent avoir fondu. J'espère que je ne boiterai pas pour le restant de mes jours.

— Il vaut mieux boiter que sauter sur une seule jambe, déclara Rose en s'asseyant.

C'était le style de remarque que faisait Frank. Honour se retourna et vit sa fille arborer la même expression pensive que son père.

— Qu'est-ce qui ne va pas, Rose ?

Celle-ci haussa les épaules.

— Rien. Je pensais juste à Adèle en plumant le poulet. Je ne sais pas comment elle supporte de voir tout ce sang et cette tripaille jour après jour. À son âge, elle devrait s'amuser et danser.

— La guerre se terminera bien un jour, assura Honour en disposant les tasses. Elle prendra du bon temps après. À son âge, nous étions mère toutes les deux.

— J'attendais Pamela, murmura Rose.

Honour n'osa pas se retourner pour la regarder, car c'était la première fois qu'elle en parlait.

— Tu étais contente d'avoir un second enfant ?

— Au début, j'étais horrifiée, avoua-t-elle d'une petite voix. Mais Jim était enchanté, alors j'étais contente de le rendre heureux. Je voulais être comme les autres femmes, tu sais, du genre épanouie et gâteuse devant leur bébé et ceux des autres. C'est normal d'être comme ça, non ?

— Je ne sais pas. Je n'ai jamais été du style à câliner les bébés des autres. Je les considérais d'un œil méfiant.

— Vraiment ? s'exclama Rose, étonnée. J'ai toujours cru que tu désirais beaucoup d'enfants.

— Pas du tout, gloussa sa mère. Je t'aimais beaucoup, mais chaque mois j'étais soulagée de ne pas être enceinte.

— Si seulement je l'avais su !

— Qu'est-ce que ça aurait changé ?

— Eh bien, je me serais sentie moins anormale de ne pas vouloir d'enfant.

Honour versa l'eau bouillante sur le thé. Elle le laissa infuser sur le côté du poêle et s'assit.

— Tu as eu Adèle dans des circonstances difficiles. Tu étais inquiète, tu avais peur. Tu ne pouvais pas te réjouir de cette naissance.

— Je n'ai toujours pensé qu'à moi, admit Rose. Je lui en voulais d'avoir déformé mon corps, de m'avoir fait souffrir pendant l'accouchement et de m'empêcher de dormir. Les mères ne réagissent pas de cette façon.

— Souvent, elles ne le reconnaissent pas. Grâce à mon beau-père, j'ai bénéficié d'une nourrice. Sans son aide, j'aurais peut-être beaucoup râlé.

— Mais tu as fini par m'aimer, n'est-ce pas ?

— Je t'ai aimée dès l'instant où je t'ai prise dans mes bras, déclara Honour en fronçant les sourcils. Tu dois bien le savoir, non ?

Il n'y eut aucune réponse. L'air préoccupé, Rose tripotait les boutons de son gilet.

— Tu ne le crois pas ?

— On n'y pense pas quand on est petit. On accepte les choses telles qu'elles sont. Mais quand Père est parti à la guerre, c'était comme si tu n'avais plus de temps à me consacrer.

— Qu'est-ce que tu racontes ?

— Tu t'enfermais tout le temps dans ta chambre ou tu partais te promener seule. C'était horrible, j'avais l'impression d'être invisible.

— J'étais bouleversée. Il me manquait terriblement et j'avais peur qu'il soit tué.

Honour se sentit coupable. Elle se rappelait son besoin d'isolement à l'époque et le fait que Rose et ses demandes l'exaspéraient.

— Je ressentais tout cela aussi, seulement tu ne t'en rendais pas compte.

— Je regrette, lâcha Honour tristement.

— Je n'avais que treize ans, rétorqua Rose en élevant la voix. J'avais le sentiment d'avoir perdu mes deux parents. Tu ne m'adressais pratiquement pas la parole, tu ne me demandais jamais comment ça se passait à l'école, si j'avais des amies, rien. Ce n'est peut-être pas étonnant si je n'arrive pas à aimer Adèle.

— Allons ! intervint Honour d'un ton brusque. J'ai traversé une mauvaise passe, mais je ne t'ai jamais délaissée ni brutalisée.

— N'en parlons plus ! coupa Rose. Je ne veux pas remuer le passé.

Elle se mit à contempler ses pieds. Ce comportement rappela à Honour que sa fille réagissait souvent ainsi dans sa jeunesse. Elle se plaignait d'un problème puis devenait silencieuse, comme incapable ou effrayée de continuer. Cette attitude avait toujours irrité sa mère.

— Pour l'amour du ciel, crache le morceau ! s'écria-t-elle. Si tu estimes que je t'ai fait du mal, dis-le-moi.

— Ce qui me fait mal, chuchota Rose, c'est la façon dont tu as parlé de moi à Adèle.

— Qu'est-ce que tu insinues ? s'enquit Honour, exaspérée. Ce qu'Adèle pense de toi découle de ta conduite envers elle.

— Lui as-tu raconté qu'à quatorze ans je m'usais à la tâche et te donnais toute ma paie ? Lui as-tu raconté que, l'hiver, je partais à l'aube et rentrais quatorze heures plus tard, dans la pluie ou la neige ?

— Je lui ai dit que tu travaillais dans un hôtel, assura Honour, indignée.

— Et je parie qu'elle croit que j'y allais quelques heures, comme serveuse, répliqua Rose avec amertume. J'allumais les feux, je vidais les pots de chambre, je nettoyais l'argenterie et je frottais les parquets. Mes mains étaient rouges, j'avais mal partout bien avant d'enfiler ma robe noire et ma coiffe pour servir dans la salle à manger des vieux et des vieilles qui me traitaient comme un chien. Ensuite, je faisais toute la vaisselle. Je n'avais le droit de rentrer que quand tout était rangé.

— Où veux-tu en venir ? s'enquit sa mère avec sévérité.

— Adèle est persuadée que tu étais une mère parfaite et que je suis une mauvaise personne parce que je me suis enfuie. Elle ignore les raisons qui m'ont poussée à partir.

— Je ne les connais pas moi-même, soupira-t-elle. Si tu me les disais ?

— À quatorze ans, j'étais soutien de famille. Quand j'arrivais exténuée, tu te plaignais de ta solitude. Lorsque Père est rentré à la maison, je me suis retrouvée face à un inconnu qui me terrifiait. Tu l'as dorloté sans jamais me remercier une seule fois de gagner l'argent pour ses médicaments ou la nourriture supplémentaire. Tu ne m'as jamais rien expliqué.

— Je n'y ai pas pensé, admit Honour faiblement.

— En effet ! Le dimanche était le seul jour où je pouvais faire la grasse matinée et, un dimanche, tu m'as réveillée à l'aube pour que j'aille ramasser du bois. J'étais rentrée du travail à deux heures du matin. Père dormait profondément, tu aurais pu y aller, mais non, tu m'as tirée du lit. Tu as raconté ça à Adèle ?

— Les temps étaient durs pour tout le monde, lança Honour d'un ton de défi.

— C'est vrai. Et tu étais dans tous tes états à cause de Père et tu ne dormais sans doute pas bien. Mais tu m'as traitée comme une domestique. Je me sentais exploitée.

— Je suis désolée.

— Oh, je ne veux pas d'excuses, soupira Rose avec lassitude. Ce que je veux, c'est que tu comprennes les raisons de ma fuite. Je n'étais pas si mauvaise, et Adèle devrait le savoir.

Honour garda le silence. Les explications de Rose l'avaient éclairée. Elle était coupable. Elle avait toujours considéré ces années de son propre point de vue, sans jamais prendre en compte le rôle précieux joué par sa fille. En vérité, jusqu'à présent, elle n'avait jamais estimé que Rose en avait joué un.

— Tu as raison, finit-elle par reconnaître. Je ne t'ai jamais exprimé la reconnaissance que je te devais. Et j'en parlerai à Adèle. Mais si tu désires renouer un lien avec elle, il faudra que tu parles du reste avec franchise.

Elle se leva, servit le thé, tendit une tasse à sa fille et se rassit.

— Je ne voulais pas déballer tout ça, s'excusa Rose. Mais c'est sorti tout seul.

— C'est aussi bien, la rassura Honour en lui pressant le bras. Ma mère avait l'habitude de dire : « On ne peut pas mettre de la confiture fraîche dans des bocaux sales. » À présent, nous les avons nettoyés à fond.

— Je ne crois pas qu'Adèle cherchera jamais à me comprendre.

— Ne la juge pas selon tes valeurs. C'est une fille intelligente, qui a très bon cœur. Le temps et la tragédie de cette guerre peuvent fort bien l'amener à changer d'avis.

Towzer vint poser sa tête sur les genoux de Rose. Elle lui gratta les oreilles.

— Si seulement les gens étaient comme les chiens. Ils ne gardent pas de rancune et ne veulent pas d'explications.

— Peut-être, dit Honour en souriant. Mais l'affection qu'ils donnent dépend de celle qu'ils reçoivent. Les humains sont identiques. Towzer a fini par t'aimer, et avec le temps Adèle t'aimera aussi si elle pense que tu le mérites.

Michael bougea légèrement dans son siège pour soulager la crampe de sa jambe gauche. Il regarda le bombardier qui volait près de lui, piloté par Joe Spiers, son ami australien. Michael détestait voler de nuit, surtout en janvier, quand il faisait un froid de canard et que les nuages obscurcissaient la lune, mais avoir Joe à son côté était rassurant.

Michael sourit intérieurement. Quelques jours auparavant, un type de l'équipe au sol l'avait appelé le « Vieux Bailey » car il clopinait en sortant de son Spitfire. À vingt-trois ans, il se sentait vieux. La plupart des garçons de son escadrille avaient dix-neuf ou vingt ans, et c'étaient des nouveaux. Ses copains à lui étaient presque tous morts. Parfois, il se demandait quand il serait abattu. Il ne semblait pas possible que lui, qui n'était ni meilleur ni pire que les autres pilotes, soit épargné. À d'autres moments, il se sentait invincible et ce sentiment était encore plus dangereux.

Il se dirigeait vers l'Allemagne pour escorter des bombardiers. Ce n'était pas aussi angoissant que les combats entre avions de chasse lors de la bataille d'Angleterre, mais les vols de nuit comportaient d'autres difficultés et il devait rester très attentif.

Quels que soient les dangers, il préférait être dans les airs plutôt que coincé dans un bureau à Londres. Le Blitz durait depuis trois mois et le quartier de l'East End avait été complètement détruit, nuit après nuit, par les bombardements. Ces Cockneys étaient courageux, ils se réfugiaient dans les abris du métro et émergeaient le lendemain matin pour trouver leurs rues rasées, pourtant ils se rendaient à leur travail quand même, sans avoir pu se laver ni prendre une tasse de thé.

Pour le nouvel an, Michael avait été obligé de courir dans un abri, car il avait été assez cinglé pour se laisser convaincre par Joe de fêter le nouvel an loin de la base aérienne. Il avait failli prendre ses jambes à son cou en respirant l'odeur des latrines. Il avait envie de vomir et préférait risquer d'être tué dans la rue plutôt que de passer la nuit dans cette puanteur. Mais, bien sûr, il resta. Comme avait dit Joe : « Prudence est mère de sûreté. » Et il parvint même à s'amuser malgré l'odeur nauséabonde et les gens pressés comme des sardines. Ils s'accommodaient du mieux qu'ils le pouvaient, chacun organisant son petit espace et se serrant les coudes. Un vieil homme joua de l'accordéon et les gens l'accompagnèrent en chantant.

Toutes les classes de la société étaient représentées. Il y avait les gens du coin qui venaient toutes les nuits et organisaient l'abri, des aristos en smoking au bras de femmes étincelantes de bijoux, des prostituées de Soho qui aidaient les mères à s'occuper des bébés et des enfants. On trouvait aussi des femmes de la banlieue surprises par l'alerte, des vieilles personnes ratatinées, des jeunes dactylos, des vendeuses joviales et un nombre respectable d'hommes en uniforme.

Michael et Joe rencontrèrent deux filles du Yorkshire. Elles étaient infirmières à l'hôpital de South London et, comme eux, elles étaient venues dans le West End pour le nouvel an. Michael avait beaucoup aimé June, la jolie brune. Elle était drôle et pleine de vie, et il pensait l'appeler pour l'inviter dès qu'il aurait une permission. Joe lui rabâchait que le meilleur moyen d'oublier une fille était d'en avoir une nouvelle et Michael savait qu'il avait raison. June ne lui rappelait pas du tout Adèle. Petite et agréablement potelée, elle n'arrêtait pas de jacasser. Il l'avait embrassée aux premières lueurs de l'aube et elle avait répondu avec enthousiasme à son baiser. C'est ce qu'il voulait, une fille simple qui ne pensait pas trop. Une fille à laquelle il n'appartiendrait pas corps et âme.

Il se mit à neiger et Michael maudit le temps. D'un côté, la neige leur permettrait d'atteindre leur destination sans être vus, de l'autre, elle rendait plus difficile la localisation des avions ennemis. Dans cinq minutes, ils seraient sur leur cible, et, si la chance était de leur côté, dix minutes plus tard ils prendraient le chemin du retour. Un barrage de canons antiaériens et les faisceaux lumineux des projecteurs leur donnèrent un aperçu du terrain d'aviation et des hangars qu'ils cherchaient. Michael et les deux autres Spitfire montèrent pour laisser les trois Lancaster s'approcher. Quand la première bombe tomba, Michael entendit une deuxième détonation et regarda en bas.

— Ouah ! hurla-t-il triomphalement, car ils avaient fait exploser un dépôt de munitions ou une citerne de carburant.

Son allégresse augmentait à chaque bombe. À présent, il voyait nettement le terrain d'aviation dans la lumière des flammes. Une fois tous les objectifs atteints, les avions prirent le chemin du retour et Michael jubilait. Il avait oublié le froid et sa crampe. Le craquement et la vibration qui se produisirent soudain sur son côté droit le firent sursauter. Il tourna la tête, vit le Messerschmitt et les étincelles rouges des mitrailleuses. Michael riposta aussitôt, mais l'avion allemand piqua et s'échappa. Avant même que Michael ne pense à redresser son appareil, l'ennemi l'attaqua par-dessous et toucha le nez du Spitfire. Le liquide de refroidissement du moteur jaillit sur son pare-brise, oblitérant sa vue, et c'est à ce moment seulement qu'il découvrit que son avion prenait feu.

— Dieu tout-puissant ! s'exclama-t-il.

C'était le genre de fin qu'il redoutait le plus. Il sentit la chaleur augmenter d'un coup. D'ici quelques secondes, il mourrait brûlé vif. De grandes flammes rouge et orange s'élevaient sur sa droite. Il ne lui restait plus qu'à se retourner et à s'éjecter.

On l'avait entraîné à cet exercice. En théorie, le cockpit s'ouvrait d'une simple pression et il devait en jaillir tel un bouchon de champagne. Mais il avait la tête en bas, des flammes tout autour, et le cockpit refusait de s'ouvrir. Le visage d'Adèle lui apparut pendant une brève seconde. Elle courait vers lui, les cheveux flottant au vent comme un étendard.

— Que Dieu me vienne en aide, dit-il d'une voix râpeuse en se préparant à mourir.

24

1941

Honour ouvrit la porte d'entrée en voyant Jim repartir dans l'allée après avoir distribué le courrier.

— Venez vous réchauffer un peu ! lui cria-t-elle.

C'était un jour de février glacial, fouetté de rafales de grêle. Le ciel était noir et il neigerait sans doute dans la soirée. On lui avait enlevé son plâtre juste avant Noël. À sa grande déception, elle avait toujours besoin d'une canne pour marcher car sa jambe s'était affaiblie par manque d'exercice. Rose ne l'autorisait qu'à clopiner dans le jardin et le lui avait interdit dès l'apparition du verglas. Jim serait une agréable distraction pour meubler son ennui.

Le facteur se retourna avec un grand sourire.

— Je suis gelé, mais je n'ai pas frappé parce que je me suis dit que vous vouliez être seule pour lire votre lettre.

Honour éclata de rire.

— Vous savez fort bien que j'ai tout mon temps. La lettre d'Adèle peut attendre. Entrez.

— Rose n'est pas là ? demanda-t-il en tapant ses bottes sur le paillasson après avoir fermé la porte derrière lui.

— Elle vient juste de partir à Rye pour acheter de l'huile à lampe et changer les livres de la bibliothèque. C'est bizarre que vous ne l'ayez pas rencontrée.

— J'étais trop absorbé par mes pensées. Je songeais à la pauvre Mme Bailey, déclara-t-il en enlevant son manteau et en s'asseyant.

— Qu'est-ce qu'il lui arrive ?

— Vous n'êtes pas au courant ? s'enquit Jim, gêné.

— Au courant de quoi ?

— C'est au sujet de Michael.

— Ne me dites pas qu'il a été tué ! s'écria Honour.

— Il est porté disparu, présumé mort, ça signifie la même chose, non ?

Il vit le visage décomposé de Honour et lui tapota le bras.

— Je suis désolé, je croyais que vous saviez. Elle a reçu le télégramme il y a une semaine.

— Pas ce garçon charmant, soupira Honour, les yeux remplis de larmes. Comment est-ce arrivé ?

— Il a été abattu au-dessus de l'Allemagne, répondit Jim, qui avait ôté ses mitaines et pliait ses doigts. Mme Bailey le vit très mal, mais vous savez comment elle est. Sa voisine m'a raconté que, la nuit dernière, elle était dehors en chemise de nuit. Elle ne savait plus ce qu'elle faisait !

— Il est peut-être prisonnier, suggéra Honour. Les nouvelles mettent parfois des semaines, voire des mois avant d'arriver.

Le facteur haussa les épaules.

— C'est peu probable. Elle a eu la visite d'un camarade d'escadrille de Michael qui a vu son avion prendre feu. Il ne l'a pas vu s'éjecter.

— Un bien piètre consolateur. Ne pouvait-il pas lui laisser un peu d'espoir ?

Elle se leva, mais, en voyant la boîte à thé que Michael lui avait offerte lors de sa première rencontre avec Adèle, elle se mit à pleurer.

— Allons, Honour, dit Jim, inquiet. Je regrette de vous en avoir parlé, maintenant.

— Il vaut mieux que ce soit vous qui me l'appreniez. Je l'aimais beaucoup et j'ai toujours souhaité que ça marche entre Adèle et lui. Je partage aussi la douleur de sa mère ; de ses trois enfants, il était le seul à être proche d'elle. Que va-t-elle devenir ?

Jim hocha la tête tristement.

— Si elle ne se ressaisit pas, sa gouvernante partira, c'est sûr. À ce qu'on dit, elle a failli s'en aller des dizaines de fois bien avant ce drame.

— J'espère qu'elle restera encore quelque temps ! s'indigna

Honour. Les gens perdent la tête, dans ces moments-là, ils n'y peuvent rien. Ça m'est arrivé quand Frank est mort.

— « Chien qui aboie ne mord pas. » En vérité, vous êtes très bonne, Honour.

Elle esquissa un sourire.

— Est-ce que les enfants croient toujours que je suis une sorcière ?

— C'est fini depuis l'arrivée d'Adèle. Maintenant, vous avez Rose et elle est trop sympathique pour être la fille d'une sorcière.

— Il m'arrive de penser que nous sommes toutes les trois ensorcelées, avoua Honour. Nous avons des vies si tourmentées !

— Cela ne vous ressemble pas de dire ça. Je vous ai toujours considérée comme invincible.

— Oh non, Jim, je ne le suis pas. Je suis juste une vieille femme qui fait de son mieux pour tenir le coup.

Jim resta un moment pour bavarder. Il parla des tickets de rationnement et de la chance qu'ils avaient d'avoir des poulets et des légumes, comparés aux gens des villes qui mouraient de faim. Après son départ, Honour s'allongea sur le canapé, se recouvrit d'un châle et pleura. Au plus profond d'elle-même, elle savait qu'Adèle n'avait jamais cessé d'aimer Michael. Elle sortait avec d'autres jeunes gens et ne demandait plus de ses nouvelles, pourtant elle ne trompait personne. Sa mort lui porterait un coup terrible.

Mais elle pleurait aussi sur Emily Bailey. Honour l'avait rencontrée une fois pendant la bataille d'Angleterre et elles avaient discuté de Michael. Emily avait été enchantée de s'entretenir avec une personne qui le connaissait aussi bien. Elle avait parlé de son fils avec fierté mais elle lui avait paru très fragile et tendue. Ses nombreuses nuits sans sommeil avaient souligné ses yeux de grands cernes noirs.

Honour comprenait parfaitement son angoisse depuis qu'elle avait été prise dans une attaque aérienne. Elle se réconfortait en se disant qu'Adèle travaillait dans les sous-sols de l'hôpital et pouvait se réfugier dans un abri en cas d'alerte si elle se trouvait dans la rue. En revanche, Emily ne risquait pas de se rassurer de la sorte, car elle savait parfaitement que lorsqu'un avion était touché le pilote avait peu de chance de survivre. Honour avait conscience aussi que si Adèle venait à être tuée, elle serait incapable de supporter sa perte. Elle n'aurait même pas la force d'essayer. C'est ce que vivait Emily. Elle aurait tant voulu lui rendre visite ! Mais il n'était pas question pour elle de marcher jusqu'à Winchelsea. Elle allait lui écrire une lettre, ce serait un petit réconfort pour Emily de savoir que les gens compatissaient à sa douleur.

Il était quinze heures trente et il faisait déjà très sombre quand Rose quitta Rye pour rentrer chez elle. Il y avait eu de longues files d'attente dans les magasins et elle avait réussi à trouver de l'huile pour les lampes, du fromage, du beurre et du thé, seulement personne n'avait de sucre. Elle avait aussi passé plus de temps que prévu au pub à flirter avec deux soldats en permission. Sa mère n'approuverait pas sa conduite, mais si elle ne pouvait pas boire de temps à autre, ni fréquenter des hommes, elle deviendrait dingue.

Après la fermeture du pub, elle s'était précipitée à la bibliothèque et maintenant elle s'inquiétait d'avoir laissé Honour seule si longtemps. Malgré le froid, elle avait passé une bonne journée. Elle ne s'était pas ennuyée en faisant la queue. Tout le monde papotait et riait et elle avait rencontré deux femmes avec qui elle était allée à l'école. Elles avaient semblé ravies de lui parler. Son esprit cynique lui soufflait qu'elles bavardaient avec elle pour lui soutirer des potins, pourtant elle avait eu du plaisir à renouer un contact. Elle fut très touchée d'apprendre qu'elles croyaient qu'Adèle était venue vivre avec sa grand-mère quand Rose était tombée malade. Dans le passé, Rose aurait embelli sa maladie pour gagner la sympathie de son auditoire. Là, elle se contenta de hausser les épaules en déclarant que Honour avait été une excellente mère, bien meilleure qu'elle, en vérité.

En dépit de son arrivée tardive à la bibliothèque, elle avait réussi à obtenir un exemplaire d'*Autant en emporte le vent*. Elle essayait de l'avoir depuis des semaines et rêvait de s'y plonger le soir même, mais elle estima que Honour devait le lire en premier.

L'un dans l'autre, elle était plutôt contente d'elle-même. Pour la première fois de sa vie, elle était heureuse. À son grand étonnement, Londres ne lui manquait pas du tout, et maintenant qu'elle s'était habituée aux tâches ménagères du cottage, elle les trouvait très agréables.

Depuis qu'elle avait sorti tout ce qu'elle avait sur le cœur, les rapports avec sa mère s'étaient détendus. Elle était stupéfaite que Honour ait reconnu qu'elle lui avait manqué de considération. Et, à plusieurs reprises, Rose avait été agréablement surprise de découvrir que sa mère était très différente de la personne pudibonde et butée qu'elle avait créée dans son esprit. On ne s'ennuyait pas avec elle. Dotée d'un humour malicieux, elle était truculente, directe, et possédait un grand sens des réalités. À certains moments, bien sûr, elles se disputaient ; il est difficile de s'habituer à la présence continuelle d'une autre personne quand on a vécu seule aussi longtemps. Au début, Rose n'appréciait pas d'être à l'entière disposition de sa mère et, de son côté, Honour s'était montrée très méfiante. Toute l'amertume qu'elles ressentaient n'était pas encore dissipée, mais, comme Honour adorait le souligner : Rome ne s'est pas fait en un jour.

Cependant, dans l'ensemble, elles s'entendaient bien et Rose avait souvent éprouvé beaucoup de tendresse pour Honour en la voyant supporter sa souffrance et son immobilité de façon aussi stoïque.

S'il n'y avait pas eu Adèle, Rose pensait pouvoir vivre avec sa mère indéfiniment, du moment qu'elle allait danser ou voir un film au cinéma chaque semaine. En revanche, il lui était impossible d'oublier la haine, le mépris et les menaces que sa fille lui avait balancés en pleine figure. Une fois que Honour serait complètement rétablie, Adèle exigerait qu'elle décampe pour de bon, Rose en était convaincue.

Lorsque Rose lui téléphonait chaque semaine à l'heure prévue, elle était un véritable paquet de nerfs. Adèle ne l'insultait pas mais elle restait glaciale. Aucun signe de radoucissement à son égard, même si Rose savait que Honour lui écrivait que tout se passait à merveille. Comme les bombardements se poursuivaient toutes les nuits, Adèle n'avait bénéficié d'aucun congé. Tant qu'elle ne vérifierait pas par elle-même que Rose tenait ses engagements et avait vraiment changé, Adèle continuerait à la mépriser.

Rose et Honour étaient conscientes que les informations à la radio ne donnaient pas une image exacte des événements qui se déroulaient à Londres ni de la guerre dans son ensemble. Les lettres d'Adèle, les nouvelles qui circulaient par l'intermédiaire des voisins ayant de la famille et des amis à Londres ou au front brossaient un tableau fort différent. Des milliers de personnes avaient été tuées ou blessées, les Allemands étaient mieux équipés et possédaient plus d'effectifs. L'Angleterre semblait en bien mauvaise posture pour vaincre. Chaque soir, elles entendaient le vrombissement des bombardiers, qui quelquefois lâchaient leurs bombes bien avant d'atteindre Londres. Des réfugiés de l'Europe entière arrivaient quotidiennement dans la région. Ils avaient tout perdu dans leur fuite. Parfois, Rose contemplait les énormes rouleaux de barbelés sur la plage en songeant que les Allemands n'allaient pas tarder à envahir l'Angleterre.

Ils débarqueraient certainement sur cette partie de la côte, et Honour et elle risquaient de se retrouver plus exposées au danger ici que sous les bombes de la capitale.

La lumière du jour avait complètement disparu quand Rose approcha de l'allée qui conduisait au cottage. La lune était pleine : elle apparaissait et disparaissait au gré des nuages, révélant par intermittence la silhouette des toits des maisons sur la colline et le ruban noir de la rivière.

Le *black-out* rendait la nuit effrayante. Aucune lumière accueillante ne brillait aux fenêtres du cottage ni des maisons de Winchelsea. Il y avait peu de circulation car les gens économisaient l'essence. Les nuages masquèrent à nouveau la lune et Rose se maudit d'avoir oublié sa lampe torche. Ce serait l'enfer dans l'allée, elle ne verrait pas les plaques de verglas et risquerait de buter contre de gros cailloux.

Dans le noir, elle ne trouva pas tout de suite l'entrée du chemin et adressa une prière à la lune pour lui demander de réapparaître. Elle souriait intérieurement de se montrer aussi puérile quand un bruit lui fit tourner la tête. Quelque chose ou quelqu'un se trouvait dans la prairie près de la rivière. Pensant qu'il s'agissait d'un mouton, elle recula avec précaution, mais le bruit persista et elle s'arrêta pour tendre l'oreille. Elle connaissait bien les moutons car ils faisaient partie intégrante de la vie des marais, et ce son ne leur correspondait pas. De plus, par un froid pareil, ils se blottissaient les uns contre les autres sous la haie.

Soudain la lune réapparut et, à son grand étonnement, elle vit une femme courir en direction de la rivière. Ses cheveux blonds ou blancs dénoués renvoyaient la lumière de la lune. Rose l'entendait haleter. Elle comprit tout à coup que cette femme voulait se noyer.

Il n'y avait pas d'autre explication. D'après son expérience, Rose savait que les gens étaient capables de faire n'importe quoi dans des moments de désespoir. Elle déposa ses courses à l'entrée du chemin, passa à travers la trouée de la haie qu'elle empruntait souvent pour aller chercher du bois et courut à toute vitesse. Elle ne voyait plus la femme mais elle entendit un grand plouf. En atteignant la rivière, elle eut juste le temps d'apercevoir une main très blanche qui battait l'air au-dessus de l'eau sombre.

Rose regarda désespérément autour d'elle. La maison la plus proche était la sienne, mais Honour ne pouvait pas l'aider. Si elle partait chercher des secours, ils arriveraient trop tard. Il lui fallait agir vite et seule. Elle enleva son manteau et sauta en s'empêchant de penser à la température glaciale de l'eau ou à la force du courant. Sous le choc, elle crut que son cœur allait s'arrêter, puis elle se força à faire du surplace tout en cherchant la femme.

La lune lui permit de distinguer une forme qui flottait. Elle l'atteignit en quatre ou cinq mouvements de brasse et, quand sa main rencontra un bout de tissu en laine, elle comprit qu'il s'agissait du manteau de la femme. Nageant toujours sur place, elle l'attrapa avec une main ; de l'autre, elle sonda la rivière sous le vêtement. Sa main toucha un membre, qu'elle sortit de l'eau. C'était une jambe, sans bas ni chaussure. L'eau était si froide qu'elle avait l'impression d'être paralysée. Elle agrippa la jambe afin que la femme ne soit pas entraînée par le courant, puis tâtonna le long de son corps. Pensant avoir trouvé sa taille, elle passa son bras autour pour la remonter. Le poids fit couler Rose, mais elle maintint fermement sa prise et parvint enfin à tirer la tête de la femme hors de l'eau.

À son grand étonnement, elle constata qu'elle n'était pas jeune, comme elle l'avait supposé à cause de ses longs cheveux. Autour de son cou, telle une sorte de collier bizarre, elle portait une lourde chaîne, raison pour laquelle elle s'était retrouvée la tête en bas dans la rivière.

La peur d'être entraînée elle aussi par le fond décupla les forces de Rose et elle arracha la chaîne ; la femme devint aussitôt beaucoup plus légère. Elle était inanimée. Rose trouva relativement facile de nager sur le dos et d'atteindre le rivage en soutenant la tête de ses mains, mais c'était une autre paire de manches de la hisser en haut du talus. Elle tenta de la tirer par son manteau. À mi-pente, celui-ci lui glissa des mains et le corps retomba dans l'eau.

— Merde ! hurla-t-elle. Je ne te laisserai pas là même si c'est ce que tu veux !

Rose retourna dans l'eau. Cette fois, elle crut que le froid allait la tuer. Elle ne sentait plus ses mains, pourtant elle repêcha la femme et, dans un effort désespéré, parvint à la traîner à mi-pente. Elle se jucha au sommet du talus puis attrapa la femme sous les bras pour la remonter. Ensuite, elle la retourna sur le ventre.

Rose, qui avait vu pratiquer la respiration artificielle à deux reprises, n'en avait qu'un vague souvenir. Elle appuya sur le dos de la femme puis souleva ses épaules en rythme.

— Respire, pour l'amour de Dieu ! s'écria-t-elle en exerçant des pressions régulières. Tu crois que j'ai envie de mourir de froid avec toi ?

L'obscurité ne lui avait jamais paru aussi terrifiante. Elle les enveloppait comme un voile épais et Rose fut tentée de prendre ses jambes à son cou. Que pouvait-elle faire de plus ? Cependant elle continua tandis que des larmes chaudes coulaient sur la peau glacée de son visage.

C'est alors que la femme crachota.

— Voilà qui est mieux ! s'exclama-t-elle triomphalement. Allez ! Respire !

De l'eau jaillit de la bouche de la noyée. Rose approcha sa joue de la sienne et entendit une respiration faible et haletante.

— C'est bien.

Elle se précipita pour prendre son manteau, dont elle l'enveloppa, puis elle la fit asseoir. Sa tête pendait, mais au moins elle respirait. Il ne lui restait qu'une chose à faire : la ramener au cottage. Elle n'osait pas la laisser seule car elle risquait de se jeter de nouveau à l'eau ou de mourir de froid dans l'attente des secours. Rose la releva, se pencha et assujettit le corps de façon qu'il pende de part et d'autre de ses épaules, à la manière des pompiers. Trébuchant sous le poids, elle se mit en route. Son être entier souffrait sous la morsure du froid, la femme pesait des tonnes et Rose pensa ne pouvoir la porter que quelques mètres. Mais elle se concentra sur chaque pas et tint bon.

La rescapée vomit, c'était bon signe. Rose poursuivit son chemin laborieusement et atteignit enfin le cottage.

— Mère ! Ouvre-moi ! cria-t-elle.

La porte s'ouvrit toute grande et c'est avec reconnaissance qu'elle vit le halo doré de la lampe.

— Qu'est-ce que tu rapportes ? Un animal ? s'écria Honour.

— Une noyée.

— Oh, mon Dieu ! s'exclama Honour tandis que Rose déposait son fardeau sur le tapis devant le feu. C'est Emily !

Elle lui enleva ses vêtements trempés, l'enroula dans des couvertures. Rose lui raconta brièvement ce qui s'était passé. La chaleur soudaine de la pièce et le contrecoup de la terrible épreuve qu'elle venait de traverser donnaient à la scène un sentiment d'irréalité.

Sa mère lui ordonna d'aller se changer et elle avait dû se rendre dans sa chambre, car elle se retrouva soudain en chemise de nuit, enveloppée dans un châle, une serviette enroulée autour de ses cheveux trempés. Assise par terre, Honour berçait la femme dans ses bras en lui faisant boire du cognac à petites gorgées.

— Je suis Honour Harris. Je vais prendre soin de toi. Tout va bien.

La femme la fixait, le regard vide. Rose grelottait et voulait s'approcher du poêle pour se réchauffer, mais sa mère et la rescapée lui barraient le passage.

— Nous ne pouvons pas nous occuper d'elle, Mère. Elle doit aller à l'hôpital. Ce n'est pas un chien errant comme Towzer. Tu ne vas pas la remettre d'aplomb avec un bol de soupe et de la chaleur. Dès que je me serai réchauffée, j'irai appeler une ambulance.

— Chut ! fit Honour en lui adressant un regard sévère.

— Mère, elle a perdu la tête ! Elle a sauté dans la rivière. Si je ne l'avais pas entendue, elle aurait été entraînée dans les vannes de l'écluse.

— Elle est folle de chagrin. Michael est porté disparu, son avion a été abattu au-dessus de l'Allemagne.

— Michael ? s'enquit Rose.

— Oui, Michael, le fiancé d'Adèle. C'est sa mère, Emily Bailey.

Rose tituba comme une ivrogne. Elle eut l'impression que sa tête allait exploser. Emily. C'était trop pour elle !

Emily Bailey, cette mégère qui n'aimait pas son mari mais ne lui rendrait jamais sa liberté. Rose ne l'avait pas rencontrée, elle n'avait jamais vu de photo d'elle, pourtant, quand elle était amoureuse de Myles, elle avait souhaité qu'elle et ses foutus enfants meurent.

Et voilà que, vingt-deux ans plus tard, elle lui avait sauvé la vie.

— Ma chérie, je crois que tu es en état de choc ! s'écria soudain Honour. Tu es blanche comme un linge et tu trembles. Enroule-toi dans une couverture et bois un peu de cognac.

La pendule sonna dix-huit heures. Rose réalisa que ces événements dramatiques – qui semblaient avoir duré une éternité – s'étaient déroulés en une petite demi-heure à peine. Elle s'était réchauffée, grâce au cognac, mais elle se sentait toujours bizarre. Honour continuait à bercer Emily en lui chuchotant des paroles apaisantes et Rose observait la scène de très loin, comme dans un rêve.

— Ne reste pas par terre, tu te casses le dos, déclara-t-elle, agacée. Et tu ne vas pas la bercer indéfiniment !

— Si j'avais perdu mon enfant, j'aimerais que quelqu'un me serre dans ses bras, répondit Honour avec obstination.

La gorge de Rose se serra.

— Ce sera mieux sur le divan. Nous allons la relever, ensuite je nous préparerai un thé.

Rose n'en revenait pas d'être parvenue à porter Emily jusqu'au cottage, car elle crut qu'elle n'arriverait jamais à l'installer sur le canapé. Après qu'elle eut remis Honour sur ses pieds, cette dernière l'étreignit.

— Tu as eu beaucoup de courage pour sauter dans l'eau. Vous auriez pu vous noyer toutes les deux, dit-elle, la voix brisée par l'émotion.

Rose haussa les épaules.

— On pourrait parler de courage si j'avais réfléchi. Mais j'ai juste agi par impulsion.

— Tu penses que c'est moins courageux ? demanda Honour en esquissant un sourire.

— Oui, assura Rose. Emily ! Allez-vous arrêter de pleurer et boire une tasse de thé ?

Son ton sévère opéra. Pour la première fois, Emily regarda la couverture qui l'enveloppait, puis elle parcourut la pièce des yeux.

— Où suis-je ? s'enquit-elle d'une petite voix.

— Tu as sauté dans la rivière et ma fille t'a repêchée, expliqua Honour en lissant doucement ses cheveux trempés. Tu me reconnais ? Je suis Honour Harris, la grand-mère d'Adèle, qui a travaillé chez toi comme gouvernante. Et je te présente Rose, ma fille, elle t'a sauvée.

Emily dévisagea Honour d'un air interrogateur pendant quelques secondes, avec l'expression d'une enfant qui se réveille d'un cauchemar.

— Vous êtes venue chez moi, une fois.

— C'est juste, admit Honour patiemment en lançant un coup d'œil à Rose. J'étais une amie de ta mère. L'année dernière, nous nous sommes rencontrées à Rye et nous avons discuté de Michael. Je suis désolée qu'il soit porté disparu, je l'aimais énormément.

Le visage d'Emily se décomposa et ses larmes silencieuses firent place à des sanglots déchirants. Elle enfouit son visage dans le creux de l'épaule de Honour en s'agrippant à elle.

— Ce n'est pas juste ! sanglota-t-elle. Je l'aimais tant, il était si gentil, si affectueux. Je ne veux pas vivre sans lui.

— Il est peut-être dans un camp de prisonniers, suggéra Honour doucement. N'abandonne pas tout espoir. Imagine qu'il rentre à la maison après la guerre pour découvrir que tu t'es suicidée ?

— Il ne reviendra pas, il est mort, insista Emily. Son ami a vu son avion prendre feu.

— Il t'a sans doute raconté aussi que de nombreux pilotes sont sortis indemnes de leur avion en flammes en sautant en parachute. J'ai lu des dizaines d'histoires de ce genre.

— C'est le jugement de Dieu, déclara Emily avec raideur. Ma punition pour mes mauvaises actions.

— Quel mal as-tu fait ? Très peu, j'en suis persuadée !

— Oh, si…, insista Emily en tordant les mains. Je me suis très mal conduite envers ma famille.

— Tu n'avais pas tous les torts, répliqua Honour d'une voix égale.

— Si. Myles était gentil et affectueux. Je l'ai changé à cause de mon comportement impossible. C'est la raison pour laquelle je suis punie.

— Nous ferions mieux de boire une bonne tasse de thé, conclut Honour.

Cette nuit-là, Rose grelottait malgré sa bouillotte. Emily partageait le lit de sa mère et le vent qui hurlait autour du cottage faisait battre les volets. Elle tendit le bras pour prendre sa robe de chambre, consciente cependant que rien n'arriverait à la réchauffer, comme aucune parole ne parviendrait à atténuer le chagrin d'Emily.

C'était la culpabilité et la honte qui provoquaient ses frissons. Emily ne voulait plus vivre car elle avait perdu Michael, c'était une réaction normale pour une mère. Mais Rose n'avait jamais voulu vivre avec Adèle et avait même souhaité la voir morte à la place de Pamela. Elle comprenait la souffrance d'Emily à cause de Pamela. Et la folie qui l'avait poussée à se jeter dans la rivière.

Comment Adèle réagirait-elle en apprenant la mort de Michael ? Elle serait aussi anéantie qu'Emily, mais à qui pourrait-elle se confier puisque tout le monde croyait qu'elle l'avait laissé tomber ? Deux personnes seulement connaissaient la vérité, et Adèle ne se tournerait pas vers elles.

Lorsque Adèle l'avait attaquée dans les bois, Rose avait pensé vivre le moment le plus horrible de sa vie. Elle se trompait. En s'installant ici, en réapprenant à connaître sa mère et en se sentant enfin heureuse, elle avait pris conscience de son égoïsme, de sa cupidité et de sa frivolité. Et, en écoutant Emily ce soir, Rose avait eu honte car elle avait sans aucun doute contribué à briser son ménage. Pendant des années, Rose s'était persuadée qu'elle avait été l'innocente victime d'un coureur de jupons qui l'avait cyniquement abandonnée enceinte. À présent, elle ne pouvait plus se raccrocher à cette excuse.

Elle était vierge quand elle avait rencontré Myles à l'hôtel George, mais loin d'être innocente car elle avait tout fait pour le séduire. Elle voulait habiter à Londres dans l'aisance et l'insouciance et, le voyant riche, seul et vulnérable, elle avait utilisé sa beauté et sa jeunesse pour atteindre son but. Il s'était contenté de l'embrasser lorsqu'elle l'avait supplié de l'emmener à Londres sous prétexte que son père la maltraitait.

Avant qu'ils montent dans le train, Myles l'avait informée qu'il était marié et père de trois enfants. Il lui avait dit clairement qu'il lui donnerait un coup de main pour chercher un emploi et un logement. Il avait tenu parole, lui avait trouvé une chambre et l'avait aidée financièrement. Si elle n'avait pas déployé tous ses charmes, il n'aurait jamais couché avec elle. Si seulement elle avait mis son intelligence au service d'un travail au lieu de comploter et de mentir pour le forcer à quitter sa femme et à l'épouser ! Il lui avait souvent répété qu'il ne pouvait pas déshonorer sa famille en divorçant.

C'était la faute de Myles si elle était tombée enceinte. En homme du monde averti, il aurait dû savoir comment l'éviter. Il avait été cruel de la laisser se débrouiller seule. Mais elle n'avait à s'en prendre qu'à elle-même : si elle ne lui avait pas menti dès le début, il l'aurait crue – elle portait bien son enfant – et aurait pris ses responsabilités. Il était snob, parfois lâche, seulement il avait le sens de l'honneur et un cœur tendre. Ce n'était pas la brute qu'elle se plaisait à dépeindre.

Honour avait une dent contre lui, ce qui était compréhensible vu la façon dont il avait traité Adèle lorsqu'elle travaillait pour sa femme. Rose avait remarqué l'expression incrédule de son visage quand Emily lui avait assuré que Myles n'avait pas toujours été comme ça. Elle avait raison, autrefois il était doux et affectueux, et Rose se sentait en partie responsable du changement qui s'était opéré en lui.

À présent, il avait perdu son fils cadet et Rose se rappelait la jalousie qu'elle éprouvait lorsque Myles souriait tendrement à la moindre allusion à Michael, qui était à l'époque un bambin. Elle avait toujours prétendu aimer Myles. En vérité, elle n'avait aimé qu'elle.

25

Rose et Emily rentraient ensemble à pied à Winchelsea.

— Vous ne raconterez à personne ce qui s'est passé ? l'implora Emily.

— Non. Pas si vous me promettez de ne plus jamais recommencer.

Trois jours s'étaient écoulés depuis qu'Emily avait essayé de se noyer. Le lendemain de sa tentative de suicide, Honour avait demandé à Jim d'aller voir la gouvernante pour la prévenir qu'Emily était tombée malade alors qu'elle leur rendait visite et rentrerait chez elle dès qu'elle se sentirait mieux. Elle avait passé le premier jour à dormir, puis elle s'était remise à pleurer, mais elle était plus calme à présent et Rose la raccompagnait

— Je le promets, déclara Emily faiblement.

Très pâle, les traits tirés, elle avait l'air d'une réfugiée plutôt que d'une femme de la haute société car son manteau, séché au-dessus du poêle, avait rétréci et les chaussures empruntées à Rose étaient trop grandes.

— Vous avez été très courageuse, Rose. J'ai tellement honte !

La gorge de Rose se serra. Emily n'avait pas arrêté de le lui répéter depuis deux jours et, même s'il était agréable de l'entendre, Rose luttait toujours contre sa culpabilité.

En grimpant la colline qui conduisait à Winchelsea, Emily glissa son bras sous celui de Rose.

— Vous m'avez fait beaucoup de bien en me faisant parler. Je me sens différente aujourd'hui. Plus forte.

Rose ne put s'empêcher de lui sourire. Malgré ses soixante-quatre ans, Emily avait gardé un côté juvénile. Elles avaient beaucoup discuté et Rose avait appris à l'apprécier.

— Vous recevrez peut-être de bonnes nouvelles de Michael. Essayez de garder votre sang-froid et ne perdez pas espoir. Vous aimeriez vous retrouver à l'asile, comme moi ?

— Non. Je vais tenter de me rapprocher de Ralph et de Diana. Ils ont toujours été contre moi ; c'est ma faute, je buvais et j'étais infernale. Vous avez de la chance d'avoir une fille comme Adèle ! Elle doit vous être d'un grand réconfort.

Rose sourit tristement. La veille, elle lui avait confié qu'elle avait été une mauvaise mère mais il était clair que son amie n'y avait pas prêté attention. Encore trop centrée sur elle-même, Emily n'avait pas la capacité d'être à l'écoute des autres.

Adèle était épuisée quand elle termina son service au matin, mais la lettre de sa grand-mère dans son casier la ragaillardit.

Les bombardements n'avaient pas cessé de toute la nuit et le flot des blessés avait été plus important que d'habitude. Elle ne comprenait pas pourquoi tant de personnes, en particulier les gens âgés, restaient chez eux au lieu de se réfugier dans les abris. Ils connaissaient pourtant les risques encourus, maintenant.

Elle se rendit dans la salle à manger et se servit une grande assiette de porridge. Ce qu'elle détestait dans les horaires nocturnes, c'était prendre ses repas à l'envers. Elle ne pouvait pas manger de la viande et des légumes au réveil et, après une longue nuit de travail, elle était affamée et devait se contenter de porridge, d'œufs brouillés figés et de pain grillé.

Elle s'assit à la table de Joan et ouvrit la lettre en mangeant. Après avoir lu deux lignes, elle laissa tomber sa cuillère.

— Qu'est-ce qui se passe ? s'enquit Joan, inquiète.

— C'est Michael. Il est porté disparu. Son avion a été abattu.

Incapable de retenir ses larmes, elle quitta la pièce en courant.

Un peu plus tard, Joan frappa trois petits coups discrets à leur porte.

— Je peux entrer ou tu préfères être seule ?

— Non, viens, s'il te plaît.

Adèle essuya ses yeux.

— Je suis sous le choc. J'aimais tellement Michael. Je ne supporte pas l'idée de sa disparition.

Joan la serra dans ses bras et essaya de la réconforter.

— Il est peut-être prisonnier.

— J'en doute fort, fit Adèle en reniflant.

— Ne perds pas espoir. Souviens-toi de ton grand-père. Il a été blessé et laissé pour mort, mais il est rentré chez lui.

Depuis le début de la guerre, Adèle faisait de nombreux cauchemars dans lesquels l'avion de Michael était abattu. Aussi, pour elle, sa mort était une certitude absolue. Elles se couchèrent et Joan s'endormit aussitôt. Adèle resta éveillée, effleurant la bague autour de son cou. Elle se remémorait tout ce qu'elle avait aimé chez Michael et réalisait que le temps n'avait pas atténué ses sentiments envers lui. Sa souffrance était aussi vive que lors de son départ de Hastings. Mais au moins, à cette époque, elle pouvait imaginer Michael marcher, rire, parler. Elle pouvait même espérer qu'un jour ils se rencontreraient à nouveau en tant qu'amis, et frère et sœur. À présent, tout était terminé. Il n'y avait même pas de tombe où déposer des fleurs.

Le chagrin de sa grand-mère était immense et Adèle se demanda comment elle tenait le choc. Elle devait aller voir la surveillante générale pour obtenir un congé.

Adèle n'obtint des vacances qu'à la fin du mois de mars et encore, parce qu'elle était malade. Elle avait continué à travailler malgré des rhumes, une éruption de furoncles sur la nuque et des maux de ventre. C'est seulement le jour où Joan se rendit chez la surveillante générale pour signaler qu'Adèle perdait du poids, ne dormait plus et ne mangeait pas convenablement qu'on lui ordonna de voir un médecin.

Hantée par la mort de Michael, elle avait perdu le sommeil et l'appétit. Incapable d'en parler au docteur, elle prétendit être surmenée comme le reste du personnel. Mais le médecin ne s'en laissa pas conter et lui prescrivit deux semaines de repos. Bien que soulagée de rentrer chez elle, Adèle trouva le trajet épuisant. Elle n'avait pas envoyé de télégramme pour prévenir de son arrivée. Quand elle atteignit le cottage tard dans l'après-midi, après la longue marche depuis la gare, elle était au bord de l'évanouissement.

— Adèle ! s'exclama sa grand-mère, stupéfaite, lorsqu'elle entra en chancelant dans le salon. Qu'est-ce qui se passe ? Tu as l'air malade.

— Maintenant que je suis là, tout va s'arranger, murmura-t-elle tandis que Honour la prenait dans ses bras. J'ai obtenu un congé pour me reposer.

Elle fut vaguement consciente que Rose lui enlevait son chapeau, son manteau et ses chaussures, puis la faisait s'allonger sur le canapé. Elle voulut la repousser mais elle n'en eut pas la force et s'endormit immédiatement. Lorsqu'elle ouvrit les yeux, la nuit tombait. Rose remuait de la soupe sur le poêle.

— Où est mamie ? demanda-t-elle, perplexe, car elle associait le poêle à sa grand-mère.

— Je suis là, ma chérie, dit Honour, assise dans un fauteuil à la gauche d'Adèle. Rose est la cuisinière en chef, maintenant, elle me défend d'approcher des fourneaux.

Les trois jours suivants, Adèle dormit la plupart du temps. Dans ses moments de veille, elle mangeait du bout des lèvres le plat qu'on lui apportait au lit. Honour lui posait beaucoup de questions mais elle n'avait rien à raconter : depuis cinq mois de bombardements intensifs, elle n'avait vu que les ravages de la guerre, le chagrin, la douleur.

Elle aurait tant aimé confier à sa grand-mère ce qu'elle éprouvait depuis la disparition de Michael ! Pourtant c'était impossible. Elle compatirait à la perte d'un ami très cher mais ne comprendrait pas qu'Adèle ait le cœur déchiré alors que c'était elle qui l'avait quitté. Depuis qu'elle avait reçu la lettre de sa grand-mère, Adèle vivait dans une sorte de bulle, consciente de ce qui se passait autour d'elle mais incapable de ressentir autre chose que sa propre souffrance. Michael était à la fois l'amour de sa vie et son frère. Les gens exprimeraient une compassion sans bornes s'ils savaient qu'il était l'un ou l'autre. Mais un ex-fiancé ou un ami n'engendrait qu'un bref « Je suis désolé » et la personne changeait rapidement de sujet. Du coup, elle devait garder ses sentiments pour elle, faire bonne figure et écouter les problèmes de ses collègues. Plus le temps passait, plus elle avait l'impression de sombrer dans un puits sans fond.

Avant d'arriver à la maison, elle avait l'intention de vérifier que Honour était complètement rétablie et que Rose s'occupait du cottage sans profiter de la situation. Quand elle tomba malade, elle oublia tout. Deux choses seulement lui importaient : l'absence du bruit des bombes et la possibilité de dormir.

C'est l'odeur du bacon frit qui la sortit de son état de torpeur quatre jours plus tard. Elle était à peine réveillée lorsque le fumet lui chatouilla les narines ; pour la première fois depuis l'annonce de la disparition de Michael, elle ressentit une faim de loup. Elle se leva, et du seuil de sa chambre elle vit Rose qui chantonnait gaiement en retournant le bacon dans la poêle.

Adèle eut envie de battre en retraite. Elle avait beaucoup pensé à Rose ces derniers mois, la plupart du temps avec une haine absolue. Chaque fois qu'elle lui parlait au téléphone, elle se forçait à se montrer polie car sa grand-mère lui écrivait qu'elle s'occupait bien d'elle. Elle n'avait cependant aucune envie de lui pardonner ; l'idée même de lui trouver des qualités était risible. Elle avait gardé en mémoire l'image d'une femme à l'allure tapageuse, maquillée à outrance, vêtue de vêtements moulants, qui chancelait sur ses talons hauts, une cigarette pendant au bout de ses doigts aux ongles écarlates.

Là, dans son vieux pantalon kaki et son pull bleu reprisé aux manches, elle ne ressemblait plus à une traînée. Ses cheveux blonds étaient nattés en une tresse épaisse et son visage était dépourvu de maquillage. Petite, Adèle devinait l'humeur de sa mère à son maquillage. Si Rose n'en portait pas, il fallait l'approcher avec une prudence extrême. Aujourd'hui, l'attitude de sa mère n'avait rien de menaçant, elle était détendue et joyeuse, mais les souvenirs traumatisants de son enfance suffisaient à la figer sur place, en proie à la plus grande nervosité.

Rose dut sentir la présence d'Adèle dans son dos car elle se retourna et lui sourit.

— Je te préparais du bacon pour te faire plaisir.

Adèle ne se rappelait plus la dernière fois qu'elle en avait mangé et l'odeur délicieuse la faisait saliver.

— Nous n'avons plus de bacon à Londres, lâcha-t-elle, prise au dépourvu par l'idée extraordinaire que sa mère désire la gâter.

— C'est une denrée rare aussi dans le coin, répondit Rose d'une voix égale. J'ai fait la queue hier pendant une heure pour l'acheter. Mais ça en vaut la peine si ça te ravigote. Tu es si faible !

Adèle pensa divaguer à cause de la maladie. Enfant, elle avait toujours espéré se réveiller un jour pour découvrir sa mère transformée en une personne affectueuse, souriante et heureuse. C'était trop beau pour être vrai. Le soleil se déversait à flots à travers les fenêtres, un vase de jonquilles ornait le buffet, le visage de Rose aux joues rouges respirait la santé et ses yeux avaient perdu leur dureté habituelle.

— Nous avons pris notre petit déjeuner il y a une éternité, poursuivit Rose sans paraître troublée par l'expression d'Adèle, qui avait l'air en transe. Mère est occupée à nourrir les lapins. Ça va lui remonter le moral si elle te voit manger de bon appétit. Tu sais comment elle est !

— Tu parais différente, murmura Adèle.

— Je l'espère, pouffa Rose. Je suis une campagnarde, à présent, plus un pilier de bar. Tu as changé, toi aussi, tu es maigre, pâle et angoissée. Assieds-toi, c'est presque prêt. Comment te sens-tu aujourd'hui ?

— Ce n'est pas encore ça, reconnut Adèle.

Elle sentit soudain ses jambes flageoler et s'appuya au dossier d'une chaise pour reprendre son équilibre. Rose se précipita vers elle et lui prit le bras pour l'aider.

— Oh, Adèle ! soupira-t-elle. Ta grand-mère te croit surmenée, mais je connais la vérité. Ça a dû être l'enfer de garder tout ce chagrin pour toi.

Adèle s'apprêtait à la rembarrer. L'expression du visage de sa mère l'arrêta net. En tant qu'infirmière, elle avait l'habitude de lire sur le visage des gens : Rose ne jouait pas la comédie. Ses paroles lui venaient vraiment du cœur.

— Oui. Et ça l'est toujours.

Elle s'attendait que Rose s'épanche, mais il n'en fut rien.

— Si tu as envie d'en parler quand nous serons seules, n'hésite pas, déclara-t-elle simplement avant de retourner près du poêle.

Elle déposa le bacon, les œufs, le pain grillé et le thé sur la table sans ajouter un mot. En retrouvant le goût oublié du bacon, Adèle sourit.

— C'est merveilleux !

Honour arriva avec Towzer et, en voyant Adèle à table, son visage se fendit d'un large sourire.

— Regardez-la ! s'écria-t-elle. Rose était convaincue que tu ne pourrais pas résister à l'odeur du bacon, mais je ne la croyais pas. Je viens juste de dire à Misty qu'elle devrait attendre encore quelques jours avant de recevoir ta visite.

Towzer se dirigea droit sur la table et contempla Adèle avec des yeux implorants. Elle allait lui couper un morceau de bacon pour le lui donner quand Rose agita un doigt désapprobateur.

— Ne t'en avise surtout pas ! Ce chien est un glouton. Mange tout, il faut que tu te remplumes.

Sa réaction était si maternelle que les yeux d'Adèle s'emplirent de larmes et elle détourna le regard. Rose et Honour sortirent ensemble dans le jardin, pensant peut-être qu'elles lui couperaient l'appétit en lui tournant autour. Mais, après les petits déjeuners de pain grillé froid et brûlé du foyer des infirmières, rien ne pouvait la dissuader de dévorer ce festin.

Ce moment de solitude lui fut précieux. Il lui permit de retrouver son environnement familier, de goûter le silence et de faire le point.

Honour avait retrouvé sa robustesse, et la façon complice dont elle était sortie dans le jardin avec Rose suggérait qu'elles s'entendaient bien. Par ailleurs, le cottage n'avait jamais été aussi bien tenu.

Adèle n'était pas encore capable de se montrer objective envers sa mère. Cela prendrait du temps pour découvrir si la nouvelle image de Rose correspondait à une réalité ou s'il s'agissait juste d'une façade. En tout cas, pour le moment, reposée et loin des drames incessants de l'hôpital, Adèle était optimiste.

À la fin de la première semaine, Adèle se sentait cent fois mieux. Elle mangeait bien, dormait comme une bûche, son visage avait repris des couleurs et les cernes noirs sous ses yeux s'étaient estompés. Cela n'empêchait toujours pas Rose de lui interdire tous travaux ménagers.

— Tu dois te reposer complètement avant de rentrer à Londres, insistait-elle, soutenue par Honour. Lis un livre, va te promener, profite de ta liberté.

Adèle suivit leurs conseils. Après la tension constante de son travail, ne rien faire du tout était divin. Elle flânait pendant des heures dans les marais et, quand elle trouvait un endroit abrité du vent froid, elle s'asseyait pour écouter les oiseaux et la mer en essayant de mettre de l'ordre dans ses idées.

Maintenant, sur les lieux de sa rencontre avec Michael, elle n'arrivait pas à croire qu'il était mort. Si c'était le cas, son esprit reviendrait ici et elle le percevrait. C'est à cette époque de l'année qu'ils avaient fait connaissance ; elle avait compris aussitôt qu'il serait important dans sa vie. Avec le recul, elle se dit que c'étaient peut-être les liens du sang qui les avaient rapprochés. Si c'était le cas, son esprit ne manquerait pas de se manifester pour la soulager du supplice d'entretenir de faux espoirs.

Mais s'il était difficile d'affronter les souvenirs liés à son histoire d'amour, Adèle éprouvait des émotions encore plus conflictuelles envers Rose. Depuis son retour au cottage, toutes ses convictions étaient remises en question.

Rose restait rarement inactive. Elle pétrissait la pâte pour le pain avec énergie, ratissait le jardin avec enthousiasme et cuisinait avec le plus grand soin. Elle avait appris à couper le bois, à plumer les poulets et à dépouiller les lapins. Le soir, elle parcourait des livres de jardinage pour en apprendre plus sur les potagers. Elle souriait chaleureusement, était rigolote et avait un côté juvénile très séduisant.

Adèle s'était surprise à rire plusieurs fois à une plaisanterie de sa mère. Parfois, elle était tentée de lui poser des questions pour combler le fossé entre la femme d'aujourd'hui, qu'elle risquait d'aimer, et la femme du passé, qu'elle haïssait.

La veille, Rose s'était rendue à Rye à bicyclette et, bien qu'Adèle ait été ravie de se retrouver seule avec Honour, elle demeurait songeuse et gardait le silence. Honour dut lire dans ses pensées car elle se mit à parler de Rose.

— Tu dois accepter que ta mère n'était pas bien pendant ton enfance. Elle m'a beaucoup parlé de la façon dont elle t'avait traitée. Elle souffrait de troubles psychiques, ils sont bien pires qu'une maladie physique. De toute façon, en tant qu'infirmière, tu es au courant.

— Du coup, je suis censée tout lui pardonner ? s'enquit Adèle sèchement.

— Si Towzer me mordait alors que j'essayais d'examiner sa patte blessée, tu voudrais que je l'abandonne ? répondit Honour sur le même ton.

Adèle regarda le chien, dont la tête reposait sur les pieds de la vieille femme et qui la contemplait avec adoration.

— C'est différent. Un chien n'a pas la possibilité d'expliquer qu'il souffre.

— Peut-être Rose ne le pouvait-elle pas non plus, déclara Honour en haussant les épaules. Nous avons toutes les trois un trait de caractère en commun : nous sommes incapables d'exprimer nos sentiments. Nous comptons sur nos actes pour montrer notre affection et notre amour.

— Tu sais parfaitement qu'elle n'a pas arrêté de me maltraiter ! s'emporta Adèle.

À cet instant, elle mourut d'envie de tout raconter à sa grand-mère, y compris que Rose avait exigé de l'argent de Myles, sachant bien que Honour ne lui pardonnerait jamais. Mais le nouveau rôle de Rose consistait à donner une vieillesse heureuse à Honour et elle tenait ses engagements. En conséquence, Adèle n'avait pas le droit de la trahir.

— En prenant soin de moi quand j'en avais besoin, elle a essayé de nous prouver qu'elle regrettait le passé. Tu as bien vu comment elle s'occupait aussi de toi depuis ton arrivée ?

— Oui, seulement j'ai dans l'idée qu'elle a une arrière-pensée.

— Et si elle désirait seulement que nous l'aimions ?

— Ce n'est pas demain la veille ! Je ne pourrai jamais l'aimer, répondit Adèle d'un ton brusque.

En pensant à sa remarque acerbe, Adèle éprouva des remords. Avait-elle peur que Rose prenne sa place dans le cœur de sa grand-mère ? Ou avait-elle besoin de Rose comme souffre-douleur afin de la blâmer pour justifier les échecs de sa vie ?

Plus l'échéance de son départ approchait, moins Adèle avait envie de rentrer. Il n'y avait plus eu de bombardement depuis deux nuits et le bruit courait que le Blitz était terminé. Cependant, sa répugnance à retrouver Londres n'avait rien à voir avec son travail harassant à l'hôpital. Elle avait le sentiment d'avoir oublié une tâche importante sans arriver à mettre le doigt dessus.

Deux jours avant de quitter la région, elle alla à Winchelsea pour acheter des bougies et des allumettes. Le vent glacial était tombé, le soleil brillait, et, quand elle vit le paysage s'étendre devant elle, sa beauté lui coupa le souffle. Michael avait pris une photographie de cette vue avant de partir à Oxford. Il avait déclaré qu'il la punaiserait au mur en souvenir des jours heureux. C'est en y songeant qu'elle décida de rendre visite à Mme Bailey.

Sa grand-mère lui avait dit qu'Emily était venue les voir deux fois depuis la disparition de Michael. Adèle en avait été étonnée, mais, comme l'avait expliqué Honour, elle avait désespérément besoin de partager son chagrin avec une personne qui avait bien connu son fils.

La gouvernante l'introduisit dans l'entrée, puis monta au premier prévenir Mme Bailey de son arrivée. En attendant, Adèle se revit frotter l'entrée poussiéreuse, pendre les vêtements de sa maîtresse et s'évertuer à cuisiner des plats beaucoup plus recherchés que ceux qu'elle avait l'habitude de préparer chez elle. Néanmoins, ces pensées n'étaient pas amères, car elle comprit que sans cette expérience elle n'aurait sans doute pas su se couler dans la discipline très stricte du métier d'infirmière.

Mme Bailey descendit l'escalier lentement. Elle avait vieilli, sa peau arborait une teinte jaunâtre et ses cheveux tiraient à présent sur le gris. Elle portait une jupe en tweed et un twin-set rose, mais elle avait perdu son élégance. Ses épaules voûtées et les rides profondes autour de sa bouche trahissaient son immense chagrin.

— J'espère que je ne vous dérange pas. J'ai éprouvé le besoin de vous dire combien la disparition de Michael m'a bouleversée.

— C'est si gentil à vous, Adèle, répondit Mme Bailey gracieusement. Venez dans le salon, il y a du feu.

— Avez-vous reçu des nouvelles ? s'enquit Adèle en s'asseyant.

— Non, aucune. J'ai bien sûr contacté la Croix-Rouge, qui vérifie dans tous les camps de prisonniers, mais je ne me fais pas d'illusions.

— Ne perdez pas espoir. Si vous aviez vu les scènes auxquelles j'ai assisté à Londres, vous croiriez aux miracles. Les gens sont persuadés que les membres de leur famille ont été tués et ils réapparaissent sains et saufs.

— Honour m'a raconté que vous étiez devenue une excellente infirmière. Elle est très fière de vous.

Adèle s'apprêtait à lui expliquer que les bombardements incessants donnaient l'impression aux infirmières d'être inefficaces quand la porte s'ouvrit. À sa grande consternation, Myles Bailey pénétra dans la pièce.

Les souvenirs le concernant étaient déplaisants, et le dernier, l'aveu de sa paternité, était de loin le pire de tous. Elle ne le détestait pas pour ça, elle savait bien qu'il avait été obligé de lui annoncer cette nouvelle accablante. Il s'était même montré plutôt doux à cette occasion. Non, chaque fois qu'elle pensait à lui, elle revoyait le tyran qui l'avait giflée en lui ordonnant de quitter la maison la veille de Noël. Elle le méprisait pour cet incident déplorable.

Toujours aussi empâté et rougeaud, il n'avait pas changé. Vêtu d'un costume sombre et d'une chemise à faux col, il blêmit en voyant Adèle.

— Je suis désolé, s'excusa-t-il en reculant, j'ignorais que vous aviez de la visite, Emily. J'ai un rendez-vous dans la région et je suis passé prendre de vos nouvelles.

— Entrez, je vous en prie, lança Emily, tout sourire, comme si elle était contente de le voir. Vous vous souvenez d'Adèle, bien sûr. Elle est venue présenter ses condoléances. Je vais sonner pour le thé.

— Il faut que je me sauve, annonça Adèle en se levant.

Emily lui prit le bras.

— Restez, s'il vous plaît. Honour et Rose me racontent souvent ce que vous leur écrivez sur l'hôpital et le Blitz, et j'aimerais en savoir plus.

À la mention de Rose devant Myles, Adèle ne sut plus où se mettre.

— Je crains de vous déranger à présent que M. Bailey est ici, déclara-t-elle nerveusement sans oser le regarder.

— C'est absurde, Adèle, lança Myles, qui avait repris contenance. Je souhaiterais aussi vous entendre parler de votre métier. Et Emily a tant de choses à vous raconter, elle est si reconnaissante envers votre mère et votre grand-mère de l'avoir secourue, et je le suis également.

— Secourue ? s'enquit Adèle, ahurie.

— Vous n'êtes pas au courant ? Quelle discrétion ! J'étais persuadé qu'elles vous l'auraient dit. Emily est tombée dans la rivière et votre mère a sauté pour la sauver. Un acte très courageux par une soirée glaciale de janvier.

Adèle n'aurait pas été plus étonnée si Myles lui avait annoncé que Rose avait traversé Rye à dos d'éléphant.

— Vraiment ! Je savais que Mme Bailey leur avait rendu visite, mais mamie n'est pas entrée dans les détails.

Emily se leva, rougissante et gênée.

— Je vais aller m'occuper du thé moi-même.

On pouvait tomber dans la rivière l'été en se promenant, mais qui irait flâner de ce côté en hiver ? Dès qu'Emily eut quitté la pièce, Adèle demanda :

— Elle est tombée ou elle a sauté ?

— Elle a prétendu avoir glissé, cependant nous pouvons facilement tirer nos propres conclusions, car ça s'est passé quelques jours après la nouvelle de la disparition de Michael, expliqua-t-il d'un ton bourru. Votre mère aurait pu se noyer en lui portant secours. La rivière était en crue et le courant très fort. J'aurais voulu lui rendre visite pour la remercier personnellement, mais vu nos relations passées ça ne semblait pas opportun.

Adèle fut surprise qu'il se montre aussi ouvert, surtout dans la maison de sa femme.

— En effet. Personnellement, j'aurais préféré l'ignorer. Mme Bailey devait être folle de chagrin à ce moment-là et elle va être très embarrassée que je sois au courant.

— Il ne m'est jamais venu à l'esprit que votre famille garderait le silence, avoua Myles, pensivement. ·

— Ma grand-mère déteste les potins et elle a très bon cœur, déclara Adèle avec fierté. Elle adorait Michael et compatissait au chagrin de votre femme. Il est hors de question pour elle que cet incident se sache. En ce qui concerne ma mère, eh bien, elle a peut-être de bons côtés, après tout.

Emily revint avec le plateau à thé et ils bavardèrent de la guerre, des blessures de Honour lors de l'attaque aérienne et des soins apportés aux victimes des bombardements. Emily semblait s'en sortir. Adèle l'avait vue dans des états bien pires quand elle travaillait pour elle. La perte de Michael lui avait ouvert les yeux et elle manifestait un réel intérêt pour les sans-abri, les veuves et les orphelins. Par ailleurs, Myles était beaucoup moins caustique et autoritaire que dans le souvenir d'Adèle, le chagrin semblait aussi l'avoir adouci. Ses yeux brillèrent de larmes lorsqu'il mentionna son fils aîné et son gendre, qui allaient être envoyés à l'étranger, et on sentait bien qu'il avait peur de les perdre. Il ne rabaissa pas Emily et parla de ses petits enfants avec beaucoup de tendresse.

Adèle resta le temps nécessaire pour se montrer polie, puis elle évoqua le prétexte des bougies à acheter pour prendre congé.

— Mille fois merci d'être venue, déclara Emily en embrassant sa joue. Demandez à Honour et à Rose de passer me voir. Dites-leur que je fais du travail bénévole et que je vais bien grâce à elles.

Myles lui serra la main, lui souhaita de réussir dans ce qu'elle entreprendrait puis la raccompagna à la porte.

— Je regrette infiniment, lâcha-t-il soudain.

— Quoi ? s'enquit-elle, les yeux plongés dans les siens.

— De vous avoir causé autant de chagrin.

— Vous voulez que j'aie meilleure opinion de vous, c'est ça ? Le plus grand choc pour moi a été de découvrir que mon père était un tyran, un snob et un homme qui frappait les domestiques.

— Touché, admit-il en grimaçant. Vous avez une bien piètre opinion de moi. Comment vous le reprocher ? De mon côté, je vous respecte et j'apprécie vos qualités. Depuis la disparition de Michael, j'ai beaucoup réfléchi. Et j'ai trouvé que ma vie manquait de substance.

— Cela ne signifie rien pour moi, répliqua Adèle, agacée qu'il ramène tout à lui. Je souffre depuis que vous m'avez révélé votre identité et cette souffrance s'est amplifiée quand j'ai appris la disparition de Michael. Je prie pour qu'il soit dans un camp de prisonniers et revienne à la fin de la guerre. Votre femme et vous en serez très heureux. Moi, je me retrouverai dans la même situation, incapable de l'accueillir avec joie en tant que sœur ou fiancée.

— Je regrette tant, répéta-t-il en prenant ses mains dans les siennes. Si jamais vous avez besoin d'aide, venez me voir, Adèle. Je ne peux pas changer le passé mais peut-être pourrai-je faire quelque chose pour vous dans l'avenir.

Adèle voulut le rabrouer, seulement aucune repartie cinglante ne lui vint à l'esprit. Elle voyait les yeux de Myles, si semblables aux siens, entendait la sincérité de sa voix et sentait la chaleur de ses mains sur les siennes.

Il sortit une carte de visite de sa poche.

— Contactez-moi, quoi que vous pensiez de moi et du chagrin que je vous ai causé. Sachez que je suis fier que mon enfant soit devenue une femme aussi bonne et aussi forte.

Adèle recula. En tant qu'avocat, il avait l'art de prononcer des discours déchirants qui, la plupart du temps, n'étaient que mensonges. Mais ce qu'il venait de dire l'avait émue. C'était comme s'il avait soudain comblé en elle un vide qu'elle avait toujours éprouvé. Elle fila avant d'éclater en sanglots.

26

1942

— Je meurs d'ennui.

Joan bailla en servant le thé à Adèle.

— J'ai bien envie de me glisser dans un des lits vides et de piquer un petit roupillon.

Il était minuit et le peu de malades dont elles s'occupaient dormaient à poings fermés. Du coup, elles s'étaient introduites dans le bureau de la surveillante générale pour bavarder autour d'une tasse de thé.

— Quand je pense qu'on se plaignait d'être débordées ! s'écria Adèle en riant.

À son retour, les bombardements de nuit avaient cessé. Les gens avaient repris un mode de vie plus ou moins normal, persuadés que le Blitz était terminé. Mais, le 10 mai, ils avaient subi l'attaque aérienne la plus meurtrière de toutes, et le lendemain matin la rumeur circulait qu'il y avait trois mille morts. Le tribunal, la Tour de Londres, l'hôtel de la Monnaie et l'abbaye de Westminster avaient été touchés. Les ponts entre la Tour et Lambeth étaient impraticables, des centaines de conduites de gaz avaient explosé, la façade de Big Ben était criblée de trous et on manquait d'eau pour éteindre les incendies.

Cette nuit-là et les quarante-huit heures suivantes, le personnel médical travailla d'arrache-pied. Personne n'exprimait ses peurs, cependant Adèle pouvait lire la même question sur tous les visages : « Combien de temps pourrons-nous encore supporter ça ? »

Heureusement, ce fut la dernière attaque de cette envergure. Il y avait encore des bombardements sporadiques à Londres et dans d'autres villes, mais le Blitz semblait bel et bien terminé et l'hôpital retourna à un calme relatif.

En décembre, les Japonais avaient bombardé Pearl Harbor, du coup les Américains avaient déclaré la guerre à l'Allemagne et à l'Italie et s'étaient alliés à l'Angleterre.

Fin janvier, les troupes américaines qui étaient arrivées en Angleterre avaient créé un grand émoi parmi les infirmières.

Même Adèle, qui jusqu'à présent était restée imperméable aux hommes, trouva ces garçons bien élevés, généreux et gais, très séduisants. Depuis février, elle allait danser au moins une fois par semaine et elle avait été invitée au cinéma ou à prendre un verre par cinq garçons différents. Elle avait bien aimé le lieutenant Robert Onslow, de l'Ohio, un blond aux yeux bleus rencontré au Rainbow Corner, un club de Piccadilly. Il l'avait emmenée au théâtre et au cinéma. Mais il avait été envoyé dans le Suffolk en mai et, peu à peu, il avait cessé de lui écrire.

Cette idylle qui se termina en queue de poisson n'attrista pas Adèle outre mesure. Joan le soulignait avec raison : un de perdu, dix de retrouvés. Elle avait été heureuse de découvrir qu'elle pouvait à nouveau être attirée par un homme. C'était agréable de devenir insouciante comme ses amies, de s'amuser et de ne rien prendre au sérieux.

Elle réalisa que le jour où elle s'était retrouvée nez à nez avec Myles avait marqué un tournant dans sa vie. Sa nouvelle sérénité venait sans doute du fait qu'elle avait finalement réussi à évacuer l'amertume qu'elle ressentait envers sa mère. Après avoir parlé à Myles, elle était rentrée au cottage et avait insisté pour que Honour et Rose lui relatent la noyade d'Emily. Rose fit peu de commentaires et partit se promener, mais Honour se montra beaucoup plus volubile. Elle ne se contenta pas de donner tous les détails de l'incident, elle expliqua également qu'Emily devait la vie au courage de Rose et à son obstination, au mépris de sa propre sécurité. Elle mentionna aussi que les sentiments exprimés par Emily avaient confronté Rose à ses manquements de mère.

Les yeux pleins de larmes, elle raconta à Adèle la façon dont elle avait traité Rose quand Frank était rentré de la guerre. Elle lui expliqua qu'elle avait éprouvé de la colère en voyant l'homme de sa vie aussi diminué et que, parfois, elle avait souhaité qu'il soit mort en France. Elle avait alors reporté sa culpabilité sur Rose.

Ce n'était pas la première fois que sa grand-mère essayait de lui démontrer qu'il était temps pour elle de pardonner à sa mère. Mais, cette fois-ci, parce qu'Adèle était touchée par la bravoure de Rose, elle sentit qu'une porte s'ouvrait. Soudain, elle parvint à faire un lien entre le présent et le passé et à voir sa mère sous un jour beaucoup plus favorable.

Pendant la soirée qui suivit, Adèle et Rose écoutaient la radio, assises chacune à un bout du canapé, et, beaucoup plus à l'aise en présence de Rose, la jeune fille étendit ses jambes. Sa mère prit ses pieds, qu'elle posa sur ses genoux. Une petite attention tendre et complice.

Le lendemain matin, profitant qu'Adèle changeait la paille des clapiers, un lapin s'échappa et Rose vint l'aider à l'attraper. Le lapin n'arrêtait pas de leur filer entre les doigts et elles couraient en tous sens, riant ensemble à gorge déployée.

Rose lui proposa de l'accompagner à la gare. En arrivant à Rye, Adèle lui raconta ce que Myles lui avait dit à Winchelsea. Rose resta silencieuse plusieurs minutes et Adèle eut l'impression qu'elle ruminait une remarque acerbe au sujet de Myles. Mais sa réponse la surprit.

— Si seulement j'avais eu un peu de ton bon sens et de ton humanité quand j'avais ton âge ! soupira-t-elle. Tu tiens beaucoup plus de lui que de moi, Adèle.

Cette dernière changea de sujet et demanda à Rose si elle aimerait rentrer chez elle, maintenant que Honour était en pleine forme.

— Tu peux, tu sais. Nous ne penserions pas que tu nous laisses tomber, nous savons bien que ce n'est pas vraiment une vie pour toi, ici.

— C'est une bien meilleure vie qu'à Londres, répondit Rose en souriant. Et j'aime être avec Mère.

À son retour à Londres, Adèle avait de quoi réfléchir. Plus rien n'était blanc ou noir. Personne n'était totalement mauvais, ni parfait, y compris elle-même. Elle devait apprendre à vivre avec ce qui lui avait été accordé. En pensant à Rose, elle était capable de la voir différemment. Elle devint fascinante au lieu de suspecte, amusante au lieu de nuisible. Maintenant, au téléphone, elles riaient de beaucoup de choses ensemble. Leur échange était chaleureux, il n'avait plus le côté guindé et méfiant d'autrefois.

Chaque visite au cottage les rapprochait un peu plus. Elles

partageaient le même lit, les travaux ménagers, se rendaient au cinéma et parfois au pub pour boire quelques verres. Elles se disputaient souvent car elles avaient des opinions très opposées, mais, au bout d'une année, Adèle considérait qu'elles étaient devenues amies. Rose était la seule personne qui connaissait ses sentiments pour Michael. Adèle pouvait aussi lui faire des confidences au sujet des garçons qu'elle rencontrait.

Rose, en retour, lui parlait des hommes de son passé. Un jour, elle avait dit en plaisantant qu'elles étaient incapables d'avoir une relation mère-fille normale, car aucune d'elles ne savait vraiment ce que ça signifiait. Adèle pensa qu'elle avait tout à fait raison. Mais, d'une certaine façon, elle préférait leurs liens actuels car ils leur permettaient de se montrer plus franches l'une envers l'autre.

— Qu'est-ce qui m'arriverait si la surveillante générale me surprenait en train de piquer un roupillon ? pouffa Joan.

— Tu serais pendue, éviscérée et écartelée, répondit Adèle en lavant les tasses promptement. Elle va revenir d'une minute à l'autre, nous ferions mieux de trouver à nous occuper.

Le téléphone sonna. Joan tendit le bras pour décrocher.

— Bon sang ! s'exclama-t-elle. C'est raté pour notre nuit tranquille. Service d'obstétrique, lança-t-elle jovialement.

Elle fronça les sourcils.

— Un moment, s'il vous plaît. C'est pour toi, déclara-t-elle en passant le combiné à Adèle. C'est ta mère.

Le cœur d'Adèle bondit dans sa poitrine. Pour l'appeler ainsi en pleine nuit, il devait y avoir une catastrophe.

— Qu'est-ce qui se passe ? C'est mamie ?

— Non, ma chérie, rien de déplaisant. Ce sont de bonnes nouvelles. Il est tard et je suis la dernière personne qui devrait te l'apprendre. Mais je sais que tu voudrais être au courant tout de suite. On a retrouvé Michael !

Adèle vacilla sur ses jambes et dut s'agripper au dossier d'une chaise pour se soutenir. Rose se trouvait chez Emily, car cette dernière s'était tordu la cheville en tombant et sa gouvernante s'était absentée pour rendre visite à sa famille. Rose aidait Emily à monter l'escalier pour aller se coucher quand la Croix-Rouge avait téléphoné. Ils venaient de recevoir une notification certifiant que Michael était dans un camp de prisonniers.

— Tu es sûre ? s'enquit Adèle, éberluée.

— Oui. Ils ne contactent la famille qu'après de nombreuses vérifications, expliqua Rose, tout excitée. Il a été gravement blessé et emmené dans un hôpital, puis on l'a baladé d'un camp à un autre, c'est pourquoi Emily n'avait aucune nouvelle.

— Il est indemne ? demanda Adèle, le cœur serré à la pensée que Michael soit défiguré par des brûlures ou amputé d'un membre.

— Ils ont seulement dit qu'il allait bien et que ses lettres n'allaient pas tarder à nous parvenir. Il est vivant, Adèle ! Pour Emily, c'est suffisant. Tu aurais dû la voir, riant et pleurant en même temps. Quelle joie ! J'ai attendu qu'elle s'endorme pour te téléphoner.

— Dis-lui que je suis très heureuse et merci de m'avoir appelée aussitôt. Je dois filer, la surveillante arrive, répondit précipitamment Adèle en entendant des pas dans le couloir. Essaie de me rappeler demain matin, vers neuf heures, au foyer des infirmières.

Adèle rayonna de bonheur tout le reste de la nuit en chuchotant à Joan que c'était un miracle. Son amie lui lançait des regards curieux. Pourquoi Adèle avait-elle quitté ce garçon si elle l'aimait tant ? Elle demanda aussi pourquoi sa mère se trouvait avec celle de Michael alors que, si elle avait bien compris, leur idylle avait échoué parce que la famille n'avait pas donné son consentement.

Dans sa joie, Adèle lui aurait tout expliqué si elles n'avaient pas travaillé, car elle savait que Joan garderait cette histoire pour elle. Mais la surveillante n'arrêtait pas d'entrer et de sortir, et une histoire aussi longue et aussi compliquée ne se racontait pas à voix basse entre deux portes. Si elle l'avait pu, Adèle aurait dansé la polka et réveillé les patientes en entrechoquant les bassins pour célébrer l'événement. Elle rêvait de sauter dans un train pour se réjouir avec sa famille. Michael était vivant ! Quel bonheur !

Une heure avant de réveiller les malades, Joan prépara la table roulante du premier thé du matin et Adèle se rendit au bureau pour écrire son compte rendu de la nuit. Elle commença la rédaction de son rapport puis s'arrêta soudain en pensant à Myles. Deux mois après leur rencontre à Winchelsea, Adèle lui avait téléphoné. Elle ne savait pas vraiment pourquoi, elle agissait poussée par le vague sentiment qu'ils devaient terminer ce qu'ils avaient commencé. Elle croyait qu'il trouverait un prétexte pour ne pas la voir, mais il eut l'air ravi de son appel.

Il l'emmena dans un restaurant français de Mayfair, un endroit qui avait été somptueux avant la guerre. Ce n'était plus le cas : il avait été endommagé à deux reprises par des bombes et les propriétaires n'avaient pas pu refaire la décoration d'autrefois. La plupart des clients se composaient de militaires avec leur femme ou leur fiancée, et un vieil accordéoniste tentait de créer une atmosphère romantique.

Très vite, Adèle s'aperçut que Myles n'était pas l'ogre qu'elle avait imaginé. Il affichait des opinions arrêtées et avait tendance à se montrer brusque, cependant il était également prévenant et d'une franchise désarmante.

Pendant le dîner, simple mais bon, il lui parla de sa relation avec Rose. Cette dernière en avait déjà longuement discuté avec Adèle, reconnaissant qu'elle avait raconté à Myles un tissu de mensonges pour le convaincre de l'emmener à Londres avec lui. La version de Myles était similaire, néanmoins il eut l'honnêteté d'admettre qu'il avait encouragé l'intérêt que Rose lui portait.

— J'aurais dû montrer plus de bon sens. Mais j'étais seul, Emily était impossible depuis la naissance de Michael, elle piquait des crises de nerfs violentes puis tombait dans l'indifférence totale. Rose était ravissante et s'intéressait à moi. Pour un homme, c'est très attirant.

Il évoqua leurs premières semaines à Londres avec une nostalgie évidente. Rose ne connaissait pas la capitale et tout l'émerveillait ou l'excitait. Myles avait pris du plaisir à faire visiter la ville à une jeune et jolie fille. Adèle comprit que c'était la première fois de sa vie qu'il s'était vraiment amusé. Par ailleurs, il était terrifié à l'idée du scandale qui éclaterait si on lui découvrait cette liaison. Ensuite, il devint nerveux en comprenant que Rose n'avait nullement l'intention de voler de ses propres ailes, comme elle l'avait prétendu lorsqu'ils avaient quitté Rye.

— Je ne m'attendais pas qu'elle soit domestique, même si cela semblait la meilleure solution. Elle était trop pétillante, trop rebelle. Mais elle déclina tous les emplois, y compris une place dans un élégant magasin de robes où on lui offrait un bon salaire et une chambre.

Rose avait raconté à sa fille qu'elle prétendait avoir été refusée dans de nombreux postes, alors qu'elle n'allait même pas s'y présenter. Elle n'avait jamais eu l'intention de travailler, convaincue que si Myles continuait à subvenir à ses besoins, il ne tarderait pas à divorcer pour l'épouser. Mais cette attitude n'empêchait pas Adèle de trouver que Myles s'était conduit comme un goujat. C'était un homme marié dans la trentaine, qui couchait avec une fille de dix-sept ans, encore vierge quand il l'avait rencontrée.

— Vous saviez qu'elle était enceinte de moi quand vous l'avez quittée ? demanda Adèle sans ménagement.

— Elle a prétendu qu'elle l'était, reconnut-il avec franchise. J'ai choisi de ne pas la croire. Quand plus tard elle n'est pas venue me réclamer d'argent, j'ai pensé que je ne m'étais pas trompé.

— Vous auriez pu vous assurer qu'elle allait bien, l'accusa-t-elle. Il pouvait lui arriver n'importe quoi. Vous l'aimiez ! Comment avez-vous pu être aussi dur ?

— Ma femme et mes enfants passaient en priorité, rétorqua-t-il du ton arrogant dont elle se souvenait.

— Ils n'étaient pas une priorité lorsque vous avez filé à Londres avec Rose, lui rappela-t-elle de manière acerbe. Vous vous êtes très mal conduit.

— C'est vrai. Mais j'étais dans une situation impossible.

Se disputer avec lui ne servait à rien. Il était typique de sa classe, persuadé qu'une personne d'un échelon inférieur sur l'échelle sociale n'avait pas vraiment d'importance. En outre, elle souhaitait discuter d'événements plus récents.

— Comment avez-vous réagi quand Rose a réapparu vingt ans plus tard pour vous parler de moi ? s'enquit-elle.

Le visage rougeaud de Myles vira à l'écarlate.

— J'étais complètement dérouté. C'était déjà assez pénible

d'apprendre qu'elle avait bien eu un enfant, mais découvrir que vous étiez l'employée d'Emily que Michael voulait épouser m'a plongé dans l'horreur absolue. J'ai paniqué en imaginant que Rose allait le crier sur tous les toits.

— Alors, vous l'avez achetée ? N'avez-vous pas redouté qu'elle revienne vous extorquer de l'argent ?

Un éclair de colère passa dans les yeux de Myles.

— Si, en effet. Seulement je craignais encore plus ce qu'elle ferait si je refusais. Comment avez-vous su pour l'argent ? Rose ne vous en a pas parlé, j'en suis sûr.

Adèle sentit soudain qu'elle se devait d'être loyale envers sa mère.

— Je m'en doutais. Elle me l'a confirmé, déclara-t-elle avec désinvolture. Quand ma grand-mère a été blessée dans l'attaque aérienne, elle m'a tout raconté. Je n'approuve pas son chantage, mais je n'approuve pas non plus les hommes qui abandonnent une femme enceinte. Et il fallait bien arrêter ce mariage, non ?

Myles la considéra pensivement avant de répondre.

— Oui. Et, pour être entièrement franc avec vous, même s'il n'y avait pas eu de lien de parenté, à cette époque, j'aurais tout fait pour l'empêcher.

Adèle se mit en boule.

— La fille ordinaire des marais épousant un fils d'avocat, railla-t-elle. Oh, monsieur Bailey, quelle horreur !

Myles grimaça.

— Maintenant, je me réjouirais de le voir épouser une prostituée plutôt que de le savoir « porté disparu, présumé mort », avoua-t-il tristement. Mais, à ce moment-là, je voulais que mon fils choisisse une femme de la haute société.

— Comme vous étiez sectaire ! le taquina Adèle. En arrivant à Londres, je me réconfortais de la perte de Michael en me disant que j'avais eu de la chance de ne pas vous avoir pour beau-père.

Après ce déjeuner, Adèle ne souhaita pas revoir Myles. Il lui avait parlé avec franchise et elle avait compris que ses mauvais côtés découlaient de la conduite impossible d'Emily pendant des années, pourtant elle le trouvait trop suffisant. Il ne semblait éprouver aucun remords d'avoir abandonné Rose et il était toujours aussi snob.

Quelques semaines passèrent et quand il lui téléphona pour l'inviter, elle pensa qu'elle avait besoin de mieux le connaître. Cette fois-ci, il était détendu et s'intéressa davantage à elle. À leur quatrième rendez-vous, elle commençait à avoir une image tout à fait différente de lui. Sa sévérité, sa froideur et son manque d'humour n'étaient qu'une façade. Il l'avait construite sous la pression de parents autoritaires, d'un mariage désastreux et de sa carrière. Quand ils se quittèrent, elle vit le vrai Myles Bailey, un homme doux et gentil qui aimait ses enfants et ses petits-enfants, un homme qui ne s'était pas beaucoup amusé dans la vie et avait reçu bien peu d'amour.

C'est au cours de leur quatrième déjeuner qu'Adèle découvrit qu'elle l'aimait vraiment beaucoup. Il lui raconta ses procès les plus amusants. Son humour pince-sans-rire et sa capacité à décrire les énergumènes qu'il avait défendus ou poursuivis la firent pleurer de rire.

— Pas étonnant que Michael ait été aussi épris de vous, déclara-t-il en souriant. Vous êtes d'une compagnie très agréable.

À court de mot d'esprit, Adèle lui sourit en retour.

— Je considère ma visite au foyer des infirmières comme l'une des choses les plus ignobles que j'aie jamais faites, confessa-t-il en lui prenant la main. Je m'étais attendu à des insultes, à des menaces, à Dieu sait quoi encore, j'étais prêt à affronter une scène terrible. Mais votre dignité m'a coupé l'herbe sous le pied.

— N'en parlons plus, coupa Adèle, gênée par la véhémence de sa voix.

— Si, nous devons en parler, insista-t-il. Nous ne pouvons pas tirer un trait dessus. Je le reconnais, j'étais soulagé que vous rendiez les choses aussi faciles pour moi. Seulement, ensuite, j'ai eu la sensation d'être un salaud intégral.

— Vous ne l'aviez pas volé ! lança Adèle, tentant de faire de l'humour pour détendre l'atmosphère.

— Vous savez, même si je devais vous révéler que j'étais votre père, je ne pensais pas à vous en tant que fille à ce moment-là. C'est en songeant à votre courage, à votre générosité et à votre cran, surtout au moment où j'ai appris que vous n'aviez rien dit à votre grand-mère, que j'ai compris. Vous êtes une fille dont n'importe quel père serait fier. Mais comment pouvais-je l'être ? Je n'avais eu aucune influence sur votre caractère ni sur votre éducation, et j'avais été si cruel envers vous ! Vous me comprenez ?

— Je crois.

— J'y réfléchissais ce matin avant notre rendez-vous, et je ne sais toujours pas quelle décision prendre.

Adèle fronça les sourcils. Où voulait-il en venir ?

— Vous n'avez rien à faire !

— Ce n'est pas mon sentiment. Pendant vingt-trois ans, je n'ai joué aucun rôle dans votre vie, j'aimerais en jouer un maintenant.

— Voyons-nous de temps à autre, répondit-elle en souriant.

— Mais plus je vous vois, plus je trouve ces déjeuners ou ces dîners frustrants.

Adèle dégagea sa main et rit pour masquer sa nervosité.

— Si nous partageons plus, les gens vont jaser.

— C'est mon dilemme. Je devrais publiquement reconnaître que vous êtes ma fille.

— Il n'en est pas question ! s'écria Adèle, alarmée. Ça déclencherait un tel scandale ! Pensez à vos enfants, à Emily et aussi à ma grand-mère. Elle comprendrait aussitôt comment Rose a acheté sa maison et ne s'en remettrait pas.

— C'est vous qui êtes importante. Pas eux. Pendant des années, j'ai manqué à mon devoir. Il faut que je l'accomplisse, à présent.

— Non, déclara Adèle avec fermeté. Je suis très touchée que vous en éprouviez le besoin, cela me suffit. Nos deux familles ont déjà assez souffert.

— De ce point de vue, vous avez raison, soupira Myles. Mais si on retrouve Michael, il faudra le lui dire. Après tout ce qu'il aura enduré, ne pensez-vous pas que nous lui devrons la vérité ?

Adèle n'y avait plus jamais songé. Avec le temps, l'espoir de retrouver Michael vivant s'était évanoui et elle avait une vie très remplie. Elle ne passait plus son temps libre en ermite, elle avait des amies, rendait régulièrement visite à d'anciens malades pour prendre de leurs nouvelles, et elle continuait à étudier, déterminée à obtenir son diplôme de sage-femme. Elle allait au cinéma, au théâtre, sortait danser, et dès qu'elle avait deux jours de congé, elle rentrait au cottage. Ses nombreuses activités lui laissaient peu de temps pour ruminer le passé.

Aujourd'hui, assise dans ce bureau tranquille, et contemplant les premiers rayons du soleil qui filtraient à travers le papier du *black-out*, ses sentiments pour Michael se bousculaient dans son esprit. Elle revoyait son visage, ses yeux bleu foncé, ses longs cils et sa bouche aux commissures retroussées comme si un sourire flottait en permanence sur ses lèvres.

Adèle se souvenait de l'horreur qu'elle avait éprouvée quand Myles lui avait révélé que Michael était son frère. Elle avait eu trois ans pour s'y habituer, et même maintenant elle se sentait souillée. Michael ressentirait le même dégoût, elle le savait.

La situation s'était compliquée depuis que Rose, Emily et Honour s'étaient liées d'une profonde amitié. Elles passaient beaucoup de temps ensemble depuis un an. Il serait naturel que les deux familles se réunissent pour fêter le retour de Michael quand il rentrerait chez lui.

En cachette, Emily et Honour nourriraient l'espoir qu'ils se raccommodent. En face, Adèle, Myles et Rose garderaient leurs distances afin de cacher leur secret destructeur. Michael se retrouverait tiraillé entre les deux camps, complètement désorienté.

Et si par miracle il l'acceptait, comment se comporteraient-ils l'un envers l'autre ? Adèle ne s'imaginait pas le serrer dans ses bras comme une sœur. Un effleurement innocent la rendrait coupable.

Adèle devait rencontrer Myles afin qu'ils en discutent.

Mais le plus important, c'était que Michael était vivant. Quel miracle ! Il fallait s'en réjouir sans réfléchir aux conséquences de son retour.

Pendant qu'Adèle tentait de mettre de l'ordre dans ses pensées, Myles, dans la cour de sa maison La Grange à Alton, remplissait le réservoir de sa voiture avec de l'essence qu'il gardait en cas d'urgence. Il s'était réveillé à cinq heures du matin, trop excité par les nouvelles de Michael pour dormir plus longtemps. Il n'avait pas appelé Emily la veille au soir car il était très tard, et il avait décidé qu'aujourd'hui, au lieu de prendre le train pour aller travailler à Londres, il conduirait jusqu'à Winchelsea afin de célébrer l'événement avec elle.

Il était surpris que sa première pensée soit de se précipiter chez sa femme. Pendant les années de disputes et d'amertume, il s'était habitué à ne tenir aucun compte d'elle. Emily devint une alliée quand Michael fut porté disparu. Jusque-là, elle avait été une source d'agacement et de gêne, une personne qu'il aurait joyeusement effacée de sa vie et fait de son mieux pour oublier. Le sens du devoir et des responsabilités uniquement l'en avait empêché. À l'annonce de la disparition de Michael, elle était devenue la seule personne capable de partager son chagrin, la seule avec qui il pouvait évoquer des souvenirs, et elle l'avait réconforté.

Puis elle lui avait raconté qu'elle avait échappé de justesse à la mort et que Rose l'avait secourue. Il trouva d'une ironie confinant à l'absurde que ce fût l'amitié de Rose et de Honour qui ait aidé Emily à garder le moral. Les jours où il avait le cafard, il se disait que Dieu lui jouait une horrible farce.

Myles arriva à Harrington House peu après neuf heures. Surexcité, il avait du mal à se tenir tranquille en attendant qu'on lui ouvre. Ce ne fut pas la gouvernante qui apparut, ni Emily, comme il s'y attendait. Ce fut Rose.

Un frisson lui parcourut l'échine et il recula. Il savait que Rose passait beaucoup de temps avec Emily, mais il n'était jamais encore tombé sur elle et n'avait pas pensé une seconde qu'elle serait présente aujourd'hui.

— Ne panique pas, chuchota-t-elle. Je saurai me tenir.

Peut-être avait-elle l'intention de se comporter comme s'ils se rencontraient pour la première fois ; elle lui inspirait cependant une confiance très mitigée.

La Rose postée devant lui n'avait toutefois rien en commun avec la harpie sans-gêne et trop maquillée qui avait fait irruption dans son cabinet. Les jambes nues, elle était fraîche et jolie dans sa petite robe imprimée toute simple. Sa coiffure n'était plus recherchée et elle portait ses cheveux nattés. Elle devait avoir autour de la quarantaine mais elle en paraissait trente.

— Je ne suis pas ton ennemie.

Puis elle lui expliqua rapidement la raison de sa présence chez Emily. Elle s'apprêtait à l'aider à descendre l'escalier avant d'aller téléphoner à Adèle à l'hôpital. À la façon respectueuse dont elle lui parla, on l'aurait prise pour la jeune sœur d'Emily s'adressant à son beau-frère.

— Entrez, je vous en prie, lança-t-elle plus fort en souriant. Je vais vous préparer un petit déjeuner puis je filerai annoncer la grande nouvelle à ma mère. Vous aurez tant de choses à vous raconter aujourd'hui !

La peur de Myles s'évanouit. Adèle avait affirmé que Rose s'était transformée, et si elle avait voulu tout dévoiler à Emily elle l'aurait fait depuis longtemps.

— Oh ! Myles, n'est-ce pas une nouvelle merveilleuse ? s'écria Emily avec ravissement en descendant les marches, appuyée sur le bras de Rose. Je suis si heureuse que vous soyez venu. Il n'y a que vous qui puissiez savoir ce que je ressens.

Spontanément, Myles la prit dans ses bras, une première depuis des années, et elle se fondit chaleureusement dans son étreinte. Elle pouffa et pinça affectueusement les joues de son mari.

— Nous sommes les personnes les plus heureuses du monde. J'ai l'impression d'avoir dix-huit ans.

Elle était ravissante. Ses joues étaient rouges, ses yeux brillaient et il se rappela combien il l'avait aimée autrefois.

Rose éclata de rire. Il était clair qu'elle partageait leur joie.

— Je vais préparer le petit déjeuner. Vous avez besoin d'être seuls.

Myles et Emily se rendirent dans le salon.

— J'espère qu'Adèle et Michael se remettront ensemble, déclara Emily en s'asseyant. Adèle doit toujours en être amoureuse, Rose m'a dit qu'elle était enchantée. Le côté positif de cette guerre épouvantable, c'est l'effondrement des barrières sociales. C'est ce qui les avait séparés, la première fois.

— Et le fait que je ne consentais pas à ce mariage, dit Myles, mal à l'aise.

— Maintenant, vous êtes d'accord, n'est-ce pas ? Vous avez reconnu vous être trompé au sujet d'Adèle.

— En effet. C'est une fille gentille et douce, reconnut Myles en se demandant ce que penserait Emily si elle découvrait qu'ils se voyaient souvent à Londres. Elle est enchantée que Michael soit vivant, soit, mais cela ne signifie pas qu'elle aime toujours notre fils. J'ai l'impression qu'elle ressent plutôt de l'amitié pour lui.

— Honour n'est pas de cet avis, répliqua Emily. Elle pense qu'ils sont faits l'un pour l'autre.

— Écoutez, Emily, soupira Myles. Michael est vivant, c'est le principal. Ne planifions pas son avenir pour lui. La guerre fait toujours rage, on ne peut compter sur rien. Profitons de cette journée, voulez-vous ?

Cela faisait une éternité qu'Emily n'avait pas passé une si bonne journée et elle n'avait pas envie que Myles s'en aille. Ils n'avaient pas cessé de parler de Michael. Myles n'avait rien critiqué, il s'était montré gentil et serviable, il avait lavé la vaisselle du petit déjeuner et rangé la cuisine. Il s'était aussi rendu à l'épicerie pour essayer de trouver du sucre à sa femme. Il n'y en avait pas et il avait acheté de la saccharine à la place. Lorsqu'il en mit dans son thé, il grimaça en déclarant qu'il préférait le boire sans sucre plutôt que de s'empoisonner.

— Tous les hommes sont égaux dans la guerre, fit-il remarquer en inspectant le garde-manger pour dénicher de quoi préparer le dîner. À côté de la plupart des gens, nous sommes riches. Mais nous ne pouvons pas avoir de sucre, de bacon ni un steak. Il est étrange de songer que le roi et le Premier ministre ont exactement le même rationnement que toute la population.

Assise à la table de la cuisine, Emily épluchait des pommes de terre.

— Rose et Honour mangent bien grâce à leurs légumes du jardin, à leurs lapins et à leurs poulets. Les œufs du petit déjeuner venaient de chez elles.

Myles ferma la porte du garde-manger, une boîte de pâté à la main.

— Vous parlez beaucoup d'elles, fit-il observer avec ironie. Pourquoi ?

— Parce que je les admire, répondit-elle d'une voix égale. Elles ont beau vivre dans une maison rustique, porter de vieux vêtements et travailler dur, elles sont remarquables.

— En quoi ?

— Honour est très sage et perspicace, elle comprend tellement de choses sans avoir à poser de questions. Rose m'encourage beaucoup. Elle est si franche ! Elle reconnaît qu'elle a passé le plus clair de sa vie à se conduire comme une véritable ensorceleuse avec les hommes sur lesquels elle a jeté son dévolu. Je l'aime bien, elle est pragmatique, un peu autoritaire et elle m'interdit de m'apitoyer sur mon sort. J'espère en tout cas que ça marchera entre Adèle et Michael quand la guerre sera terminée.

Myles s'assit à côté d'elle et lui prit les mains.

— Vous devriez cesser d'y penser, dit-il avec douceur.

Elle éclata de rire, ravie qu'il ait abandonné le ton brusque sur lequel il avait l'habitude de s'adresser à elle.

— Je suis sérieux. Je ne crois pas que ça marchera entre eux et vous serez déçue si vous vous mettez ce projet dans la tête.

— Je connais mon fils, répliqua-t-elle en haussant les épaules. Il aimait toujours Adèle la dernière fois que je l'ai vu, juste une semaine avant son dernier vol. Il me l'a dit.

— Peut-être, mais beaucoup de choses lui sont arrivées depuis. Les histoires d'amour de la réalité ne ressemblent pas à celles des contes de fées. L'amour peut mourir quand on ne le nourrit pas.

— Comme cela nous est arrivé ? s'enquit-elle, les yeux pleins de larmes.

— Oui, se contenta-t-il de reconnaître.

Une grande tristesse submergea soudain Myles. Il se rappela combien son cœur battait en regardant Emily se diriger vers l'autel au bras de son père, le jour de leur mariage. À seize ans, avec sa robe en soie blanche, ses cheveux dorés, les fleurs et le voile, elle ressemblait à un ange. Il avait le trac à la perspective de la nuit de noces, persuadé qu'une créature aussi éthérée serait dégoûtée par l'amour physique. Mais il s'était trompé. Une fois seuls dans leur chambre de la maison de La Grange, elle s'était montrée aussi passionnée que lui.

— Si seulement j'avais été plus compréhensive et moins égoïste ! murmura-t-elle. Vous méritiez mieux.

Myles fut stupéfait. Jusqu'à présent, Emily ne s'était jamais sentie responsable de l'échec de leur mariage.

— J'aurais dû être plus indulgent quand Michael est né. J'ai entendu dire qu'il était très courant qu'une femme soit neurasthénique après un accouchement.

— Rose m'a raconté qu'elle en avait souffert après la naissance d'Adèle. Nous avons été toutes les deux de bien mauvaises mères.

— Michael s'en est bien sorti, souligna Myles pour écarter le sujet de Rose.

— Tout comme Adèle. Peut-être est-ce en partie à cause de nos comportements similaires qu'ils ont été attirés l'un par l'autre.

— Ça leur a sans doute permis d'être plus psychologues. Mais vous avez l'air fatiguée, Emily. Après le dîner, je ferais mieux de rentrer à la maison.

— Non, ne partez pas.

— C'est impossible. Je dois être à Londres demain pour préparer un procès important. Je reviendrai ce week-end, si vous le voulez bien.

— Oui, et essayez de trouver du champagne afin que nous fêtions cet événement dignement, conclut-elle en souriant.

27

Adèle sourit en observant Myles étudier le menu. Ils s'étaient retrouvés dans un restaurant de Soho, mais, malgré la longueur de la carte, aucun des plats que Myles désirait commander n'était disponible.

On était en novembre et la menace d'invasion était passée depuis que les Américains avaient apporté leurs forteresses volantes, des bombardiers capables de voler plus longtemps. En revanche, la marine avait essuyé de nombreuses défaites. Récemment, les sous-marins allemands avaient torpillé un bon millier de bateaux de guerre anglais.

Pourtant, le peuple avait de bonnes raisons d'être optimiste.

Maintenant, la Royal Air Force possédait des Lancaster et des Stirling, des bombardiers beaucoup plus puissants et, avec l'aide des Américains, elle rendait aux Allemands la monnaie de leur pièce. En Afrique du Nord, l'Angleterre venait de reconquérir Tobrouk, et l'alliance entre l'Angleterre et la Russie nourrissait l'espoir de battre enfin les Allemands.

— Vous avez l'air fatigué.

Myles était moins rougeaud que d'habitude ; de profonds cernes soulignaient ses yeux.

— Vous avez fait la noce ?

— Non, répondit-il en souriant. J'ai été très occupé à essayer de faire sortir des Juifs d'Allemagne. Vous savez ce qui se passe là-bas, n'est-ce pas ?

Adèle acquiesça. Avec les nombreux Juifs qui vivaient dans l'East End et fréquentaient l'hôpital, elle était au courant de leurs problèmes à Londres et en Europe. Les antisémites les rendaient responsables de tous les maux. Leurs propos étaient ridicules et contradictoires. On disait que les Juifs prenaient toute la place dans les abris, mais aussi qu'ils étaient si riches qu'ils avaient tous quitté Londres en avion. On les accusait de diriger le marché noir et de piller les maisons bombardées, mais les vrais Cockneys comme Joan affirmaient que c'étaient les bandits du quartier qui pratiquaient le marché noir et que les équipes de la défense passive pillaient les décombres.

Adèle avait appris à connaître de nombreuses personnes dans la communauté juive et elle était tentée de croire leurs récits concernant les mauvais traitements subis par leurs parents en Pologne et en Allemagne. Ils disaient qu'on les rassemblait dans des ghettos, qu'on les entassait dans des trains pour rejoindre des camps et qu'on les abattait sur place s'ils tentaient de s'échapper.

— Est-ce vrai ? demanda-t-elle à Myles, car beaucoup de gens prétendaient que ces histoires n'étaient que propagande.

— J'ai bien peur que oui, soupira Myles. J'ai réussi à faire venir à Londres un ami juif, avocat à Berlin. Sa famille et lui restent à La Grange, ils ont tout perdu. Leurs biens sont entre les mains des nazis. Il m'a raconté des choses que je ne croirais pas si elles m'étaient rapportées par une autre personne. Mon ami craint que Hitler veuille éliminer tous les Juifs.

— C'est impossible !

— Il a déjà accompli une grande partie de son plan. Reuben, mon ami, m'a expliqué qu'il a construit des camps, dotés de chambres à gaz et de crématoriums pour brûler les corps. Selon lui, c'est le sort qui attend les Juifs quand ils prennent le train pour être « relocalisés ». Y compris les femmes et les enfants.

— Non ! s'exclama Adèle, c'est monstrueux. Le peuple allemand ne peut pas être d'accord avec des pratiques aussi barbares !

Myles haussa les épaules.

— Les gens ont bien trop peur d'être tués s'ils s'élèvent contre les nazis. Et il est difficile de croire en un plan aussi diabolique. Mais ne pensons plus à toutes ces horreurs. Nous venons de recevoir une troisième lettre de Michael et, tout bien considéré, il paraît plutôt joyeux.

Adèle se pencha vers lui, impatiente d'écouter les nouvelles. Dans les deux premières lettres, plutôt de brefs messages, le contenu était vague à cause des coupures opérées par la censure. Ils savaient seulement qu'il était au stalag 8b, mais ils ignoraient où se trouvait ce camp de prisonniers, comment il y était arrivé et l'importance de ses blessures.

De toute évidence, Michael ne savait pas qu'ils l'avaient cru mort. Il notait que sa jambe le tracassait, la nourriture était infecte, il aurait aimé avoir des livres, il jouait au football et aux cartes. Il était très soucieux de recevoir des nouvelles de sa famille, car il avait appris qu'une grande partie de l'Angleterre avait été dévastée.

— Il a été enchanté de recevoir notre première lettre, poursuivit Myles en s'excusant de ne pas avoir apporté celles de son fils : Emily ne pouvait pas s'en séparer. Il est ravi que sa mère et moi ayons retrouvé des liens amicaux et reconnaissant pour les nouvelles que je suis arrivé à obtenir sur ses copains d'escadrille. Des livres et des colis lui sont parvenus par la Croix-Rouge, il lit en ce moment un Agatha Christie et est devenu excellent en couture car il a dû rapiécer son uniforme. Sinon, il pose beaucoup de questions sur la famille, ses neveux et ses nièces. Il fait aussi ses amitiés à votre grand-mère et à vous.

Adèle sentit ses yeux lui piquer. Elle avait insisté auprès de Myles pour qu'il ne la mentionne pas dans ses lettres à son fils.

En revanche, Emily ne s'en privait pas ; elle voyait régulièrement Rose et Honour et avait informé Michael qu'elles étaient soulagées de le savoir indemne. Adèle aurait adoré lui écrire, elle était convaincue d'agir pour le mieux en gardant ses distances mais elle en souffrait énormément.

Le serveur apporta l'entrée et Adèle fut ravie de cette diversion. Parfois, elle souhaitait ne jamais avoir eu l'opportunité de connaître Myles, car plus elle était proche de lui, plus la situation devenait impossible.

Ils discutèrent du siège de Stalingrad, qui, d'après Myles, ne tarderait pas à s'achever car l'armée allemande perdait trop d'hommes, des victoires de Montgomery en Afrique du Nord et de la chute de Mussolini en Italie. Myles reconnut que l'Angleterre avait désespérément eu besoin de l'aide américaine, de leurs troupes, de leurs tanks et de leurs avions, mais il avait le sentiment que quand la guerre serait gagnée l'Amérique s'en attribuerait tout le mérite, comme si les Anglais s'étaient tourné les pouces pendant trois ans.

— Je n'aime pas les Amerloques, déclara-t-il violemment. Ils se croient supérieurs, mais où étaient-ils pendant le Blitz ? Combien de leurs pilotes auraient fait ce que nos garçons ont accompli pendant la bataille d'Angleterre ? Ils se pavanent dans leur bel uniforme et achètent les jeunes filles naïves avec leurs cigarettes, leurs chewing-gums et leurs bas Nylon. Il n'y a pas un seul héros parmi eux.

Adèle sourit car elle aussi avait accepté quelques paires de bas et des barres chocolatées. Elle fut tentée de lui raconter que Rose avait un admirateur américain, Russel, un agent de la police militaire originaire de l'Arkansas. Il l'avait arrêtée dans la rue à Rye pour lui demander la route de Hastings et l'avait plus tard invitée à aller danser. D'après Honour, c'était un homme bien. Il est vrai qu'il lui avait apporté des pêches en boîte, de l'huile pour ses lampes, et il avait réparé une barrière abattue par une bourrasque.

— Ce ne sont pas de mauvais bougres, fit-elle remarquer en riant. Leurs hommes aussi se font tuer, et, s'ils n'étaient pas venus, nous aurions peut-être été envahis. Vous êtes trop intransigeant. Les Américains que j'ai rencontrés ont été charmants.

— D'accord, mais ne vous mariez pas avec un Amerloque qui vous emmènerait dans son pays, lança-t-il avec un sourire ironique.

— Aucun ne m'a encore demandé ma main, plaisanta-t-elle. Mais je pourrais être tentée. Vous imaginez avoir du beurre, du fromage et de la viande à volonté ! Vivre dans une maison bien chauffée, avec tout le confort moderne à portée de main. Mes vêtements sont tous si usés que je ferais n'importe quoi pour avoir une nouvelle robe.

Il la regarda pensivement, notant la même robe marron foncé qu'elle avait portée à tous leurs rendez-vous depuis le début de l'automne, sauf que cette fois elle avait drapé un foulard crème et marron autour de son cou.

— Vous n'avez pas eu une vie facile, n'est-ce pas ? soupira-t-il, la voix brisée par l'émotion. Quand je pense à tout ce dont Diana a bénéficié ! Les leçons de danse et de musique, les jolies robes et les chaussures comme s'il en pleuvait. De votre côté, vous avez manqué de tout.

— Ces privilèges ne l'ont pas rendue très heureuse, si je ne m'abuse ? répondit-elle de manière acerbe.

Elle détestait qu'il éprouve de la pitié pour elle et se rappelait la mine renfrognée et la mesquinerie de Diana.

— En effet, reconnut Myles. Elle n'est pas heureuse et je pense souvent que c'est ma faute. J'étais préoccupé par ma carrière quand les enfants étaient jeunes, je ne passais pas beaucoup de temps avec eux. Ils ont aussi assisté à de nombreuses querelles entre Emily et moi. Je n'ai jamais parlé à Diana comme je le fais avec vous.

Adèle ne sut que dire. Enfant, elle avait toujours cru que les riches avaient une vie de rêve. Plus tard, en discutant avec Michael, elle avait appris que ce n'était pas nécessairement le cas. Myles lui avoua qu'il trouvait souvent sa maison de La Grange trop vaste et trop vide. Adèle comprit que ses deux autres enfants ne venaient pas souvent lui rendre visite. Myles était un homme qui manquait d'affection et cela la poussait à se rapprocher encore plus de lui.

Après avoir déposé Adèle au foyer des infirmières, Myles

rentra à son hôtel dans le quartier de Bloomsbury. Au lieu d'aller se coucher, il s'assit dans un fauteuil près du feu que la bonne avait allumé et pensa à Adèle. Comment ne s'était-il pas rendu compte qu'il creusait sa propre tombe ? Il ne lui était jamais venu à l'esprit qu'il finirait par l'aimer autant, si ce n'est plus, que ses autres enfants. Car c'est ce qu'il ressentait pour elle, à présent. Pas seulement de l'affection parce qu'elle était vive et chaleureuse. Ni de la culpabilité parce qu'elle avait eu une enfance malheureuse. Ce n'était pas non plus de la fierté, même si parfois il mourait d'envie de s'en vanter.

C'était de l'amour.

Il était pris dans une relation clandestine qui, si on la découvrait, risquait fort de tourner Emily et ses autres enfants contre lui. Mais la garder secrète le rendait coupable.

En contemplant le feu, Myles se rappela combien Michael avait toujours aimé la grande cheminée de la salle à manger de La Grange en hiver. Il était si franc. Myles ne se souvenait pas l'avoir jamais entendu mentir. S'il lui demandait comment se sortir de son dilemme, son fils le presserait de dire la vérité.

En agissant ainsi, ne risquait-il pas toutefois de perdre le reste de sa famille ?

Blotti sous une couverture rêche et usée jusqu'à la corde, sur un matelas humide et plein de bosses, Michael avait froid et faim. Le baraquement C, vingt-cinq pieds de long sur quatorze de large, était muni de douze couchettes grossières en bois, superposées sur trois niveaux contre les murs. Le sol était constitué de planches. Au centre, il y avait un poêle, une table et deux bancs. Michael occupait une couchette inférieure, près du poêle, par égard pour son infirmité. Le poêle était froid depuis deux jours car ils n'avaient plus de combustible. Demain, ils tanneraient leurs gardes pour en obtenir, mais plusieurs jours s'écouleraient avant qu'ils n'obtiennent gain de cause.

La journée, Michael arrivait à garder le moral. Il s'était fait de bons amis, il discutait, jouait aux cartes, écrivait des lettres et il y avait toujours l'occupation qui consistait à embêter ou à jouer des tours aux gardes pour passer le temps. Avec douze Anglais, trois Américains, un Canadien, deux Australiens, quatre Polonais et deux Français dans le baraquement, le mélange était intéressant et il s'ennuyait rarement. Mais il redoutait les nuits.

Comme toutes les autres nuits, il essayait de faire abstraction des ronflements de ses compagnons, du vent qui hurlait à l'extérieur et de la douleur dans ses jambes en dressant la liste de ses souvenirs préférés.

Jouer au cricket à l'école avec la chaleur du soleil sur sa nuque. Descendre une colline à bicyclette, sa chemise gonflée derrière lui comme un parachute. Ramer sur la rivière à Oxford, dans le miroitement du soleil sur l'eau, avec les canards qui filaient se réfugier sous les arbres surplombant les rives. Son premier vol en solo au-dessus des nuages, et la contemplation de l'étendue intimidante de blancheur neigeuse sous son appareil.

Il était passé maître dans l'art de ne pas s'attarder sur l'horreur de son dernier vol, quand l'avion avait pris feu et qu'il tombait en vrille sans pouvoir ouvrir le cockpit. Celui-ci avait dû céder pendant que Michael perdait connaissance, car il s'était retrouvé par terre, empêtré dans son parachute. Il avait souffert le martyre puis s'était à nouveau évanoui.

Il avait de vagues souvenirs de religieuses, d'une pièce entièrement blanche décorée d'un immense crucifix en bois. Plus tard, il apprit que les villageois l'avaient emmené dans le couvent sur un brancard. Sans les religieuses, il serait mort. Elles avaient fait des miracles pour ses brûlures, car de la peau nouvelle se reconstituait. Harry Phillpot, un homme du baraquement G qui avait interrompu ses études de médecine pour s'engager dans la Royal Air Force, lui avait assuré qu'il n'aurait que de légères cicatrices autour des yeux et de la bouche.

Ses jambes le préoccupaient davantage, car elles avaient été cassées en deux endroits et les religieuses n'avaient pas les connaissances médicales nécessaires pour réduire les fractures. Il boitait très fort et souffrait en permanence, surtout maintenant qu'il gelait. Chaque jour il pratiquait les exercices recommandés par Harry, dans l'espoir que dans un avenir proche il serait complètement rétabli.

La plupart de ses compagnons ne pensaient qu'à s'évader. Michael les comprenait, cependant il ne pouvait pas être inclus dans leurs plans car il aurait été un poids pour eux. Rêver était une façon de fuir et il était devenu expert en la matière. Les rêves noyés de soleil lui permettaient d'oublier le froid pénétrant et ses victoires sportives passées l'aidaient à supporter sa souffrance. Mais, curieusement, c'étaient les journées humides et froides avec Adèle qui le transportaient le mieux dans son pays.

Les promenades dans les marais, la bicyclette sous la pluie et, le meilleur de tous, le week-end glacial à Londres, la première fois qu'ils avaient fait l'amour. Il pouvait sentir l'odeur de sa peau et de ses cheveux, la douceur soyeuse de son corps chaud, et l'entendre chuchoter qu'elle l'aimerait toujours. Il y avait eu d'autres femmes depuis, mais aucune ne l'avait autant bouleversé.

Sa mère lui avait écrit dans le détail son amitié avec Rose, la mère d'Adèle. Selon elle, Rose avait réussi là où tous les médecins avaient échoué : elle n'avait plus de périodes dépressives et avait arrêté de boire.

Michael espérait de tout cœur que ce soit vrai et il se réjouissait que sa mère ait une amie. Mais il avait du mal à imaginer Rose Talbot, la femme qui avait complètement négligé sa fille, dans ce rôle. Il se demandait aussi comment Rose était arrivée à s'immiscer à nouveau dans la vie de Mme Harris. La seule personne capable de le lui expliquer était Adèle. Il aurait aussi aimé savoir pourquoi elle était allée voir Emily dès qu'elle avait appris sa disparition. Cela n'avait aucun sens qu'elle manifeste son inquiétude et sa compassion à une personne ayant été aussi dure avec elle. À moins, bien sûr, qu'elle ne l'aime toujours.

Il se raccrochait à ce faible espoir quand il broyait du noir.

28

1944

— Dépêche-toi, nous allons être en retard, marmonna Honour.

Rose tentait de récupérer le peu de poudre qui restait dans son poudrier.

— Tu n'as pas besoin de cette cochonnerie pour voir Emily.

Elles étaient invitées à dîner chez les Bailey afin de fêter le débarquement de Normandie, qui avait commencé une semaine auparavant, le 6 juin. Mais elles sentaient que, en organisant cette petite réunion, Emily et Myles voulaient célébrer leur réconciliation. Ils envisageaient même de revivre en couple.

Honour était enchantée et elle avait mis deux bouteilles de vin d'ajonc dans un filet pour le leur offrir et porter un toast. Elles faisaient partie d'un lot qu'elle avait conservé au début des hosti lités dans l'intention de les boire à la fin de la guerre. Ils avaient ouvert une bouteille quand Michael avait été retrouvé vivant et les Bailey l'avaient trouvé divin. Comme Emily disait que Myles ronchonnait sur la difficulté de trouver du vin – le whisky et le cognac aussi avaient pratiquement disparu –, Honour espérait qu'il serait impressionné.

— Cette robe n'est pas trop moulante ? demanda Rose en se levant.

Elle lissa le crêpe bleu pâle sur ses hanches en regardant sa mère avec nervosité. La robe avait au moins huit ans et Rose l'avait rapportée lors de son dernier passage à Hammersmith.

— Pas du tout. Tu penses ça parce que tu ne t'es pas habillée depuis une éternité. Emily va être jalouse, cette robe est très jolie.

Honour trouvait sa fille ravissante. Cinq années de guerre, de privations et d'angoisse avaient vieilli prématurément beau-coup de femmes, pas Rose. Le bon air, l'exercice et une vie saine avaient accompli des miracles. Ses cheveux blonds bril-laient comme dans son enfance, son teint rayonnait et elle était ferme et svelte. La veille, avant de se coucher, elle avait mis des bigoudis et sa chevelure tombait en boucles épaisses sur ses épaules. La robe était un peu démodée : les vêtements qu'on trouvait à présent étaient très simples et on lésinait sur le tissu, tandis que celle-ci avait le haut brodé et le bas, coupé en biais, lui moulait les hanches de façon séduisante.

— Partons, pour l'amour du ciel ! s'écria Honour, irritée.

Rose prit son sac et une lampe torche au cas où il ferait nuit à leur retour. Elle n'avait pas envie d'assister à ce dîner, car elle redoutait d'être assise à table en face de Myles. Elle se réjouissait qu'Emily et Myles aient renoué des liens. Elle adorait Emily et était fière d'avoir contribué à son bonheur actuel. Mais être forcée de passer une soirée avec Myles, à qui elle n'avait pas reparlé depuis le jour où elle lui avait ouvert la porte, l'effrayait au plus haut point. Il devait toujours être furieux qu'elle l'ait fait chanter ; de son côté, elle était morte de honte. Et puis il y avait Emily et Honour, qui croyaient allègrement que Michael et Adèle retomberaient dans les bras l'un de l'autre. Tous ces secrets rendaient la situation explosive.

Elles verrouillèrent la porte d'entrée et remontèrent rapidement l'allée. Il était près de dix-sept heures, le soleil était encore très chaud et la soirée, paisible.

— Qu'est-ce que tu as dit qu'elle avait préparé pour le dîner ? demanda Honour tandis qu'elles gravissaient la colline menant à Winchelsea.

Rose sourit. Depuis quelques mois, sa mère était obsédée par la nourriture. Rose se demandait comment elle survivrait si elle vivait en ville en devant se contenter des tickets de rationnement. Elle ne semblait pas se rendre compte de sa chance d'avoir des œufs, des poulets et des lapins. Pour Honour, c'était la fin du monde quand elles n'avaient plus de sucre.

— Elle est arrivée à avoir de l'agneau. J'espère qu'elle a suivi mes instructions pour le cuisiner.

La gouvernante d'Emily était partie depuis quelque temps ; elle ne lui avait pas trouvé de remplaçante. Mme Thomas venait faire le ménage deux fois par semaine et Rose avait donné des leçons de cuisine à Emily. Au grand étonnement de son entourage, elle avait vite appris et elle aimait ça. Elle était devenue une vraie femme d'intérieur, qui s'enorgueillissait de sa maison et de son jardin. Elle répétait souvent que, le jour où elle avait appris que Michael était vivant, elle avait réalisé qu'elle était bénie et décidé de devenir une mère dont son fils pourrait être fier.

— Ces chaussures me tuent ! gémit Honour en s'arrêtant. Je n'aurais pas dû t'écouter et porter mes vieux souliers.

Rose soupira. Peu de temps auparavant, elle avait convaincu Honour de se confectionner une nouvelle robe avec du tissu qu'elle conservait depuis des années. Elle l'avait terminée cette semaine et elle était ravissante, toute boutonnée sur le devant, avec des manches courtes dans un coton vert clair imprimé de petites marguerites. Sa mère avait gardé la ligne et, avec ses cheveux noués en chignon, pour une fois, elle était presque élégante. Mais obtenir qu'elle mette des bas et des chaussures chics n'avait pas été une mince affaire.

— Après deux verres de vin, tu oublieras tes pieds, assura Rose. Si tu avais mis ces vieilles bottines, qu'est-ce qu'Emily et Myles auraient pensé de toi ?

— Les gens doivent me prendre comme je suis, rétorqua-t-elle aigrement. Je suis trop vieille pour vouloir ressembler à une gravure de mode.

En effet, Honour oublia ses chaussures trop serrées après deux verres de vin. C'était un vrai plaisir d'être assise à une table magnifiquement dressée avec de l'argenterie, une nappe blanche immaculée et des verres en cristal, sans parler de l'agneau délicieux, cuit à feu doux jusqu'à ce que la viande se détache de l'os, comme elle l'aimait. Jusqu'à présent, les dîners élégants ne lui avaient pas manqué. Mais il y avait plus d'une trentaine d'années qu'elle n'avait pas goûté à un tel luxe.

Emily rayonnait, enchantée d'avoir fait un sans-faute. Sa robe de mousseline rose et ses cheveux ramenés au sommet de sa tête en boucles lâches la rajeunissaient. Elle raconta qu'elle avait acheté cette robe en 1929, quand Michael avait douze ans.

Myles était très prévenant, et s'il était légèrement anxieux d'être le seul homme au milieu de trois femmes, cela ne se voyait pas. Honour le trouva sympathique, il n'était pas aussi collet monté et pontifiant que dans son souvenir. Avoir fait la paix avec Emily et aidé des réfugiés juifs à s'installer en Angleterre lui avait sans doute ouvert des horizons. Il adorait son vin d'ajonc, boudant le bordeaux qu'il avait apporté, et il n'arrêtait pas de répéter qu'il vendrait sans problème toute la production de Honour à Londres.

La conversation se poursuivait sans effort et ils rirent à gorge déployée quand Rose raconta des anecdotes amusantes sur ses locataires de Londres et les problèmes qu'elle avait rencontrés en revivant dans les marais. Honour l'écoutait, fière que Rose se montre aussi divertissante.

— Que pensez-vous faire quand la guerre sera terminée,

Rose ? s'enquit Myles. Vous resterez ici ou vous retournerez à Londres ?

— J'aimerais rester ici et diriger un camping pour caravanes.

— Un camping pour caravanes ! s'exclama Honour. Où diable es-tu allée chercher cette idée ?

— Les gens voudront passer des vacances au bord de la mer, et, si je réussis à vendre ma maison, je pourrai acheter cinq ou six caravanes et construire un bâtiment abritant des douches et des toilettes, répondit Rose, sans se laisser démonter par la réaction de sa mère.

— Où veux-tu les mettre ? s'écria Honour, indignée. Pas sur notre terrain, j'espère !

— Non, Mère, dit Rose en éclatant de rire. Je sais que tu ne supporterais pas des hordes d'estivants bruyants à ta porte. M. Green a un terrain près de chez lui, je lui ai proposé de le louer et il ouvrirait une épicerie. Il est tout à fait partant.

Honour réalisa que l'idée n'était pas mauvaise, après tout. Ce terrain, proche de la mer, était caillouteux et ne convenait pas à l'élevage des moutons. Par ailleurs, Oswald Green lui avait dit un jour que, en dehors de ses affaires à Hastings, il était à l'affût d'une autre source de revenus. De plus, elle le soupçonnait d'avoir un faible pour Rose car c'était un veuf solitaire d'une cinquantaine d'années.

— Ça peut marcher, reconnut Honour avec une indifférence étudiée. Si tu es prête à y mettre toute ton énergie.

— Cela me paraît une bonne idée, articula Myles avec un peu de difficulté, car il avait beaucoup bu. Personnellement, je n'imagine rien de pire que des vacances dans une caravane, mais l'idée plaira aux gens qui n'ont pas les moyens de se payer l'hôtel. Honour leur vendra ses œufs et son vin.

— Peut-être qu'Adèle se laisserait convaincre de revenir ici pour donner un coup de main ! lança Emily jovialement.

À cette remarque, Honour prit soudain le projet de Rose très au sérieux. Adèle lui manquait tellement ! Et elle avait souvent réfléchi à ce qui pourrait l'attirer dans la région.

— Quelle bonne idée ! dit-elle, son visage rayonnant tourné vers Emily. Elle adore la vie au grand air, je l'imagine très bien peindre des caravanes et créer des parterres de fleurs.

— Et elle se remettra avec Michael ! poursuivit Emily, tout excitée.

Honour, qui n'avait bu que deux verres de vin, remarqua que Rose et Myles se raidissaient à cette idée. Supposant que Myles entretenait toujours des réserves au sujet d'un éventuel mariage entre sa petite-fille et son fils, elle dévisagea Rose.

— Qu'est-ce que tu as contre ?

— Adèle ne voudrait pas que nous jouions les entremetteurs, affirma-t-elle en rougissant.

— Tu sais bien qu'elle l'aime toujours, rétorqua Honour de façon cinglante. Et Emily m'a raconté que Michael demandait de ses nouvelles dans toutes ses lettres. Si Myles descendait de ses grands chevaux et donnait son consentement, rien ne pourrait empêcher cette union.

— Honour a raison, Myles, renchérit Emily en tapotant la main de son mari affectueusement. Nous savons tous qu'Adèle a laissé tomber Michael parce que nous nous opposions à ce mariage, et nous avions tort. Adèle est une fille merveilleuse. Touchés par l'adversité, nous avons découvert que nous nous appréciions les uns les autres, alors buvons au nouvel avenir de Michael et Adèle.

Emily leva son verre, suivie par Honour, mais Rose et Myles se regardaient d'une drôle de façon sans toucher au leur.

— Que se passe-t-il, à la fin ? s'enquit Honour. Est-ce que vous nous cachez quelque chose, Myles ? Il y a un problème avec Michael ?

— Il boude, pouffa Emily. Michael va bien, même si maintenant il boite. Il obtiendra un emploi dans l'aviation dès son retour, le monde est à lui.

— Adèle ne veut pas épouser Michael.

Le ton de Myles était si ferme que Honour l'observa avec intérêt. Il avait l'air de souffrir et elle décela une lueur de panique dans ses yeux.

— Comment le savez-vous ?

— Elle me l'a dit.

— Quand, mon chéri ? s'enquit Emily.

Elle était éméchée mais faisait de son mieux pour se comporter de façon sobre.

— Je l'ai invitée à déjeuner à Londres, expliqua Myles, très gêné. Je voulais m'excuser de l'avoir maltraitée quand elle travaillait ici.

Honour comprit aussitôt que cette histoire n'était pas très catholique. Adèle lui aurait dit que Myles l'avait invitée, à moins bien sûr qu'ils n'aient quelque chose à cacher.

— N'en parlons plus, Mère, souffla Rose, le regard étrangement dur. Emily et toi, vous vous accrochez à un rêve stupide. Myles a raison, Adèle considère Michael comme un ami de la famille.

Honour les dévisagea l'un après l'autre et lut la même peur dans leurs yeux. Ils partageaient un secret, c'était évident, puis elle se souvint de la répugnance de Rose à assister à ce dîner.

— Vous avez comploté pour les séparer, n'est-ce pas ? s'enquit-elle, très agitée. Qu'avez-vous fait ? Qu'avez-vous dit ?

— C'est vrai, Myles ? demanda Emily d'une voix stridente. Mais comment avez-vous pu comploter avec Rose ? Elle ne vivait même pas ici à l'époque.

Honour était convaincue d'avoir raison. Mais pourquoi ? Ça n'avait aucun sens. Cependant, en y réfléchissant, l'hostilité d'Adèle envers sa mère avait dépassé en violence tout ce que Honour avait pu imaginer. À un moment, elle avait pensé que la mère et la fille n'arriveraient jamais à se réconcilier. Pourtant Adèle était indulgente, en temps normal.

— Vous allez tout me raconter, déclara Honour d'une voix menaçante. Je veux la vérité, toute la vérité, maintenant !

Un silence pesant lui répondit. Myles et Rose se jetaient des coups d'œil à la dérobée. Emily regardait Honour, bouche bée.

— Je suis peut-être vieille, mais je ne suis pas encore gâteuse, gronda Honour. Si vous refusez de parler, je mènerai ma propre enquête.

Elle marqua une pause pour donner plus d'impact à ses paroles.

— La surveillante générale de l'hôpital de Hastings est au courant, c'est elle qui a organisé la mutation d'Adèle pour Londres. Elle ne l'aurait pas fait sans de bonnes raisons. Alors, dois-je aller le lui demander ?

Rose et Myles donnaient l'impression de vouloir disparaître.

Finalement, Myles brisa le silence.

— Je vais tout vous expliquer, murmura-t-il. J'ai promis à Adèle de garder le secret, mais je vois bien que c'est impossible.

Il s'interrompit et lança un regard à Rose, qui grimaçait, puis il s'éclaircit la voix.

— Adèle est ma fille.

Un bref instant, Honour songea que c'était une mauvaise plaisanterie. Emily, choquée, contemplait son mari, la bouche ouverte.

— Ne soyez pas ridicule, Myles, parvint-elle à articuler d'une petite voix. Ce n'est pas possible !

— J'ai eu une liaison avec Rose.

Honour allait lui demander de répéter ça, pensant avoir mal entendu, mais Myles baissait la tête et Rose avait enfoui son visage dans ses mains.

— Ça s'est passé quand je suis venu ici pour liquider une succession pendant la dernière guerre. Je résidais à l'hôtel George à Rye, où Rose était serveuse. Lorsque Adèle a travaillé ici, j'ignorais qu'elle était la fille de Rose. Je ne l'ai appris que quand Rose est venue me voir à mon cabinet après avoir vu l'annonce des fiançailles dans le *Times*.

Honour s'appuya lourdement à son dossier, abasourdie.

— Michael est donc son demi-frère, dit-elle faiblement.

Emily se leva d'un bond pour s'en prendre à Rose.

— Comment avez-vous pu avoir une liaison avec Myles ? Je croyais que vous étiez mon amie !

La tête de Honour tournait. Elle souhaitait n'avoir jamais déclenché ces aveux. Mais cette révélation bouleversante donnait un sens à beaucoup d'événements qui l'avaient jusqu'ici plongée dans la perplexité.

— Assieds-toi et écoute, Emily, ordonna-t-elle. Laisse-les d'abord s'expliquer.

Ce fut Myles qui s'attela à la tâche et, vu son embarras extrême et les fréquentes interruptions indignées d'Emily, il s'en tira plutôt bien.

Au fur et à mesure du récit, Honour passa par toutes sortes d'émotions. D'abord et avant tout, elle ressentit une énorme colère car le bonheur d'Adèle avait été détruit et sa petite-fille avait été obligée d'affronter seule cette terrible épreuve. Elle éprouvait un mélange de fureur et de sympathie envers Rose et

Myles. En effet, quel que soit le jugement moral qu'on puisse porter sur leur liaison, les protagonistes n'auraient jamais pu en imaginer les conséquences. Pour Emily, elle ressentait une profonde pitié. Elle avait réussi à s'en sortir, cette histoire n'allait pas manquer de l'anéantir.

Rose retrouva sa voix lorsque Myles se mit à bredouiller en racontant sa visite à l'hôpital de Hastings pour informer Adèle.

— J'aurais dû venir te voir et te demander conseil plutôt que d'envoyer Myles, dit-elle à Honour, les yeux remplis de larmes. Mais je ne savais pas comment tu m'accueillerais.

Elle s'interrompit et s'essuya les yeux avant de s'adresser à Emily.

— Je ne vous avais jamais rencontrée jusqu'à cette nuit où je vous ai secourue. Quand j'ai découvert votre identité, je n'arrivais pas à croire que le destin puisse jouer de tels tours. Mon amitié n'est pas fausse. Elle est véritable, même si vous avez du mal à me croire à présent.

Emily désira savoir combien de temps cette liaison avait duré et si Rose connaissait la situation matrimoniale de Myles. Celui-ci garda la tête baissée en lui répondant, puis il évoqua ses rendez-vous à Londres avec Adèle.

— J'ai appris à l'aimer, confessa-t-il. Elle m'a interdit d'en parler pour ne pas blesser ma famille, ajouta-t-il en prenant la main de sa femme. J'ai souvent voulu vous l'avouer, mais ça semblait impossible.

— Qu'as-tu à dire, Emily ? demanda Honour avec douceur.

Les coudes appuyés sur la table, le visage enfoui dans ses mains, ses épaules se soulevaient au rythme des sanglots.

— Rien, répondit-elle en découvrant son visage et en ravalant ses larmes. C'est aussi ma faute. J'étais insupportable à cette époque. Comme j'ai continué à l'être jusqu'à notre séparation et mon installation ici.

Honour approcha sa chaise d'Emily et lui passa son bras autour des épaules.

— Tu te montres très franche et généreuse, fit-elle remarquer. À présent, il faut que nous prenions une décision. Michael doit-il connaître la vérité ?

— Qu'en pensez-vous ? s'enquit Emily.

— De cette façon, il n'entretiendra plus de faux espoirs au sujet d'Adèle, souligna Myles.

— Oui, mais cet espoir lui permet sans doute de tenir bon en ce moment, intervint Rose.

Tout à coup, Emily s'effondra sur la table en renversant un verre de vin.

— Emily ! s'exclama Honour. Tu vas bien ? Tu préfères que nous partions pour te laisser discuter seule avec ton mari ?

Elle redressa Emily et lui posa délicatement la tête contre sa poitrine car ses sanglots redoublaient.

— Quel choc c'est pour toi ! dit Honour de façon apaisante en lui caressant les cheveux. Nous rêvions d'un mariage qui unirait nos deux familles. C'est impossible, mais peut-être pouvons-nous nous réconcilier pour nouer une amitié encore plus profonde fondée sur une véritable entente.

Rose se leva et posa une main sur l'épaule d'Emily.

— Savez-vous que vous êtes la seule véritable amie que j'aie jamais eue ? Je ne supporte pas de vous faire autant souffrir. S'il vous plaît, pardonnez-moi !

— Accordez-moi aussi votre pardon, ajouta Myles. J'aurais dû comprendre que vos troubles nerveux étaient liés à la naissance de Michael et vous faire aider. Je me suis montré si dur avec vous. Je le regrette infiniment.

Emily redressa la tête, puis elle se leva, fit le tour de la table, prit un verre de vin et l'avala d'un trait.

— Vous n'avez pas à vous excuser, affirma-t-elle en essuyant ses larmes avec une serviette. Je ne le mérite pas. Votre sollicitude me remplit de honte. Pour le bien de Michael et d'Adèle, je dois vous avouer une chose que je ne pensais jamais dévoiler.

Elle se pencha et remplit son verre, les mains tremblantes. Honour prit peur. Une lueur dangereuse dansait dans les yeux d'Emily, elle était ivre et son calme apparent était sans doute le prélude à une crise de nerfs.

— Si tu allais te reposer ? suggéra Honour. Nous avons eu suffisamment de chocs pour la soirée.

— Et ce n'est pas terminé, répondit Emily en vidant son verre sans quitter des yeux les trois visages. Michael n'est pas le fils de Myles. Il est l'enfant du jardinier de La Grange.

Tous se contentèrent de la dévisager dans un silence de mort.

Emily lança son verre violemment contre la cheminée, les sortant de leur torpeur.

— C'est vrai ! cria-t-elle. Je suis tombée amoureuse de lui, il m'a suppliée de m'enfuir avec lui mais je n'ai pu.

— Vous parlez de Jasper ? s'enquit Myles, interloqué.

— En effet. Vous l'appeliez Jasper. Son vrai nom était William Jasper, je l'appelais Billy. Michael est son portrait tout craché.

Abasourdi par la nouvelle, livide, Myles resta bouche bée. L'espace d'un instant, Honour pensa que c'était juste une façon cruelle pour Emily de prendre sa revanche.

— Je... je..., bégaya Myles. Je me demandais parfois pourquoi vous passiez autant de temps dans le jardin avec lui. Je n'aurais jamais cru ça de vous.

— Parfois, les hommes sont stupides. Ils trouvent naturel de courir pendant que les femmes restent à la maison à broder et à les attendre. J'étais si seule à La Grange, Myles. Vous partiez très tôt le matin pour rentrer tard le soir. Souvent, vous vous absentiez plusieurs jours d'affilée. Je n'avais pour compagnie que vos satanés parents qui me rabâchaient mes devoirs de maîtresse de maison à longueur de journée. Ils ne me laissaient même pas jouer avec Ralph et Diana. D'après eux, c'était le rôle des bonnes d'enfants. Avec Billy, je me suis sentie désirée et aimée, enfin vivante.

— Pourquoi ne m'avez-vous rien dit ?

— Quoi ? Que j'avais une liaison avec le jardinier dont j'attendais un enfant ? gloussa Emily d'une voix avinée. Vous m'auriez jetée dehors. Et je me serais retrouvée dans la même impasse que Rose.

— Je voulais dire : pourquoi ne pas m'avoir parlé de votre détresse ? précisa Myles.

— Qu'est-ce que vous auriez fait ? répliqua sa femme. Vous m'auriez sermonnée en me rappelant depuis combien de générations La Grange était dans la famille ! Vos parents vieillissaient, quelqu'un devait rester auprès d'eux. Quand la Première Guerre a éclaté, j'avais juste le droit de tricoter des passe-montagnes. Billy a souhaité s'engager, vous vous en souvenez ?

— Oui. Je l'ai convaincu du contraire car nous avions besoin de lui.

— En effet. À ce moment-là, il m'aimait déjà et voulait s'en aller parce qu'il redoutait la tournure que prendraient les événements. Nous n'avions alors échangé que quelques baisers. Vous auriez dû le laisser partir. C'est ce qu'il a finalement décidé de faire à la fin de la guerre et il est mort dans les tranchées. Je ne pense pas qu'il ait essayé de survivre.

Honour percevait la souffrance encore à vif dans la voix d'Emily et comprit ce qui l'avait tourmentée pendant autant d'années. Elle se souvint des liens qui l'unissaient à Frank et savait au plus profond d'elle-même que n'importe quelle femme éperdument amoureuse se serait conduite comme Emily.

Rose pleurait. Était-ce parce qu'elle aussi comprenait Emily, ou se sentait-elle coupable ?

Myles fixait sa femme, qui s'était assise, le visage enfoui dans les mains. Le monde entier semblait s'être écroulé autour de lui.

Honour avait envie de pleurer. Elle avait attendu cette soirée avec impatience, ravie d'assister à la réconciliation des Bailey, et ce dîner avait tourné à la catastrophe.

— Nous devrions rentrer, Rose, dit-elle doucement.

Elles sortirent de la maison sans bruit. Il faisait nuit, l'air était chaud sur leurs bras nus. Elles se prirent la main et s'éloignèrent rapidement de Winchelsea dans le silence le plus complet.

Elles ne revirent Emily qu'au début du mois d'août. Chacune lui avait adressé une lettre après la réception, mais elles n'avaient reçu aucune réponse. Jim leur apprit qu'elle était partie, sans préciser si c'était avec ou sans Myles.

Le lendemain de cette soirée, elles avaient parlé d'Adèle. Ce serait une merveilleuse nouvelle pour elle, car plus rien ne s'opposait à son mariage avec Michael. Mais elles désiraient d'abord consulter Myles et Emily à ce sujet. Après tout, c'était leur secret de famille et ils voudraient sans doute s'en entretenir avec Adèle après avoir décidé s'ils en informeraient leur fils.

Mais discuter de cette soirée était un véritable champ de mines. Honour se mit en colère : elle estimait que Rose aurait dû lui dire la vérité depuis longtemps afin d'épargner les deux familles. Elle n'aurait en effet jamais accepté cette invitation si elle avait su que Rose avait eu une liaison avec Myles. Elle avait aussi deviné que Rose avait fait chanter son ancien amant, et, dégoûtée, elle ne lui adressa pas la parole pendant plusieurs jours. Par moments, l'atmosphère était si tendue que Rose fut tentée de rentrer à Londres.

La pluie qui tombait à verse les forçait à rester à l'intérieur, ce qui n'arrangeait pas les choses. La journée, elles s'adonnaient à leurs travaux quotidiens et, le soir, elles écoutaient la radio ou lisaient, mais la complicité d'autrefois avait disparu. C'est quand elles entendirent que l'Allemagne lançait un nouvel engin sans pilote – le V1 – pour bombarder à nouveau Londres que Honour manifesta une angoisse extrême.

— Que fabriquent Myles et Emily ? Pourquoi ne nous contactent-ils pas ? ragea-t-elle. Je voudrais que cette question soit réglée ; cette situation est très mauvaise pour mes nerfs.

En réalité, Honour craignait qu'Adèle ne soit de nouveau en danger. De plus, ces bombardements la priveraient de congés pendant un certain temps. Les gens appelaient cette nouvelle menace les « bombes volantes » et on disait que c'était la revanche de Hitler contre le débarquement de Normandie. Les informations à la radio ou dans les journaux parlaient d'attaques dans le sud de Londres, sans plus. Les lettres hebdomadaires d'Adèle signalaient que l'activité incessante de l'hôpital avait repris et que les bombes volantes étaient un véritable fléau car on ne les entendait pas arriver.

— Tout va bien, Mère, assura Rose d'un ton apaisant. Emily et Myles ne vont pas tarder à se manifester. Ils doivent prendre une décision très importante. Je sais que tu meurs d'envie d'en parler à Adèle, mais, si elle croit depuis trois ans que Michael est son frère, deux semaines de plus ne changeront rien pour elle.

— Il n'y a pas qu'Adèle qui me tracasse, reconnut Honour. Je me fais aussi du souci pour Michael. Comment réagira-t-il en apprenant qu'il est le fils du jardinier ?

Finalement, le jour où la pluie cessa, Emily vint leur rendre visite au cottage. Elle rentrait d'un séjour de plusieurs semaines dans le Devon avec Myles et respirait la santé. Elle s'excusa de ne pas les avoir contactées, expliquant qu'ils avaient eu besoin de temps et de distance pour réfléchir.

— Cela risque de vous sembler étrange, mais je suis heureuse d'avoir dévoilé la vérité, avoua-t-elle, les yeux brillants de larmes. Myles et moi avons l'occasion de repartir de zéro. Et plus rien à présent ne s'oppose au mariage de Michael et d'Adèle.

Ils avaient décidé de parler à Michael dès son retour, il lui appartiendrait ensuite de le dire ou non à Diana et à Ralph. Myles pensait en informer Adèle lors de son prochain congé dans la région.

— Il juge nécessaire que je sois présente, ajouta-t-elle. Pour bien montrer que je suis heureuse de la voir maintenant faire partie de la famille.

En dépit de son angoisse compréhensible au sujet de la réaction de Michael, elle semblait détendue. Ce secret l'avait plongée dans le plus grand désarroi pendant des années, poursuivit-elle, et depuis qu'elle l'avait confessé elle avait l'impression d'être libérée d'un grand poids. Myles lui avait assuré que cela ne changeait en rien ses sentiments pour Michael ; il était également ravi de ne plus devoir cacher ses rendez-vous avec Adèle.

— J'espère que vous êtes toujours mes amies ? Cette histoire a fait de nous une grande famille.

Les deux femmes avaient toujours trouvé Emily charmante, même si elles la considéraient comme faible et égocentrique, et elles comprirent soudain combien elle avait été courageuse et généreuse de reconnaître son infidélité et ses erreurs. Elle aurait pu se déchaîner contre son mari et le prendre de haut, mais elle avait pensé avant tout au bonheur de son fils, et s'était apprêtée à en payer le prix.

— Bien entendu que nous sommes toujours amies, la rassura Honour. Emily, tu es une femme franche et courageuse.

Emily passa l'après-midi au cottage. Elles échangèrent les derniers potins de la région en éclatant de rire.

— Vous devriez passer une journée ensemble, Rose et toi, suggéra Honour en servant le thé. Il y a sans doute beaucoup de choses dont vous voulez discuter sans moi. Et vous divertir vous ferait le plus grand bien.

— Si nous allions à Londres ? proposa aussitôt Rose. J'ai besoin de faire des achats et il n'y a rien dans les magasins de Rye.

— Est-ce une bonne idée, avec ces bombes volantes ? s'enquit Honour.

— Dans sa dernière lettre, Adèle racontait qu'elles tombent au sud de la Tamise. De plus, je dois passer chez moi, à Hammersmith. Et Londres est l'endroit le plus amusant qui soit.

Honour sourit, enchantée que la vie ait repris des couleurs pour Rose et Emily.

— À vos risques et périls ! Mais ne venez pas vous plaindre si les trains sont en retard.

Ce fut un mardi, à la fin du mois d'août, que Rose et Emily prirent le train de huit heures à la gare de Rye. L'été avait été froid et pluvieux, mais ce matin-là le soleil brillait. Emily était très élégante dans un tailleur bleu pâle, coiffée d'un chapeau crème à large bord. Rose remarqua en plaisantant qu'elle avait l'air de sa parente pauvre avec sa robe d'été à rayures et son chapeau de paille défraîchi, orné d'un nouveau ruban.

— Nous regarderons les chapeaux de mariage, lança Emily, l'air rêveur.

Rose esquissa un sourire. Parfois, son amie se conduisait comme une gamine. Elle semblait croire aux marraines des contes de fées qui, d'un coup de baguette magique, conduiraient Michael et Adèle à l'autel. Adèle avait peut-être un petit ami, elle risquait de ne plus ressentir le même amour pour Michael. Concernant ce dernier, ils ignoraient la gravité de ses blessures, sans parler de ce qu'il éprouverait en apprenant que son vrai père était enterré quelque part dans un champ des Flandres.

— Ne tentez pas le sort. De plus, il est déjà impossible d'acheter du rouge à lèvres ou de la poudre, alors vous croyez que nous allons trouver un magasin avec des chapeaux convenables ?

— Et si on offrait une tenue extravagante à Honour ? Que penseriez-vous d'un joli pyjama ?

Rose éclata de rire en imaginant sa mère se pavanant dans un pyjama sophistiqué.

— Ce serait du gaspillage. Elle apprécierait le geste mais ne le mettrait pas. Elle aime les chemises de nuit en flanelle. Elle préférerait un pantalon, de la laine pour tricoter, un pull ou du chocolat.

— Ma mère racontait qu'elle était très belle dans sa jeunesse. Elle portait des chapeaux ravissants quand elle a emménagé au cottage, paraît-il. Votre père aussi était très beau. Toutes les femmes l'admiraient.

Rose sourit. Elle se rappelait bien ses parents lorsqu'ils s'habillaient pour le dîner à Tunbridge. Honour, vêtue de velours bleu nuit, des peignes brillants dans les cheveux, sentait divinement bon. Grand et mince, Frank avait les cheveux blonds, épais et bouclés. Elle le revoyait habillé d'un gilet marron aux boutons de nacre et il avait ri quand elle lui avait dit qu'il ressemblait à un prince.

— C'était un beau couple, reconnut Rose. Mais les vêtements ne les intéressaient pas outre mesure. Ils se suffisaient l'un l'autre et adoraient vivre de façon très simple.

— Je me demande comment je serais devenue si je m'étais enfuie avec Billy, murmura Emily pensivement.

— Je ne vous vois pas habiter dans une petite maison de jardinier. Vous n'êtes pas née pour vivre à la dure.

— Honour et vous non plus, conclut simplement Emily.

Rose eut un choc en découvrant Londres. La ville avait si pauvre apparence ! Les deux dernières années, elle y avait effectué de brèves visites, mais, comme elle se rendait directement chez elle, elle n'avait pas remarqué de changements notables. À Piccadilly et sur Regent Street, les fenêtres condamnées, les façades noires de suie et la grisaille générale l'attristèrent profondément. Ce quartier avait beaucoup souffert pendant le Blitz. Des pans entiers de bâtiments manquaient, des mauvaises herbes poussaient dans les trous entre les briques.

Ce quartier de Londres avait toujours été synonyme de chic, pour Rose. Les femmes, habillées à la dernière mode, sortaient des taxis, les fleuristes vendaient des fleurs rares, les bijoutiers exposaient des pierres précieuses fabuleuses et les magasins de confection, des robes magnifiques. Là, elles ne virent aucune élégante faire du lèche-vitrines. Les gens portaient des vêtements miteux et des chaussures éculées. Dans les vitrines, pas de vêtements frivoles, juste des tenues fonctionnelles et ennuyeuses. Elles croisèrent peu d'hommes en uniforme car ils étaient partis en Normandie pour le débarquement.

Dans une cafétéria qui servait seulement du thé, elles surprirent la conversation de deux femmes qui discutaient des bombes volantes. Celles-ci avaient causé beaucoup plus de ravages que ce que Rose et Emily avaient imaginé.

— Si le moteur s'arrête, on n'y coupe pas. Inutile de courir, on ne peut pas leur échapper.

— Ici, nous sommes en sécurité, répondit son amie. C'est l'East End qui est le plus touché. Un voisin m'a expliqué qu'elles ne volent pas plus loin.

— Vous croyez qu'Adèle va bien ? chuchota Emily nerveusement. Nous devrions nous en assurer.

— Ne soyez pas stupide ! Pensez à ce qui est arrivé à Honour quand elle est allée là-bas. De plus, Adèle nous aurait déconseillé de venir à Londres si c'était dangereux. Vous avez entendu, ici, nous ne craignons rien. Nous téléphonerons plus tard à l'hôpital pour lui parler.

Elles oublièrent la menace des bombes volantes quand elles se trouvèrent chez Swan et Edgar, à Piccadilly Circus. Rose trouva un savon parfumé et un pantalon en lin bleu pour sa mère. Égayées par leurs achats, elles décidèrent d'aller déjeuner chez Selfridges et de se rendre ensuite chez Rose.

Elles s'arrêtèrent à deux pas du restaurant, attirées par un vieil orgue de Barbarie. Le musicien portait un chapeau haut de forme cabossé et une queue-de-pie en piteux état. Un petit singe dansait sur l'orgue. Cette scène rappela aux deux femmes leur enfance : ces joueurs d'orgue de Barbarie étaient très courants autrefois. Elles s'extasièrent sur le singe, mignon à croquer avec son manteau rouge et son fez. Depuis le début de la guerre, les animaux de compagnie étaient devenus rares à cause du rationnement alimentaire. Elles n'avaient pas vu de singe depuis des années. Le musicien laissa Rose le prendre dans ses bras et il se jucha sur son épaule. Emily voulait le caresser, mais elle avait un peu peur et pouffait comme une collégienne.

Soudain, elles entendirent un avion. Elles levèrent la tête et, sur l'épaule de Rose, le singe se mit à jacasser et à montrer les dents. Le joueur d'orgue de Barbarie l'attrapa en les informant qu'il s'agissait d'une bombe volante, puis il partit avec son orgue en direction d'une petite rue transversale.

Certaines personnes regardaient en l'air, d'autres se dirigeaient tranquillement vers le restaurant comme si de rien n'était. Les gens ne couraient pas vers les abris et, malgré son envie de filer, Rose ne broncha pas.

Le vrombissement se rapprocha et elle prit la main d'Emily.

— J'ai peur, Rose ! s'écria cette dernière en serrant sa main très fort.

— Ne vous inquiétez pas, déclara calmement Rose, malgré sa terreur. Elle va passer au-dessus de nous, vous verrez.

Tout à coup, elles se retrouvèrent seules. Les autres piétons étaient partis s'abriter dans des entrées de magasin ou avaient disparu dans la station de métro la plus proche. Elles se réfugièrent sous le store à rayures d'une boutique. Soudain, le vrombissement cessa. Se rappelant la conversation entendue dans le café, Rose laissa tomber ses courses et prit Emily dans ses bras. Elle entendit un sifflement, puis le sol vibra sous ses pieds. De la poussière tournoya telle une tempête de neige et, alors qu'elles se serraient l'une contre l'autre, Rose sentit plutôt qu'elle ne le vit le store tomber sur elles, comme si une ombre noire les engloutissait. Elles furent ensuite projetées sur le sol, toujours serrées dans les bras l'une de l'autre. La dernière pensée de Rose, tandis que les décombres les ensevelissaient, fut qu'elles auraient dû suivre le joueur d'orgue de Barbarie.

C'est Myles qui reçut le premier la nouvelle de la mort de Rose et d'Emily. Il avait passé la journée au tribunal et était revenu à son cabinet aux environs de seize heures. Il rassemblait des dossiers pour les emporter chez lui quand sa secrétaire l'informa qu'un agent de police voulait le voir.

Myles était d'humeur joviale. Sa journée au tribunal avait été excellente car l'affaire qu'il défendait s'était terminée un jour plus tôt que prévu. Comme rien de particulier ne le retenait à Londres et que le temps était splendide, il avait décidé de partir à Winchelsea dans la soirée afin de faire une surprise à Emily.

— Parole d'honneur, chef, c'est pas moi, plaisanta-t-il lorsque l'agent à l'air de chien battu pénétra dans son bureau.

L'agent ne sourit pas. Myles comprit aussitôt qu'il était porteur d'une mauvaise nouvelle.

— Je suis désolé, monsieur. Une bombe a explosé dans Oxford Street en début d'après-midi. Nous avons des raisons de penser qu'une des victimes est votre épouse. Était-elle à Londres, aujourd'hui ?

Myles sentit la chaleur lui monter aux joues, puis il frissonna.

— Je ne sais pas. Elle avait prévu de venir avec une amie mais sans préciser de date. Pourquoi pensez-vous que c'est elle ?

— Nous avons trouvé votre carte de visite dans son carnet de rationnement. Est-ce que son amie est une femme blonde du nom de Talbot ?

— Oui, murmura Myles en s'effondrant dans son fauteuil. Sont-elles grièvement blessées ? On les a transportées dans quel hôpital ?

— Je regrette, monsieur, déclara l'agent, tête baissée. Elles sont mortes toutes les deux.

— Mortes ? Ce n'est pas possible ! C'est une erreur ! s'exclama Myles, horrifié.

— Non, monsieur. Pouvez-vous m'accompagner pour les identifier ? Connaissez-vous la famille de Mme Talbot ?

— Sa fille travaille comme infirmière à Londres, gémit Myles d'une voix entrecoupée de sanglots. Oh, mon Dieu, c'est insupportable ! Pourquoi elles ?

Cette question tourna en boucle dans sa tête pendant la longue procédure d'identification, puis dans le taxi qui l'emmenait vers Adèle. Rose et Emily avaient été transportées à la morgue comme on les avait trouvées, serrées dans les bras l'une de l'autre. Leurs corps avaient été écrasés par les décombres mais leurs visages n'avaient pas souffert. D'une étrange façon, Myles en fut réconforté car elles étaient belles et coquettes. Et il les avait aimées toutes les deux.

29

— Les enterrements sont toujours si pénibles, mais au moins il n'a pas plu. C'est triste que son fils aîné n'ait pas pu avoir de congé.

— Je crois qu'ils ne s'entendaient pas bien. Il ne venait pratiquement jamais voir sa mère. Ce doit être sa femme, là-bas, qui discute avec la fille.

Adèle s'éloigna de Mme Grâce et de Mme Mackenzie. Elles vivaient à Winchelsea et adoraient les potins. Après leur deuxième verre de sherry, elles ne prendraient même plus la peine de parler à voix basse.

Il était étrange de revenir à Harrington House, avec tous ses souvenirs. La salle à manger et le salon étaient pleins à craquer et de nombreuses personnes s'étaient installées dans le jardin. Adèle connaissait la plupart des convives de vue, si ce n'est de nom, mais une grande partie d'entre eux lui étaient totalement inconnus.

Elle se serait sentie plus à l'aise si elle avait pu donner un coup de main à la cuisine, seulement Myles avait employé quatre femmes pour servir les rafraîchissements, et ni lui ni Honour n'admettraient qu'elle passe les gâteaux et les sandwichs.

Myles et Honour étaient en grande conversation dans un coin du salon. Adèle aurait dû se joindre à eux, mais elle en était incapable. Elle se glissa dans l'entrée furtivement, jeta un coup d'œil autour d'elle afin de s'assurer que personne ne l'observait et ouvrit la porte pour s'esquiver.

Depuis que Myles lui avait annoncé la nouvelle, neuf jours auparavant, elle avait perdu le sommeil et l'appétit. Elle était occupée à bavarder avec une amie quand il était arrivé. Sans perdre une minute, ils avaient sauté dans un taxi pour prendre le dernier train vers Rye. Ils avaient marché ensuite de la gare jusqu'au cottage car il n'y avait pas de taxi. En s'engageant dans le chemin, ils avaient vu Honour qui guettait, une lampe torche à la main. Ils apprirent par la suite qu'elle attendait Emily et Rose pour vingt heures. Ne les voyant pas revenir, Honour avait supposé qu'elles étaient restées pour un spectacle ou un film et attraperaient le dernier train. Afin d'éviter qu'elles ne trébuchent dans le noir, elle était sortie pour les accueillir.

— Où sont les filles ? leur cria-t-elle tandis qu'ils approchaient. Elles se sont arrêtées à Rye ?

Adèle se souvenait de la façon dont Myles lui avait agrippé la main. Il ne savait pas quoi dire. Alors Honour avait compris qu'ils n'avaient pas pris le dernier train par pure coïncidence et elle s'était mise à gémir.

En tant qu'infirmière, Adèle pensait avoir vu tous les chagrins possibles et imaginables, mais la réaction tragique de sa grand-mère la prit de court. Ce n'était pas un sanglot, ni un cri, c'était une plainte lugubre montant du plus profond de ses entrailles. La lampe torche s'agitait dans tous les sens et Adèle courut vers elle, Myles sur ses talons.

Depuis cette longue et horrible nuit pendant laquelle Honour était restée à se balancer dans un fauteuil, la tête rentrée dans les épaules en gémissant comme une folle, Adèle ne l'avait pas quittée car elle redoutait qu'elle attente à sa vie.

Les jours suivants, elle demeura silencieuse. Elle se lavait, s'habillait, donnait à manger aux animaux et coupait du bois, enfermée dans son monde intérieur. Elle ne semblait même pas consciente de la présence d'Adèle. Celle-ci, qui connaissait bien les états de choc, savait qu'ils pouvaient prendre des formes différentes. Mais elle aussi était dans cet état, et elle avait besoin de parler de sa mère et de ses sentiments à son égard. Elle ne supportait pas ce mur de silence, ni la façon dont sa grand-mère la regardait comme si elle était une intruse.

Le pasteur de Winchelsea vint leur rendre visite, à la demande de Myles, car il estimait que Rose et Emily devaient être enterrées le même jour. Honour arpenta la pièce d'un air indigné lorsqu'il lui demanda de choisir les hymnes préférés de Rose, et, quand il se leva et lui prit les mains, elle ne parut pas le reconnaître.

C'était seulement la veille des funérailles qu'Adèle avait réussi à la faire sortir de son mutisme. Honour pétrissait de la pâte sur la table. Elles n'avaient pas besoin de pain, Jim leur avait apporté une miche. Mais Honour avait toujours fait son pain le vendredi et Adèle ne l'en avait pas dissuadée, espérant que ça l'aiderait à sortir de ses ténèbres. Tandis que la table tremblait sous le pétrissage de sa grand-mère, la situation commença alors à taper sur les nerfs d'Adèle.

— Écoute-moi ! cria-t-elle, furieuse. Maman ne supporterait pas de te voir ainsi et tu le sais très bien. Elle te dirait de te ressaisir.

Elle n'obtint aucune réponse. Adèle lui enleva la pâte d'un geste brusque.

— Je te parle ! Ce fichu pain n'a aucune importance. Rose sera enterrée demain. À l'église, tu ne peux pas te conduire comme une folle, même si ton cœur est brisé.

Un silence total accueillit ses paroles. Adèle se mit en colère.

— Et moi ? Tu y penses ? Vas-tu te détourner de moi parce que Rose est morte ? Je ne représente donc rien pour toi ?

Honour se tourna vers elle lentement.

— Personne ne peut comprendre ce que j'éprouve, déclara-t-elle d'une voix sans timbre. J'ai déjà connu ça, je ne peux pas le revivre.

Pensant qu'elle faisait référence à l'époque où Rose s'était enfuie, Adèle poursuivit, furieuse :

— Elle ne t'a pas quittée, elle est morte, tuée par une bombe ! On ne peut rien y changer.

— J'étais toujours sur son dos. Après ce dîner chez les Bailey, j'ai été cruelle, continua Honour de la même voix blanche.

Adèle soupira. Dans le train, Myles lui avait relaté par le menu les détails de cette soirée. C'était stupéfiant, presque incroyable, mais avec la mort d'Emily et de Rose ces révélations avaient perdu de leur impact.

— Ce que tu lui as dit n'a aucune importance, répliqua Adèle sèchement. C'était terminé lorsqu'elle est partie à Londres. La vérité les a rapprochées, elles sont redevenues amies. Elles sont mortes dans les bras l'une de l'autre.

— C'est moi qui leur ai suggéré de passer la journée ensemble.

— Peut-être, pourtant ce n'est pas ta faute si elles sont mortes. C'est la faute de Hitler, du gouvernement qui n'a pas abattu la bombe volante, et de je ne sais quoi d'autre encore. Pas la tienne. Elles s'amusaient, elles ne se sont certainement pas rendu compte de ce qui leur arrivait. Comparée à beaucoup d'autres, c'est une belle façon de mourir.

400

— Tu t'en fiches, n'est-ce pas ? demanda Honour d'une voix soudain redevenue normale. Tu la détestais toujours !

— Ne sois pas stupide ! Je ne la détestais pas. Je lui avais pardonné et j'avais fini par l'aimer. C'est ce dont j'ai sacrément besoin de parler avec toi. Ça ne t'est pas venu à l'esprit que je puisse me sentir coupable ? Tu n'as pas le monopole de la culpabilité, tu sais, ni de la souffrance !

Puis elle était sortie du cottage comme un ouragan, trop furieuse pour poursuivre cette conversation. Elle regrettait terriblement de n'avoir pas dit à sa mère combien elle était heureuse de l'avoir retrouvée, ni quelle importance elle revêtait pour elle. Elle avait honte, aussi, car, même si elle pleurait sur Rose et Emily, elle avait du mal à contenir sa joie : Michael n'était pas son frère. Dans des circonstances aussi dramatiques, elle ne pensait qu'à elle-même.

Elle marcha sans s'arrêter pendant deux heures, pleurant la plupart du temps. Quand elle rentra au cottage, Honour était triste et abasourdie, mais elle était redevenue elle-même.

Le matin de l'enterrement, Honour enfila la même robe noire qu'elle avait portée pour les funérailles de Frank vingt ans plus tôt. Adèle ignorait qu'elle l'avait gardée, rangée dans un carton sous son lit. La jeune femme supposa, sans oser le lui demander, qu'elle l'avait confectionnée pour le retour de Frank car le col et les poignets étaient en dentelle. Elle l'avait teinte en noir, mais elle devait être bleu pâle, à l'origine.

Myles avait apporté à Adèle une robe et un chapeau d'Emily car elle n'avait rien de convenable pour l'occasion. Ironiquement, elle se rappela avoir admiré cette robe lorsqu'elle l'avait repassée, autrefois. À l'époque, elle était à la pointe de la mode avec sa longueur à mi-mollet, ses épaules rembourrées, son encolure bateau et sa large ceinture. Le chapeau était petit, orné d'une voilette, et Emily l'égayait avec une rose épinglée sur le côté.

— Rose aurait aimé te voir habillée ainsi, déclara Honour d'une voix émue quand Adèle sortit de sa chambre. Elle aurait dit que tu ressembles à une vedette de cinéma.

Les yeux d'Adèle s'embuèrent de larmes. Rose s'était toujours beaucoup intéressée aux tenues des stars. Son déménagement dans les marais n'avait pas entamé sa passion pour le glamour. C'était donc la tenue appropriée car sa mère l'aurait appréciée.

Le service religieux fut magnifique et émouvant. L'église était pleine à craquer et, au grand étonnement d'Adèle, il y avait beaucoup plus de monde pour Rose que pour Emily. Honour avait souvent mentionné dans ses lettres que Rose était très appréciée et que à chacune de leurs promenades à Rye, elles avaient du mal à remonter la grand-rue car de nombreuses personnes s'arrêtaient pour bavarder avec elle. Adèle, cynique, avait imaginé qu'il ne s'agissait que de personnes avides de lui soutirer des potins croustillants. Comme tant d'autres idées préconçues qu'elle entretenait au sujet de sa mère, elle s'était trompée, une fois de plus.

Au cimetière, de nombreuses femmes vinrent lui parler de Rose en termes affectueux, sincèrement bouleversées par son décès. Elles racontaient toutes la même chose : c'était une femme dont on se souviendrait, joyeuse, pleine de vie, drôle et chaleureuse. Elles lui confièrent aussi combien elle était fière d'Adèle et la joie qu'elle manifestait quand sa fille rentrait à la maison pour les vacances.

Adèle serait restée si les amies de Rose avaient accepté l'invitation de Myles à Harrington House, mais, lorsqu'elles virent les relations d'Emily et sa famille entrer dans la grande demeure, elles prirent conscience de la différence de milieu social et préférèrent s'abstenir.

Les amies proches d'Emily, au courant du rôle important joué par Rose, auraient sans doute aimé en discuter avec Adèle et sa grand-mère. Seulement Ralph et Diana l'avaient regardée avec mépris. Pour eux, elle était la fille des marais, une ex-domestique qui avait attrapé la grosse tête.

Adèle pleurait quand elle arriva à la rivière. Sur Michael, qui ne tarderait pas à recevoir la lettre lui annonçant le décès de sa mère. Sur Myles, qui avait fini par trouver une amie en Emily, et sur Honour, qui portait la responsabilité de tout et de tous.

Mais elle pleurait surtout en pensant à sa mère. Si seulement elles avaient eu plus de temps ! Pourquoi ne pas lui avoir dit que ses lettres la faisaient rire, qu'elle était rassurée de la voir si bien s'occuper de sa grand-mère et que le passé ne comptait plus ? Elle avait honte de ne l'avoir jamais encouragée à parler de Pamela, de ses sentiments envers Jim Talbot, de sa vie après son internement. Adèle avait toujours désiré la connaître, pas pour la juger mais afin de mieux la comprendre.

En manifestant de l'intérêt, elle aurait aidé Rose, et celle-ci lui aurait raconté les événements les plus embarrassants avec son autodérision habituelle. Car, Adèle le savait à présent, c'était l'un de ses traits de caractère les plus séduisants. Rose n'avait pas peur de reconnaître ses erreurs et elle brossait les personnages de ses histoires de façon si vivante qu'on avait l'impression de les connaître. Elle avait toujours prétendu être égocentrique, mais sa perspicacité envers elle et les autres démentait cette affirmation. Elle était loin d'être une sainte, c'est sûr ! Pourtant, elle avait prouvé qu'elle était capable de gentillesse, de loyauté et de courage.

Adèle entra dans le cottage et se rendit dans sa chambre. Elle l'avait toujours considérée comme la sienne. Aujourd'hui, elle prenait conscience que Rose l'avait occupée en premier et en dernier. Elle ouvrit la penderie parfumée de lavande, une odeur que sa mère adorait depuis son enfance quand elle garnissait des petits coussins avec les fleurs séchées. Elle passa sa main sur les vêtements. La plupart dataient d'avant la guerre, les couleurs vives, rose, rouge et vert émeraude, indiquaient que Rose aimait se faire remarquer.

D'après Honour, Rose avait toujours détesté les règles et les conventions. Un jour, sa grand-mère avait dit en plaisantant que le père d'Adèle devait être un homme très pondéré, car la jeune fille ne semblait pas avoir hérité du côté excentrique des femmes de la famille.

— J'aurais bien aimé être un peu excentrique, murmura-t-elle avec mélancolie.

Elle n'en avait jamais eu l'occasion à cause de la pauvreté, de la crise économique, puis de la guerre qui lui avait donné de nombreuses responsabilités. « Quand elle sera finie, je couperai les amarres », se jura-t-elle. Elle n'osait plus espérer en Michael : il avait été blessé si profondément par sa rupture que son amour pour elle devait être mort.

Le 8 mai 1945, en fin d'après-midi, Adèle regardait pensivement la rue de Whitechapel par la fenêtre de l'aile de chirurgie. La veille au soir, la radio avait informé la population que ce serait un jour férié pour fêter la fin de la guerre en Europe et, pour l'instant, la nouvelle avait reçu un accueil mitigé. Il est vrai que, depuis l'annonce de la mort de Hitler dans son bunker le 2 mai, tout le monde semblait retenir son souffle.

À minuit, les bateaux déclenchèrent leurs sirènes, les cloches des églises se mirent à sonner joyeusement. Au foyer des infirmières, les filles montèrent sur le toit pour admirer les feux d'artifice tirés partout dans Londres. Du même endroit, elles avaient observé les incendies déclenchés par le Blitz et les V1 et V2. Maintenant, les détonations et la lumière célébraient la paix. Le gouvernement n'avait pas encore donné l'autorisation d'enlever les papiers et les rideaux du *black-out* mais les gens n'avaient pas l'intention d'attendre. Du toit, les filles les entendaient rire en arrachant les papiers noirs détestés, puis la lumière se déversa de nouveau à flots dans les rues.

Le lendemain matin, Adèle s'était réveillée avec l'orage. Les trombes d'eau s'arrêtèrent vers midi et de longues files d'attente serpentaient devant les boulangeries et les poissonneries. Les gens paraissaient errer sans but, comme s'ils attendaient un signal pour fêter l'événement.

Ce n'est qu'à partir de quinze heures, quand Winston Churchill prononça à la radio le discours qui annonçait officiellement la fin de la guerre en Europe, que la population se mit vraiment à y croire.

À dix-sept heures, Whitechapel Road était remplie de personnes qui agitaient des drapeaux, soufflaient dans des sifflets, et nombre d'entre elles arboraient des chapeaux en papier aux couleurs de l'Angleterre. Des banderoles étaient apparues comme par enchantement, drapées sur tous les magasins, flottant de réverbère en réverbère. Les femmes s'activaient pour préparer la fête dans la rue, sortant les denrées alimentaires et le sucre qu'elles avaient réussi à mettre de côté. Les hommes se pressaient avec des caisses de bière et Adèle pensa qu'à minuit la plupart des adultes seraient ivres morts.

Elle se détourna de la fenêtre et sourit en voyant de nombreux lits vides. La fin du conflit avait donné un coup de fouet aux malades. L'état des convalescents s'améliorait de façon spectaculaire et on les avait renvoyés dans leurs foyers. Les hommes qui restaient étaient dans un état d'excitation extrême. Ils avaient demandé à Joan et à Adèle des baisers, des cigarettes et de la bière. Si la surveillante générale l'apprenait, elle piquerait une sacrée crise.

La soirée s'annonçait très joyeuse, d'autant qu'une autre perspective agréable attendait Adèle : bientôt, elle rentrerait chez elle pour deux semaines. Les huit mois qui s'étaient écoulés depuis la mort de Rose avaient semblé interminables. Elle s'inquiétait pour sa grand-mère, qui vivait seule, redoutait qu'elle se replie sur elle-même ou tombe dans le jardin, restant des heures étendue par terre avant qu'on la trouve. Mangeait-elle convenablement ? Avait-elle assez chaud la nuit ? Et si elle manquait de bois ou d'huile pour les lampes ? Myles la préoccupait aussi : au téléphone, elle sentait bien qu'il était triste et déprimé.

L'hiver long et glacial avait été fatal pour les personnes âgées du quartier qui habitaient des maisons endommagées par les bombes, ouvertes aux quatre vents. Le charbon, rationné, était difficile à trouver, et chaque jour des enfants se blessaient en cherchant du bois à brûler dans les lieux bombardés.

L'esprit de combativité, si remarquable pendant le Blitz, avait disparu. Épuisés par les épreuves, les gens se traînaient, et c'est à ce moment-là qu'étaient apparus les engins les plus meurtriers : les V2. Les ravages qu'ils causaient étaient incroyables. Ils creusaient d'énormes cratères dont les nuages de fumée noire, de poussière, de plâtre et de brique suffoquaient les sauveteurs. Avant Noël, une bombe avait tué et mutilé plus d'une centaine de personnes et, en juin, une autre avait soufflé deux immeubles. Pour la première fois dans sa carrière d'infirmière, Adèle avait vu des scènes qui lui avaient donné envie d'enlever son uniforme et sa coiffe et de partir en courant. Les morts et les blessés comptaient principalement des femmes et des enfants car la bombe était tombée le matin, après le départ des hommes au travail.

La guerre était terminée, mais, longtemps après le retour des militaires et la reconstruction de la ville, des enfants mutilés continueraient à clopiner. Et qu'arriverait-il aux orphelins, aux veuves et aux sans-abri ? Les taudis seraient-ils remplacés par des logements convenables ? Y aurait-il du travail pour tous ? Aujourd'hui, Adèle se voulait optimiste, pourtant il faudrait des années avant que l'Angleterre ne retrouve un semblant de normalité.

— À quoi tu penses ? s'enquit Joan, qui s'était approchée à pas de loup. Tu te demandes s'il a été libéré et s'il est sur le chemin du retour ?

Adèle sourit. Elle avait finalement raconté toute l'histoire à son amie en rentrant de l'enterrement de Rose et d'Emily.

Joan avait joué le rôle d'une soupape de sécurité. Elle l'avait aidée à tout évacuer : la culpabilité, la tristesse, les peurs. Sans elle, elle se serait effondrée. Ce fut Joan qui la persuada d'écrire à Michael. Comme elle le souligna, il n'était pas seulement question de lui présenter ses condoléances. Leurs mères avaient été amies et, vu les circonstances de leur mort, sa lettre aurait beaucoup plus de poids. Elle ajouta aussi qu'elle devait renouer un lien si elle voulait voir Michael lui revenir.

Une fois qu'Adèle se fut remise du choc et de la dévastation causés par la mort de sa mère, elle ressentit une grande joie et de l'espoir : Michael n'était pas son frère. Elle désirait plus que tout au monde qu'il redevienne son fiancé. En proie à une grande excitation, elle avait du mal à dormir car elle s'imaginait l'embrasser, le serrer dans ses bras ou caresser sa peau nue.

Michael n'avait l'autorisation d'envoyer qu'une brève lettre par mois. Elle mettait une éternité à arriver et la censure l'empêchait de parler de choses importantes. Mais elle savait qu'il appréciait les siennes, car, dans une réponse à Myles, il avait écrit : *Dites à Adèle que sa lettre était très belle. Un jour, nous irons au château de Camber et nous en discuterons.*

— Je ne pensais pas à lui, je me demandais si l'Angleterre allait devenir un lieu plus agréable, désormais. Les hommes qui sont revenus de la Première Guerre mondiale n'ont pas retrouvé un pays à la hauteur de leurs sacrifices.

— Il n'y a que toi pour broyer du noir un jour comme aujourd'hui ! s'écria Joan en éclatant de rire. On a ce qu'on mérite. Dans mon cas, ce sera une alliance et un billet pour l'Amérique afin de vivre le reste de ma vie dans le luxe à Philadelphie.

Depuis plus d'un an, Joan fréquentait Bill Oatley, un marin américain. Leur relation avait été sérieuse dès le début et Joan était terrorisée à l'idée qu'il se fasse tuer en Normandie. Heureusement, il avait été épargné et se trouvait encore quelque part en Allemagne. Il lui avait écrit et demandé de l'épouser quelques mois auparavant.

— Et moi, qu'est-ce que je mérite ? demanda Adèle.

— Mieux que de rester coincée ici dans cet endroit merdique, répondit son amie avec fermeté. Rentre à la maison chez ta grand-mère, tu en meurs d'envie. Commence ce camping pour caravanes auquel ta mère avait pensé, c'était une battante. Bill et moi serons tes premiers clients pour notre lune de miel.

— Je n'ai pas d'argent pour le faire.

— Mais si, la maison de ta mère est à toi, maintenant.

— Je ne peux pas la mettre en vente tout de suite, répliqua Adèle en haussant les épaules.

— Tu n'as pas besoin d'attendre. Il te suffit d'aller dans une banque et de leur demander de te prêter une partie de la mise de fonds.

— Je n'y avais pas pensé.

— Eh bien, n'y pense pas aujourd'hui, ma vieille. Réfléchis plutôt à ce que tu vas mettre ce soir.

Joan fut appelée par un patient et Adèle se rendit compte qu'elle avait raison. L'heure n'était pas aux réflexions profondes, mais à la frivolité. Elle porterait la somptueuse robe bleue de Rose que Honour avait retaillée pour elle, elle boirait plus que de raison et ferait la folle. Comme le disait Scarlett dans *Autant en emporte le vent* : « Demain est un autre jour. »

30

Folle de bonheur, Adèle se jucha sur un cageot retourné pour contempler le terrain autour d'elle. Il était très caillouteux mais c'était parfait : au moins, il ne serait pas détrempé par les pluies.

C'était une chaude journée de juin et elle avait l'intention de passer ce long week-end au soleil. Vêtue d'un short, d'un vieux chemisier sans manches et d'une paire de tennis, elle se sentait en pleine forme.

La guerre se poursuivait en Asie, le rationnement continuait, et il était impossible de trouver du bois, de la peinture ou n'importe quel autre matériel de construction. En revanche, des bateaux ramenaient des hommes d'Europe tous les jours et bientôt Michael serait de retour. On avait même commencé à enlever les rouleaux de barbelés le long de la plage.

Elle avait récemment postulé pour être infirmière à Hastings et à Ashford, mais on ne lui avait pas encore répondu. Si elle n'était pas acceptée, elle avait décidé de s'installer ici en août, afin de mettre l'idée de Rose en pratique.

Elle n'allait pas construire une sorte de mémorial à sa mère, ce n'était pas son genre. L'idée plaisait vraiment à Adèle car elle pourrait gagner sa vie tout en s'occupant de sa grand-mère. Lors de sa précédente visite, en mai, elle avait rencontré M. Green, le propriétaire du terrain, pour en discuter. Il était prêt à lui allouer le terrain gratuitement en échange d'un faible pourcentage sur les bénéfices. Elle en avait parlé à Myles et il ne lui avait pas seulement offert de lui prêter l'argent jusqu'à ce que la maison de Hammersmith soit vendue, il avait aussi insisté pour régler toute la paperasse auprès du conseil municipal.

Elle l'appellerait sans doute le « Parc de caravanes Rose », en hommage à sa mère. Elle avait l'intention de planter des rosiers très colorés et très parfumés, convaincue que l'esprit de sa mère imprégnait les lieux, car elle avait senti une présence chaleureuse et amicale dès sa première visite.

Adèle fermait à peine l'œil de la nuit, réfléchissant à tous les aménagements nécessaires. Elle aurait besoin de canalisations d'eau et d'un bâtiment pour les toilettes et les douches.

Elle commencerait avec six caravanes, mais il y avait assez d'espace pour une dizaine. M. Green lui avait dit que les hôtels et les pensions de famille étaient complets pour la saison et, d'ici l'été prochain, les familles londoniennes brûleraient d'envie de passer des vacances au bord de la mer. Joan avait un oncle qui pouvait lui fournir les caravanes. Elles ne seraient pas de la première fraîcheur, mais avec une couche de peinture et un minimum d'aménagement intérieur, dont Adèle s'occuperait pendant l'hiver, elle pourrait faire démarrer son activité à Pâques.

Elle se leva, longea le petit ruisseau. À travers les buissons et les arbres, elle apercevait le toit et la cheminée du cottage. Le matin même, sa grand-mère avait parlé de faire mettre l'électricité et de construire une salle de bains. Il semblait que la fin de la guerre la poussait à vouloir plus de confort. La personne qui s'occuperait de l'aménagement du camping pourrait peut-être réaliser les travaux du cottage en même temps.

Elle réfléchissait à tous ces changements excitants quand elle aperçut un jet de lumière provenant du cottage, comme si quelqu'un envoyait des signaux avec un miroir. Elle réalisa qu'il s'agissait d'un pare-brise de voiture. Myles avait sans doute reçu des nouvelles de Michael, aussi se dirigea-t-elle vers la maison à grandes enjambées. La Croix-Rouge les avait informés que son camp avait été libéré au début du mois de mai. Ils ne savaient pas combien de temps il lui faudrait pour rentrer chez lui car toute l'Europe était en plein bouleversement. Les installations électriques ne fonctionnaient plus, les lignes de téléphone étaient coupées, et la plupart des voies ferrées avaient été endommagées par les bombes et les tanks. Des dizaines de milliers de réfugiés et de personnes déplacées compliquaient les problèmes de rapatriement.

Lorsque Adèle s'approcha du cottage et vit qu'il s'agissait bien de la voiture de Myles, elle se mit à courir. Il était devenu encore plus important pour elle depuis la mort de Rose, car elle pouvait exprimer en toute franchise ses sentiments envers sa mère, sachant qu'il avait éprouvé le même mélange d'amour et de colère, d'amusement et de méfiance. Même si elle ne pouvait pas annoncer publiquement qu'il était son père, le savoir lui procurait un sentiment de sécurité qu'elle n'avait jamais connu auparavant.

Adèle entra en trombe dans le cottage.

— Myles ! haleta-t-elle en se précipitant vers le canapé où il était assis. J'ai vu votre voiture et j'ai couru tout le long du chemin. Vous avez des nouvelles de Michael ?

Il la serra dans ses bras sans rien dire, avec un sourire fendu jusqu'aux oreilles.

— Je ne suis pas présentable, reprit-elle, pensant qu'il trouvait sa tenue amusante.

Ses cheveux étaient emmêlés et son vieux short avait été rapiécé tant de fois qu'il ne pourrait même pas servir de chiffon pour le ménage.

— J'étais au terrain du camping pour y jeter un coup d'œil. Vous êtes là depuis longtemps ?

— Depuis une vingtaine de minutes, répondit-il en souriant de plus belle.

Adèle se retourna pour regarder sa grand-mère disposer des tasses sur la table et c'est à ce moment-là qu'elle le vit.

Michael était assis dans un fauteuil au fond de la pièce. Adèle posa ses mains sur sa bouche.

— Ce n'est pas vrai ! s'écria-t-elle. Je n'aurais jamais pensé...
Elle s'arrêta net, intimidée par son apparence.

D'une maigreur extrême, son visage était marqué de nombreuses cicatrices, et il y avait une canne appuyée contre le mur. Mais elle retrouva son sourire irrésistible, le même que lors de leur première rencontre, et ses yeux aussi bleus que le ciel.

— Michael ! Oh, mon Dieu ! murmura-t-elle et son cœur se mit à battre la chamade.

Pendant quelques secondes, le choc fut trop fort. La dernière fois qu'elle l'avait vu, il l'embrassait tendrement à la gare de Charing Cross après leur week-end en amoureux. Pendant six ans, elle avait conservé l'image d'un homme jeune, superbe dans son uniforme, avec des cheveux noirs brillants et une peau douce comme de la soie. Le Michael d'aujourd'hui était un inconnu squelettique en pantalon de flanelle de civil, ses cheveux étaient coupés trop court et son visage portait de nombreuses cicatrices. Elle eut envie de s'enfuir pour se cacher.

— Tu n'aurais jamais pensé quoi ? Me revoir ? Ou que j'aie pu autant changer ? suggéra-t-il, un sourcil relevé d'un air interrogateur.

Sa voix la rassura. Elle était la même, grave et distinguée, si différente des voix cockneys qu'elle entendait quotidiennement à l'hôpital ou de celles du coin, aux accents du terroir.

— Je ne sais pas ce que j'allais dire, répondit-elle en s'approchant de lui. Je ne trouve pas les mots. C'est si inattendu ! C'est bon de te revoir. J'aurais juste aimé être avertie, je ne suis vraiment pas présentable.

— Tu n'es pas très différente du jour où je t'ai rencontrée dans les marais pour la première fois. J'imaginais qu'en six ans tu serais devenue sophistiquée, avec les cheveux roulés comme les femmes les portent aujourd'hui.

Adèle rougit. Elle avait laissé ses cheveux dénoués ; en fait, elle ne les avait même pas peignés. Ils devaient avoir l'air d'une meule de foin.

— Le thé est servi ! lança Honour. Tu veux le prendre là ou à table ?

— J'arrive, dit-il en appuyant ses mains sur les accoudoirs du fauteuil pour se lever.

Adèle l'observa se diriger vers la table. Sa démarche semblait mécanique, comme si ses jambes étaient artificielles, mais à son grand soulagement il tourna facilement sur ses talons et déclara :

— Tu vois, je peux marcher sans ma canne. Ce n'est qu'une sécurité. Et on m'a dit qu'une petite opération remettrait les choses en place.

À l'expression tendre de sa grand-mère, Adèle comprit que, pour elle, les souffrances du passé étaient balayées à présent que Michael était de retour. Mais Adèle aurait à s'expliquer, elle en était consciente. Même s'il l'aimait toujours, il aurait besoin d'apprendre à lui faire de nouveau confiance.

Pendant qu'ils prenaient le thé accompagné de sandwichs au beurre de poisson, Myles raconta comment il avait conduit jusqu'à Douvres la veille pour attendre le bateau sur lequel se trouvait Michael. Il avait eu le message à la dernière minute et ils avaient passé la nuit à l'hôtel, car le bateau avait accosté plus tard que prévu.

411

— J'étais comme un enfant le jour de Noël, poursuivit Myles, la voix brisée par l'émotion. Des centaines de personnes attendaient leur fils, leur mari ou leur père. J'avais peur qu'ils se soient trompés de jour ou de bateau, peur aussi de ne pas le reconnaître. Il y avait tellement d'hommes sur des brancards, tellement de bruit et de désordre. Et enfin je l'ai vu descendre la passerelle. Mon fils, sain et sauf !

Honour souligna que Michael avait demandé à venir en priorité à Harrington House avant de se rendre dans le Hampshire pour voir son frère, sa sœur et leurs familles.

— J'avais besoin d'un temps d'adaptation. Dans le camp, nous ne pensions qu'à nos proches, mais la réalité du retour est un peu difficile. Tout le monde va me bombarder de questions et j'ai tant à dire. En même temps, je ne sais pas par où commencer.

Honour eut l'air perplexe. Adèle, elle, comprenait exactement ce qu'il ressentait. Quand elle était venue au cottage pendant le Blitz, elle avait éprouvé la même chose.

Elle le dévisageait, son cœur battait toujours trop vite et elle aurait aimé être seule avec lui pour s'expliquer.

Myles raconta que le stalag 8b se trouvait en Silésie, une région de Pologne, et non pas en Allemagne comme ils l'avaient imaginé. Il avait été libéré par les Américains et les prisonniers qui ne pouvaient pas marcher, tel Michael, avaient été transportés de camion en camion à travers l'Europe.

— C'était comme si le monde était devenu fou, enchaîna Michael pensivement. Des milliers de personnes se traînaient le long des routes avec leurs ballots de vêtements, suivis d'enfants affamés. Des villages entiers étaient complètement rasés, des corps gisaient dans les fossés, on voyait partout des tanks calcinés et des cratères de bombes. J'ai aperçu aussi des survivants d'un camp de concentration. C'était des squelettes vivants. J'ai encore du mal à croire à ce qui se passait dans ces camps. On raconte que des millions de déportés sont morts.

Après le thé, ils allèrent dehors pour s'asseoir au soleil. Épuisé, Michael s'allongea sur l'herbe à l'ombre d'un pommier, Towzer à son côté, et Adèle sentit qu'il n'avait pas envie de parler. Il n'avait pas encore mentionné la mort de sa mère, sans doute à cause de toutes les horreurs qu'il avait vues pendant des semaines. Il s'assoupit bien vite. Honour suggéra que Myles l'emmène à Harrington House pour l'aider à ouvrir la maison et à faire les lits.

Après leur départ, Adèle prit un livre, mais elle fut incapable de détourner les yeux de Michael profondément endormi. La brûlure sur sa joue ne le défigurait pas autant qu'elle l'avait pensé au début. Elle avait bien cicatrisé. Dès qu'il aurait repris du poids et que ses cheveux auraient repoussé, on la verrait à peine. Elle regarda ses lèvres, mourant d'envie de s'allonger près de lui pour le serrer dans ses bras et l'embrasser.

Il était bon de découvrir qu'elle n'avait pas imaginé son amour pour lui. En même temps, elle souffrait. Supporterait-elle qu'il ne lui retourne pas ses sentiments ?

Il nageait dans la chemise blanche et le pantalon de flanelle gris datant d'avant la guerre que Myles lui avait apportés à Douvres. Le regarder dormir, si détendu et paisible, était étrange. Se sentait-il enfin chez lui et en sécurité, ici ?

Le temps jouait contre elle. Elle ne bénéficiait que de ce week-end pour rétablir la situation entre eux. Une fois qu'elle serait de retour à Londres et qu'il reverrait ses vieux amis et sa famille, leur influence risquait de prendre le pas sur la sienne. Elle n'avait pas eu l'occasion de discuter seule avec Myles et ignorait ce qu'ils s'étaient raconté. Sans aucun doute, il n'avait pas encore eu l'opportunité de se lancer dans l'explication des faits ayant conduit Adèle à le quitter.

Que dirait-elle quand Michael aborderait ce sujet ? Encore des mensonges ?

Michael se réveilla une heure plus tard. Il ouvrit les yeux et sursauta en découvrant un arbre au-dessus de lui. Puis il tourna la tête, vit Adèle dans une chaise longue et sourit.

— Pendant quelques secondes horribles, j'ai cru avoir rêvé que j'étais de retour. Je suis désolé de m'être écroulé.

— Tu es épuisé. Cela prendra du temps. Tu dois beaucoup dormir et bien manger avant de récupérer complètement.

— La véritable infirmière ! rétorqua-t-il. Ce que je veux, c'est boire de la bière, nager et manger du *fish and chips*.

— Il est très difficile de trouver du poisson, fit-elle remarquer en éclatant de rire. Mais la natation fera du bien à tes jambes et Myles sera enchanté de t'inviter au pub.

— Je préférerais y aller avec toi.

— J'en serais ravie, mais il faut d'abord te reposer, répondit-elle, mal à l'aise.

Elle avait conscience de parler comme si elle s'adressait à un malade, non à un vieil ami.

— Tu es encore plus belle. Est-ce que tes patients et tes admirateurs te le disent ?

— Je ne les soigne pas assez longtemps pour qu'ils s'en rendent compte, déclara-t-elle en rougissant, et elle eut de nouveau peur de paraître guindée. Mais c'est agréable que tu le penses, ajouta-t-elle.

— C'est agréable aussi que tu sois devenue si amie avec Père, poursuivit-il abruptement. Je ne comprends pas comment c'est arrivé. C'est l'un des nombreux mystères que je dois approfondir.

— Vraiment ? lança-t-elle avec une désinvolture un peu forcée. Il s'est passé tellement de choses que je ne sais pas par où commencer. C'est un peu comme un puzzle.

Il s'assit, se massa la jambe droite.

— Tu as mal ? Puis-je faire quelque chose ?

— Non, en frottant, ça disparaît, répondit-il en lui adressant un long regard pénétrant. Retournons au puzzle. J'ai toujours eu l'habitude d'en former d'abord le contour. Une fois qu'on a le cadre, on trouve les autres pièces plus facilement. Dans ce qui nous intéresse, le cadre est constitué par l'amitié entre ta mère et la mienne. C'est un mystère en soi.

— Pas vraiment, souffla-t-elle nerveusement.

— Tout ce que je sais de Rose, c'est ce que tu m'en as dit il y a des années. Je ne vois pas ce qu'elle avait en commun avec ma mère.

— C'est exactement ce que j'ai pensé au début, reconnut Adèle prudemment. En réalité, elles avaient de nombreux points en commun. Deux femmes seules, éloignées de leurs enfants et traumatisées. C'est la nouvelle de ta disparition qui nous a tous réunis. D'abord, ma grand-mère et Rose l'ont réconfortée.

Ensuite je suis allée la voir, j'ai rencontré Myles et tout s'est enchaîné à partir de là.

— D'accord, mais pourquoi es-tu allée voir Mère ?

— Parce que je savais qu'elle était anéantie.

— Tu ne redoutais pas qu'elle te chasse ?

— Si, mais j'étais bouleversée à ton sujet et cela m'a fait surmonter ma peur.

— Ah, ah ! s'écria-t-il en riant. Un côté du puzzle est reconstitué à présent. Il en reste trois autres et le milieu à compléter.

— De nombreuses choses vont t'étonner, car la guerre a brisé les barrières des classes sociales et rendu les gens plus égaux. Nous avons aussi appris à distinguer ce qui est important de ce qui ne l'est pas.

— Qu'est-ce qui est important pour toi, maintenant ? s'enquit-il.

Il lui jetait un regard en coin.

— Tout ça, répondit-elle en agitant la main pour désigner le cottage et les marais. À un moment, j'ai pensé qu'ils seraient foulés par les bottes allemandes. Et aussi m'occuper de ma grand-mère, de mes amis, de Myles et de toi.

— Moi ? Je peux comprendre la nouvelle place qu'occupe mon père dans ta vie, en dépit de la façon dont il t'a traitée dans le passé, car il m'a dit que c'était lui qui t'avait appris les décès de Rose et de ma mère. Cela crée un lien, j'imagine. Mais moi, qu'est-ce que je représente pour toi ?

— Je n'ai jamais cessé de t'aimer, répondit-elle simplement, rouge comme une tomate.

— Le premier amour et tout et tout ?

— Le premier et le seul amour, déclara-t-elle en renouant ses lacets pour cacher son embarras.

— Il n'y a jamais eu personne d'autre ?

— Je suis sortie avec quelques hommes, avoua-t-elle, tête baissée. Mais aucun ne m'a vraiment plu.

— Qu'est-ce que tu as autour du cou ?

Instinctivement, Adèle posa sa main sur la bague qui pendait à sa chaîne. Elle était sortie de son chemisier quand elle s'était penchée.

— Allez, dis-le-moi.

— Notre bague, murmura-t-elle.

— Tu l'as toujours ? s'exclama-t-il avec incrédulité.

— Bien sûr. Je ne l'ai jamais enlevée.

— Dois-je espérer que c'est parce que tu as regretté de me quitter ?

Adèle eut soudain très chaud. Elle sentit la sueur dégouliner sur tout son corps.

— Oui. Je n'ai jamais cessé de t'aimer, confessa-t-elle en détournant les yeux.

— Regarde-moi, ordonna-t-il d'un ton sévère.

Elle lui obéit. Les yeux de Michael semblaient trop grands pour son visage émacié et elle y vit une légère lueur de mépris.

— Ne te moque pas de moi, Adèle ! J'ai été enchanté de recevoir ta première lettre, j'avais désespérément besoin d'espoir. Mais je ne suis plus dans ce fichu camp, maintenant, je suis de retour dans la réalité, sur le point de retrouver ma vie. Je ne veux pas de la pitié des autres.

— Qu'est-ce qui te fait croire que j'éprouve de la pitié pour toi ? Tout ce que je t'ai écrit, je le pensais.

Myles et Honour arrivèrent à ce moment-là.

Michael se leva pour les accueillir et Honour se lança dans une de ses diatribes sur la poussière à Harrington House et combien elle aurait aimé être avertie de l'arrivée de Michael pour préparer la maison.

— Si vous aviez vu comment j'ai vécu ces deux dernières années, vous ne vous feriez pas tant de souci, lança Michael en riant. Les draps et l'eau chaude sont un luxe suprême pour moi.

— Mais il n'y a pratiquement rien à manger, là-bas ! protesta Honour. En tout cas, pas de quoi préparer un repas convenable, surtout pour un garçon qui a besoin de reprendre des forces. Restez ici pour le dîner, j'ai une marmite de civet de lapin.

Adèle trouva que sa grand-mère en faisait trop.

— Michael a besoin de se reposer, intervint-elle avec fermeté. Il est exténué. Donnons-leur du civet à emporter, ils n'auront qu'à le réchauffer.

— L'indomptable infirmière Talbot frappe encore, dit Michael en souriant à son père. Mais elle a raison, et grâce à votre aide je rassemblerai d'autres pièces ce soir.

— Quelles pièces ? s'étonna Honour.

— Du grand puzzle des événements qui se sont déroulés en son absence, expliqua Adèle en regardant Myles avec insistance, pour l'inciter à la prudence.

Après leur départ, Honour réprimanda Adèle.

— Tu ne t'es pas montrée très accueillante. Qu'est-ce que tu as ?

— Comment suis-je censée me comporter ? répliqua Adèle, exaspérée. Je ne peux pas me jeter à son cou. Il est exténué et il revient dans la maison de sa mère défunte, où il est en passe de découvrir que son père n'est pas son père. Tu me vois lui adresser des œillades toute la soirée avec cette bombe près d'exploser !

— Tu lui as dit que tu l'aimais toujours ?

— Oui, mamie, soupira Adèle. Mais je dois m'expliquer avant qu'il me refasse confiance. C'est déjà assez difficile comme ça, pas la peine de t'en prendre à moi.

Myles passa rapidement le lendemain matin pour les informer que Michael dormait encore profondément. Il repartit avant qu'Adèle ait pu lui demander comment s'était déroulée leur conversation de la veille. Apparemment, rien ne s'était produit car Myles revint dans l'après-midi accompagné de Michael. Ils se rendirent tous ensemble à Camber Sands en voiture et dînèrent ensuite à Rye. Michael semblait très distant, mais Adèle mit cette attitude sur le compte de sa visite à la tombe d'Emily. Il posa de nombreuses questions sur sa mère et parut dérouté par ce qu'ils lui racontèrent.

Myles déposa Adèle et Honour au cottage en annonçant qu'ils allaient boire des bières au pub. Adèle les prévint qu'elle rentrait à Londres le lendemain par le train de dix-neuf heures. Ils ne lui donnèrent pas rendez-vous avant son départ.

Cette nuit-là, Adèle conclut que Michael la considérait uniquement comme une vieille amie. S'il avait été encore amoureux, il lui aurait demandé pourquoi elle l'avait quitté. En se remémorant leur conversation, elle pensa qu'il avait été gêné par sa déclaration et embarrassé de découvrir qu'elle avait toujours sa bague. Elle se mit alors à pleurer sur sa stupidité.

Le lendemain matin, elle se leva de bonne heure pour aller se promener. Quand elle rentra, elle enfila sa nouvelle robe à pois verts, en prévision d'une éventuelle visite de Michael. Elle était dans le jardin, occupée à caresser Misty, lorsqu'elle entendit la voiture de Myles descendre l'allée. À sa grande surprise, Michael la conduisait seul.

— Bonjour ! lança-t-elle quand il entra dans le jardin. La soirée au pub s'est bien passée ?

— Elle a été rapide. Après deux bières, j'étais ivre.

— Et Myles ?

— C'est pour parler de lui que je suis venu, fit-il, l'air soucieux. Il semblait très préoccupé. Comme s'il avait quelque chose à me dire et n'y arrivait pas. Je me demandais si tu étais au courant.

Le cœur d'Adèle se serra. Si Myles ne pouvait pas révéler la vérité à Michael, ce n'était pas à elle de le faire.

— À mon avis, il est dans le même état que toi, répondit-elle rapidement. Il ne parvient pas à trouver ses mots. C'est pareil pour moi.

— Mère m'a laissé Harrington House dans son testament. Il n'est pas arrivé à m'expliquer pourquoi. C'est très étrange, la maison aurait dû être partagée entre tous les enfants.

Adèle songea qu'Emily avait pris cette disposition au cas où Michael n'aurait rien hérité de Myles. C'était la raison pour laquelle elle s'était toujours opposée à sa vente.

— Ralph et Diana ne venaient pas souvent lui rendre visite, prétendit-elle. De plus, elle savait que tu adorais la région. C'était sa maison de famille, elle voulait sûrement s'assurer qu'elle ne serait pas vendue.

— Je n'y avais pas pensé, admit-il en souriant. Allons au château de Camber.

— Tu peux marcher aussi loin ?

— Je ne suis pas infirme !

— Je sais, mais le sol est très accidenté et tu ne dois pas t'épuiser.

— Je me sens mieux, aujourd'hui, déclara Michael après avoir marché une dizaine de minutes dans un silence complet. Tout a été si bizarre depuis que je suis sorti du bateau ! Comme si je voulais me faire passer pour Michael Bailey. Tu comprends ? Comme si je connaissais le passé de ce type mais ignorais quelle attitude adopter face à son entourage.

— Pour moi, tu es le véritable Michael. Si tu le souhaites, je vais te mettre à l'épreuve.

— Vas-y !

— Qu'est-ce que je portais la première fois que tu m'as vue ? pouffa Adèle.

— Un pantalon large dans des bottes en caoutchouc et un pull bleu plein de trous.

— Quel était le premier cadeau que tu as offert à ma grand-mère ?

— Une boîte à thé.

— Vingt sur vingt. Tu es bien Michael Bailey, conclut-elle en riant.

— J'ai une question à te poser. Comment ça s'est passé quand tu as retrouvé ta mère après toutes ces années ?

— C'était difficile. Je ne ressentais que du mépris pour elle, mais je m'efforçais d'être agréable à cause de ma grand-mère. J'ai été rongée par le ressentiment très longtemps.

— Qu'est-ce qui t'a fait changer d'avis ?

— Pourquoi me le demandes-tu ?

— J'essaie toujours de rassembler les pièces du puzzle.

Elle lui expliqua que Honour avait été blessée lors d'une attaque aérienne et comment elle avait demandé à Rose de venir s'occuper d'elle.

— C'est là que tout a changé. Ma mère l'a tellement dorlotée qu'elle l'a rendue heureuse. Je ne m'y attendais pas et elle s'est rachetée à mes yeux. Elle est devenue une femme très différente de celle avec laquelle j'avais passé mon enfance, pleine de vie, drôle et travaillant très dur. J'ai fini par l'aimer. Et je lui avais pardonné bien avant qu'elle meure.

Ils approchaient du château. Quelques moutons filèrent comme des flèches à leur arrivée. Adèle prit le bras de Michael pour l'aider à traverser un terrain de grosses pierres.

— Et moi, tu m'as pardonné ? s'enquit-il lorsqu'ils pénétrèrent dans le château.

Ils se trouvaient près de l'endroit où il avait essayé de lui caresser la poitrine et elle pensa qu'il faisait allusion à cet épisode.

— Je n'ai rien à te pardonner.

— Si. Tu n'étais pas prête pour ce week-end à Londres, j'aurais dû le savoir.

Adèle ne comprenait pas ce qu'il voulait dire. Elle s'assit sur le monticule herbeux où ils s'étaient installés si souvent dans le passé et le regarda d'un air interrogateur.

— J'y ai beaucoup réfléchi dans le camp, poursuivit-il, appuyé sur sa canne. Tu as traversé tellement d'épreuves dans ton enfance, surtout cette expérience douloureuse dans la maison pour enfants. Tu n'avais pas d'amies, pas de père, seulement ta grand-mère. Tu étais coincée ici, loin de la réalité. Et je suis apparu.

— C'est la meilleure chose qui me soit jamais arrivée.

— J'ai été injuste avec toi. J'avais une autre vie dans laquelle tu n'avais aucune place et je n'ai fait qu'aggraver la situation en te faisant travailler pour ma mère. Ma famille a été infecte avec toi. Après, tu as étudié pour être infirmière en menant une vie monacale avec d'autres femmes et en obéissant à un règlement qui ne te permettait pas de réaliser tes propres expériences. C'est pour ça que tu t'es enfuie, n'est-ce pas ?

— Absolument pas !

— C'est pourtant ce que ta lettre laissait entendre. Les raisons doivent être dramatiques pour que tu te sois aussi coupée de ta grand-mère. Si tu me disais la vérité, maintenant ?

Adèle se sentit très mal à l'aise. Michael était trop intelligent pour qu'elle se débarrasse de lui avec un mensonge. Pourtant elle ne pouvait se résoudre à révéler la vérité. Pas maintenant, c'était beaucoup trop tôt.

— Il y a différentes raisons, murmura-t-elle. Des raisons que je n'arrivais pas à t'expliquer.

— Tu n'étais pas prête pour ce week-end à Londres, mais tu étais incapable de m'en parler, c'est ça ?

Adèle éclata en sanglots. Elle voulait le détromper, seulement c'était impossible.

— Tu savais que ta mère avait été abandonnée par ton père après avoir couché avec lui, ton beau-père l'a quittée, et un homme en qui tu avais confiance a abusé de toi. J'étais si bête et inexpérimenté que je n'ai pas pensé que je pourrais faire resurgir tes cauchemars, reconnut-il d'une voix tremblante d'émotion. Alors, tu t'es sauvée car tu as cru que je te quitterais, moi aussi.

Adèle était sur le point de protester. Michael l'en empêcha en continuant.

— Ce que tu as déclaré vendredi et certains propos de mon père m'ont convaincu que c'était la vraie raison. Il m'a expliqué que le passé jetait des ombres sur le présent. Il n'était pas très cohérent, nous avions un peu trop bu, et il a tenté de me dire qu'il avait manqué à ses devoirs envers Mère et moi. Il a vraiment appris à t'aimer, Adèle, il n'arrêtait pas de répéter qu'il t'appréciait beaucoup. Soudain, tout s'est éclairci pour moi et j'ai compris. Je lui ai même demandé s'il y avait un espoir de recommencer avec toi.

— Qu'est-ce qu'il a répondu ? s'enquit Adèle, osant à peine respirer.

— Que je devais te poser la question. C'est ce que j'essaie de faire. Puis-je espérer ?

Adèle prit une main de Michael dans les siennes.

— Peut-être, chuchota-t-elle.

Le courant qui passa entre eux la fit frissonner de la tête aux pieds. Elle voulait qu'il l'embrasse et la serre dans ses bras jusqu'à ce que les mots deviennent inutiles. Il était si proche d'elle qu'elle sentait son souffle chaud sur sa joue et elle se tourna afin que leurs lèvres se rencontrent.

Il la prit dans ses bras. Ils se laissèrent tomber sur l'herbe et s'embrassèrent comme si leur vie en dépendait. Adèle avait été embrassée par d'autres hommes au cours des six dernières années, mais jamais de cette façon. Elle eut la sensation d'être emportée par un tourbillon de vagues gigantesques, comme à Londres, sauf qu'à l'époque ils étaient innocents et ne pouvaient pas établir de comparaison. À présent, ils avaient de l'expérience et si un seul baiser avait le pouvoir d'effacer la souffrance du passé, cela signifiait que leur amour était fort et précieux.

— J'ai le droit de changer d'avis ? dit-elle quand ils s'arrêtèrent pour reprendre leur souffle. C'est un oui définitif.

Il sourit et caressa sa joue, en la regardant droit dans les yeux.

— Même quand j'étais furieux contre toi après ta disparition, je n'ai jamais cessé de t'aimer et de te désirer, chuchota-t-il. Dans le camp, bien avant que tu m'écrives, je rêvais qu'on était ensemble. Maintenant que nous sommes là, c'est vraiment bizarre, je n'arrive pas à croire que c'est la réalité.

— C'est bien la réalité. J'ai honte de t'avoir autant fait souffrir, tu sais…

Elle allait tenter de se lancer dans une explication quand il la réduisit au silence par un nouveau baiser.

— Tu m'as emmené ici il y a douze ans, dit-il lorsqu'il détacha enfin ses lèvres des siennes. Et, après six années de guerre et les épreuves traversées, je ne veux pas que tu t'excuses pour quoi que ce soit. Nous devons prendre un nouveau départ sans regarder en arrière.

Des larmes de joie picotèrent les yeux d'Adèle.

— Tu as vraiment porté ma bague tout ce temps-là ?

— Je ne l'enlève même pas pour prendre un bain. J'étais convaincue que tant qu'elle touchait ma peau, il y avait de l'espoir pour nous.

— Alors, pourquoi ne pas m'avoir écrit cette première année pour me raconter ce que tu ressentais ? s'enquit-il avec perplexité. J'aurais compris. J'ai détesté que tu me laisses dans l'ignorance sans me fournir de véritable explication.

Adèle réfléchit, cherchant des mots qui ne causeraient de tort à personne.

— Je n'arrivais même pas à me l'expliquer à moi-même, je pensais que tu serais bien mieux sans moi.

— Mon père m'a dit hier soir que tu avais tendance à te déprécier. Je me suis échauffé en lui rétorquant que c'était un peu fort venant de lui, qui avait été si désagréable envers toi.

— Et qu'a-t-il répondu ?

— Qu'il l'avait bien cherché, répliqua Michael en riant. J'en ai déduit que tu lui avais déjà réglé son compte.

— Nous avons eu quelques mots, admit Adèle en souriant.

— Un de ces jours, tu m'en parleras. Mais pas maintenant. Tout ce que je veux, c'est t'embrasser encore et encore.

Il lui caressa les cheveux et l'embrassa passionnément.

Adèle comprit qu'il ne poserait plus de questions car elle le sentait complètement détendu. Il était de retour, heureux. Pour lui, tout était rentré dans l'ordre. Mais elle avait encore une chose à régler.

— Je t'aime tant, confessa-t-elle. En fait, nous serions beaucoup plus à l'aise étendus sur une couverture, avec un pique-nique. Nous resterions ici toute la journée, ce serait merveilleux.

Il releva la tête et lui sourit de la façon malicieuse dont elle se souvenait si bien.

— Allons chez ta grand-mère chercher tout ça.

— C'est trop loin pour toi.

— Écoutez, infirmière Talbot, je me suis traîné dans la moitié de l'Europe, je peux fort bien aller jusqu'au cottage.

— Tu peux, mais tu n'iras pas, déclara-t-elle en se dégageant de son étreinte. Économise ton énergie pour plus tard. Fais une sieste au soleil. Je serai de retour dans vingt minutes.

Elle se sauva en éclatant de rire sans lui donner la possibilité de protester.

Comme elle s'y était attendue, Myles était au cottage. Il discutait avec Honour dans le jardin. Ils la regardèrent d'un air interrogateur quand elle arriva en trombe.

— Je suis revenue prendre un pique-nique, lança-t-elle, le souffle court. Michael m'attend au château.

— Je n'ai pas pu lui parler, avoua Myles. J'ai essayé, mais j'expliquais à Honour que c'était trop difficile.

— Bien trop difficile, reconnut Adèle Et inutile. Il n'a pas besoin de le savoir.

— Adèle ! s'exclama Honour en fronçant les sourcils. Que diable veux-tu dire ?

— Il s'est fait son idée sur les raisons de notre rupture et elles sont bien plus agréables que la vérité. Laissons-le les croire.

— Mais je dois lui révéler que vous êtes ma fille ! s'écria Myles, étonné.

— Pourquoi ?

— Parce que je vous aime, murmura-t-il, les yeux embués de larmes.

— Être votre belle-fille fera l'affaire, vous ne croyez pas ? répliqua-t-elle en se penchant pour l'embrasser sur le front. Je pourrai vous appeler Père sans que personne n'y trouve à redire.

Pendant un moment, ils se dévisagèrent en silence, puis Adèle essuya une larme qui roulait sur la joue de Myles.

— Cet arrangement enchanterait Emily. Elle aurait détesté que Michael se sente différent de Ralph et de Diana. Et c'est ce qui lui arrivera si vous lui apprenez la vérité.

— À mon avis, Rose aussi serait d'accord, intervint Honour. J'ai vu sa détresse, le soir où tous les secrets ont été divulgués. Elle n'aurait pas voulu que Michael souffre à cause de ses erreurs passées, ni qu'il juge sa mère.

— Vous me rendez les choses trop faciles ! Je me conduis comme un lâche, soupira Myles.

Adèle s'agenouilla devant lui, lui prit la main et la posa sur sa joue.

— Un homme capable de pardonner son infidélité à son épouse et de continuer à protéger et à aimer l'enfant d'un autre n'est pas un lâche. Laissons Michael rester dans une bienheureuse innocence. S'il vous plaît.

— Et s'il l'apprenait plus tard ? s'inquiéta Myles.

— Par qui ? Seule mon amie Joan est au courant. Elle émigre bientôt aux États-Unis et n'est pas du genre à révéler des secrets. Et tous les trois, nous détenons la palme pour les garder, n'est-ce pas ?

Myles pouffa en lissant en arrière les cheveux d'Adèle.

— Allez préparer votre pique-nique. À votre retour, je veux voir cette bague à votre doigt.

— Prends une bouteille de vin de sureau, conseilla Honour avec un sourire jusqu'aux oreilles. Frank l'appelait mon philtre d'amour.

Dix minutes plus tard, Myles et Honour regardaient Adèle courir comme une gazelle en direction du château, un panier dans une main, une couverture dans l'autre. Ses cheveux flottaient au vent tel un étendard, et, même de loin, ils percevaient sa joie.

— Que ne donnerais-je pas pour revivre ça ! souffla Honour.

— Nous risquons bien de ne plus revivre de passion, mais

nous aurons assez d'excitation avec un mariage et des petits-enfants.

— Je serai arrière-grand-mère, réalisa Honour d'un ton pensif. Je ne suis pas sûre d'aimer ça !

Myles se mit à rire.

— Vous trouvez ça drôle ?

— Vous avez toujours été bien plus qu'une grand-mère. Je suis persuadé que c'est ce que dirait Adèle.

Au cours de mes investigations, j'ai lu trop de livres pour les citer tous. Voici les plus remarquables : *Fighter Boys*, de Patrick Bishop, *The London Blitz, a Fireman's Tale*, de Cyril Demarne, et *London at War*, de Philip Ziegler. Mes remerciements en particulier à Geoffrey Wellum, médaillé militaire, pour son livre passionnant *First Light*, qui raconte son expérience de pilote de chasse pendant la bataille d'Angleterre. Un grand merci à William Third pour avoir déniché des informations sur Hastings et Winchelsea. Tu as toujours été un grand ami, maintenant tu es aussi un chercheur.

Composition et mise en pages : FACOMPO, LISIEUX

Achevé d'imprimer sur les presses de

BUSSIÈRE

GROUPE CPI

à Saint-Amand-Montrond (Cher)
en mai 2008

Dépôt légal : juin 2008.
N° d'édition : 4187. — N° d'impression : 080650/1.

Imprimé en France